고등학교 ·사

자습서

고등학교
동아시아사

최현삼 | 김병윤 | 조영걸
이민동 | 길진봉 | 이충모

금성출판사

교재 사용 매뉴얼

친절한 핵심 개념과 자료 해설

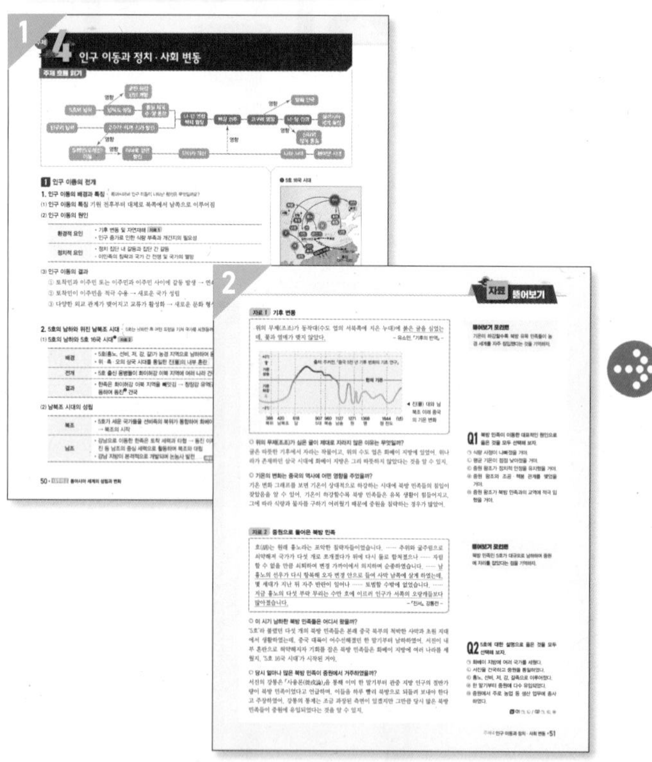

① 개념 정리

주제의 흐름을 파악한 후, 시험에 나올 내용들을 정리하였습니다. 핵심 키워드에는 노란색 하이라이트를, 상세한 설명이 필요한 곳에는 육하원칙에 따른 친절한 주석을 달았습니다. 보다 많은 설명이 필요한 개념들은 보조단에 설명을 덧붙였습니다.

② 자료 뜯어보기

주제 내용 이해와 시험 대비에 필수적인 자료들을 제시하였습니다. 학생들이 자료를 이해하는 데에 도움이 되는 질문을 제시하고, 이에 답하는 형태로 구성하였습니다. 그리고 자주 나오는 선택지를 이용한 문제로 자가 점검이 가능하도록 하였습니다.

내신 정복을 위한 단계별 문제 풀이

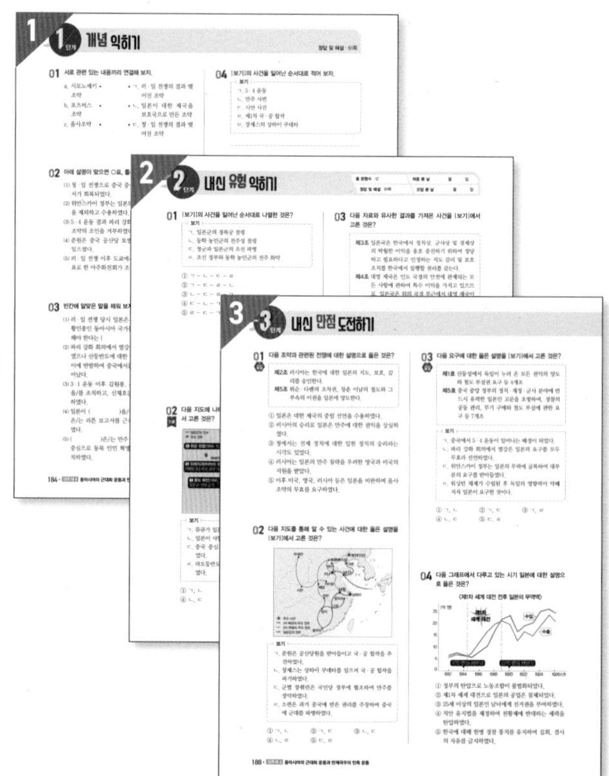

① 개념 익히기

박스 연결, OX, 빈칸 채우기와 같은 단답형 문제들로 중요 개념을 익히는 단계입니다.

② 내신 유형 익히기

학교 시험에 주로 출제되는 유형의 문제를 중심으로 구성하였습니다.

③ 내신 만점 도전하기

복합형 문제들을 마련하여 배점이 높은 문제들을 대비할 수 있도록 하였습니다.

15개의 주제로 구성된 교과서의 핵심 개념과 요점들을 이해하기 쉽게 정리하였고, 개념을 이해하는 데 필수적인 자료들을 함께 학습할 수 있도록 하였습니다. 그리고 내신, 수능, 논술 모두를 대비할 수 있는 문제들로 구성하여 학습의 효율성을 높이도록 하였습니다.

수능을 대비할 수 있는 문제 풀이

❶ 수능 유형 익히기

최근 수능에 새롭게 등장한 유형들을 응용하여 풀이 방법을 제공하였습니다.

❷ 기출 지문 활용하기

출제되었던 지문을 활용하여 내신과 수능 모두를 대비할 수 있도록 하였습니다.

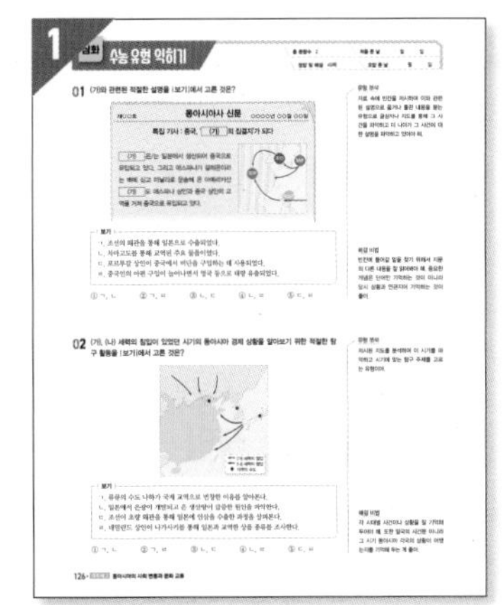

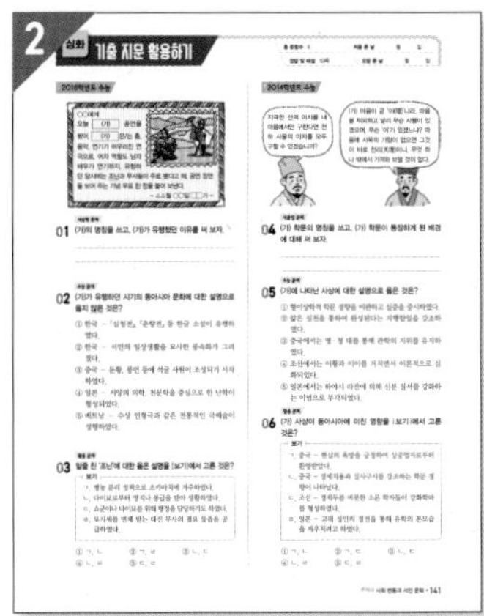

통합형 문제로 학습 마무리하기

❶ 대주제 마무리하기

대주제 전체를 정리할 수 있도록 각 주제 내용을 통합한 문제를 준비하였습니다.

❷ 비판적 사고 기르기

대주제별로 구성한 논술 문제로, 오늘날 강조되고 있는 비판적 사고력과 글쓰기 능력을 기를 수 있도록 하였습니다.

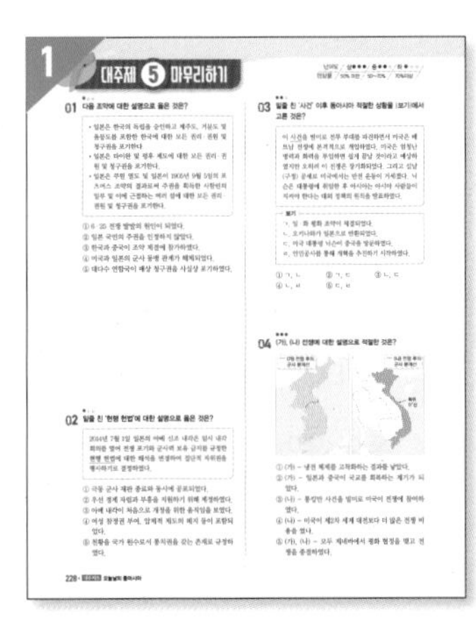

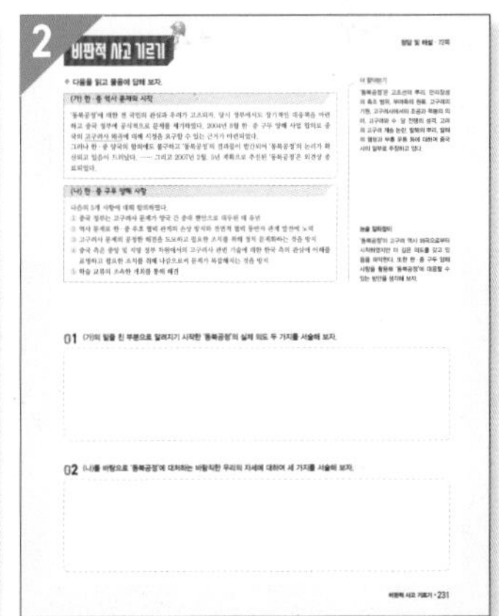

친절한 활동 해설과 정확한 답

❶ 교과서 활동 풀이

교과서의 역량 기르기, 역량 강화하기에 대한 예시 답안과 해설을 제시하였습니다.

❷ 정답과 해설

자기 주도 학습이 가능하도록 정답과 오답에 대한 친절한 설명을 제공하였습니다. 이를 통해 문제 이해력을 높이고, 유사 문제나 응용 문제에 대비할 수 있습니다.

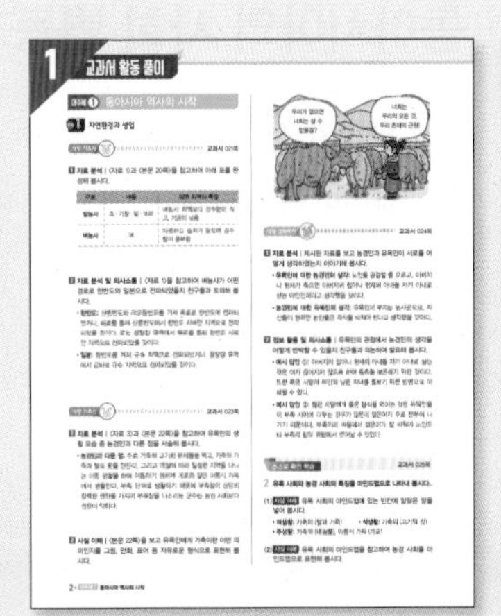

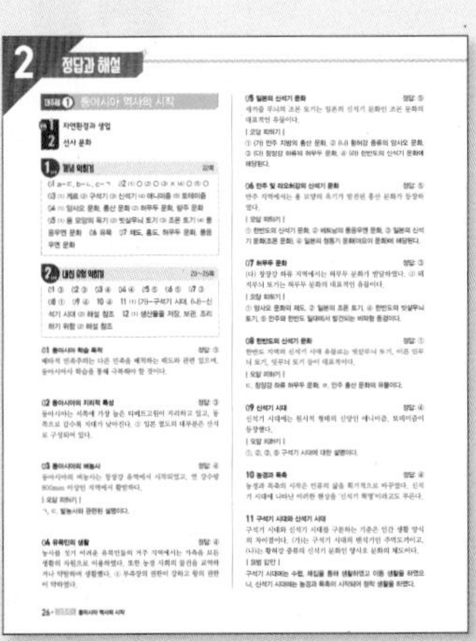

차례

4

19세기 중반~1945년

동아시아의 근대화 운동과 반제국주의 민족 운동

5

1945년~현재

오늘날의 동아시아

나만의 학습 계획 진도표

주제별로 꼼꼼히 학습 계획을 세워 나만의 진도표를 완성해 봅시다. 아래 진도표를 활용하여 '동아시아사' 학습 계획을 세우고 꾸준히 목표를 달성한다면, 효과적인 학습을 할 수 있습니다.

대주제	주제	교과서 쪽수	자습서 쪽수	계획일	완료일	목표 달성도
1. 동아시아 역사의 시작	1 자연환경과 생업	18~25쪽	18~29쪽	◯월◯일	◯월◯일	☆☆☆☆☆
	2 선사 문화	26~31쪽				
	3 국가의 성립과 발전	32~43쪽	30~47쪽	◯월◯일	◯월◯일	☆☆☆☆☆
2. 동아시아 세계의 성립과 변화	4 인구 이동과 정치 · 사회 변동	46~55쪽	50~63쪽	◯월◯일	◯월◯일	☆☆☆☆☆
	5 동아시아문화권의 형성과 발전	56~69쪽	64~77쪽	◯월◯일	◯월◯일	☆☆☆☆☆
	6 동아시아 세계의 변화와 국제 관계의 다원화	70~85쪽	78~95쪽	◯월◯일	◯월◯일	☆☆☆☆☆
3. 동아시아 사회 변동과 문화 교류	7 17세기 전후 동아시아 전쟁	88~101쪽	98~113쪽	◯월◯일	◯월◯일	☆☆☆☆☆
	8 교역망의 발달과 은 유통	102~111쪽	114~127쪽	◯월◯일	◯월◯일	☆☆☆☆☆
	9 사회 변동과 서민 문화	112~127쪽	128~145쪽	◯월◯일	◯월◯일	☆☆☆☆☆
4. 동아시아의 근대화 운동과 반제국주의 민족 운동	10 새로운 국제 질서와 근대화 운동	130~139쪽	148~161쪽	◯월◯일	◯월◯일	☆☆☆☆☆
	11 서양 문물의 수용	140~149쪽	162~175쪽	◯월◯일	◯월◯일	☆☆☆☆☆
	12 제국주의 침략 전쟁과 민족 운동	150~167쪽	176~195쪽	◯월◯일	◯월◯일	☆☆☆☆☆
5. 오늘날의 동아시아	13 제2차 세계 대전의 전후 처리와 냉전 체제	170~177쪽	198~211쪽	◯월◯일	◯월◯일	☆☆☆☆☆
	14 경제 성장과 정치 · 사회의 발전	178~189쪽	212~231쪽	◯월◯일	◯월◯일	☆☆☆☆☆
	15 갈등과 화해	190~203쪽				

시험 준비 스케줄표

중간·기말고사를 치르기 3주 전부터는 시간을 효율적으로 관리하는 일이 중요합니다. 아래 스케줄표를 이용하여 '동아시아사' 시험 계획을 세우고 규칙적으로 실천해 보세요. 자투리 시간을 꼼꼼히 활용할 수 있습니다.

예시 진도 계획 메모 / 핵심 정리 되짚어 보기 / 오답 정리하기 / 서술형 문제 점검하기 등

1학기 중간고사	D-21 /	D-20 /	D-19 /	D-18 /	D-17 /	D-16 /	D-15 /	D-14 /	D-13 /	D-12 /	D-11 /
	D-10 /	D-9 /	D-8 /	D-7 /	D-6 /	D-5 /	D-4 /	D-3 /	D-2 /	D-1 /	시험기간 /

1학기 기말고사	D-21 /	D-20 /	D-19 /	D-18 /	D-17 /	D-16 /	D-15 /	D-14 /	D-13 /	D-12 /	D-11 /
	D-10 /	D-9 /	D-8 /	D-7 /	D-6 /	D-5 /	D-4 /	D-3 /	D-2 /	D-1 /	시험기간 /

2학기 중간고사	D-21 /	D-20 /	D-19 /	D-18 /	D-17 /	D-16 /	D-15 /	D-14 /	D-13 /	D-12 /	D-11 /
	D-10 /	D-9 /	D-8 /	D-7 /	D-6 /	D-5 /	D-4 /	D-3 /	D-2 /	D-1 /	시험기간 /

2학기 기말고사	D-21 /	D-20 /	D-19 /	D-18 /	D-17 /	D-16 /	D-15 /	D-14 /	D-13 /	D-12 /	D-11 /
	D-10 /	D-9 /	D-8 /	D-7 /	D-6 /	D-5 /	D-4 /	D-3 /	D-2 /	D-1 /	시험기간 /

동아시아사 최근 출제 유형 살펴보기

최근 동아시아사 수능에 출제된 문항들을 분석하여 대표적인 8가지 유형을 도출하였다. 제시된 8가지 유형의 특징을 각각 파악하고 이에 대처하는 풀이법을 익히면 동아시아사 수능 문항에 효율적으로 대처할 수 있다.

유형 01 알맞은 유물 고르기

유형 특징 제시된 지문을 보고, 시대 또는 지역에 대한 정보를 활용하여 알맞은 유물을 고르는 유형이다. 신석기, 청동기 시대에 관한 문제가 주로 출제된다.

2016학년도 수능

1 (가)에 들어갈 유물로 적절한 것은?

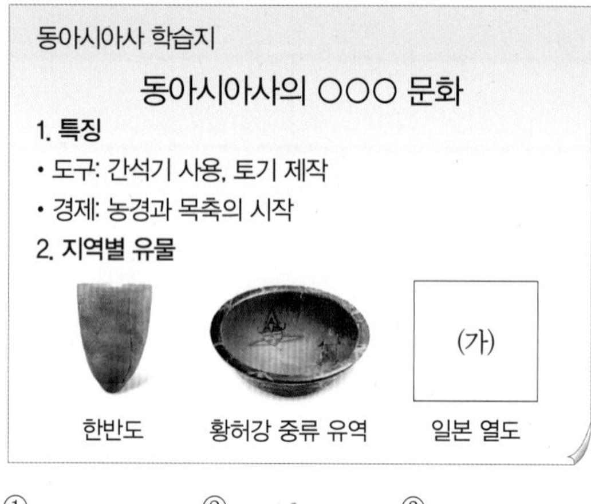

동아시아사 학습지

동아시아사의 ○○○ 문화

1. 특징
- 도구: 간석기 사용, 토기 제작
- 경제: 농경과 목축의 시작

2. 지역별 유물

한반도	황허강 중류 유역	일본 열도
		(가)

선택지 풀이

✔ ① 조몬 토기(신석기, 일본 열도)
② 주먹도끼(구석기)
③ 거친무늬 거울(청동기, 만주 · 한반도)
④ 청동북(청동기, 베트남)
⑤ 동탁(청동기, 일본 열도)

2017학년도 수능

1 (가)에 해당하는 유물로 옳은 것은?

선택지 풀이

✔ ① 용 모양의 옥기(홍산 문화)
② 청동 솥(상 대)
③ 조몬 토기(조몬 문화)
④ 돼지 무늬 토기(허무두 문화)
⑤ 청동북(동선 문화)

유형 분석하기

제시된 지문에 나오는 힌트들로 해당 시대나 지역을 파악하면 풀 수 있는 문제이다. 2016학년도 수능 문제는 간석기, 토기, 농경과 목축의 시작과 같은 신석기 시대의 기본적인 특징이 제시되어 있다. 신석기 시대의 특징이 헷갈리더라도 빗살무늬 토기와 양사오 토기로 쉽게 시대를 유추할 수 있다. 2017학년도 수능 문제는 랴오허강 유역의 빗금, 말풍선에 있는 '옥을 다루는 기술'로 홍산 문화임을 파악할 수 있다. 이러한 문제는 선택지에서 유물을 고를 때 착각하지 않도록 주의해야 한다.

유형 02 빈칸 추론하기

유형 특징 자료 속에 빈칸을 제시하여 옳거나 틀린 내용을 묻는 유형이다. 주로 국가, 인물, 제도, 도시, 사건 등이 빈칸으로 제시된다. 수능에서 가장 많이 출제되는 유형이며, 빈칸 대신 '밑줄 친 ~'으로 출제되기도 한다.

2016학년도 수능

14 밑줄 친 '그'에 대한 설명으로 옳은 것은?

> 그는 『대학』의 격물(格物)을 '사물을 바로잡는다'라고 해석하였으며, 『대학문』이라는 저서를 남겼다. 또한 그는 사람이 누구나 본래부터 갖추고 있는 선천적, 본원적인 도덕지(道德知)의 실현을 강조하며, 거리의 사람들이 모두 성인이라고 주장하였다.

① 예송을 주도하고, 청에 복수하자는 북벌론을 표방하였다.
② 유학에 형이상학적 측면을 보강하여 성리학을 집대성하였다.
③ 사물의 이치 탐구보다 실천을 중시하는 지행합일을 강조하였다.
④ 오랑캐라 하더라도 천명을 받으면 중원을 지배할 수 있다고 주장하였다.
⑤ 유학을 중심으로 하는 한학(漢學)에 대항하며 자국 문화의 우월성을 내세웠다.

선택지 풀이

① 조선의 송시열이 해당된다.
② 남송의 주희에 대한 설명이다.
✔ ③ 왕수인은 하늘의 이치가 마음에 있다는 심즉리설과, 지식은 실천을 통해 성립한다는 지행합일을 강조하였다.
④ 만주족이 세운 청 왕조의 황제가 내세운 주장으로, 『대의각미록』을 저술한 옹정제가 대표적인 인물이다.
⑤ 일본의 국학에 대한 설명으로, 모토오리 노리나가가 대표적인 인물이다.

2017학년도 수능

5 (가), (나) 국가에 대한 설명으로 옳은 것은?

> • (가) 에서는 선우 아래에 좌현왕, 우현왕 등을 두었다. 좌현왕과 우현왕 이하 당호(當戶)에 이르기까지 많게는 만여 기(騎), 적게는 수천 기를 거느렸다.
> • (나) 에서는 북면관에게 궁정과 부족을 관할하게 하고 남면관에게 한인의 주현을 담당하게 하여, 각각 고유의 풍속에 따라 다스렸다.

① (가)는 후진에게 연운 16주를 할양받았다.
② (가)는 한위노국왕이라고 새겨진 금인을 하사받았다.
③ (나)는 송과 맹약을 체결하였다.
④ (나)는 북제와 북주에게 조공을 받았다.
⑤ (가)는 (나)에게 화번공주를 보냈다.

선택지 풀이

① 거란은 중국 5대 중 한 왕조인 후주를 도운 대가로 연운 16주를 획득하였다.
② 한위노국왕 금인은 후한 광무제가 왜의 노국왕에게 하사한 것으로 알려져 있다.
✔ ③ 거란은 군사적으로 송을 압박하여 매년 막대한 양의 비단과 은을 제공받는다는 조건으로 전연의 맹약을 맺었다.
④ 돌궐에 해당한다. 북조의 북제와 북주는 강성해진 돌궐과 우호 관계를 위해 조공 사절을 파견하였고, 돌궐의 공주를 왕후로 맞이하려고 경쟁하기도 하였다.
⑤ 화번공주는 중국 왕조가 정략상 주변국의 왕에게 시집보낸 황제나 황족의 딸을 가리키는 용어로, 당이 토번에 보낸 문성 공주, 위구르에 보낸 함안 공주 등이 이에 해당한다.

유형 분석하기

지문에 있는 핵심 키워드들을 통해 빈칸이 무엇을 뜻하는지 분석해야 풀 수 있는 문제이다. 2016학년도 수능 문제처럼 지문 속에 있는 하나의 대명사를 추론하게 하거나, 2017학년도 수능 문제와 같이 2개의 빈칸을 제시하여 각 빈칸에 대한 이해도를 묻는 문제가 출제된다. 2016년 수능 문제는 격물에 대한 해석(사물을 바로잡는다), 도덕지의 실현과 같은 키워드를 포착해야 한다. 이 키워드들을 통해 '그'가 왕수인임을 추론할 수 있으며, 양명학에 관해 묻는 문제임을 알 수 있다. 2017학년도 수능에서는 선우 · 좌현왕 · 우현왕 등을 통해 (가)가 흉노임을, 북면관 · 남면관 등을 통해 (나)가 거란(요)임을 파악할 수 있다.

유형 03 시대적 상황 유추하기

유형 특징 제시된 사료 또는 설명문이 설명하는 시대적 상황에 대해 옳거나 틀린 선택지를 고르는 문제 유형이다. 주로 근현대 부분에 출제되며, 해당 시기의 한 · 중 · 일 상황이 선택지로 자주 나온다.

2016학년도 수능

13 밑줄 친 '당시'의 동아시아 경제 상황으로 적절한 것은?

> 당시 중국과 일본 사이에는 정식 외교 관계가 없었지만 민간 교역은 매우 활발하였다. 이러한 양상을 보여 주는 대표적인 유물이 1976년에 신안에서 발견된 침몰선이다. 이 배는 무역선으로, 막부의 특혜를 받은 사원이 중국에서 수입한 많은 양의 동전과 징더전 도자기 등을 싣고 있었다.

① 한국 – 청해진이 동아시아 국제 무역의 거점이 되었다.
② 한국 – 권문세족에게 토지를 빼앗긴 농민이 노비나 예속 농민으로 전락하였다.
③ 중국 – 천계령이 철회되고 상선의 출항이 허용되었다.
④ 중국 – 한족이 대거 남하하면서 양쯔강 하류 유역이 개발되기 시작하였다.
⑤ 일본 – 조카마치가 발전하면서 각 지역에서 도시화가 진전되었다.

선택지 풀이

① 통일 신라 시대에 해당한다.
✔ ② 한국은 당시 고려 시대로, 원의 간섭 아래 친원 세력이 권문세족으로 권세를 누렸다.
③ 천계령(1661~1684)은 청이 내렸던 해금령이다.
④ 5호 16국 시대에 해당한다.
⑤ 조카마치의 발전과 도시화의 진전은 에도 막부 시대에 해당한다.

2017학년도 수능

16 (가), (나) 사이의 시기에 동아시아에서 볼 수 있는 모습으로 적절한 것은?

> (가) 앞으로 서양 선박은 오로지 광저우에서만 교역을 하도록 허락한다. 만약 다른 곳으로 가는 일이 있으면 뱃머리를 돌려 다시 광저우로 가도록 하라. 이 사실을 미리 서양 상인들에게 전달하여 잘 알게 하라.
> (나) 중국은 아편을 금지할 정당한 권리를 행사했을 뿐입니다. 하지만 영국은 이 불공정한 무역을 정당화하기 위해 전쟁을 하려고 합니다. 저는 이토록 정의롭지 못하며 수치스러운 전쟁을 알지 못합니다.

① 덴메이 대기근으로 고통받는 농민
② 염포에 왜관 설치를 허가하는 조선 국왕
③ 제주도에 표착한 하멜을 호송하는 벨테브레이
④ 나가사키에서 데지마 건설 공사를 감독하는 막부 관리
⑤ 주인장(슈인장)을 발급받아 마닐라로 항해하는 일본 상인

선택지 풀이

✔ ① 일본은 18세기에 들어 덴메이 기근(1782~1788)과 같은 자연재해와 전염병으로 인구 증가가 둔화되거나 감소하였다.
② 15세기 세종 때의 삼포(부산포, 제포, 염포) 개항이다.
③ 하멜은 17세기 효종 때 제주도에 표류하였다.
④ 에도 막부는 17세기에 인공섬인 데지마를 조성하였다.
⑤ 주인장(슈인장)은 16세기 말~17세기 초 일본의 막부가 해외 교역을 하는 사람들에게 발행한 증명서이다.

유형 분석하기

이 유형은 지문과 선택지가 직접적인 관련이 없으므로, 지문이 어떤 시대를 나타내는지 파악하고 선택지를 분석해야 한다. 2016학년도 수능과 같이 동일한 시대의 내용을 묻거나, 2017학년도 수능처럼 두 자료 사이의 시기에 대한 내용을 묻는 문제가 출제된다. 2016학년도 수능 문제는 많은 양의 동전과 징더전 도자기, 신안선 등을 통해 14세기 무렵으로 시기를 유추할 수 있다. 2017학년도 수능 문제의 (가)는 '오로지 광저우에서만 교역을 하도록 허락'에서 공행 무역이 시작된 18세기 중반임을 알 수 있고, (나)는 아편 전쟁이 일어나기 직전인 19세기 중반임을 유추할 수 있다.

유형 04 자료 비교하기

유형 특징 두 개의 자료를 비교하여 선택지를 고르는 문제가 출제된다. 사료뿐만 아니라 설명문, 그림, 사진, 지도, 도표, 개념도 등 다양한 형태로 자료가 제시된다.

2016학년도 수능

17 (가), (나) 선언에 대한 설명으로 옳은 것은?

> (가) 이제 쑨원 선생의 유지를 받들어 사명을 완수해야 할 때가 되었다. 우리 당의 주장과 정강에 동의하는 사람들은 모두 이 작전에 참가할 것을 호소한다. 군벌을 타도하고 통일 정부를 건설하여 국민 혁명을 완수하자.
> (나) 국가와 민족이 멸망하는 커다란 재앙이 눈앞에 닥친 지금, 공산당과 소비에트 정부는 모든 동포에게 호소한다. 내전을 중지하고 모든 국력을 집중하여 신성한 항일 구국 사업에 매진하자.

① (가) – 아주 화친회가 결성되는 배경이 되었다.
② (가) – 장제스가 북벌을 단행하면서 발표되었다.
③ (나) – 일본이 만주국을 수립하는 빌미가 되었다.
④ (나) – 중국 공산당이 대장정을 시작하는 계기가 되었다.
⑤ (가), (나) – 거국적 항전 체제를 구축하기 위한 국·공 합작으로 이어졌다.

선택지 풀이

① 아주화친회는 반제국주의를 목표로 1907년에 조직되었다.
✔ ② 장제스가 북벌을 단행할 때 발표되었다.
③ 만주국은 만주 사변을 계기로 1932년에 수립되었다.
④ 대장정은 1934년에 시작되어 1936년에 끝났다.
⑤ 제1차 국·공 합작은 1924년에 이루어졌다.

2017학년도 수능

18 (가), (나) 사건에 대한 설명으로 옳은 것은?

(가)

정부가 국민의 대통령 직선제 개헌 요구를 거부하자 시민들은 서울 시청 앞에 모여 대규모 시위를 전개하였다.

(나)

톈안먼 광장에 모인 홍위병들은 자본주의 사상과 문화를 비판하였고, 이에 호응하여 각지에서도 궐기가 잇따랐다.

① (가) – 이승만 정부의 퇴진을 이끌어 내었다.
② (가) – 55년 체제가 붕괴되는 계기가 되었다.
③ (나) – 대약진 운동을 추진하는 배경이 되었다.
④ (나) – 마오쩌둥이 반대파를 제거하는 데 이용되었다.
⑤ (가), (나) – 독재 타도와 민주화를 요구하였다.

선택지 풀이

① 이승만 정부는 1960년 4·19 혁명으로 퇴진하였다.
② 일본의 자민당이 장기 집권한 55년 체제는 1990년대 경제 침체와 여러 부패 사건으로 1993년에 무너졌다.
③ 중국은 1950년대 말부터 대약진 운동을 통해 사회주의 계획 경제를 본격적으로 추진하였다.
✔ ④ 마오쩌둥은 권력을 다시 장악하고, 반대파를 제거하는 데에 홍위병을 동원하였다.
⑤ 민주화 운동은 (가)만 해당된다.

유형 분석하기

〈빈칸 추론하기〉와 풀이 방법이 똑같은 유형이다. 주로 역사적 사건, 조약, 선언, 제도 등을 다양한 방식으로 비교하는 문제가 출제된다. 2016학년도 수능 문제의 (가)는 군벌 타도와 통일 정부 건설을 통한 국민 혁명 완수를 위해 장제스가 1926년에 북벌을 시작할 때 발표한 글임을 알 수 있다. (나)는 내전 중지와 항일 구국 사업과 같은 키워드로 1937년에 중국 공산당이 제2차 국·공 합작을 발표할 때 선언한 내용임을 알 수 있다. 2017학년도 수능 문제의 (가)는 대통령 직선제 개헌 요구 거부에서 1987년 6월 항쟁임을 알 수 있고, (나)는 홍위병에서 1966~1976년에 일어난 문화 대혁명임을 파악할 수 있다.

유형 05 지도 분석하기

유형 특징 지도에 표시되어 있는 지역들에 대해 묻는 문제들이 주로 출제된다. 동아시아 백지도를 제시하여 각 지역에 대한 옳거나 틀린 선택지를 고르게 하거나, 지도와 함께 제시된 지문과 관련된 지역을 고르는 문제가 출제된다.

2015학년도 수능

20 (가), (나)에 해당하는 지역을 지도의 A~D에서 고른 것으로 옳은 것은?

- (가) 은/는 중계 무역으로 번영을 누렸다. 1609년 사쓰마번에 복속되었다가 1879년 일본 영토로 편입되었다.
- (나) 은/는 1950년대 이후 중국과 필리핀을 비롯한 6개국이 영유권 분쟁을 벌이고 있는 지역이다.

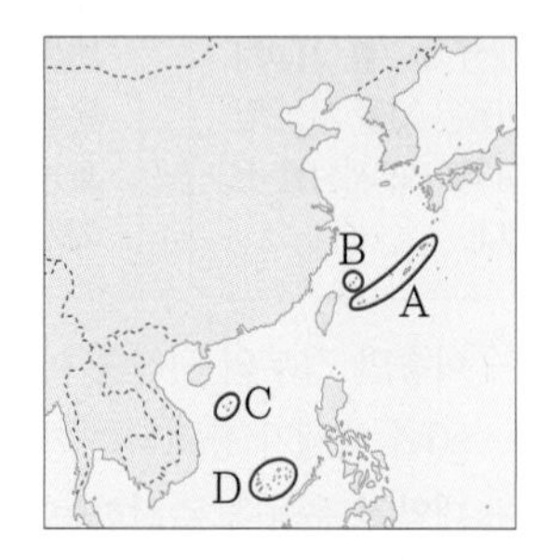

	(가)	(나)
①	A	C
②	A	D
③	B	C
④	B	D
⑤	C	D

선택지 풀이

✔ A. 오키나와 현이 포함된 지역
B. 센카쿠 열도(댜오위다오)
C. 파라셀 군도
✔ D. 스프래틀리 군도

2017학년도 수능

15 지도에 표시된 (가)~(마) 지역에 대한 설명으로 옳지 않은 것은?

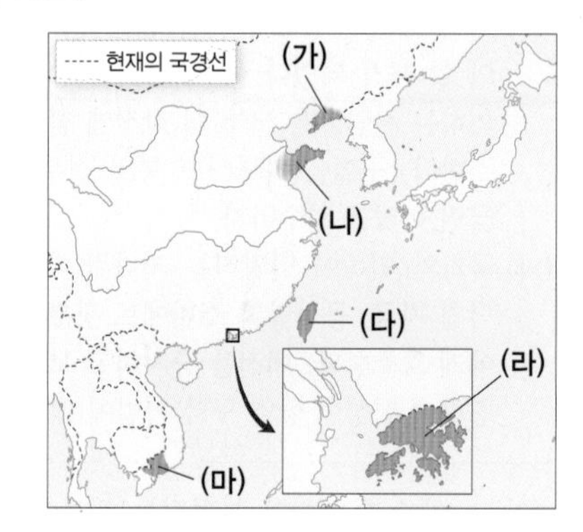

① (가) – 러시아 · 독일 · 프랑스의 요구로 청에 반환되었다.
② (나) – 워싱턴 회의를 통해 일본의 이권이 중국에 반환되었다.
③ (다) – 국 · 공 내전에서 패배한 국민당 정부의 근거지가 되었다.
④ (라) – 카이로 회담에서 중국으로의 반환이 결정되었다.
⑤ (마) – 제1차 사이공 조약의 체결로 프랑스에 할양되었다.

선택지 풀이

✔ ④ 중국은 아편 전쟁에서의 패배로 난징 조약을 체결하였고, 이때 영국에게 홍콩을 할양하였다. 카이로 회담은 제2차 세계 대전 이후 일본이 장악한 지역의 반환을 결정하였다.

유형 분석하기

이 유형은 지도에 표시된 영역이 어떤 지역인지를 먼저 파악해야 한다. 함께 나온 설명문이나 선택지에서 힌트를 얻을 수도 있다. 2015학년도 수능 문제는 지도를 통해 영토 갈등 관련 문제임을 짐작할 수 있는데, 설명문에서 (가)는 중계 무역 번영과 1879년 일본 영토 편입을 통해 오키나와 현(류큐)임을 알 수 있고, (나)는 중국과 필리핀 등 6개국의 영유권 분쟁이라는 특징에서 스프래틀리 군도임을 유추할 수 있다. 2017학년도 수능 문제의 지도는 19~20세기 제국주의 침략을 나타내는 지도이다. (가)는 랴오둥반도, (나)는 산둥반도, (다)는 타이완, (라)는 홍콩, (마)는 베트남 남부의 코친차이나이다.

유형 06 탐구 활동 정하기

유형 특징 제시된 사료들로 활용할 수 있는 탐구 주제를 고르는 문제이다. 탐구 주제라는 말이 낯설지만, 두 사료의 공통점을 묻는 문제의 변형된 유형이다.

2016학년도 수능

4 다음 자료를 활용한 탐구 활동으로 가장 적절한 것은?

> • 우리 선조들이 남쪽으로 내려온 뒤 나의 할아버지와 아버지는 평성에 도읍을 두고 사방으로 영역을 넓혔다. 그리고 나는 5호가 세운 여러 나라를 통합하여 화북을 통일하였다.
> • 황제께서 관료들에게 "어제 그대들의 부녀자가 입은 의복을 보니 여전히 옷깃과 소매가 모두 좁았다. 왜 호복을 입지 말라는 조칙을 지키지 않는가?"라고 꾸짖었다.

① 월지의 이동 경로를 살펴본다.
② 북위의 통치 정책을 조사한다.
③ 고구려의 건국 과정을 고찰한다.
④ 거란의 이원 지배 체제를 분석한다.
⑤ 일본의 헤이안 천도 배경을 파악한다.

선택지 풀이

① 월지는 전국 시대에서 한 대까지 중앙아시아에서 활동한 유목 민족 국가이다.
✔ ② 5호가 세운 나라들을 통일한 북위는 적극적인 호한 융합 정책을 실시하였다.
③ 고구려의 건국 과정은 부여족의 이동과 관련 있다.
④ 거란은 5대 10국 시기에 성장한 북방 민족 국가로, 농경민과 유목민을 분리하여 통치하는 이원 지배 체제를 폈다.
⑤ 일본의 헤이안 천도는 794년에 천황의 권력을 강화하기 위해 취해진 조치이다.

2017학년도 수능

2 다음 자료를 활용한 탐구 주제로 가장 적절한 것은?

> • 광개토 대왕이 영락태왕을 칭하였는데 그 은혜와 혜택이 하늘에 이르고 위엄과 무공은 온 세상에 떨쳤다. …(중략)… 백잔(백제)과 신라는 예로부터 (고구려의) 속민으로 조공을 바쳤다.
> • 왜의 국서에 "해 뜨는 곳의 천자가 해 지는 곳의 천자에게 글을 보낸다."라고 하니, 수 황제가 불쾌히 여겨 무례한 오랑캐의 글은 올리지 말라고 하였다.

① 남조와 북조 사이의 교류와 갈등
② 백제와 북위 간 외교 관계의 양상
③ 고구려와 왜 사이의 교류와 문화 전파
④ 유목 민족의 성장과 국제 관계의 다원화
⑤ 동아시아 여러 나라의 자국 중심 천하관

선택지 풀이

① 중국의 남조와 북조가 서로 교류한 내용이 해당된다.
② 백제가 북위에 조공한 사실이 해당된다.
③ 고구려의 혜자가 쇼토쿠 태자의 스승이 된 사실, 담징이 제지술을 전해 준 사실이 해당된다.
④ 거란, 서하, 여진의 성장 및 주변 국가와의 관계가 해당된다.
✔ ⑤ 고구려, 왜, 수나라 모두 자국 중심의 천하관을 가지고 있었음을 확인할 수 있다.

유형 분석하기

대부분 두 개의 사료를 제시하는 형태로 출제된다. 〈자료 비교하기〉 유형이 두 자료 각각의 특성을 묻는 문제인 반면, 이 유형은 두 자료가 공유할 수 있는 주제를 선택지에서 고르는 문제이다. 선택지 중 두 사료에 모두 부합하는 것을 고르면 된다. 2016학년도 수능 문제는 첫 번째 사료의 화북 통일과 두 번째 사료의 호복을 통해 남북조 시대의 북위에 관한 문제임을 알 수 있다. 2017학년도 수능 문제는 고구려가 백제와 신라를 속국으로 여기는 모습, 일본(왜)이 스스로 천자라 칭하여 수 황제를 불쾌하게 만들었다는 내용을 통해 자국 중심 천하관이라는 공통점을 유추할 수 있다.

유형 07 가상 대화의 내용 이해하기

유형 특징 개연성 있는 대화 상황을 설정한 후, 이에 대한 문제를 푸는 유형이다. 대화가 이루어지는 시기의 가상 인물 또는 실제 인물들 간의 대화를 설정하여 옳은 내용을 고르는 형태로 출제된다.

2016학년도 수능

19 가상 대화가 이루어진 시기에 볼 수 있는 모습으로 적절한 것을 |**보기**|에서 고른 것은?

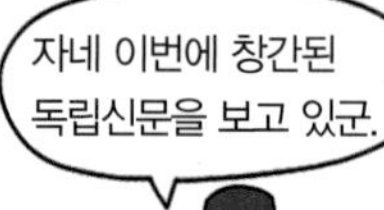

| 보기 |
ㄱ. 한국 – 경부선을 타고 출장 가는 관리
ㄴ. 중국 – 신보(申報)를 읽고 있는 상인
ㄷ. 일본 – 양력 달력을 판매하는 점원
ㄹ. 베트남 – 동유 운동에 따라 유학을 떠나는 학생

① ㄱ, ㄴ ② ㄱ, ㄷ ③ ㄴ, ㄷ
④ ㄴ, ㄹ ⑤ ㄷ, ㄹ

선택지 풀이

ㄱ. 경부선이 개통된 것은 1905년이다.
✔ ㄴ. 『신보』는 1872년에 창간된 중국어 신문으로, 1949년까지 발간되었다.
✔ ㄷ. 일본은 1873년부터 양력을 사용하였다.
ㄹ. 동유 운동은 1906년에 판 보이쩌우가 베트남의 인재 양성을 위해 유학생을 일본으로 파견하면서 시작되었다.

2017학년도 수능

14 다음 가상 대화에 나타난 이론에 대한 설명으로 옳은 것을 |**보기**|에서 고른 것은?

유길준

세상의 모든 일에 경쟁이 없는 것이 없습니다. 크게는 천하, 국가의 일부터 작게는 한 몸, 한 집안의 일까지 모두 경쟁을 통해 진보할 수 있습니다.

그렇습니다. 지금 세계에는 경쟁에서 이긴 강자의 권리만이 존재합니다. 강자가 약자를 지배할 뿐 다른 힘은 따로 없지요. 이것이 진화의 원칙입니다.

량치차오

| 보기 |
ㄱ. 위정척사 운동의 사상적 바탕이 되었다.
ㄴ. 태평천국 운동의 이념적 배경이 되었다.
ㄷ. 애국 계몽 운동을 추진하는 데 영향을 미쳤다.
ㄹ. 서양 열강의 침략을 정당화하는 논리로 이용되었다.

① ㄱ, ㄴ ② ㄱ, ㄷ ③ ㄱ, ㄹ
④ ㄴ, ㄷ ⑤ ㄷ, ㄹ

선택지 풀이

ㄱ. 위정척사 운동의 사상적 바탕은 성리학이다.
ㄴ. 태평천국 운동은 크리스트교의 영향으로 청 왕조 타도, 평등 사회 건설, 토지 제도 개혁 등을 주장하였다.
✔ ㄷ. 사회 진화론은 한국의 애국 계몽 운동, 청의 변법자강 운동과 같은 실력 양성 운동의 사상적 기반이 되었다.
✔ ㄹ. 사회 진화론은 약육강식과 자연도태의 원리를 주장하였기에 서구 열강의 침략을 정당화하는 논리로 활용되었다.

유형 분석하기

실제 역사 인물이 등장할 경우 쉽게 문제 의도를 알 수 있다. 그러나 가상 캐릭터가 지문으로 등장할 경우 말풍선에 있는 키워드와 캐릭터의 복장들을 함께 분석하여 문제 의도를 파악해야 한다. 2016학년도 수능 문제는 독립신문과 '러시아 공사관에 계시는 국왕'을 통해 아관 파천 시기임을 추측할 수 있다. 2017학년도 수능 문제는 유길준과 량치차오가 등장하였고, 경쟁을 통한 진보, 약육강식에 대해 언급하고 있으므로, 가상 대화에서 나타난 이론이 사회 진화론임을 알 수 있다.

유형 08 가상 문서 분석하기

유형 특징 역사적으로 있을 법한 문서 또는 보고서 형태의 지문을 분석하여 풀이하는 문제이다. 〈빈칸 추론하기〉, 〈시대적 상황 유추하기〉와 같은 유형이 응용된 문제이다.

2016학년도 수능

11 가상 탄원서에서 밑줄 친 '나라'의 통치 체제에 대한 설명으로 옳은 것은?

> 현령님께
> 저는 홀어머니와 둘이서 살고 있습니다. 어머니와 저는 규정에 따라 나라로부터 각각 토지 30무와 1경을 지급 받았고, 곡식을 수확한 뒤 그 일부를 토지세로 납부하였습니다. 지난 8월에는 직물로 내는 세금도 제때에 냈습니다. 게다가 저는 백강 전투 승리에 공을 세우기도 하였습니다. 며칠 전에 저의 군역 의무 순번이 돌아왔다는 통지를 받았는데 어머니께서 갑자기 병이 나셨습니다. 저의 이러한 어려움을 해결해 주시길 바랍니다.
> ○○○ 올림

① 정책을 심의하는 문하성을 설치하였다.
② 천호장 · 백호장의 아들을 친위 부대로 편성하였다.
③ 문신을 새기는 등의 신체형을 형벌 제도의 중심으로 삼았다.
④ 씨성 제도를 실시하여 호족을 중앙의 정치 체제에 편입하였다.
⑤ 전국을 9주로 나누고 5소경을 두는 지방 행정 제도를 마련하였다.

선택지 풀이

✔ ① 당의 3성 6부제에서 문하성은 정책을 심의하였다.
② 천호 · 백호제는 몽골 제국의 군사 조직이다.
③ 엄격한 형벌 중심은 진의 특징이다.
④ 야마토 정권이 씨성 제도로 신분 질서의 기반을 마련하였다.
⑤ 통일 신라의 지방 행정 제도가 9주 5소경이다.

2017학년도 수능

10 다음 가상 보고서에 나타난 시기의 동아시아 문화에 대한 설명으로 적절한 것은?

> **일본의 학술 상황에 대한 보고서**
> ○○○
> 많은 학자들이 의리 사상에 기반한 대의명분론을 비판하고, 고전을 읽을 때는 그것이 저술된 당시의 언어로 해석해야 그 의미를 제대로 파악할 수 있다고 하며 고대 유학으로의 복귀를 주장합니다. 이토 진사이, 오규 소라이 이래 학자들이 이런 경향에 쏠리는 것이 마치 밤에 벌레들이 불빛으로 날아드는 것 같습니다.

① 한국 – 정선이 인왕제색도 등의 진경산수화를 그렸다.
② 중국 – 현장이 대당서역기를 편찬하였다.
③ 일본 – 스에키 제작 기술이 전래되었다.
④ 몽골 – 파스파 문자가 만들어졌다.
⑤ 베트남 – 대월사기가 편찬되었다.

선택지 풀이

✔ ① 「인왕제색도」는 정선이 18세기에 그린 진경산수화이다.
② 당의 승려인 현장은 인도에 다녀와 『대당서역기』를 저술하였다.
③ 스에키는 가야 토기의 영향을 받은 일본의 고대 토기이다.
④ 파스파 문자는 13세기에 원의 쿠빌라이가 만들도록 명령한 문자이다.
⑤ 『대월사기』는 쩐 왕조 때인 1272년에 만들어진 책이다.

유형 분석하기

해당 시대의 인물이 쓰는 편지, 일기, 상소문과 같은 지문이 주로 나온다. 지문에 나오는 인물, 사건, 개념 등에 동그라미를 치며 분석하면 쉽게 풀 수 있다. 2016학년도 수능 문제에서 토지를 지급 받았다는 점, 토지세 납부, 군역 의무, 백강 전투의 승리와 같은 키워드를 통해 밑줄 친 '나라'가 당임을 유추할 수 있다. 2017학년도 수능 문제는 의리 사상에 기반을 둔 대의명분론 비판, 고대 유학으로의 복귀와 같은 요소들로 17세기 후반 일본의 고학에 대한 설명임을 알 수 있다.

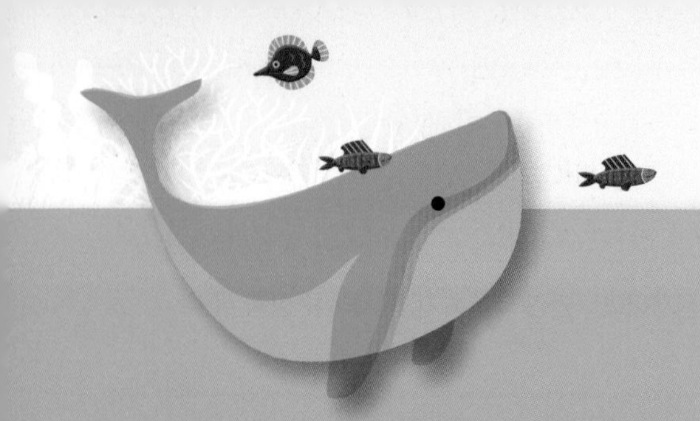

대주제 1

동아시아 역사의 시작

학습 계획표

- 자신의 일정에 맞게 계획을 세우고, 실제 학습일을 적어 봅시다.
- 학습을 마무리한 후 스스로가 얼마나 학습 목표를 달성하였는지 점검해 봅시다.

주제 1 자연환경과 생업 2 선사 문화	쪽수	계획일	완료일	목표 달성도
Day 01 개념 정리, 자료 뜯어보기	18 ~ 21쪽	월 일	월 일	☆☆☆☆☆
Day 02 개념 익히기, 내신 유형 익히기	22 ~ 25쪽	월 일	월 일	☆☆☆☆☆
Day 03 내신 만점 도전하기, 수능 유형 익히기, 기출 지문 활용하기	26 ~ 29쪽	월 일	월 일	☆☆☆☆☆

주제 3 국가의 성립과 발전	쪽수	계획일	완료일	목표 달성도
Day 04 개념 정리, 자료 뜯어보기	30 ~ 35쪽	월 일	월 일	☆☆☆☆☆
Day 05 개념 익히기, 내신 유형 익히기	36 ~ 39쪽	월 일	월 일	☆☆☆☆☆
Day 06 내신 만점 도전하기, 수능 유형 익히기, 기출 지문 활용하기	40 ~ 43쪽	월 일	월 일	☆☆☆☆☆
Day 07 대주제 마무리하기, 비판적 사고 기르기	44 ~ 47쪽	월 일	월 일	☆☆☆☆☆

주제 1

자연환경과 생업

주제 흐름 읽기

지형, 기온, 강수량 → 자연환경 → 농경 사회 (생활 방식, 사회조직) / 유목 사회 (생활 방식, 사회조직) — 농경 사회와 유목 사회: 영향

1 동아시아와 동아시아사

동아시아사 학습의 필요성	동아시아 지역에서 전개된 교류, 협력과 갈등을 이해함으로써 화해와 공존의 가치를 깨닫고 평화로운 공동체를 모색하기 위해

2 동아시아의 자연환경과 생업

1. 동아시아의 자연환경

동아시아의 자연환경은 어떤 모습일까요?

어디서? 동쪽 지역의 인구 밀도가 높아.

지형의 특징 자료 1	• 가장 높은 서쪽의 티베트고원을 기점으로 점차 고도가 낮아짐 • 황허강과 창장강과 같은 큰 강 주변에 넓은 충적평야❶가 펼쳐짐 • 일본 열도를 비롯한 섬 지역은 화산과 지진 활동이 활발함

무엇을? 화산 활동으로 만들어진 섬이 많아.

2. 동아시아의 생업

동아시아 사람들은 자연환경에 어떻게 적응했나요?

– 기후에 따라 농경(논농사, 밭농사)과 유목을 하며 생업을 이어감

3 농경과 유목

1. 농경 사회의 형성

밭농사와 벼농사의 차이점은 무엇일까요?

밭농사	• 기원전 7500년경 황허강 유역에서 시작됨 • 현재: 중국 화베이, 만주, 한반도 북부, 일본 홋카이도 • 기온이 낮고 강수량이 적은(연 400~800mm) 지역
벼농사	• 기원전 7000년경 창장강❷ 유역에서 시작됨 • 현재: 한반도 중남부, 중국 화이허강 이남, 일본 혼슈 이남 • 기온이 높고 강수량이 풍부한(연 800mm 이상) 지역, 장마 전선과 관련 자료 2

2. 농경 사회의 특징

농경 사회에 사는 사람들의 삶은 어떤 모습일까요?

– 정착하여 집단 생활 시작, 인구 증가, 지배자 등장

3. 유목 사회의 특징

유목 사회에 사는 사람들의 삶은 어떤 모습일까요?

(1) **자연환경** 강수량이 매우 적고(연 400mm 미만) 기온이 낮아 농사가 어려움

(2) **생활 모습** 게르❸, 가축을 생활의 자원으로 활용, 부족장의 권한이 강함, 등자❹ 사용

(3) **대표 민족** 흉노, 선비, 위구르, 거란, 몽골 등

4. 농경 사회와 유목 사회의 교류

농경 사회와 유목 사회는 어떤 관계를 맺으며 살아왔나요?

(1) 서로 부족한 것을 주고 받으며 상호 보완적 관계 형성

(2) 정치적 · 기후적 요인 등으로 충돌(전쟁)이 발생하기도 함

무엇을? 만리장성도 이와 관련이 있지.

❶ 충적평야
강물에 의해 하천 주변에 모래, 자갈, 진흙 따위가 밀려와 생긴 평야이다.

❷ 창장강
양쯔강을 부르는 다른 이름이다. 양쯔강은 유럽인들이 즐겨 부르며, 중국인들 사이에서는 사용되지 않는다. 중국인들은 '긴 강'이라는 뜻의 창장(長江)이라고 부른다.

❸ 게르
유목민들이 거주하던 가옥으로, 나무로 뼈대를 만든 후 가축에서 얻은 가죽이나 천으로 덮어 설치와 해체가 간편하다.

❹ 등자
유목민들이 말을 타고 이동할 때 안장 밑에 달아두는 발걸이를 말한다. 창이나 화살로 공격할 때 등자에 발을 고정하면 반동을 최소화하여 공격에 매우 유리하다.

자료 1 동아시아의 지형 분포

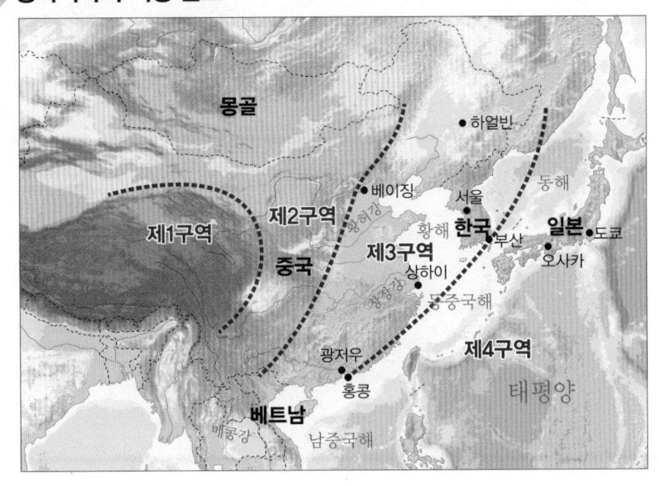

○ **동아시아의 지형 분포가 인간 생활에 어떠한 영향을 미쳤을까?**

동아시아만큼 다양한 지형이 밀집해 있는 지역도 드물어. 크게는 유목 사회와 농경 사회의 생활 모습 차이가 나타났고, 이를 바탕으로 정치, 경제적 교류와 갈등을 지속했어.

뜯어보기 포인트

동아시아에 분포한 다양한 지형으로 인해 다양한 인간 생활 모습이 나타났음을 이해하자.

Q1 동아시아 지형과 관련하여 옳지 않은 것을 모두 선택해 보자.

㉠ 제3구역은 농경의 중심지이다.
㉡ 황허강, 창장강과 같은 큰 강이 흐르고 있다.
㉢ 일본 열도 지역은 화산과 지진 활동이 활발하다.
㉣ 티베트고원을 중심으로 충적평야가 형성되어 있다.
㉤ 서쪽의 티베트고원을 시작으로 점차 고도가 높아진다.

자료 2 장마 전선

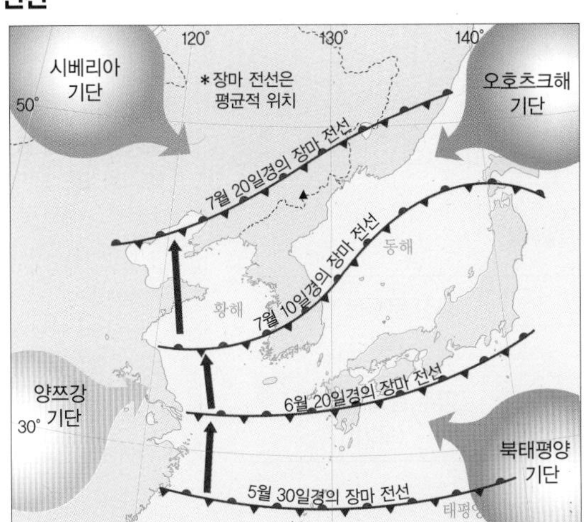

○ **장마 전선이 동아시아 사람들의 생업에 어떤 영향을 미쳤을까?**

여름철이 되면 태평양의 고온 다습한 바람이 북쪽의 한랭 다습한 공기와 충돌하여 장마 전선이 만들어져. 장마 전선은 중국의 창장강, 한반도 전역, 일본 홋카이도 이남에 골고루 비를 뿌리는데, 이 지역은 벼농사 지역과 거의 일치해. 성공적인 벼농사를 위해서는 많은 물이 필요한데, 장마 전선이 뿌려주는 비는 동아시아의 벼농사에 없어서는 안될 존재야.

뜯어보기 포인트

장마 전선이 지나가는 지역과 벼농사 지역이 거의 일치하다는 점을 지도를 보며 이해하자.

Q2 동아시아 사람들의 생업과 관련하여 옳은 것을 모두 선택해 보자.

㉠ 밭농사는 황허강 유역에서 시작되었다.
㉡ 벼농사는 창장강 유역에서 시작되었다.
㉢ 농경민들은 게르라는 가옥에서 생활하였다.
㉣ 연 강수량 800mm 미만인 지역에서 유목이 행해진다.
㉤ 벼농사는 기온이 높고 강수량이 풍부한 지역에서 행해진다.

답 Q1 ㉣, ㉤ / Q2 ㉠, ㉡, ㉤

주제 2 선사 문화

주제 흐름 읽기

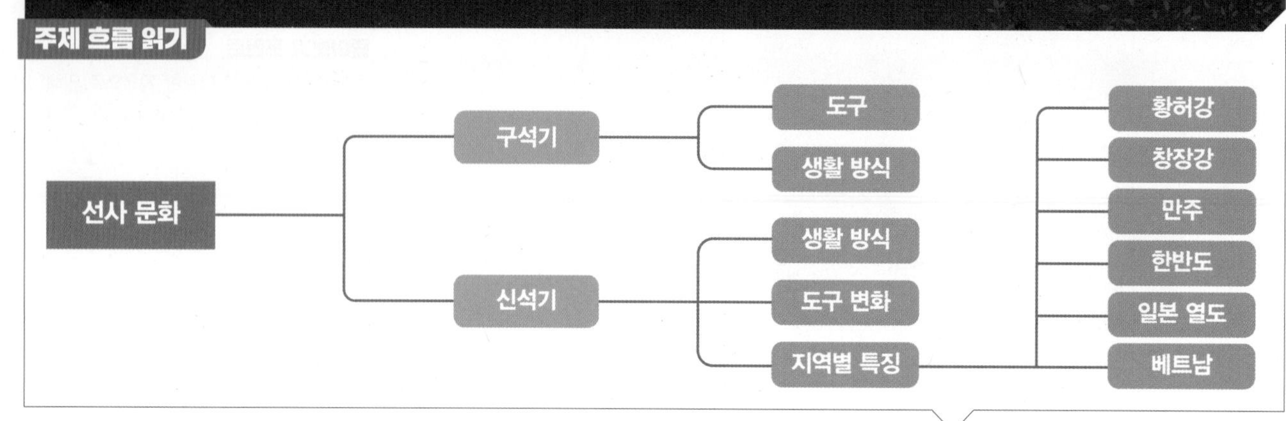

1 동아시아 역사의 시작

1. 인류의 등장 { 동아시아에 인류가 언제 등장했을까요?

(1) 인류가 동아시아에 등장한 시기 자료 1

① 초기 인류: 170만 년 전 출현(베이징인, 승리산인, 미나토가와인)

② 현생 인류: 4만 년 전 출현 → 후기 구석기 문화 형성

2. 선사 시대의 생활 모습 { 동아시아에 처음 나타난 인류는 어떻게 살았을까요?

(1) 구석기인의 생활 모습 채집, 수렵, 어로 활동, 뗀석기 사용, 이동 생활, 동굴 또는 막집 거주

(2) 신석기인의 생활 모습 농경과 목축 시작, 정착 생활, 마을 형성, 토기 제작, 원시 신앙❶ 발생

2 동아시아 신석기 문화의 발달 자료 2

1. 중원 지역의 신석기 문화 { 중국 대륙 중원 지역의 신석기 문화는 어떤 모습일까요?

황허강	중류	양사오 문화(채도❷)	룽산 문화로 발전 (흑도)
	하류	다원커우 문화(홍도, 흑도, 백도)	
창장강	하류	허무두 문화(흑도, 돼지 무늬 토기)	량주 문화로 발전 (옥기)

2. 여러 지역의 신석기 문화 { 동아시아 각 지역의 신석기 문화는 어떤 모습일까요?

만주 랴오허강	훙산 문화(용 모양의 옥기, 채도)
한반도	이른 민무늬 토기, 덧무늬 토기, 빗살무늬 토기 – 어디서? 강가에서 많이 발굴되고 있어.
일본	• 조몬 문화(새끼줄 무늬의 조몬 토기) • 농경이 발달하지 않았음, 채집과 어로를 통한 정착 생활
베트남	풍응우옌 문화❸(돌림판을 이용한 토기 제작), 호아빈 문화

❶ **원시 신앙**
– 애니미즘: 태양, 강과 같은 자연물에 영혼이 있다고 믿어 숭배하는 신앙이다.
– 토테미즘: 특정한 동식물이나 자연물을 자신들의 조상신이라고 여기는 신앙이다.

❷ **채도**
토기의 표면에 물감 등을 이용해 그림을 그려 넣은 토기를 말한다.

❸ **풍응우옌 문화**
베트남 풍응우옌 지역에서 농경이 시작되면서 문화가 형성되었다. 돌림판을 사용하여 정교한 무늬를 새긴 토기가 만들어졌고 옷감으로 쓰인 듯한 직물도 발견되었다.

자료 1 동아시아 최초의 인류 흔적

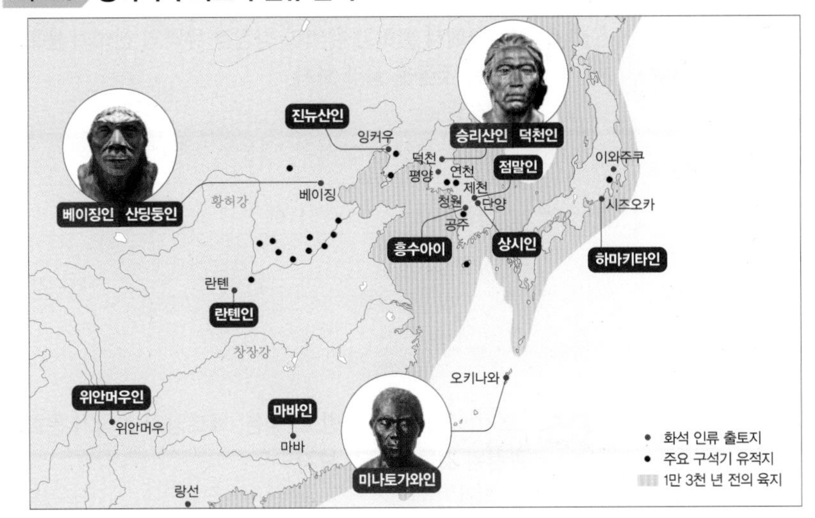

옛날 동아시아의 모습은 어떠했을까?

대략 12,000년 전까지의 빙하기 때는 바닷물의 높이가 지금보다 많이 내려가 있었어. 그래서 중국, 한반도, 일본 열도가 연결되어 있었기 때문에 초기 인류는 걸어서 이동할 수 있었어.

동아시아 최초 인류의 흔적은 어디일까?

중국의 위안머우와 마바, 한국의 공주 석장리와 연천 전곡리, 일본의 이와주쿠와 시즈오카 지역이 대표적인 구석기 유적이야.

뜯어보기 포인트

빙하기가 끝나지 않았던 때의 동아시아는 육지로 연결되어 있었음을 기억하자.

Q1 동아시아 선사 시대에 관한 설명으로 옳은 것을 모두 선택해 보자.

㉠ 신석기인들은 원시 신앙을 믿었다.
㉡ 구석기인들은 벼농사를 시작하였다.
㉢ 구석기인들은 뗀석기를 사용하였다.
㉣ 신석기인들은 마을을 형성하며 살았다.
㉤ 자연물에 영혼이 있다고 믿는 사상을 토테미즘이라 한다.

자료 2 토기는 어떻게, 왜 만들었을까?

▲ 한반도의 빗살무늬 토기 ▲ 양사오 문화의 채도 ▲ 조몬 문화의 조몬 토기

신석기 토기는 어떻게 만들었을까?

양사오 문화 등 초기의 신석기 토기는 손으로 빚거나 테쌓기법(도넛 모양의 점토 고리를 한 단씩 쌓아 올리는 방법)으로 만들었어. 룽산 문화, 량주 문화, 풍응우옌 문화에서는 돌림판을 이용하여 좌우 대칭이 완벽한 토기를 만들었지.

신석기 토기는 왜 만들었을까?

토기를 제작한 목적으로는 조리용, 저장용, 의식용 등으로 나눌 수 있어. 처음 토기를 만든 까닭은 음식을 조리하기 위해서라고 추정해. 토기는 불에 잘 견디기 때문에 음식을 조리하기 편리했거든. 나중에는 제사와 같은 의식에도 토기가 많이 사용되었어.

뜯어보기 포인트

토기의 제작 이유와 제작 과정에 숨겨져 있는 비밀을 이해하자.

Q2 동아시아의 신석기 문화에 대한 설명으로 옳지 않은 것을 모두 선택해 보자.

㉠ 허무두 문화는 훗날 량주 문화로 발전하였다.
㉡ 황허강 중류에서는 양사오 문화가 발달하였다.
㉢ 창장강 하류에서는 다원커우 문화가 발달하였다.
㉣ 한반도 지역에서는 새끼줄 무늬의 토기가 다수 발견되었다.
㉤ 베트남 지역에서는 풍응우옌 문화와 호아빈 문화가 발전하였다.

답 Q1 ㉠, ㉢, ㉣ / Q2 ㉢, ㉣

정답과 해설 ▸ 26쪽

01 서로 관련 있는 내용끼리 연결해 보자.

a. 밭농사 지역 •
b. 벼농사 지역 •
c. 유목 지역 •

• ㄱ. 몽골고원
• ㄴ. 한반도 중남부, 중국 화이허강 이남, 일본 혼슈 이남
• ㄷ. 중국 화베이, 만주, 한반도 북부, 일본 홋카이도

02 아래 설명이 맞으면 ○표, 틀리면 ×표를 해 보자.

(1) 동아시아는 서쪽 티베트고원을 기점으로 점차 고도가 낮아진다. ( )
(2) 황허강과 창장강과 같은 큰 강 주변에 넓은 충적평야가 펼쳐져 있다. ( )
(3) 한반도와 만주 지역은 화산과 지진 활동이 활발하다. ( )
(4) 밭농사는 연 강수량 400~800mm 지역에서 활발하다. ( )
(5) 벼농사는 연 강수량 800mm 이상 지역에서 활발하다. ( )

03 빈칸에 알맞은 말을 채워 보자.

(1) 유목민들은 주로 ( )(이)라는 가옥에서 거주하였다.
(2) ( ) 시대에는 채집, 수렵을 주로 하였고, 뗀석기를 사용하였다.
(3) ( ) 시대에는 농경과 목축을 시작하였고, 토기를 제작하는 생활 모습을 보인다.
(4) 태양, 강과 같은 자연물에 영혼이 있다고 믿어 숭배하는 신앙을 ( )(이)라고 부른다.
(5) 특정한 동식물이나 자연물을 자신들의 조상신으로 여기는 신앙을 ( )(이)라고 부른다.

04 |보기|에서 황허강 유역과 창장강 유역의 신석기 문화와 관련된 것들을 골라 보자.

| 보기 |
양사오 문화, 룽산 문화, 허무두 문화, 량주 문화

(1) 황허강: ____________________
(2) 창장강: ____________________

05 |보기|에서 만주, 한반도, 일본, 베트남의 신석기 문화와 관련된 것들을 골라 보자.

| 보기 |
빗살무늬 토기, 조몬 토기, 용 모양의 옥기, 풍응우옌 문화

(1) 만주: ____________________
(2) 한반도: ____________________
(3) 일본: ____________________
(4) 베트남: ____________________

06 다음 글의 빈칸에 공통으로 들어갈 말을 적어 보자.

동아시아 초원 지대 연구서에 따르면, 이 지역 주민들은 농경과 ( )을/를 함께 했었는데 기후가 변화하여 건조해지면서 농경을 포기하고 ( )에 집중하게 되었다고 한다. 그러므로 ( )은/는 농경과 같이 식량을 생산하는 경제 행위이다.

____

07 아래 표를 완성해 보자.

양사오 문화	( )
다원커우 문화	( ), 흑도, 백도
( )	흑도, 돼지 무늬 토기
( )	돌림판을 이용하여 제작한 토기

01 빈출 동아시아사를 학습하는 목적으로 볼 수 없는 것은?

① 동아시아인의 정체성 확립
② 영토 갈등의 배경에 대한 객관적 이해
③ 동아시아 각국의 배타적 민족주의 강화
④ 동아시아 각국의 평화 공존 가치관 형성
⑤ 동아시아인 모두가 공유하는 문화유산 확인

02 동아시아의 지리적 특성에 대한 설명으로 옳지 않은 것은?

① 서쪽에 가장 높은 티베트고원이 자리하고 있다.
② 히말라야 산맥을 경계로 남아시아(인도)와 구분된다.
③ 일본 열도와 황허강 일대에는 넓은 충적평야가 펼쳐진다.
④ 일본 열도를 비롯한 섬 지역은 화산과 지진 활동이 활발하다.
⑤ 티베트고원을 시작으로 동쪽으로 갈수록 고도가 낮아지는 지형이다.

03 빈출 동아시아의 벼농사와 관련된 옳은 설명을 |보기|에서 고른 것은?

보기
ㄱ. 황허강 유역에서 시작되었다.
ㄴ. 창장강 유역에서 시작되었다.
ㄷ. 연 강수량 400~800mm 지역에서 활발하다.
ㄹ. 연 강수량 800mm 이상인 지역에서 활발하다.

① ㄱ, ㄴ ② ㄱ, ㄷ ③ ㄴ, ㄷ
④ ㄴ, ㄹ ⑤ ㄷ, ㄹ

04 전근대 시기 다음과 같은 가옥에서 거주한 사람들에 대한 설명으로 옳지 않은 것은?

이 가옥의 원형 구조는 바람의 저항을 적게 받아 겨울의 강력한 북서풍을 누그러뜨리는 효과를 가져와 여러 가지로 합리적이고 과학적인 설계를 보여준다. 또한 조립과 해체가 쉽다는 것도 이 가옥의 장점이다.

① 농사를 짓기 어려웠다.
② 가축을 모든 생활의 자원으로 활용하였다.
③ 흉노, 선비, 거란, 몽골족으로 발전하였다.
④ 부족장의 권한이 약하여 정치가 혼란스러웠다.
⑤ 농경 사회의 물건을 교역 또는 약탈하여 생활하였다.

05~08 빈출 다음 지도를 보고 물음에 답해 보자.

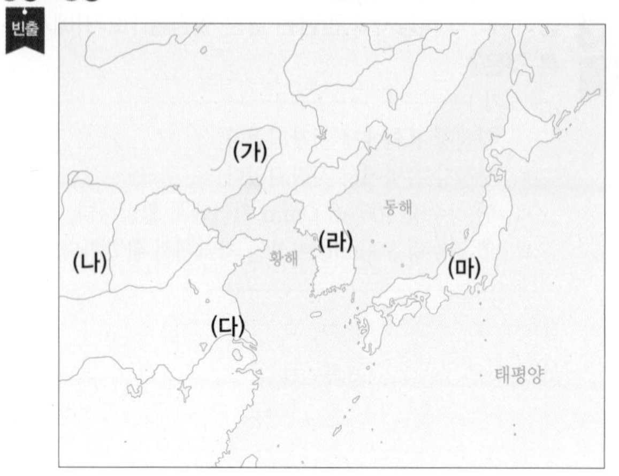

05 다음 자료에 해당하는 신석기 문화의 위치를 지도에서 고른 것은?

이 지역은 농경이 발달하지 않았고, 새끼줄 무늬의 토기를 제작하여 사용하였다.

① (가) ② (나) ③ (다) ④ (라) ⑤ (마)

06 (가) 지역의 신석기 문화에 대한 설명으로 옳은 것은?

① 빗살무늬 토기를 사용하였다.
② 돌림판을 이용하여 토기를 제작하였다.
③ 새끼줄 무늬가 있는 토기를 만들어 사용하였다.
④ 나무에 쇠를 덧댄 농기구를 만들어 사용하였다.
⑤ 옥 가공 기술이 뛰어났고 용 모양의 옥기가 발견되었다.

07 (다) 지역 신석기 문화의 대표 유물을 고른 것은?

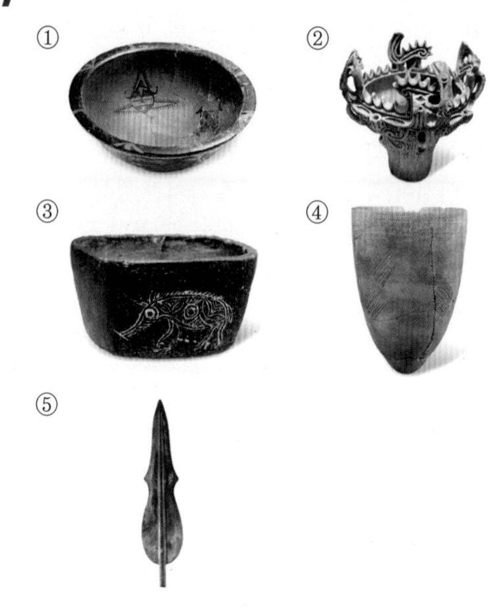

08 (라) 지역의 신석기 유물을 |보기|에서 고른 것은?

| 보기 |
ㄱ. 덧무늬 토기
ㄴ. 빗살무늬 토기
ㄷ. 돼지 무늬 토기
ㄹ. 용 모양의 옥기

① ㄱ, ㄴ ② ㄱ, ㄷ ③ ㄴ, ㄷ
④ ㄴ, ㄹ ⑤ ㄷ, ㄹ

09 신석기 시대의 사회 모습으로 가장 적절한 것은?

① 뗀석기를 만들어 사용하였다.
② 주로 동굴 또는 막집에서 거주하였다.
③ 채집과 수렵을 통해서만 식량을 얻었다.
④ 원시적인 형태의 초기 신앙이 등장하였다.
⑤ 베이징인, 승리산인 등이 활발히 활동하였다.

10 다음 빈칸에 들어갈 내용으로 가장 적절한 것은?

> (　　　　　)은/는 인류의 삶을 획기적으로 바꾸어 놓았다. 옷감을 짜고 움집을 만들게 되었으며, 토기를 제작하는 기술이 향상되어 점차 씨족 구성원들 사이에 분업이 이루어졌다. 사유 재산이 생겨나면서 재산을 두고 다툼이 일어나자 이를 해결하기 위한 규칙도 만들어졌다.

① 지배자의 출현
② 원시 신앙의 등장
③ 채집과 수렵의 시작
④ 농경과 목축의 시작
⑤ 초기 인류 베이징인의 출현

서술형 문제

11 빈출 다음 자료를 보고, 물음에 답해 보자.

(가)

(나)

(1) (가), (나) 유물이 사용되었던 시기를 써 보자.

(2) (가), (나) 유물을 사용하였을 당시 사람들의 생활 모습의 차이점 두 가지를 서술해 보자.

서술형 문제

12 다음 자료를 읽고, 물음에 답해 보자.

> 빗살무늬 토기의 빗살무늬는 생선의 뼈라는 학설이 지배적이다. 또한 중국 양사오 토기에는 물고기 무늬가 그려져 있고, 허무두 토기에는 벼 이삭 무늬가 그려져 있다.

(1) 토기를 만든 목적이 무엇인지 적어 보자.

(2) 토기에 새겨진 무늬가 의미하는 내용 두 가지를 서술해 보자.

3단계 내신 만점 도전하기

01 벼농사에 대한 설명으로 옳은 것은?

① 집약적 노동력과 많은 농기구가 필요하였다.
② 황허강 중하류 지역에서 처음으로 시작되었다.
③ 척박한 토양에서도 잘 자라는 잡곡을 주로 재배하였다.
④ 연평균 강수량 400~800mm 지역에서 주로 시행되었다.
⑤ 만주와 한반도 북부, 일본 홋카이도에서 널리 행해진다.

02 동아시아 지역에 대한 설명으로 옳지 않은 것은?

① 히말라야 산맥을 경계로 인도와 구분된다.
② 한국, 중국, 몽골, 일본, 베트남이 포함된다.
③ 유교, 율령 등의 문화 요소를 공유한 경험이 있다.
④ 국가 간의 영토 분쟁과 역사 갈등이 지속되고 있다.
⑤ 몽골을 비롯한 내륙 지역에서는 화산과 지진 활동이 활발하다.

03 밑줄 친 '그들'의 생활 모습에 대한 탐구 활동으로 적절한 것을 |보기|에서 고른 것은?

> 그들의 풍속에 사람은 가축의 고기를 먹고 그 젖을 마시며 그 가죽을 입소. 가축은 철마다 옮겨 다니오. 그들은 급박할 때는 말타기와 활쏘기에 능하고, 평상시에는 일 없는 것을 즐기오.

|보기|
ㄱ. 초원 지대의 가옥 구조를 살펴본다.
ㄴ. 군주가 임명한 제후의 역할을 살펴본다.
ㄷ. 안장과 등자의 사용이 끼친 영향을 알아본다.
ㄹ. 농업 생산력을 극대화하기 위한 농업 기술을 조사한다.

① ㄱ, ㄴ　② ㄱ, ㄷ　③ ㄴ, ㄷ　④ ㄴ, ㄹ　⑤ ㄷ, ㄹ

04 중요 다음 유물이 나타나는 시기에 대한 설명을 |보기|에서 고른 것은?

|보기|
ㄱ. 농경이 시작되었다.
ㄴ. 국가가 형성되고 계급이 발생하였다.
ㄷ. 동식물이나 자연물을 숭배하는 신앙이 등장하였다.
ㄹ. 군대, 법률, 감옥 등 통치에 필요한 조직이 마련되었다.

① ㄱ, ㄴ　② ㄱ, ㄷ　③ ㄴ, ㄷ　④ ㄴ, ㄹ　⑤ ㄷ, ㄹ

05~08 다음 지도를 보고 물음에 답하시오.

중요

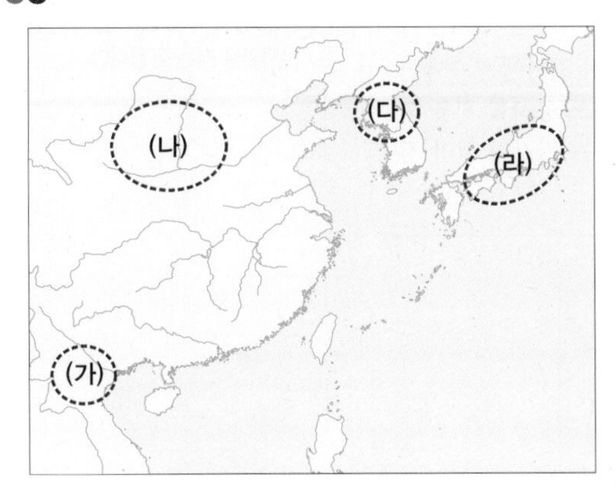

05 (가) 지역의 신석기 문화에 대한 설명을 |보기|에서 고른 것은?

|보기|
ㄱ. 채도를 제작하였다.
ㄴ. 흑도를 제작하였다.
ㄷ. 호아빈 문화가 등장하였다.
ㄹ. 돌림판을 이용하여 토기를 제작하였다.

① ㄱ, ㄴ ② ㄱ, ㄷ ③ ㄴ, ㄷ
④ ㄴ, ㄹ ⑤ ㄷ, ㄹ

06 (나) 지역의 신석기 유물에 대한 설명을 |보기|에서 고른 것은?

|보기|
ㄱ. 돼지 무늬 토기가 발견되었다.
ㄴ. 량주 문화의 옥기가 발견되었다.
ㄷ. 룽산 문화의 흑도가 발견되었다.
ㄹ. 양사오 문화의 채도가 발견되었다.

① ㄱ, ㄴ ② ㄱ, ㄷ ③ ㄴ, ㄷ
④ ㄴ, ㄹ ⑤ ㄷ, ㄹ

07 (다) 지역에서 발견된 신석기 토기를 고른 것은?

①

②

③

④
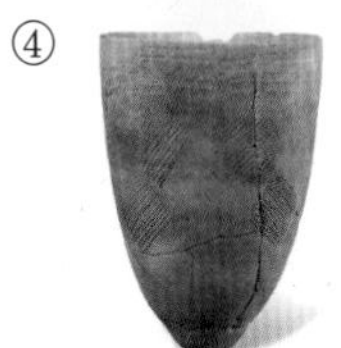

⑤

08 (라) 지역의 신석기 문화에 대한 옳은 설명을 |보기|에서 고른 것은?

|보기|
ㄱ. 새끼줄 무늬의 토기가 발견되었다.
ㄴ. 나무에 쇠를 덧댄 농기구를 사용하였다.
ㄷ. 농경이 발달하지 않아 채집과 어로를 통해 생활하였다.
ㄹ. 토기에 물감으로 그림을 그려 넣은 채도가 발견되었다.

① ㄱ, ㄴ ② ㄱ, ㄷ ③ ㄴ, ㄷ
④ ㄴ, ㄹ ⑤ ㄷ, ㄹ

총 문항수 2 | 처음 푼 날 월 일
정답과 해설 27쪽 | 오답 푼 날 월 일

01 밑줄 친 '이 지역'을 지도에서 옳게 고른 것은?

> 동아시아에서 밭농사는 기원전 7500년경 이 지역에서 시작되었다. 이 지역에는 수백만 년에 걸쳐 부드럽고 비옥한 황토가 퇴적되어 있어 원시적인 농기구로도 농사를 지을 수 있었다. 농경 초기에는 조, 기장 등을 재배하였다. 이 작물들은 자라는 기간이 짧아 강수량이 적은 황토 지대에서 재배하기에 적합하였다.

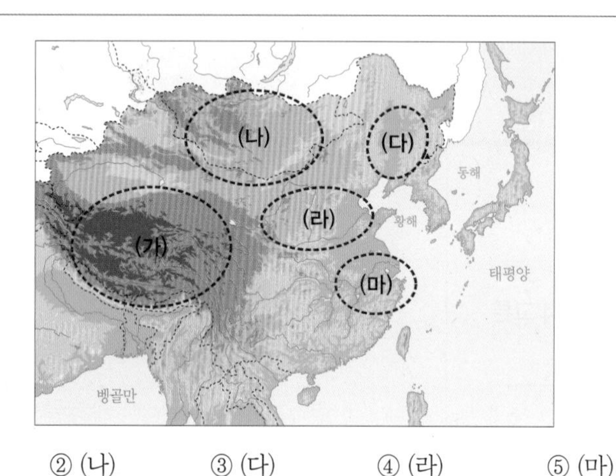

① (가) ② (나) ③ (다) ④ (라) ⑤ (마)

유형 분석
글 상자의 설명을 통해 지도에서 해당 지역을 찾는 유형이야.

해결 비법
이러한 유형을 풀기 위해서 첫째로 동아시아의 주요 지역(지명, 강)들을 숙지하고 있어야 해. 둘째로는 동아시아 지도를 읽어낼 수 있어야 해. 마지막으로 키워드인 '밭농사가 가장 먼저 시작된 곳'을 확인하고, 지도에서 황허강을 찾아내면 되겠지.

02 밑줄 친 '이 지역'을 지도에서 옳게 고른 것은?

> 오른쪽 유물은 표면에 야생 멧돼지가 그려진 토기로, 이 지역에서 가축의 사육이 이루어졌음을 보여 준다. 또한 다량의 볍씨가 출토되어 이 지역에서 일찍부터 벼를 재배하였음을 알려 준다.

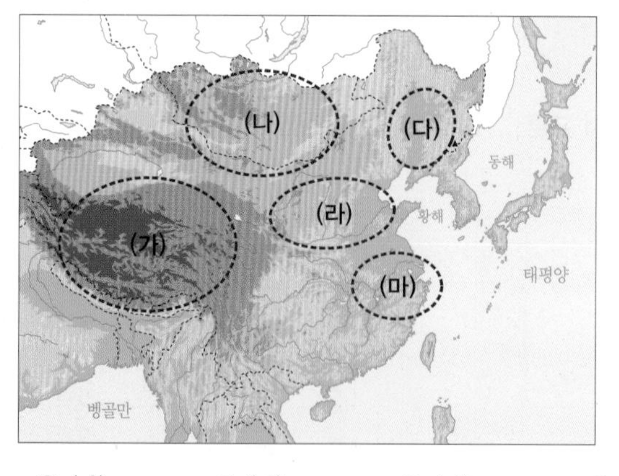

① (가) ② (나) ③ (다) ④ (라) ⑤ (마)

유형 분석
글 상자의 설명과 유물 사진을 토대로 지도에서 해당 지역을 찾는 유형이야.

해결 비법
얼핏 봐서는 어려워 보이는 유형이지만 동아시아의 지도를 해석할 수 있다면 어렵지 않게 해결할 수 있어. 창장강 하류 지역의 키워드인 '돼지 무늬 토기'와 '일찍부터 벼 재배'를 확인하고, 지도에서 창장강 하류를 찾아내면 되겠지.

기출 지문 활용하기

총 문항수 6 | 처음 푼 날 월 일
정답과 해설 28쪽 | 오답 푼 날 월 일

2017학년도 수능

서술형 문제

01 빗금 친 지역의 문화의 명칭과 대표적인 유물을 서술해 보자.

수능 문제

02 (가)에 해당하는 유물로 옳은 것은?

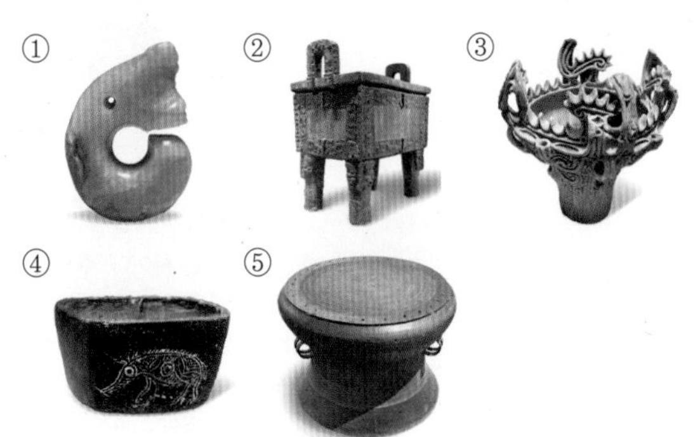

활용 문제

03 빗금 친 지역의 문화에 대한 옳은 설명을 |보기|에서 고른 것은?

| 보기 |
ㄱ. 흑도가 발견되었다.
ㄴ. 용 모양의 옥기가 발견되었다.
ㄷ. 만주 랴오허강 유역에서 발달하였다.
ㄹ. 황허강 중류를 중심으로 발달하였다.

① ㄱ, ㄴ ② ㄱ, ㄷ ③ ㄴ, ㄷ
④ ㄴ, ㄹ ⑤ ㄷ, ㄹ

2014학년도 9월 평가원

서술형 문제

04 위 유물이 만들어진 시기의 생활 모습 두 가지를 서술해 보자.

수능 문제

05 위 유물에 대한 설명으로 옳은 것은?

① 고인돌에서 출토되었다.
② 일본 열도에서 제작되었다.
③ 채도나 흑도와 함께 발굴되었다.
④ 허무두 문화를 대표하는 유물이다.
⑤ 돌림판을 이용하여 문양을 넣었다.

활용 문제

06 위 유물이 만들어진 지역에 대한 설명으로 옳은 것은?

① 한 무제가 정벌하였다.
② 유목이 행해지는 초원 지대이다.
③ 상의 청동 제기가 발굴되었다.
④ 비파형 동검과 고인돌이 만들어졌다.
⑤ 환태평양 조산대에 위치하여 지진과 화산 활동이 활발하다.

주제 3

국가의 성립과 발전

주제 흐름 읽기

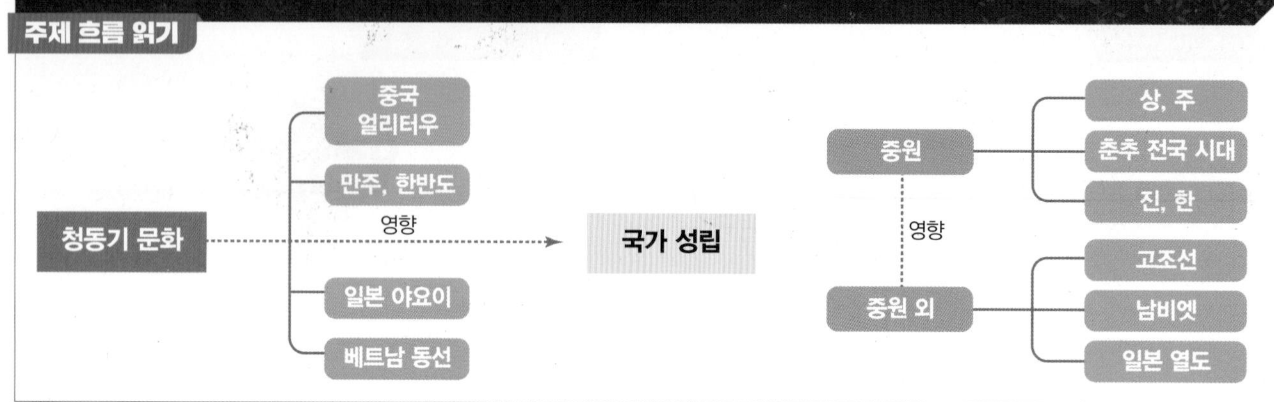

1 동아시아의 청동기 문화

1. 청동기 문화의 전개

신석기 시대에서 청동기 시대로 변화하는 과정에서 나타난 사회 변화 모습은 무엇일까요?

(1) **청동기의 등장과 사회 변화** 신석기 시대 말기부터 사유 재산 제도와 빈부 격차 발생 → 계급 분화를 비롯한 사회 변화 → 청동기 제작 기술을 알아낸 집단 등장 → 전쟁을 통해 이웃 부족을 통합하기 시작

(2) **청동기** 청동은 지배층만 사용하는 귀한 물건이었음. 주로 전쟁과 제사에 이용하였고, 피지배층과 자신들을 구별지으며 권력을 강화함 자료 1

무엇을? 청동기에는 화려한 무늬와 형태가 많아.

2. 청동기 문화의 지역별 특징

동아시아 청동기 문화는 지역별로 어떠한 특징을 보이나요?

중국	• 기원전 2000년경 얼리터우 문화 발달 자료 2 • 싼싱두이 문화, 우청 문화 등
만주, 한반도	• 중국과 다른 독자적 청동기 문화 발달 • 고인돌과 비파형 동검, 청동 거울, 민무늬 토기❶ 등
일본	• 기원전 3세기경 야요이 문화 시작 • 청동기(동탁❷), 철기(공구와 무기), 쇠를 덧댄 농기구 사용
베트남	• 기원전 2000년경 동선 문화(청동북❸)

2 국가의 출현

1. 국가의 출현과 신권 정치

동아시아 최초의 국가는 어떻게 탄생했고, 어떤 모습이었을까요?

(1) 국가의 출현

① 경제력과 무력을 갖춘 지배층들은 이웃집단과 통합하여 국가를 형성 → 군대, 법률, 감옥 등 통치에 필요한 여러 제도를 마련함

무엇을? 고조선의 8조법도 이와 유사해.

② 황허강 중류 일대에서 동아시아 최초의 국가가 출현함. 기록에는 '하'가 최초 국가라고 하지만 유물, 유적이 발견되지 않음

③ 실제 존재가 확인된 최초의 국가는 기원전 1600년경 성립된 '상'

무엇을? '은'이라고 부르기도 해.

❶ 민무늬 토기

무늬가 없는 토기를 말한다. 청동기 시대로 넘어오면서 토기의 무늬가 변화 소멸하는 것을 식생활의 변화로 해석하기도 한다.

❷ 동탁

청동으로 만든 종이다. 주술적인 용도로 사용되었을 것으로 추정한다. 농사를 시작할 때 땅에 동탁을 묻고 소리를 내어서 땅의 생명체를 깨우는 의식을 했을 것이라고 추정하는 학자도 있다.

❸ 청동북

청동으로 만든 북이다. 제사에 사용되었을 것으로 추정되며, 동선 문화의 대표적인 유물이다.

자료 1 청동기는 누가 사용했을까?

▲ 상의 네발 달린 솥

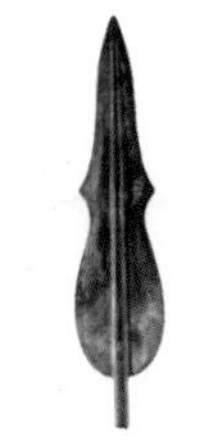
▲ 비파형 동검

▲ 야요이 동탁

청동기는 어떻게 만들었을까?

청동기를 만드는 데에는 구리와 주석, 아연과 납이 필요해. 각 광석을 따로 정련한 뒤에 적절한 비율로 섞어서 거푸집에 액체를 부어 내면 원하는 형태의 청동기가 만들어져.

청동기는 누가 사용했을까?

청동기는 지배층들이 사용하는 고급 도구였어. 주로 제사 등의 의식에 이용했지. 비파형 동검을 보면 알 수 있듯이 전쟁에도 사용했어. 청동기 시대에는 지배층들이 서로 전쟁을 했었기 때문에 청동으로 만든 검을 사용할 수 있었겠지.

뜯어보기 포인트
청동기 시대에 살았던 모든 사람들이 청동을 사용할 수 없었다는 것을 이해하자.

Q1 동아시아 청동기 문화와 관련하여 옳지 않은 것을 선택해 보자.

㉠ 중국에서 싼싱두이 문화가 발달했다.
㉡ 만주와 한반도에서는 독자적 청동기 문화가 발달했다.
㉢ 일본에서는 기원전 3세기경 조몬 문화가 시작되었다.
㉣ 일본에서는 청동종과 쇠를 덧댄 농기구를 사용하였다.
㉤ 베트남에서는 기원전 2000년경 동선 문화가 등장하였다.

자료 2 얼리터우 청동기 문화

얼리터우 문화는 룽산 문화권에서 발전한 청동기 문화이다. 여기에서 동서 100m, 남북 108m에 이르는 대규모 건물 유적을 발견하였으며, 넓이가 절반쯤 되는 또다른 건물 유적의 존재도 확인하였다. 이곳에서 청동 술잔을 비롯한 많은 청동기가 발견되었다. 이들 건물터를 따라 도로망이 갖추어져 있었고, 그 도로를 따라 동서 300m, 남북 360m에 이르는 성벽이 존재하였다. 중국 역사서에 등장하는 '하' 왕조와 관련된 유적으로 추정하고 있다.

▲ 청동 술잔(중국 뤄양 얼리터우)

얼리터우는 어디에 있을까?

얼리터우는 중국 황허강 유역에 있는 청동기 문화의 유적지야. 도시와 궁전의 유적이 발견되었어.

얼리터우에서 발견된 청동 술잔에 담긴 의미는 무엇일까?

청동으로 만들었다는 점에서 지배층의 물건임을 짐작할 수 있지. 또한 술이 제사에 이용되었다는 점에서도 하늘에 제사를 지내는 의식을 행했음을 짐작할 수 있어.

뜯어보기 포인트
유물, 유적에 숨겨져 있는 이야기를 상상하며 청동기 시대를 이해해 보자.

Q2 동아시아 청동기 문화와 관련하여 옳은 것을 모두 선택해 보자.

㉠ 군대, 법률, 감옥을 마련하였다.
㉡ 청동기는 모두가 사용할 수 있었다.
㉢ 청동기는 주로 전쟁과 제사에 이용되었다.
㉣ 황허강 중류에서 동아시아 최초의 국가가 출현하였다.
㉤ 황허강의 얼리터우 문화는 상의 유적으로 추정되고 있다.

답 Q1 ㉢ / Q2 ㉠, ㉢, ㉣

(2) **상의 신권 정치**

① 제정일치 사회(청동 솥, 갑골문 사용), 은허[1] 중심

② 주변 소국들을 복종시키며 세력을 확장 → 소국 중 하나였던 주에 멸망

2. 주의 성립과 봉건제

주의 정치 구조는 어떤 모습인가요?

(1) **주의 성립**

① 천명사상: 하늘의 명령을 받았다고 주장하며, 상의 멸망을 정당화함

② 덕치주의: 백성을 덕으로 다스려야 한다고 주장함

(2) **봉건제** 주의 통치 방식, 왕이 다스리는 곳을 제외한 곳은 혈연관계의 제후[2](친족, 공신)가 통치함 자료 3

3. 춘추 전국 시대의 전개와 사회 변화

춘추 전국 시대의 정치·경제·사회·문화는 어떤 모습인가요?

(1) **춘추 전국 시대의 전개**

① 이민족의 침입으로 주가 수도를 낙읍으로 옮긴 후, 강한 제후(춘추 5패)가 정치를 주도하는 춘추 시대 시작(기원전 770~기원전 403)

무엇을? 진(晉), 제, 초, 오, 월의 다섯 국가를 의미해.

② 전국 시대(기원전 403~기원전 221)에 이르러 봉건제는 완전히 무너져 주 왕실을 무시하고 스스로 왕이라 칭함(전국 7웅)

무엇을? 한, 위, 조, 진(秦), 연, 제, 초의 일곱 국가를 의미해.

(2) **춘추 전국 시대의 사회 변화**

구분	내용
정치	• 군현제, 관료제 등장 → 중앙 집권적 통치 방식 출현 • 철제 무기 보급 → 군사력 강화, 전쟁 규모 확대 (어떻게? 귀족들만이 아닌 모든 백성이 전쟁에 동원되었어.)
경제	• 철제 농기구와 우경[3]의 보급 → 농업 생산력 발전, 상공업 발달 • 화폐 유통, 도시 발달 (무엇을? 명도전 등의 화폐가 한반도에서도 발견돼.)
사회	• 능력을 중시한 인재 등용 → 사(士) 계층의 성장
문화	• 다양한 개혁 방안을 제시한 사상가와 학파 출현 → 제자백가[4]

3 중원의 통일과 여러 나라의 성립

1. 진의 통일과 중앙 집권 체제의 정비

통일 왕조 진의 시황제는 국가를 어떻게 운영하였나요?

(1) **진의 통일** 서북쪽 변방의 국가였던 진은 법가 사상[5]을 바탕으로 부국강병에 성공

(2) **중앙 집권 체제의 정비**

① 시황제의 정책

구분	내용
대내 정책	• 황제 칭호 사용(시황제), 군현제 실시, 도로망 정비 자료 3 • 도량형·화폐(반량전)·문자 통일, 사상 통제(분서갱유) 자료 4
대외 정책	• 만리장성 축조(흉노 견제) • 베트남 북부 지역 공격

② 멸망

㉠ 진시황릉, 아방궁 등의 대규모 토목 공사와 가혹한 법치로 농민 불만 고조

㉡ 시황제 사후 진승·오광의 난 등 농민 반란으로 멸망

[1] **은허**
상의 마지막 수도였던 은의 유적으로 왕궁터, 왕릉, 갑골문과 다양한 청동기, 옥기 등이 발견되었다.

[2] **제후와 왕의 관계**
혈연관계를 기본으로 한다. 제후는 왕에게 영토를 받은 대가로 왕에게 공물을 바쳤고, 전쟁이 일어나면 군사력을 제공하였으며, 정기적으로 충성을 다짐하였다.

[3] **우경**
소를 농사에 이용하는 것으로, 춘추 전국 시대에 전국적으로 보급되어 농업 생산력 발전에 크게 기여하였다.

[4] **제자백가**
춘추 전국 시대의 문제점을 해결하기 위한 사상가와 학파를 통틀어 칭하며, 유가, 도가, 법가, 묵가 등이 있다.

[5] **법가 사상**
엄격한 형벌을 통치의 근본으로 주장한 학파로, 상앙, 이사, 한비자 등이 주요 인물이다.

자료 3 봉건제와 군현제

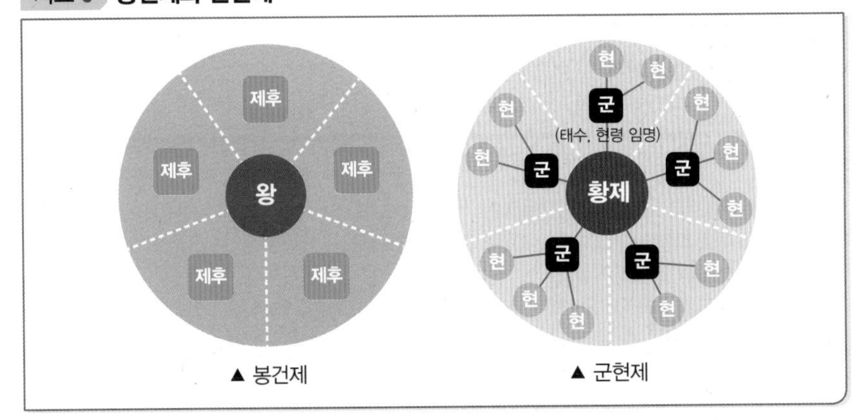

▲ 봉건제 ▲ 군현제

뜯어보기 포인트
봉건제와 군현제의 공통점과 차이점을 반드시 이해하자.

주가 봉건제를 실시한 이유는 무엇일까?

상에 비해 영토가 넓어진 주는 국가의 체제를 정비할만한 통치력과 조직을 갖추고 있지 못했어. 그래서 왕과 혈연관계로 연결된 제후들에게 토지를 분봉하고 통치하는 방식으로 국가 전체를 가족적 원리로 묶어 넓어진 영토를 통치했어.

진이 군현제를 실시한 이유는 무엇일까?

시황제는 36개로 나뉜 군에 황제가 직접 임명한 관리를 파견함으로써 춘추 전국 시대를 거치며 지방화가 뚜렷해진 중국 대륙을 하나로 묶어 통치하려 했어. 군현제를 실시하게 되면서 황제의 명령이 국가 전체에 빠르게 전달되었고, 중앙 집권화가 수월해졌지.

Q3 봉건제와 군현제에 대한 설명으로 옳은 것을 모두 선택해 보자.

㉠ 봉건제 – 한 무제가 실시하였다.
㉡ 봉건제 – 상 왕조를 멸망시킨 왕조에서 실시하였다.
㉢ 봉건제 – 왕이 다스리는 곳을 제외한 곳은 혈연관계의 제후가 통치하였다.
㉣ 군현제 – 진 시황제가 실시하였다.
㉤ 군현제 – 봉건제에 비해 지방 분권적 성격을 보인다.

자료 4 분서갱유

> 이사가 다음과 같이 아뢰었다. "옛 시대에는 천하가 몹시 흩어졌는데도 이를 통일하는 자가 없어 제후들의 난립을 초래했던 것입니다. 그러나 오늘날은 폐하께서 천하를 통일하고 황제라는 유일한 지위에 올라 계시는 데도 불구하고 저마다 자기주장이 옳다고 하는 자가 여전히 자취를 감추지 않고 있습니다. 그들은 법을 비난하고 불만을 나아가서 떠듭니다. 그들의 학술과 저서를 가지고 있는 자에게서 거두어들여 불태워야 합니다. 가져도 좋은 것은 의약과 복서, 농사에 관한 서적에 국한해야 합니다." 시황제는 이사의 상소를 허락하고, 이를 비판하는 자들을 구덩이를 파고 묻어버렸다.

뜯어보기 포인트
분서갱유의 원인과 결과를 이해하자.

이사는 어떤 사람이었을까?

법가 사상을 주장한 학자로, 시황제를 섬기며 진을 강력한 법으로 통치하는 국가로 만든 사람이야.

분서갱유는 어떠한 영향을 끼쳤을까?

분서갱유를 비롯한 가혹한 법가 정책은 백성들의 불만을 가져왔고, 진의 멸망을 가속화시킨 결과를 초래해. 또한 훗날 한에서는 이때 사라진 유학 관련 저서들을 연구하는 훈고학이 발달하지.

Q4 진 시황제와 관련된 설명으로 옳지 <u>않은</u> 것을 모두 선택해 보자.

㉠ 만리장성을 쌓았다.
㉡ 도량형을 통일하였다.
㉢ 봉건제를 실시하였다.
㉣ 명도전을 주조하였다.
㉤ 베트남 북부 지역을 공격하였다.

답 Q3 ㉡, ㉢, ㉣ / Q4 ㉢, ㉣

2. 한의 성립과 발전 { 한은 어떻게 중국을 다스렸나요?

(1) **한의 성립** 항우(초)와 유방(한)의 대결에서 유방이 승리함

(2) **고조(유방)** 법치 완화, 유학 장려, 군국제❶ 시행, 흉노에 패배(백등산 전투)

└ 누가? 묵특 선우에게 크게 패했어.

(3) **무제의 정책**

정치	• 군현제 실시(전국 확대) • 동중서의 건의 수용, 유교를 통치 이념으로 채택(태학, 오경박사) • 흉노를 견제하기 위해 장건을 대월지로 파견(비단길 개척) – 무엇을? 중국과 서역을 연결하는 길이야. • 흉노 정벌, 남비엣 멸망(9군 설치), 고조선 멸망(4군 설치)
경제	• 소금과 철의 전매제❷ 실시 → 국가 재정 확보 • 상공업 통제, 오수전(화폐) 주조

(4) **멸망**

① 무제 사후 외척 왕망이 한을 멸망시킴 → 왕망은 신 건국, 개혁 실시

② 호족❸들의 반발로 신 멸망 → 호족들의 지원을 받은 유수가 한 건국(후한)

③ 호족들의 대토지 소유 확산 → 농민 반란(황건적의 난) 발생

④ 유력 호족들의 독립 → 삼국 시대 시작(위, 촉, 오)

3. 여러 지역의 국가 성립 { 동아시아 각 지역에 등장한 국가들은 어떻게 형성되고 발전하였나요?

흉노	• 기원전 3세기 후반 유라시아 대륙 북부 유목 지대에서 성장 • 여러 부족을 통합한 연맹체 성격의 국가 • 최고 통치자 선우 아래 좌현왕과 우현왕을 둠(영토 3분할 통치) 자료 5
고조선	• 랴오닝 지방에서 청동기 문화를 바탕으로 성립, 한반도까지 확대 • 기원전 3세기 랴오허강을 경계로 연(전국 시대)과 대립 • 평양으로 중심지 이동, 상 · 경 · 대부 · 장군 등 관직 설치, 8조법 • 한 초기 중국에서 망명한 위만이 쿠데타를 일으켜 집권 – 무엇을? 이때부터 '위만 조선'이라고도 불러. • 철기 문화의 본격적 수용, 중계 무역❹으로 번성
일본 열도	• 기원 전후 100여 개의 소국 • 3세기경 30여 개의 소국, 히미코 여왕의 야마타이국 중심으로 연맹체 형성

4. 동아시아 국가 사이의 교류와 전쟁 { 동아시아 지역 각 국가들은 어떻게 교류하고 갈등했나요?

흉노 자료 6	• 묵특 선우 때 만리장성 이북의 초원 지대 통합 • 한을 공격하여 고조를 굴복시킴(비단 등의 공물을 제공받음) • 한 무제의 공격으로 오랫동안 전쟁을 하여 세력 약화 • 서역❺ 세계에 대한 영향력을 상실하고 외몽골 지역으로 밀림, 내부 분열
고조선	• 한 무제의 침입으로 멸망, 한이 군현을 설치하고 지배 – 무엇을? 진번, 임둔, 낙랑, 현도의 4개 군이 설치되었어. • 토착민의 반발 과정에서 부여, 고구려 등의 초기 국가 등장
일본 열도	• 후한에 조공을 바치고 문물 수용 • 금인(금도장): 야마타이 국 히미코 여왕은 노국 왕처럼 금인을 받음

❶ **군국제**
주의 봉건제와 진의 군현제를 절충한 것으로, 군현에는 지방관을 파견하여 황제가 직접 다스리고, 나머지 지역은 황족이나 공신을 제후로 봉하여 다스리게 한 방식이다.

❷ **전매제**
국가가 재정 수입을 목적으로 특정 원료나 제품을 독점 판매하는 제도이다.

❸ **호족**
지방의 토착 세력으로, 그 지역의 실력자이며 대토지 소유자이다.

❹ **중계 무역**
자국의 상인이 수입한 외국 상품을 국내에 판매하지 않고 그대로 제3국에 재수출하는 형태로서, 수출입간 차액, 즉 중계 수수료의 이익을 가져가는 무역 형태를 말한다.

❺ **서역**
동아시아의 서쪽에 위치한 중앙 아시아 및 서남 아시아, 유럽 지역까지 일컫는 포괄적인 지역 범위이다.

자료 5 흉노 사회의 지배 구조

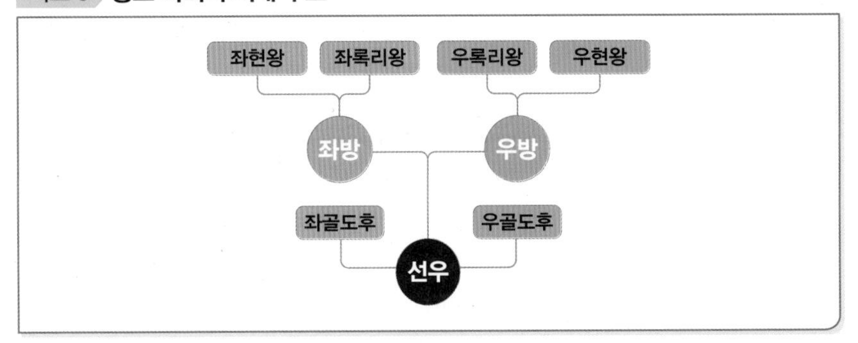

뜯어보기 포인트
흉노의 사회 구조를 통해 유목 사회의 정치 구조를 이해하자.

흉노는 언제 어떻게 성장하였을까?
'흉노'라는 이름이 문헌에 처음 등장한 것은 기원전 318년이야. 흉노는 진시황제가 중원을 통일했을 무렵 세력이 강해졌고, 진시황제가 죽은 다음 해, 묵특 선우가 권력을 장악해. 이후 중원의 지배자로 새롭게 떠오른 한과의 대결 역시 불가피해졌어.

흉노는 영토를 어떻게 다스렸을까?
선우가 중앙을 직접 다스리고 좌방에는 좌방왕장들이, 우방에는 우방왕장들이 배치되었어. 이 왕장들은 모두 24명이 있었다고 하는데, 각각 관료와 영토를 가지고 통치했다고 해.

Q5 흉노와 관련한 설명으로 옳은 것을 모두 선택해 보자.
㉠ 한 고조를 굴복시켰다.
㉡ 동중서의 건의를 수용하였다.
㉢ 한 무제의 침입으로 멸망하였다.
㉣ 선우 아래 좌현왕과 우현왕을 두었다.
㉤ 호족들의 대토지 소유 확산으로 황건적의 난이 일어났다.

자료 6 흉노와 한의 관계

- 한 고조가 몸소 군사를 이끌고 출전하여 흉노를 공격하였으나 …… 묵특(흉노의 선우)이 40만 기병을 이끌고 한 고조를 백등산으로 몰아넣고 포위하였다. …… 한 고조가 사자를 보내 흉노의 연지(선우의 비)에게 많은 선물을 주자 …… 그들의 포위망 한 곳을 풀어 주었다. …… 이후 한은 유경을 사자로 보내어 화친 조약을 맺었다.
  –『사기』, 흉노열전 –
- 무제께서는 남쪽으로 백월*을 멸망시켜 일곱 군을 세우시고, …… 북쪽으로 흉노를 물리쳐 …… 풍요로운 땅을 빼앗으셨습니다. 동쪽으로 고조선을 정벌하시고 현도와 낙랑군을 세우시어 흉노의 왼팔을 자르셨습니다.
  –『한서』, 위현전 –

*백월 지금의 중국 남부로부터 베트남 북부에 걸쳐 있었던 남비엣을 가리킨다.

뜯어보기 포인트
흉노와 한의 관계 변화 모습을 비교하여 파악하자.

흉노와 한의 관계는 어떻게 변화하였을까?
한 고조는 백등산에서 흉노군에게 대패한 이후 화친을 맺고 공물을 보내기 시작했어. 황실 여인을 선우에게 시집보내고, 국경에 교역 시장도 설치했어. 흉노는 이를 통해 필요한 물자를 확보했지. 그러나 한 무제가 적극적인 공격 정책을 펼치면서 흉노는 점차 쇠퇴하였어. 한 역시 재정 압박으로 쇠퇴하기 시작해.

한 무제가 고조선을 정벌한 이유는 무엇일까?
한이 고조선을 정벌한 이유는 둘의 연합을 사전에 차단하기 위함이야. 흉노의 압박에서 벗어나고자 했던 한은 흉노와 연합할 가능성이 컸던 고조선을 정벌했지.

Q6 한에 대한 설명으로 옳지 않은 것을 모두 선택해 보자.
㉠ 오수전을 주조하였다.
㉡ 군국제를 실시하였다.
㉢ 만리장성 이북의 초원 지대를 통합하였다.
㉣ 진승과 오광의 난을 시작으로 혼란에 빠져 멸망하였다.
㉤ 흉노를 견제하기 위해 장건을 대월지로 파견하여 비단길을 개척하였다.

답 Q5 ㉠, ㉣ / Q6 ㉢, ㉣

01 서로 관련 있는 내용끼리 연결해 보자.

a. 만주, 한반도 • • ㄱ. 동선 문화

b. 일본 • • ㄴ. 야요이 문화

c. 베트남 • • ㄷ. 비파형 동검

02 아래 설명이 맞으면 ○표, 틀리면 ×표를 해 보자.

(1) 실제 존재가 확인된 최초의 국가는 하이다. ( )

(2) 청동기 시대에는 모든 계층이 청동을 널리 사용하였다. ( )

(3) 만주와 한반도에서는 중국과 다른 독자적 청동기 문화가 발달하였다. ( )

(4) 한 고조는 백등산 전투에서 흉노에 패배하였다. ( )

(5) 고조선과 남비엣은 한 무제의 침입을 받아 멸망하였다. ( )

03 빈칸에 알맞은 말을 채워 보자.

(1) 흉노의 최고 통치자는 ( )(이)라고 불렸다.

(2) 한 무제는 소금과 철의 ( )을/를 실시하여 국가 재정을 확보하였다.

(3) ( )은/는 주의 봉건제와 진의 군현제를 절충한 제도로, 한 고조가 시행하였다.

(4) 춘추 전국 시대에 다양한 개혁 방안을 제시한 사상가와 학파를 ( )(이)라고 부른다.

(5) 전국 시대에 변방 국가였던 진은 ( ) 사상을 바탕으로 부국강병에 성공하였다.

04 |보기|의 사실들은 진 시황제 또는 한 무제와 관련된 내용들이다. 올바르게 구분해 보자.

| 보기 |
분서갱유, 태학 설립, 만리장성 축조, 반량전 주조, 고조선 멸망, 비단길 개척

(1) 진 시황제: ______

(2) 한 무제: ______

05 |보기|의 사건들을 순서대로 나열해 보자.

| 보기 |
ㄱ. 봉건제 실시
ㄴ. 고조선 멸망
ㄷ. 만리장성 축조
ㄹ. 제자백가의 출현

______

06 다음에서 설명하는 제도의 이름을 적어 보자.

왕이 제후에게 토지와 백성을 하사하는 대신 군역과 공납 의무를 부과하는 제도이다. 천자의 지위는 적장자가 상속하고 나머지 아들들의 지위는 한 등급 낮아져 제후로 봉해졌는데, 이러한 제도가 종법이다. 제후국에도 같은 방식으로 적용되어, 왕을 정점으로 주 전체가 하나의 혈연조직으로 묶인다는 인식을 형성하였다.

______

07 아래 표를 완성해 보자.

비단길 개척	• ( )을/를 대월지로 파견하여 동맹을 맺음 • 흉노 견제
태학	• ( )의 건의를 수용하여 설립 • 유학을 익힌 인물을 관리로 등용
( )	• 한 대 지방의 토착 세력으로 그 지역의 실력자이며 대토지 소유자
( )	• 소를 농사에 이용하는 것 • 춘추 전국 시대에 전국적 보급

총 문항수 12	처음 푼 날 월 일
정답과 해설 28쪽	오답 푼 날 월 일

01~02 지도를 보고 물음에 답해 보자.

빈출

(가) (나) (다) (라) (마)

01 (가) 지역에서 발견된 청동기 문화의 유물로 옳은 것은?

빈출

① ② ③ ④ ⑤

02 동아시아에서 최초로 청동기를 사용한 지역으로 옳은 것은?

① (가) ② (나) ③ (다) ④ (라) ⑤ (마)

03 (가) 국가에 대한 옳은 설명을 |보기|에서 고른 것은?

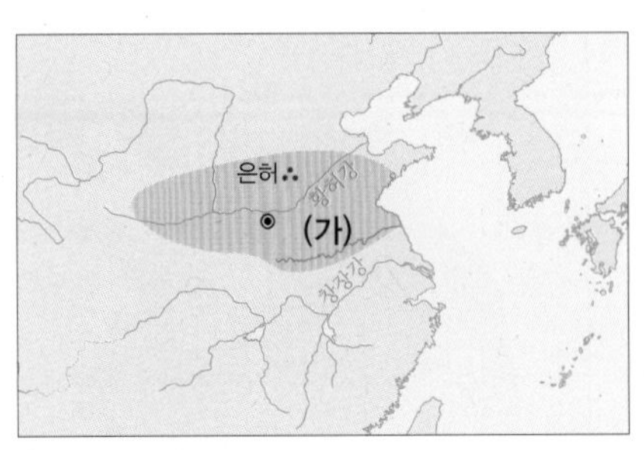

| 보기 |

ㄱ. 제정일치 사회였다.
ㄴ. 천명사상을 주장하였다.
ㄷ. 제사를 지낸 내용을 갑골문으로 기록하였다.
ㄹ. 이민족의 침입으로 수도를 낙읍으로 옮겼다.

① ㄱ, ㄴ ② ㄱ, ㄷ ③ ㄴ, ㄷ
④ ㄴ, ㄹ ⑤ ㄷ, ㄹ

04 다음 제도를 사용한 국가에 대한 옳은 설명을 |보기|에서 고른 것은?

빈출

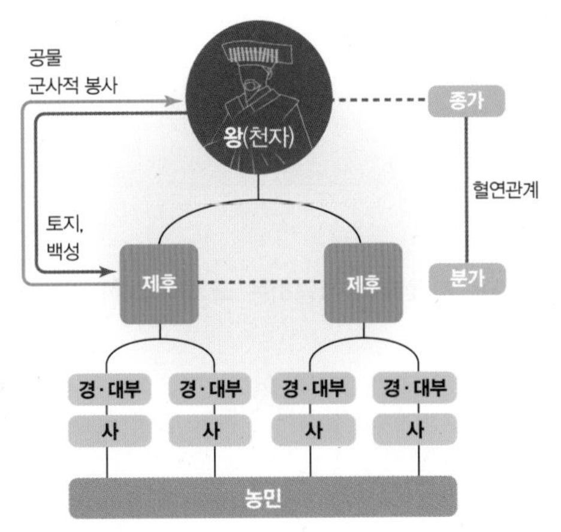

| 보기 |

ㄱ. 진승·오광의 난으로 멸망하였다.
ㄴ. 법가 사상으로 부국강병에 성공하였다.
ㄷ. 백성들을 덕으로 다스려야 한다고 주장하였다.
ㄹ. 왕이 다스리는 곳을 제외한 곳은 제후가 다스렸다.

① ㄱ, ㄴ ② ㄱ, ㄷ ③ ㄴ, ㄷ
④ ㄴ, ㄹ ⑤ ㄷ, ㄹ

05 동아시아가 다음 지도와 같을 때의 모습으로 옳지 않은 것은?

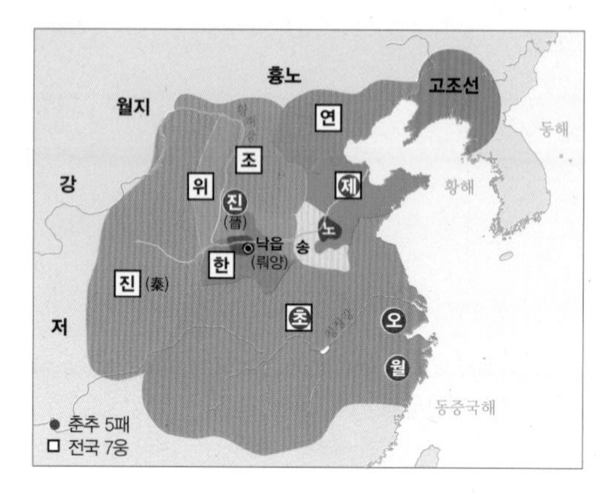

① 도량형, 화폐, 문자가 통일되었다.
② 우경과 철제 농기구가 보급되었다.
③ 화폐가 유통되고, 도시가 발달하였다.
④ 철제 무기가 보급되어 군사력이 강화되었다.
⑤ 제자백가라 불리는 사상가와 학파가 출현하였다.

06 빈출 다음 자료에서 설명하는 국가에 대한 내용으로 옳지 않은 것은?

> 백성을 서로 감시하게 하고 연대 책임을 지운다. 타인의 범죄를 알면서도 고발하지 않는 자는 요참형에 처하고, 고발한 자는 적의 목을 잘라 온 것과 같은 상을 준다. 싸움에서 공을 세운 자에게는 그 상황에 해당하는 급수의 작위를 준다. -「사기」, 상앙열전-

① 군현제를 실시하였다.
② 도량형, 문자를 통일하였다.
③ 분서갱유로 사상을 통제하였다.
④ 고조선을 멸망시키고 군현을 설치하였다.
⑤ 법가 사상을 바탕으로 부국강병에 성공하였다.

07~08 다음 가상 대화를 읽고 물음에 답해 보자.

> 황 제: 짐이 국가를 이끌어 가려고 하니 책임이 무겁다. 국가의 기강을 세울 좋은 방법을 말해보라.
> 동중서: 제왕은 덕과 교화의 힘을 빌려 다스릴 뿐 형벌의 힘을 빌려 다스리지는 않습니다. 이에 옛날의 제왕은 천하를 다스릴 때 교화를 중요한 일로 삼았습니다. 백성을 인(仁)에 젖어들게 만들고, 의(義)로 도야하게 하며, 예(禮)로 절제하게 하십시오.
> 황 제: 너의 말이 옳다. (가)
> 환 관: 폐하. 방금 장군 장건이 황궁에 도착하였습니다.

07 (가)에 들어갈 대화 내용으로 가장 적절한 것은?

① 군국제를 실시하라.
② 엄격한 법으로 백성들을 다스려라.
③ 태학을 설치하고 유교 교육을 실시하라.
④ 제사를 지낸 결과를 갑골 문자로 기록하라.
⑤ 정책에 반대하는 유학자들의 책을 불태워라.

08 밑줄 친 '장건'과 관련된 내용으로 옳은 것은?

① 제자백가 중 도가에 속하였다.
② 진승·오광의 난에 가담하였다.
③ 고조선으로 망명하여 쿠데타를 일으켰다.
④ 만리장성 이북의 초원 지대를 통합하였다.
⑤ 서역으로 파견되어 비단길 개척에 기여하였다.

09 빈출 그림과 같은 제도를 실시했던 국가에 대한 옳은 설명을 |보기|에서 고른 것은?

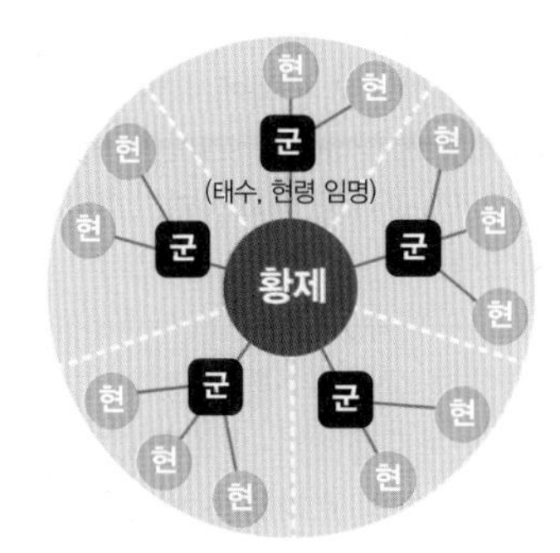

|보기|
ㄱ. 고조선을 멸망시켰다.
ㄴ. 만리장성을 건설하였다.
ㄷ. 히미코 여왕이 통치하였다.
ㄹ. 랴오허강을 경계로 연과 대립하였다.

① ㄱ, ㄴ ② ㄱ, ㄷ ③ ㄴ, ㄷ
④ ㄴ, ㄹ ⑤ ㄷ, ㄹ

10 (가)에 대한 설명으로 옳지 않은 것은?

(가) 제국은 여러 부족을 통합한 연맹체적 국가였으며, 그 영역은 크게 셋으로 구분되었다. 선우는 중앙을 직접 통치하고, 동쪽의 좌방에는 좌현왕, 서쪽의 우방에는 우현왕을 배치하였다.

① 유라시아 대륙 북부에서 성장하였다.
② 진과 만리장성을 경계로 대립하였다.
③ 한을 공격하여 백등산에서 고조를 굴복시켰다.
④ 중국에서 망명한 위만이 쿠데타를 일으켜 집권하였다.
⑤ 묵특 선우 때 만리장성 이북의 초원 지대를 통합하였다.

서술형 문제

11 다음 그림을 보고 물음에 답해 보자.

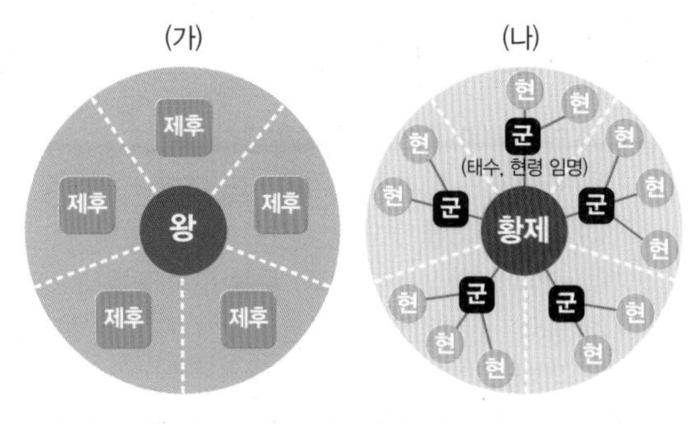

(1) (가), (나) 제도의 명칭을 각각 써 보자.

(2) (가), (나) 제도의 차이점을 두 가지 서술해 보자.

서술형 문제

12 자료를 읽고, 시황제가 건설하고자 했던 국가의 모습과 그 한계점을 서술해 보자.

전국을 통일한 진의 시황제는 황제라는 칭호를 사용하고, 전국에 군현제를 시행하여 중앙 집권 체제를 강화하였다. 또한 도량형과 화폐, 문자를 통일하고 도로망을 정비하였으며, 정책에 반대하는 유학자들의 책을 불태우고 죽이기까지 하였다.

3단계 내신 만점 도전하기

01 동아시아 각 지역의 청동기 문화에 대한 설명으로 옳지 않은 것은?

① 만주 – 야요이 문화가 발달하였다.
② 한반도 – 비파형 동검을 사용하였다.
③ 일본 – 쇠를 덧댄 농기구를 사용하였다.
④ 중국 – 싼싱두이 문화, 우청 문화가 발달하였다.
⑤ 중국 – 기원전 2000년경 얼리터우 문화가 발달하였다.

02 다음 유물이 사용된 국가에 대한 옳은 설명을 |보기|에서 고른 것은?

| 보기 |
ㄱ. 비파형 동검이 사용되었다.
ㄴ. 쇠를 덧댄 농기구를 사용하였다.
ㄷ. 히미코 여왕이 야마타이 국을 다스렸다.
ㄹ. 한과의 중계 무역을 통하여 번성하였다.

① ㄱ, ㄴ ② ㄱ, ㄷ ③ ㄴ, ㄷ
④ ㄴ, ㄹ ⑤ ㄷ, ㄹ

03 밑줄 친 '그들'에 대한 설명으로 옳은 것은? 중요

> 그들은 대싱안링 산맥에서 파미르 고원에 이르는 초원 세계를 통일하였다. 그들은 뛰어난 기마술로 한나라의 30만 군대를 패배시키고 황제를 백등산에서 포위하였다.

① 서희에게 강동 6주를 주었다.
② 최고 통치자를 선우라고 불렀다.
③ 중앙아시아의 호라즘을 멸망시켰다.
④ 상앙이 법치주의 개혁을 실시하였다.
⑤ 점을 친 내용을 거북의 배딱지 등에 갑골 문자로 기록하였다.

04 중국의 지방 통치 제도인 (가)~(다)에 대한 설명으로 옳은 것은? 중요

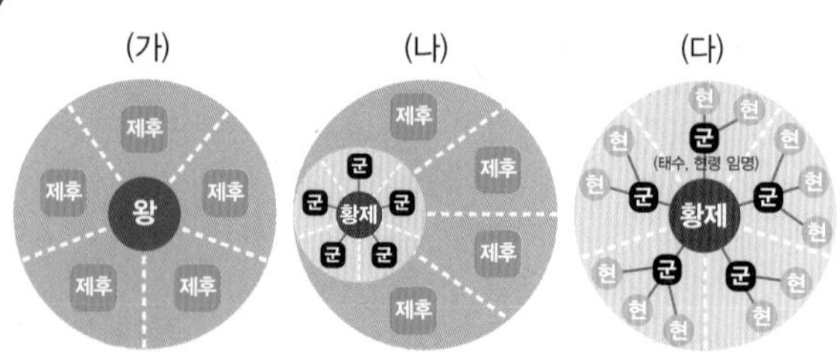

① (가) – 중앙 집권적 성격을 지니는 제도이다.
② (나) – 주가 혈연관계를 바탕으로 운영하였다.
③ (다) – 지방 분권적 성격을 지니는 제도이다.
④ (가), (다) – 한 때 실시했던 제도이다.
⑤ (가) → (다) → (나)의 순서로 등장했다.

05 중요 밑줄 친 '황제'가 추진한 정책으로 옳은 것은?

> 황제 폐하의 명을 받아 대월지와 동맹을 맺기 위해 신 장건이 가본 곳은 대완, 대월지, 대하, 강거 등이지만 인접한 대여섯 국가에 대해서도 전해 들은 바가 있어서 다음과 같이 보고합니다. 대월지는 대완의 서쪽으로 2천~3천 리 되는 곳에 있습니다. 흉노와 생활 풍습이 비슷합니다.

① 도량형과 화폐를 통일하였다.
② 황제의 칭호를 처음 사용하였다.
③ 소금과 철의 전매제를 실시하였다.
④ 과거 시험에 전시 제도를 도입하였다.
⑤ 강남과 화북을 잇는 대운하를 건설하였다.

06 밑줄 친 '이 지역'을 지도에서 찾은 것은?

> 기원 전후 형성된 이 지역의 몇몇 소국은 후한에 사신을 보내 조공을 바치며 중국의 문물을 받아들였다. 야마타이 국의 히미코 여왕은 중원의 위에 조공하여 이전의 노국 왕처럼 금인을 받았다. 또한 철 수입을 위해 한반도 남부와 교류하였다.

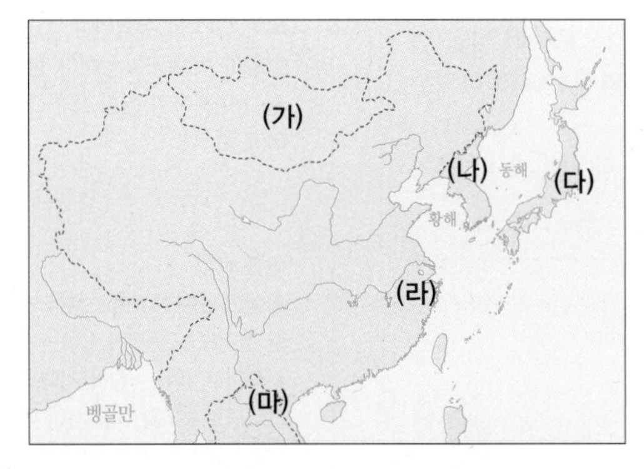

① (가) ② (나) ③ (다) ④ (라) ⑤ (마)

07 중요 밑줄 친 '이 시기'의 혼란기를 통일한 왕조에 대한 옳은 설명을 |보기|에서 고른 것은?

> 강력한 제후국의 하나였던 진(晉)이 경·대부들에 의해 한, 위, 조의 세 국가로 나뉘면서 이 시기가 시작되었다. 이 시기는 하극상과 전쟁이 난무하는 약육강식의 시대였고, 7개의 국가들이 주도권 다툼을 벌였다.

|보기|
ㄱ. 제자백가가 등장하였다.
ㄴ. 엄격한 법치주의를 채택하였다.
ㄷ. 진승·오광의 난으로 쇠퇴하였다.
ㄹ. 능력을 중시하는 인재 등용으로 사(士) 계층이 성장하였다.

① ㄱ, ㄴ ② ㄱ, ㄷ ③ ㄴ, ㄷ
④ ㄴ, ㄹ ⑤ ㄷ, ㄹ

08 다음 유물을 남긴 국가에 대한 설명으로 옳은 것은?

① 동아시아 최초의 유목 국가였다.
② 왕은 제사를 지내는 제사장이기도 했다.
③ 덕으로 백성들을 다스려야 한다고 주장하였다.
④ 황허강 유역에 세워진 기록 상 최초의 국가이다.
⑤ 혈연관계에 있는 사람을 제후로 임명하는 봉건제를 실시하였다.

총 문항수 2	처음 푼 날 월 일
정답과 해설 30쪽	오답 푼 날 월 일

01 (가), (나) 사이 시기 동아시아의 상황으로 옳은 것은?

> (가) 연왕 노관이 배반하고 흉노로 들어가자, 위만은 도망해서 무리 천여 명을 모아 상투를 하고 오랑캐의 옷을 입은 채 동쪽으로 가서 국경을 지나 패수를 건넜다. 그는 차츰 진번, 조선인, 그리고 옛 연 지역에서 도망한 자들을 자기에게 복속시켜 거느리고 왕이 되었으며, 왕검에 도읍을 정하였다.
> (나) 니계상 참이 사람을 시켜 조선왕 우거를 죽이고 항복하여 왔으나, 왕검성은 함락되지 않았다. 죽은 우거를 대신하여 성기가 권력을 잡고 다시 한을 공격하였다. 좌장군은 우거의 아들 장과 항복한 상 노인의 아들 최로 하여금 그 백성을 달래고 성기를 죽이도록 하니 드디어 조선을 평정하였다.

① 주가 상을 멸망시켰다.
② 고구려가 수의 침략을 물리쳤다.
③ 시황제가 만리장성을 건설하였다.
④ 고조선이 한과 한반도 남부 사이에서 중계 무역을 하였다.
⑤ 히미코 여왕의 야마타이 국을 중심으로 연맹체가 형성되었다.

유형 분석
동아시아사 수능 시험에 빈번하게 출제되며, 어려운 유형이야. 지문의 시기를 정확히 이해하고 있어야 함은 물론 당시 동아시아의 상황 또한 인지하고 있어야 해.

해결 비법
(가)는 고조선의 왕이 위만으로 바뀌는 시점이야. (나)는 고조선이 멸망하는 상황이지. 그러므로 (가)와 (나) 사이 시기는 위만 조선의 시기로 볼 수 있어.

02 (가), (나) 사이 시기 중국 대륙의 상황으로 옳은 것은?

> (가) 기원전 770년 주의 평왕은 일부 귀족과 제후들의 호위 아래 호경으로부터 낙읍(현재의 뤄양)으로 옮겼다. 동쪽으로 이주한 초기에는 주 왕실이 완전히 쇠퇴하지는 않았지만 점차 주 왕실의 세력은 약화되었다.
> (나) 기원전 403년 강력한 제후국의 하나였던 진이 경대부들에 의해 한, 위, 조 세 국가로 나누어졌다. 역사에서는 이를 삼가분진이라고 한다.

① 왕이 행하는 제사 의식이 더욱 중요해졌다.
② 혈연관계를 기반으로 한 봉건제가 강화되었다.
③ 고조선을 침공하여 멸망시키고 군현을 설치하였다.
④ 하극상과 전쟁이 난무하며 혼란한 시기가 계속되었다.
⑤ 유력 제후가 다른 제후들과 맹약을 맺고 정국을 주도하였다.

유형 분석
동아시아사 수능 시험에 빈번하게 출제되며, 어려운 유형이야. 지문의 시기를 정확히 이해하고 있어야 함은 물론 당시 동아시아의 상황 또한 인지하고 있어야 해.

해결 비법
사실상 춘추 시대와 전국 시대의 차이를 물어보는 문제야. (가)는 춘추 시대의 시작이고, (나)는 전국 시대의 시작이다. 그러므로 (가)와 (나) 사이 시기는 춘추 시대겠지? 즉, 춘추 시대에 대한 설명을 찾으면 되.

심화 기출 지문 활용하기

총 문항수 6 | 처음 푼 날 월 일
정답과 해설 31쪽 | 오답 푼 날 월 일

2014학년도 수능

- 공자께서 말하셨다. "백성들을 이끌되 법과 형벌로써 하면 백성들은 형벌을 면하려고만 하고 부끄러움을 모를 것이다. 백성들을 다스리되 덕과 예로써 하면 백성들은 부끄러움을 알아 장차 선에 이를 것이다."
- 동중서는 황제께 아뢰었다. "제왕은 하늘의 뜻을 받들어 정치를 행해야 합니다. 덕과 교화의 힘을 빌려 다스릴 뿐 형벌의 힘을 빌려 다스리지는 않습니다."

서술형 문제

01 공자와 동중서가 공통적으로 주장하는 학문의 명칭과 그 특징을 서술해 보자.

수능 문제

02 위 자료에 나타난 사상에 대한 옳은 설명을 |보기|에서 고른 것은?

|보기|
ㄱ. 윤회전생을 교리로 삼았다.
ㄴ. 율령 체계의 정립에 영향을 미쳤다.
ㄷ. 인재 양성과 관리 선발에 기여하였다.
ㄹ. 개인적 해탈보다 중생의 구제를 강조하였다.

① ㄱ, ㄴ ② ㄱ, ㄷ ③ ㄴ, ㄷ
④ ㄴ, ㄹ ⑤ ㄷ, ㄹ

활용 문제

03 공자와 동중서가 활동했던 시대에 대한 옳게 짝지어진 것을 |보기|에서 고른 것은?

|보기|
ㄱ. 공자 – 제자백가가 등장하였다.
ㄴ. 공자 – 엄격한 법치주의를 채택하였다.
ㄷ. 동중서 – 태학을 설립하였다.
ㄹ. 동중서 – 문자, 도량형, 화폐를 통일하였다.

① ㄱ, ㄴ ② ㄱ, ㄷ ③ ㄴ, ㄷ
④ ㄴ, ㄹ ⑤ ㄷ, ㄹ

2016학년도 6월 평가원

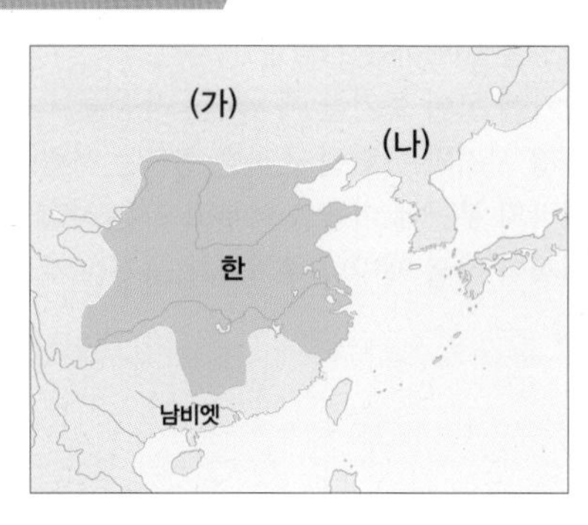

서술형 문제

04 (가), (나)에 들어갈 국가를 쓰고, 한과 (가)의 관계 변화를 시간 순서대로 서술해 보자.

수능 문제

05 지도에 나타난 시기 (가), (나) 국가에 대한 설명으로 옳은 것은?

① (가) – 군국제를 실시하였다.
② (가) – 한과 화친을 맺고 많은 공물을 받았다.
③ (나) – 반랑국을 멸망시켰다.
④ (나) – 마한의 여러 소국들을 통합하였다.
⑤ (나) – (가)의 침략으로 멸망하였다.

활용 문제

06 지도의 형세가 이루어졌을 시기의 모습으로 옳은 것은?

① 분서갱유가 행해졌다.
② 제자백가가 등장하였다.
③ 황건적의 난이 발생했다.
④ 고조선이 중계 무역으로 번성하였다.
⑤ 한반도에서 부여와 고구려가 등장하였다.

대주제 1 마무리하기

난이도	상●●●	중●●○	하●○○
정답률	50% 미만	50~70%	70%이상

●○○
01 농경 지역 사람들의 생활 모습으로 옳지 않은 것은?

① 태양을 숭배하는 사람들
② 강가에 모여 토기를 제작하는 사람들
③ 농경 시기와 관련된 규칙을 정하는 사람들
④ 경작지 부근에 마을을 이루고 사는 사람들
⑤ 계절이 바뀔 때마다 주거지를 옮기는 사람들

●●○
02 다음 지도의 각 구역에 대한 설명으로 옳지 않은 것은?

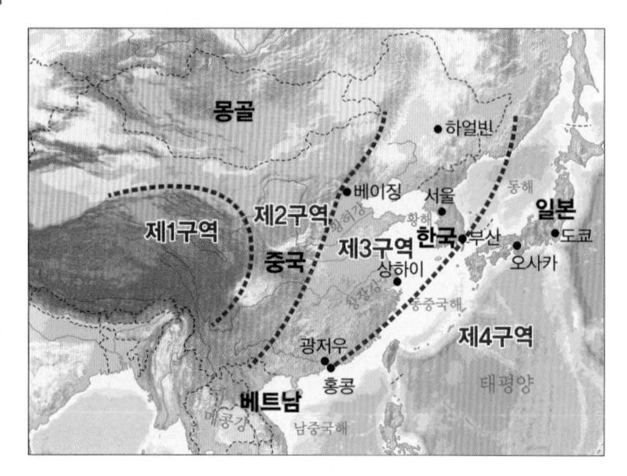

① 제1구역은 티베트고원 지역이다.
② 제2구역은 초원, 사막이 발달하였다.
③ 제2구역과 제3구역은 인구 밀집 지역이다.
④ 제3구역에는 큰 강과 평야가 발달하였다.
⑤ 제4구역은 화산과 지진 활동이 활발하다.

03~04 다음 지도를 보고 물음에 답해 보자.

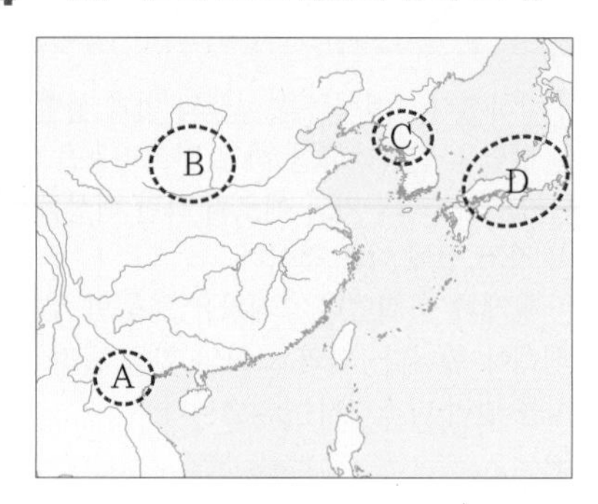

●●○
03 (가), (나) 유물이 제작된 지역을 지도에서 골라 옳게 연결한 것은?

(가)

(나)

	(가)	(나)
①	A	B
②	A	D
③	B	C
④	B	D
⑤	C	D

●●○
04 A 지역의 신석기 문화에 대한 설명으로 옳은 것은?

① 양사오 문화가 발달하였다.
② 얼리터우 문화가 발달하였다.
③ 돌림판을 이용하여 토기를 제작하였다.
④ 갑골 문자를 사용하는 제정일치 사회였다.
⑤ 벼농사에 기반을 둔 허무두 문화가 발달하였다.

05 다음과 같은 생활방식을 가지고 있는 사회의 전근대 시기 모습으로 적절하지 않은 것은?

> 이들은 북쪽 미개척지에 거주하며 기르던 가축을 따라 옮겨 다녔다. 이들은 말, 소, 양을 많이 키웠고 이외에도 낙타 등이 있었다. 이들은 식량이 여유로울 때는 가축을 따르며 짐승을 사냥하는 것을 생업으로 삼고, 급박할 때는 사람들이 저마다 전공을 익혀 주변을 침공하였다.

① 가축에서 대부분의 생필품을 얻었다.
② 모피와 유제품을 곡물과 교환하기도 하였다.
③ 조립과 분해가 쉬운 이동식 가옥에서 거주하였다.
④ 등자를 사용하여 말을 다루는 기술이 우수하였다.
⑤ 수리 시설과 제방을 만들기 위한 공동 노동 조직이 발달하였다.

06~08 다음 지도를 보고 물음에 답해 보자.

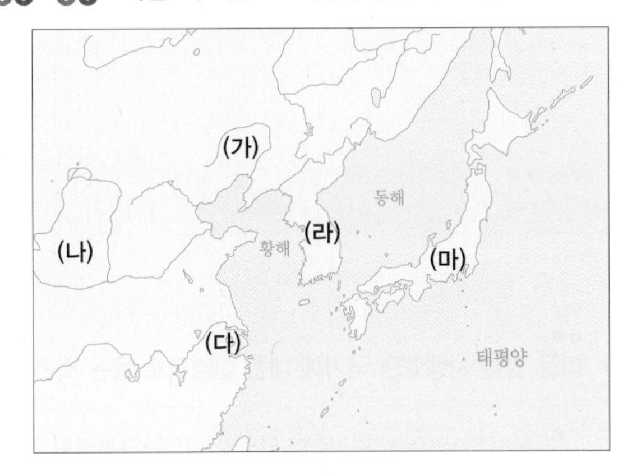

06 다음 유물이 발견된 지역의 위치를 지도에서 찾은 것은?

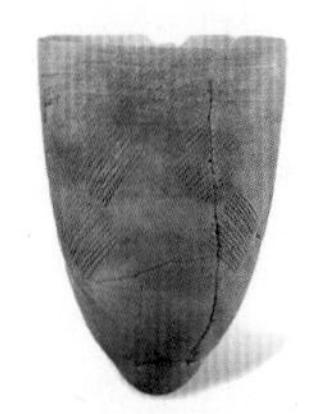

① (가) ② (나) ③ (다) ④ (라) ⑤ (마)

07 (가) 지역의 신석기 문화에 대한 설명으로 옳은 것은?

① 이른 민무늬 토기를 제작하였다.
② 돌림판을 이용하여 토기를 제작하였다.
③ 새끼줄 무늬가 있는 토기를 만들어 사용하였다.
④ 물감으로 그림을 그린 토기를 만들어 사용하였다.
⑤ 옥 가공 기술이 뛰어났고 용 모양의 옥기가 발견되었다.

08 (다) 지역의 신석기 문화와 관련된 내용을 |보기|에서 고른 것은?

| 보기 |
ㄱ. 룽산 문화
ㄴ. 량주 문화
ㄷ. 풍응우옌 문화
ㄹ. 돼지 무늬 토기

① ㄱ, ㄴ ② ㄱ, ㄷ ③ ㄴ, ㄷ
④ ㄴ, ㄹ ⑤ ㄷ, ㄹ

정답과 해설 ▸ 31쪽

09 (가) 국가에 대한 설명으로 옳은 것은?

> 옛날에 무왕은 상과 싸워서 이겼다. 아들 성왕은 (가) 왕실을 안정시키고 덕이 높은 자를 뽑아 지방을 맡아 다스리게 하였다. 그 가운데 주공은 왕실을 도와 천하를 평정하였다.

① 남비엣을 정복하였다.
② 천명사상과 덕치주의를 강조하였다.
③ 거북이 배딱지 등에 갑골 문자를 남겼다.
④ 강남과 화북을 잇는 대운하를 건설하였다.
⑤ 흉노의 침략에 대비하여 만리장성을 쌓았다.

10 (가) 인물에 대한 탐구 활동으로 적절한 것은?

> 유물로 보는 (가) 의 업적
>
> 이 유물에는 " (가) 이/가 천하를 통일하니 제후들과 백성이 안녕을 되찾았다. '황제'의 칭호도 처음으로 마련하였다. 그리고 일치하지 않는 도량형을 명확하게 하나로 통일하도록 승상에게 명하였다."라는 문장이 기록되어 있다.

① 백등산 전투에 대해 알아본다.
② 분서갱유를 실시한 이유를 탐구한다.
③ 갑골문을 새긴 이유와 그 내용을 조사한다.
④ 소금과 철의 전매를 시작하게 된 배경을 조사한다.
⑤ 한을 멸망시키고 신을 세운 목적을 조사한다.

11 지도의 영역이 나타났던 시기 동아시아의 모습을 |보기|에서 고른 것은?

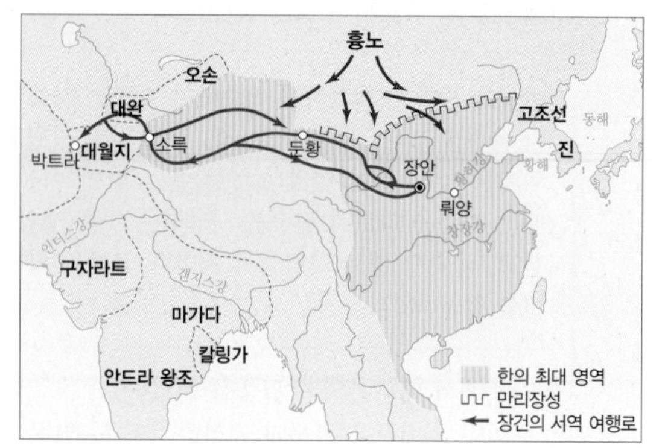

| 보기 |
ㄱ. 태학에서 유학 교육을 받는 유생
ㄴ. 만리장성 건설 현장에 동원된 백성
ㄷ. 오수전을 사용하여 소금을 사는 백성
ㄹ. 황제의 명령으로 유학자들의 책을 태우는 관리

① ㄱ, ㄴ ② ㄱ, ㄷ ③ ㄴ, ㄷ
④ ㄴ, ㄹ ⑤ ㄷ, ㄹ

12 다음 법을 시행했던 국가에 대한 설명으로 옳은 것은?

> 백성에게 금하는 법 8조가 있었다. 그중 일부만이 전해진다. 사람을 죽인 자는 즉시 죽이고, 남에게 상처를 입힌 자는 곡식으로 갚는다. 도둑질을 한 자는 노비로 삼는다. 용서받고자 하는 자는 한 사람마다 50만 전을 내야 한다.

① 히미코 여왕이 다스렸다.
② 찌에우 다가 건국하였다.
③ 은허를 중심으로 발전하였다.
④ 한 무제의 침입으로 멸망하였다.
⑤ 선우를 중심으로 좌현왕, 우현왕이 있었다.

정답과 해설 ▸ 32쪽

❖ 다음을 읽고 물음에 답해 보자.

(가) 인류사의 전개

구석기 시대 사람들은 전적으로 사냥, 물고기잡이, 과일과 뿌리줄기 및 땅벌레의 채집에 의존하여 살았다. 따라서 대자연이 공급해 준 음식 물량에 따라 인구가 제한되었다. 신석기 시대가 되자 사람들은 식물을 재배하고 동물을 사육하여 음식물을 스스로 공급할 수 있게 되었다. 적당한 환경만 주어지면 한 사회는 필요한 것 이상으로 음식물을 생산할 수 있었다. 생산 경제의 채택은 그것에 관계하는 모든 사람들에게 혁명적인 영향을 미쳤다.

(나) 유목민에 대한 부정적 묘사

미국 디즈니사의 만화영화 '뮬란'은 3억 달러가 넘는 이익을 거두었다. 하지만 몽골에서는 상영을 거부하였고, 터키에서는 반대 시위로 일찍 종영하였다. 왜 이런 일이 일어났을까? 영화의 배경은 중국 남북조 시대로, 뮬란이라는 남장 여성이 유목민과 벌인 전쟁에서 큰 공을 세운다는 내용이다. 그런데 유목민의 왕 산유를 잔인한 학살자로 묘사한 것이 문제였다. 유목민의 후예인 몽골인이나 터키인으로서는 이런 식의 묘사를 모욕으로 받아들일 수밖에 없었던 것이다.

더 알아보기

생산은 사람의 경제 활동의 주된 활동이며, 원재료에서 사람의 욕구를 충족하는 재화를 만드는 행위나 그 과정을 가리킨다.

논술 갈라잡이

(가) 생산 경제의 채택으로 인해 나타난 신석기, 청동기 시대의 변화를 되짚어 보자.
(나) 문화 상대주의적 측면 및 환경 적응의 측면에서 비판해 보자.

01 (가)의 밑줄 친 '생산 경제의 채택'이 인류 생활에 가져온 변화를 두 가지 써 보자.

02 (나)를 읽고, 몽골인 또는 터키인 입장에서 영화 제작사에게 보내는 항의 편지를 적어 보자.

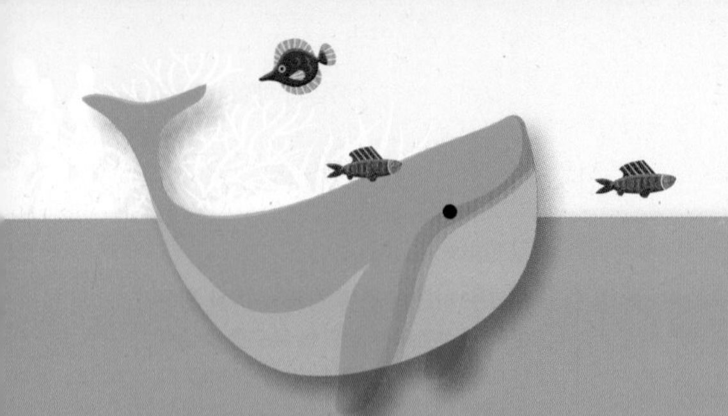

대주제 2

동아시아 세계의 성립과 변화

학습 계획표

- 자신의 일정에 맞게 계획을 세우고, 실제 학습일을 적어 봅시다.
- 학습을 마무리한 후 스스로가 얼마나 학습 목표를 달성하였는지 점검해 봅시다.

주제 4 인구 이동과 정치 · 사회 변동	쪽수	계획일	완료일	목표 달성도
Day 08 개념 정리, 자료 뜯어보기	50 ~ 55쪽	월 일	월 일	☆☆☆☆☆
Day 09 개념 익히기, 내신 유형 익히기	56 ~ 59쪽	월 일	월 일	☆☆☆☆☆
Day 10 내신 만점 도전하기, 수능 유형 익히기, 기출 지문 활용하기	60 ~ 63쪽	월 일	월 일	☆☆☆☆☆

주제 5 동아시아문화권의 형성과 발전	쪽수	계획일	완료일	목표 달성도
Day 11 개념 정리, 자료 뜯어보기	64 ~ 69쪽	월 일	월 일	☆☆☆☆☆
Day 12 개념 익히기, 내신 유형 익히기	70 ~ 73쪽	월 일	월 일	☆☆☆☆☆
Day 13 내신 만점 도전하기, 수능 유형 익히기, 기출 지문 활용하기	74 ~ 77쪽	월 일	월 일	☆☆☆☆☆

주제 6 동아시아 세계의 변화와 국제 관계의 다원화	쪽수	계획일	완료일	목표 달성도
Day 14 개념 정리, 자료 뜯어보기	78 ~ 83쪽	월 일	월 일	☆☆☆☆☆
Day 15 개념 익히기, 내신 유형 익히기	84 ~ 87쪽	월 일	월 일	☆☆☆☆☆
Day 16 내신 만점 도전하기, 수능 유형 익히기, 기출 지문 활용하기	88 ~ 91쪽	월 일	월 일	☆☆☆☆☆
Day 17 대주제 마무리하기, 비판적 사고 기르기	92 ~ 95쪽	월 일	월 일	☆☆☆☆☆

주제 4 인구 이동과 정치·사회 변동

주제 흐름 읽기

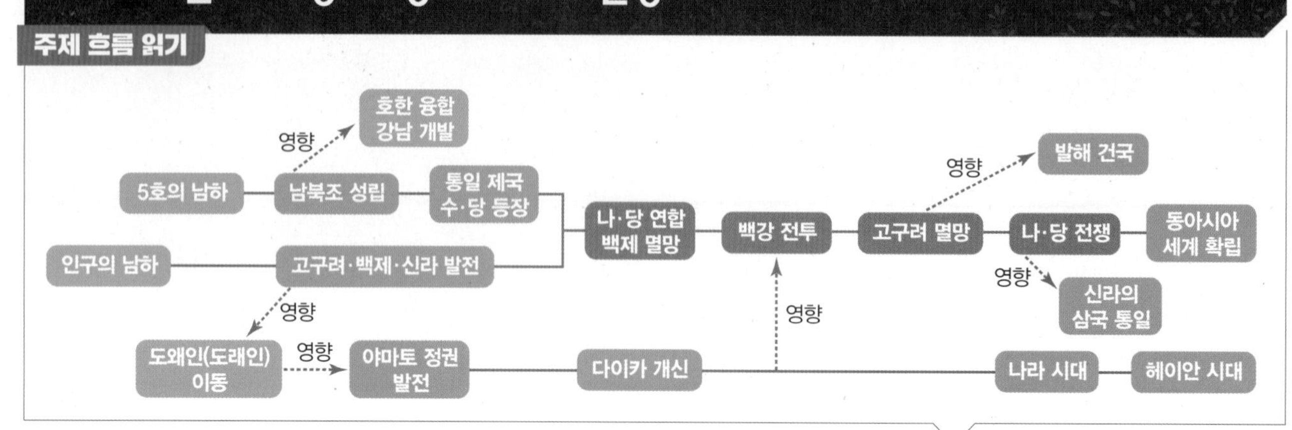

1 인구 이동의 전개

1. 인구 이동의 배경과 특징 ⟨ 동아시아의 인구 이동이 나타난 원인은 무엇일까요?

(1) **인구 이동의 특징** 기원 전후부터 대체로 북쪽에서 남쪽으로 이루어짐

(2) **인구 이동의 원인**

환경적 요인	• 기후 변동 및 자연재해 자료 1 • 인구 증가로 인한 식량 부족과 개간지의 필요성
정치적 요인	• 정치 집단 내 갈등과 집단 간 갈등 • 이민족의 침략과 국가 간 전쟁 및 국가의 멸망

(3) **인구 이동의 결과**

① 토착민과 이주민 또는 이주민과 이주민 사이에 갈등 발생 → 연쇄 이동 발생

② 토착민이 이주민을 적극 수용 → 새로운 국가 성립

③ 다양한 외교 관계가 맺어지고 교류가 활성화 → 새로운 문화 형성

2. 5호의 남하와 위진 남북조 시대 ⟨ 5호는 남하한 후 어떤 과정을 거쳐 국가를 세웠을까요?

(1) **5호의 남하와 5호 16국 시대**❶ 자료 2

배경	• 5호(흉노, 선비, 저, 강, 갈)가 농경 지역으로 남하하여 용병 생활 • 위·촉·오의 삼국 시대를 통일한 진(晉)의 내부 혼란 — 왜? 여러 황족들이 권력 쟁탈전을 벌였어.
전개	• 5호 출신 용병들이 화이허강 이북 지역에 여러 나라 건국(5호 16국 시대)
결과	• 한족은 화이허강 이북 지역을 빼앗김 → 창장강 유역(강남)으로 대규모로 이동하여 동진❷ 건국

언제? 흉노 출신의 유연이 한(전조)을 세운 304년을 5호 16국 시대의 시작으로 봐.

(2) **남북조 시대의 성립**

북조	• 5호가 세운 국가들을 선비족의 북위가 통합하여 화베이(화북) 지방 통일(439) → 북조의 시작
남조	• 강남으로 이동한 한족은 토착 세력과 타협 → 동진 이후 등장한 송·제·양·진 등 남조의 중심 세력으로 활동하며 북조와 대립 • 강남 지방이 본격적으로 개발되며 논농사 발전 — 어떻게? 강남으로 이주한 한족들의 앞선 기술과 강남의 온난 습윤한 기후 환경이 결합되었어.

❶ 5호 16국 시대

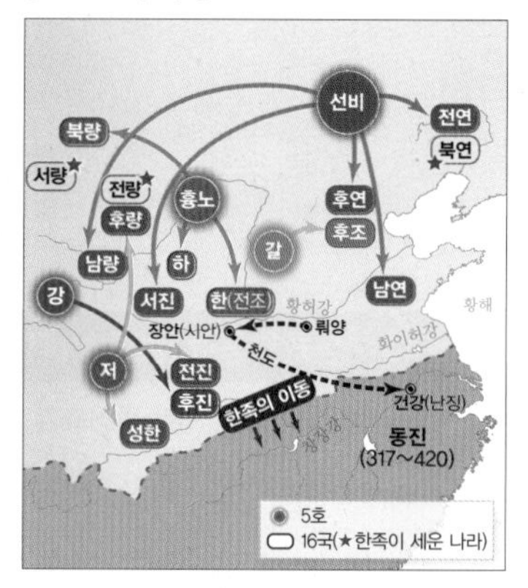

5호(五胡)는 주로 중국 북방 초원 지역에 거주하던 흉노, 선비, 저, 강, 갈족을 가리킨다. '호(胡)'는 한족이 아닌 이민족을 격하시켜 부르는 말로, '오랑캐'라는 의미이다. 5호가 남하하여 한족이 세운 진(晉)을 몰아내고 화이허강 이북 지역에 여러 나라를 세웠는데, 이 시기를 '5호 16국 시대'라고 한다.

❷ 동진(東晉)

한족 정권인 진(晉)은 5호의 남하로 인해 멸망하였다. 그러나 황족인 사마예는 강남 지방으로 도피하였고, 건강(오늘날의 난징)을 수도로 정하여 진 정권을 부흥시켰다. 강남 지방의 진 정권을 '동진(東晉)'이라 부르고, 화이허강 이북을 빼앗기기 이전의 진 정권을 '서진(西晉)'이라고 부른다.

자료 1 기후 변동

> 위의 무제(조조)가 동작대(수도 업의 서북쪽에 지은 누대)에 붉은 귤을 심었는데, 꽃과 열매가 맺지 않았다.
> – 유소민, 『기후의 반역』 –

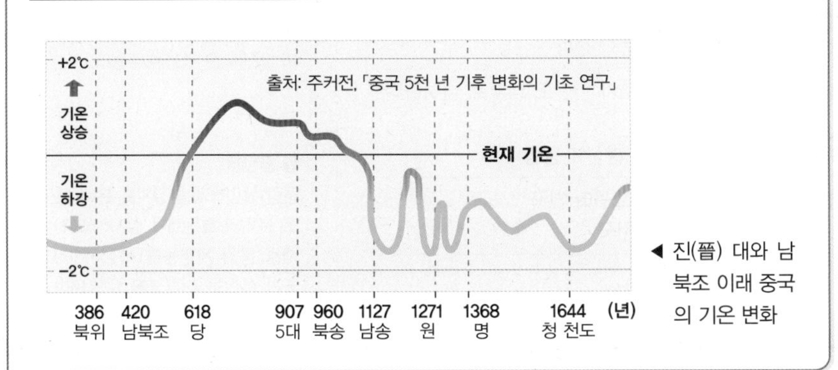

◀ 진(晉) 대와 남북조 이래 중국의 기온 변화

위의 무제(조조)가 심은 귤이 제대로 자라지 않은 이유는 무엇일까?

귤은 따뜻한 기후에서 자라는 작물이고, 위의 수도 업은 화베이 지방에 있었어. 위나라가 존재하던 삼국 시대에 화베이 지방은 그리 따뜻하지 않았다는 것을 알 수 있지.

기온의 변화는 중국의 역사에 어떤 영향을 주었을까?

기온 변화 그래프를 보면 기온이 상대적으로 하강하는 시대에 북방 민족들의 침입이 잦았음을 알 수 있어. 기온이 하강할수록 북방 민족들은 유목 생활이 힘들어지고, 그에 따라 식량과 물자를 구하기 어려웠기 때문에 중원을 침략하는 경우가 많았어.

뜯어보기 포인트

기온이 하강할수록 북방 유목 민족들이 농경 세계를 자주 침입했다는 것을 기억하자.

Q1 북방 민족이 이동한 대표적인 원인으로 옳은 것을 모두 선택해 보자.

㉠ 식량 사정이 나빠졌을 거야.
㉡ 평균 기온이 점점 낮아졌을 거야.
㉢ 중원 왕조가 정치적 안정을 유지했을 거야.
㉣ 중원 왕조와 조공·책봉 관계를 맺었을 거야.
㉤ 중원 왕조가 북방 민족과의 교역에 적극 임했을 거야.

자료 2 중원으로 들어온 북방 민족

> 호(胡)는 원래 흉노라는 포악한 침략자들이었습니다. …… 추위와 굶주림으로 쇠약해져 국가가 다섯 개로 쪼개졌다가 뒤에 다시 둘로 합쳐졌으나 …… 자립할 수 없을 만큼 쇠퇴하여 변경 가까이에서 의지하며 순종하였습니다. …… 남흉노의 선우가 다시 항복해 오자 변경 안으로 들여 사막 남쪽에 살게 하였는데, 몇 세대가 지난 뒤 자주 반란이 일어나 …… 토벌할 수밖에 없었습니다. …… 지금 흉노의 다섯 부락 무리는 수만 호에 이르러 인구가 서쪽의 오랑캐들보다 많아졌습니다.
> – 『진서』, 강통전 –

이 시기 남하한 북방 민족들은 어디서 왔을까?

'5호'라 불렸던 다섯 개의 북방 민족들은 본래 중국 북부의 척박한 사막과 초원 지대에서 생활하였는데, 중국 대륙이 어수선해졌던 한 말기부터 남하하였어. 서진이 내부 혼란으로 허약해지자 기회를 잡은 북방 민족들은 화베이 지방에 여러 나라를 세웠지. '5호 16국 시대'가 시작된 거야.

당시 얼마나 많은 북방 민족이 중원에서 거주하였을까?

서진의 강통은 「사융론(徙戎論)」을 통해 이미 한 말기부터 관중 지방 인구의 절반가량이 북방 민족이었다고 언급하며, 이들을 하루 빨리 북방으로 되돌려 보내야 한다고 주장하였어. 강통의 통계는 조금 과장된 측면이 있겠지만 그만큼 당시 많은 북방 민족들이 중원에 유입되었다는 것을 알 수 있지.

뜯어보기 포인트

북방 민족인 5호가 대규모로 남하하며 중원에 자리를 잡았다는 점을 기억하자.

Q2 5호에 대한 설명으로 옳은 것을 모두 선택해 보자.

㉠ 화베이 지방에 여러 국가를 세웠다.
㉡ 서진을 건국하고 중원을 통일하였다.
㉢ 흉노, 선비, 저, 강, 갈족으로 이루어졌다.
㉣ 한 말기부터 중원에 다수 유입되었다.
㉤ 중원에서 주로 농업 등 생산 업무에 종사하였다.

답 Q1 ㉠, ㉡ / Q2 ㉠, ㉢, ㉣

3. 한반도와 일본 열도 방면의 인구 이동

만주와 한반도, 일본 열도의 인구 이동이 일어난 원인은 무엇이며 어떤 영향을 끼쳤을까요?

(1) 만주와 한반도 지역의 인구 이동 자료 3

전쟁과 반란	• 한 초기 혼란을 피해 위만 집단이 고조선으로 이주 → 반란을 일으켜 고조선의 준왕을 몰아내고 왕이 됨. • 쫓겨난 준왕은 한반도 남쪽으로 이동하여 앞선 문화 전파
국가의 멸망	• 한의 침략으로 고조선 멸망 → 고조선 유민 일부가 한반도 남부로 남하하여 신라 건국에 영향 • 고구려에 정복된 낙랑 유민 일부가 남하 → 백제 발전에 영향
정치 집단 간 갈등	• 주몽 집단이 부여에서 남하 → 압록강 유역에서 고구려 건국 • 온조 · 비류 집단이 남하 → 한강 유역에서 백제 건국

(2) 일본 열도의 인구 이동

① 한반도 등지에서 도왜인(도래인)들이 일본으로 이동 → 앞선 문물을 바탕으로 일본 열도의 국가 발전에 기여

② 4세기 이후 야마토 정권❶이 세력을 확대하며 인구가 꾸준히 동쪽으로 이동

2 동아시아 각국의 통합과 발전

1. 북방 민족의 한족 통치와 호한 융합

북조 국가들은 이주민(호족)과 토착민(한족) 사이의 갈등을 어떻게 해결했을까요?

(1) 이주민과 토착민의 갈등 대규모 인구 이동과 문화 차이로 인한 갈등 심화

(2) 북위 효문제의 호한 융합 정책 자료 4

내용	• 뤄양 천도, 관직 제도 개혁과 호복 금지, 조정에서 선비어 사용 금지, 선비족 성의 한족화, 한족과의 혼인 장려, 균전제❷ 실시
결과	• 유목 민족의 군사력과 한족의 문물제도가 융합 → 북조가 남조를 누르고 수 · 당 통일 제국을 이룩하게 되는 기반 마련

누가? 남북조 시대를 통일한 수는 북조 중 하나인 북주의 외척 출신 양견에 의해 건국되었어.

2. 한반도와 일본 열도 방면의 통합과 발전

한반도의 삼국과 일본의 야마토 정권은 어떤 발전 과정을 거쳤을까요?

(1) 한반도 삼국의 발전 이주민 세력이 토착민 세력을 통합하며 발전

고구려	• 압록강 유역을 중심으로 대동강 유역 등 주변 지역 복속 • 7세기에는 돌궐❸ · 백제 등과 연계하여 수 · 당에 맞서고자 함.
백제	• 한강 유역을 기반으로 남쪽 마한 지역과 탐라 복속 • 5~6세기에 남조 · 왜(일본) 등과 연결해 세력 유지를 시도
신라	• 경주 일대를 중심으로 진한 지역과 낙동강 일대 가야까지 통합 • 6세기 한강 유역을 장악한 이후 수 · 당과 직접 교류

(2) 일본 야마토 정권의 발전

① 호족(豪族) 통합: 지방 호족들에게 지위를 나타내는 성을 부여(씨성 제도❹) → 소가 씨, 모노노베 씨 등의 호족들이 지위를 세습하며 귀족으로 성장

② 도왜인의 문화 전파❺

㉠ 제철 기술: 가야로부터 철 수입 → 6세기 이후 철광석 채굴하여 자체 생산

㉡ 불교: 백제로부터 수용 → 6세기 후반 아스카 문화 발전

누가? 고구려 승려 혜자의 제자인 쇼토쿠 태자에 의해 번성하였어.

❶ 야마토 정권
약 3세기 말에 본격적으로 등장한 일본 최초의 통일 정권이다. 나라 지역을 중심으로 주변을 통합하였고 이주민을 수용하며 세력을 확대하였다. 특히 한반도에서 건너 온 도왜인들이 야마토 정권의 발전에 큰 영향을 주었다.

❷ 균전제
몰락 농민에게 농경지를 분배하는 제도로 북위의 효문제가 실시하였다. 이 정책을 통해 자영농을 육성하고 나아가 국가 통합을 이루고자 하였으며, 유목 민족인 선비족을 농경민으로 만들려는 목적도 있었다. 제도적으로 정비되어 이후 수 · 당 시대까지 실시되었다.

❸ 돌궐
유목 민족으로 6세기에 중국 북방 초원 지역에서 유연을 몰아내고 돌궐 제국을 세웠다. 7세기에 당 태종에 의해 잠시 당에 복속되었으나 다시 부흥하였으며, 8세기에 위구르에 의해 멸망하였다.

❹ 씨성 제도
야마토 정권이 지방 호족들에게 정치상 기여도 및 지위에 따라 차별화된 성(姓)을 부여함으로써 중앙 정치 체제에 편입시키고자 실시한 제도이다.

❺ 도왜인의 문화 전파

고구려의 혜자는 일본으로 건너가 쇼토쿠 태자의 스승이 되었으며, 담징은 먹과 제지술을 전해주었다. 백제는 4세기에 유학과 한자를 전하였고 6세기 중반에는 불교를 전래하였다. 신라는 조선술과 제방 쌓는 기술 등을 전해주었으며, 가야의 토기 제작 기술은 일본 스에키 토기에 영향을 끼쳤다.

자료 3 만주와 한반도의 인구 이동

- 고조선의 준왕은 그의 신하와 궁인들을 거느리고 도망하여 바다를 거쳐 한(韓)에 거주하면서 스스로 한 왕이라 칭하였다. –『삼국지』, 위서 동이전–
- 고조선의 유민들이 산골짜기에 나누어 살아 육촌을 이루었다. …… 이것이 진한 6부가 되었다. –『삼국사기』, 신라본기 –
- (금와왕의) 맏아들 대소가 왕에게 말하기를 "주몽은 …… 사람됨이 또한 용감합니다. …… 후환이 있을까 두려우니 그를 제거할 것을 청하옵니다."라고 하였다. …… 주몽이 이에 오이, 마리, 협보 등 세 사람과 친구가 되어 길을 떠났다. –『삼국사기』, 고구려본기 –

위 자료들에서 나타나는 공통적인 모습은 무엇일까?

모두 이주민 집단이 북에서 남으로 이동하는 모습을 보이고 있어. 이들은 모두 남하한 후 토착민 집단과 힘을 합쳐 새로운 정치 세력을 형성하였지.

기원 전후 만주와 한반도에서 나타난 인구 이동이 끼친 영향은 무엇일까?

북쪽 방면에서 이주해 온 이주민 집단은 한반도의 토착민 집단과 힘을 합쳐 새로운 국가들을 형성하였고, 이는 삼국과 가야의 성립으로 이어졌지. 이후 한반도 사람들은 바다 건너 일본에도 건너가 선진 문물을 전해주었고, 야마토 정권의 성립에도 기여하였어.

뜯어보기 포인트

북쪽에서 선진 문물을 가져 온 이주민들과 기존의 토착민들이 힘을 합쳐 만주와 한반도의 여러 나라를 건국했음을 기억하자.

Q3 만주와 한반도의 인구 이동과 관련하여 옳은 것을 모두 선택해 보자.

㉠ 인구 이동은 대체로 남에서 북으로 이루어졌다.
㉡ 고구려를 건국한 주몽 세력은 부여에서 나왔다.
㉢ 이주민은 토착민을 몰아내고 새로운 국가를 세웠다.
㉣ 위만에게 쫓겨난 준왕은 한강 유역으로 이동하여 백제를 건국하였다.
㉤ 고조선 유민 중 일부는 경주 지역에 정착하여 신라의 뿌리를 형성하였다.

자료 4 북위 효문제의 호한 융합 정책

- 효문제가 말하기를 "…… 이제 여러 북방의 언어를 쓰지 못하게 하고, 오로지 올바른 중원의 언어만 사용하도록 하려 한다. …… 현재 조정에 있는 서른 살 이하의 사람은 예전처럼 말해서는 안 된다. 만약 고의로 북방의 언어를 쓴다면, 마땅히 작위를 낮추고 관계*(官界)에서 내칠 것이다. …… 점차 올바른 언어에 익숙해지면 풍속이 새롭게 교화될 것이다."라고 하였다. –『위서』, 함양왕전 –
- 수도에 머물던 관료들에게 "어제 부녀자들의 의복을 보니, 여전히 옷깃이 좁고 소매도 좁았다. …… 이미 한 해가 지났는데, 그대들은 무슨 까닭으로 예전의 호복(호족 복장) 금지 조칙을 어기고 있는가?"라고 꾸짖었다. –『위서』, 함양왕전 –

*관계 관료들로 이루어진 사회를 뜻하며, 관계에서 내친다는 것은 관직을 박탈한다는 의미이다.

효문제가 이 정책을 실시한 목적은 무엇일까?

위 자료들에 나타난 효문제의 정책을 '호한 융합 정책'이라고 해. 이를 통해 효문제가 추구한 가장 큰 목적은 황제권의 강화와 국가 체제의 안정이었어.

이 정책은 북위에 어떤 영향을 주었을까?

호족(胡族)인 선비족의 문화와 한족의 문화가 융합되면서 중국의 문화가 더욱 다채로워지는 결과를 낳았어. 하지만 북위 내부에는 이 정책에 반대하는 목소리도 높았고, 결국 북위가 동서로 분열되는 빌미를 제공하였지.

뜯어보기 포인트

북위의 효문제가 정권 안정을 위해 호한 융합 정책을 실시했지만, 이에 대한 반발도 적지 않았다는 점을 기억하자.

Q4 효문제의 호한 융합 정책과 관련하여 옳은 것을 모두 선택해 보자.

㉠ 수도를 뤄양에서 평성으로 옮겼다.
㉡ 문화가 더욱 다채로워지고 풍부해졌다.
㉢ 황제권 강화와 체제 안정이 목적이었다.
㉣ 호족의 문화를 중심으로 한족의 문화를 일부 수용하였다.
㉤ 국가의 통합이 더욱 견고해지며 남북조 통일의 기반이 마련되었다.

답 Q3 ㉡, ㉤ / Q4 ㉡, ㉢

3 동아시아 세계의 확립

1. 7세기 동아시아 국제 전쟁 자료 5

6세기 말부터 동아시아 국가 간의 극도의 긴장 관계가 형성된 배경은 무엇일까요?

(1) **고구려와 수·당의 전쟁**

① 수는 고구려를 굴복시키기 위해 대군을 동원하여 공격하나 실패 → 멸망

② 당은 당 중심의 동아시아 질서 확립을 위해 고구려를 공격하나 실패

(2) **나·당 연합의 결성** 연합 세력이 필요한 신라와 당의 이해관계가 일치

(3) **국제 전쟁의 전개** 나·당 연합군이 백제(660)와 고구려(668)를 잇달아 멸망시킨 후 곧이어 신라는 당을 공격하여 쫓아내고 삼국 통일 달성(676)

왜? 신라는 잠시 당의 힘을 빌리려 한 것에 불과했지만, 당은 한반도 전체를 차지하려는 의도를 갖고 있었어.

왜? 당은 고구려 원정이 실패한 후에도 동쪽 지역에 영향력을 뻗치고 싶어 했기에 외부의 도움이 필요했고, 신라는 고구려와 백제의 위협을 막기 위해 연합 세력이 필요했어.

2. 지역 통일 국가의 성립

동아시아 국제 전쟁은 지역 통일 국가 성립과 어떤 관련이 있을까요?

(1) **중국의 통일 국가** 수·당은 전쟁을 전후로 남북조를 통일하고 율령 체제 완비

수	• 수 문제: 남북조 통일, 과거제 도입, 균전제와 부병제 정비 • 수 양제: 대운하 완성 → 남북 간 경제 통합 강화
당	• 당 태종: 율령 등 국가 제도 정비

(2) **한반도의 통일 국가**

① 신라는 고구려 멸망 직후 나·당 전쟁에서 승리(676) → 한반도 통일 국가 등장

② 고구려 유민의 부흥 운동 실패 → 유민 일부는 말갈족과 함께 발해 건국(698)

③ 백제 유민의 부흥 운동 전개 → 왜의 지원군 파견 → 백강 전투❶ 패배(663)

누가? 고구려 출신 대조영에 의해 건국되었어.

(3) **일본의 정치 개혁**

쇼토쿠 태자	• 불교와 유학을 바탕으로 「17조 헌법(규범)」 발표 자료 6
나카노오에 황자	• 유력 호족인 소가 씨 세력을 제거한 후 다이카 개신❷(645) 선포 • 덴지 천황으로 즉위(668)한 후 개혁을 통해 지배 체제 강화

3. 동아시아 세계의 확립과 변화

동아시아 국제 전쟁 이후 동아시아 세계는 어떻게 변화하였을까요?

(1) **8세기 전반의 동아시아**

당	• 안정된 정치를 바탕으로 인구가 증가하고 경제적으로 번영
신라	• 진골 귀족의 특권을 약화시키고 중앙 집권 체제 강화
발해	• 고구려 문화 기반 위에 당 문화를 수용하고 말갈의 자치 인정 • 황상을 칭하고 연호를 사용, 당의 장안성을 본떠 상경성 건설
일본	• 7세기 후반 '일본' 국호와 '천황' 칭호 사용 • 헤이조쿄 천도(나라 시대, 710~794) → 중앙 집권 체제 확립

왜? 발해의 '황상'과 일본의 '천황'은 모두 자국 임금의 권위를 높이기 위해 사용한 칭호야. 자국 중심의 천하관을 엿볼 수 있어.

(2) **8세기 후반의 동아시아**

당	• 안사의 난❸(755~763) 이후 지방 절도사를 통제할 힘 상실
신라	• 왕위를 둘러 싼 귀족 간 갈등 발생 → 10세기 후삼국으로 분열
일본	• 권력 다툼 심화 → 헤이안쿄 천도(헤이안 시대, 794~1185) • 9세기에 견당사가 폐지되며 국풍 문화❹ 발달

❶ 백강 전투
백제가 멸망한 후인 663년에 백제 부흥군과 왜의 지원군으로 구성된 연합군이 백강에서 나·당 연합군과 벌인 전투이다. 백제와 긴밀한 관계를 유지하던 왜는 백제 부흥 운동을 돕기 위해 지원군을 파견하였다. 백제·왜 연합군은 치열하게 싸웠지만 결국 왜의 함선 대부분이 불타며 나·당 연합군에게 패배하였고, 백제 부흥 운동도 실패로 돌아갔다.

❷ 다이카 개신
일본에서 당의 율령 체제를 본 따 천황 중심의 중앙 집권적 지배 체제를 구축하기 위해 이루어진 일련의 정치 개혁을 말한다. 토지와 인민의 사유화 금지, 백성에게 구분전 지급, 지방 행정 조직 정비 등이 주요 내용이다. 토지와 백성에 대한 국가의 지배를 확립하는 것이 목표였으나 바로 실행되지는 못했다.

❸ 안사의 난
당의 절도사였던 안녹산과 그 부하였던 사사명 등이 당 현종 시대에 간신 양국충을 토벌하겠다는 명분으로 일으킨 반란이다. 반란 집단의 내분으로 실패로 끝났으나, 반란 이후 지방 절도사들의 세력이 커지며 중앙의 권력이 약화되었다.

❹ 국풍 문화
일본에 유입되어 있던 당의 문화에 일본 고유의 문화가 섞여 나타난 일본의 색채가 짙은 새로운 문화를 말한다. 헤이안 시대 중기인 10세기 이후 본격적으로 발달하였다.

자료 5 7세기 동아시아 국제 전쟁

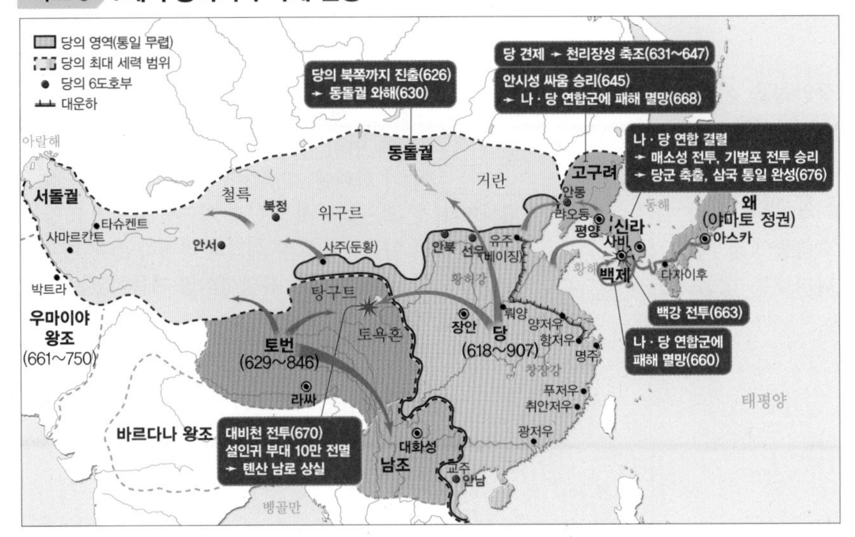

◎ 통일 국가를 수립하는 과정에서 발생한 전쟁으로는 무엇이 있을까?

수의 뒤를 이어 등장한 당은 주변 국가들을 복속시키고자 하였어. 남북조 시대부터 세력을 떨친 북방의 돌궐을 공격하여 복속시켰고, 신라와 동맹을 맺고 백제와 고구려를 멸망시켰지. 이어 신라까지 직접 지배하려 하였으나 신라가 불복하여 나·당 전쟁을 치렀고, 신라가 승리함으로써 한반도는 신라의 몫으로 남게 되었어.

◎ 7세기 이후 동아시아 각지에 등장한 통일 국가로는 무엇이 있을까?

중원에는 통일 제국인 당이 자리를 잡았고, 한반도에서는 대동강 이남을 통일신라가 차지하였으며, 만주 지역은 고구려를 계승한 발해가 차지하였어. 일본 열도 최초의 통일 정권인 야마토 정권은 본래 '왜'라고 불렸으나, 이 무렵 '일본'이라는 국호를 본격적으로 사용하기 시작했지.

뜯어보기 포인트

통일 국가가 성립하는 과정에서 여러 전쟁이 발생했다는 것을 기억하자.

Q5 7세기 동아시아의 상황으로 옳은 것을 모두 선택해 보자.

㉠ 수가 남북조 시대를 통일하였다.
㉡ 당이 돌궐을 공격하여 복속시켰다.
㉢ 신라가 나·당 전쟁에서 승리하였다.
㉣ 왜가 '일본' 국호를 사용하기 시작하였다.
㉤ 당은 백제와 고구려를 멸망시킨 후 그 영토를 직접 지배하였다.

자료 6 「17조 헌법(규범)」

> 1조 화합(和)을 귀하게 여기고, 거스르지 않음을 으뜸으로 삼을 것.
> 2조 독실하게 삼보(부처, 불법, 승려)를 숭상할 것.
> 3조 군주의 명령(詔)을 받으면 반드시 받들 것.

◎ 쇼토쿠 태자가 이 법을 통해 만들고자 했던 국가는 어떤 모습일까?

1조에서는 내부의 화합을 강조하고 있고, 2조에서는 불교를 중시하고 있으며, 3조에서는 군주의 명령에 복종할 것을 당부하고 있어. 이를 통해 쇼토쿠 태자는 국가 종교로 불교를 숭상하면서, 강력한 군주를 중심으로 단결하는 중앙 집권적인 국가를 만들고자 했다는 것을 알 수 있지.

◎ 이 법은 후대에 어떤 영향을 끼쳤을까?

중앙 집권 체제를 수립하고자 했던 쇼토쿠 태자의 의지는 이후에 등장하는 다이카 개신에 커다란 영향을 주었어. 나카노오에 황자는 다이카 개신을 통해 천황 중심의 국가를 만들어 나가고자 하였고, 701년에 다이호 율령이 반포되며 일본은 중앙 집권적 고대 국가의 모습을 완전하게 갖추게 되었지.

뜯어보기 포인트

쇼토쿠 태자가 「17조 헌법(규범)」을 통해 중앙 집권적 국가 체제를 수립하고자 했다는 점을 기억하자.

Q6 「17조 헌법(규범)」에 대한 내용으로 옳은 것을 모두 선택해 보자.

㉠ 내부의 화합을 강조하였다.
㉡ 다이카 개신에 영향을 주었다.
㉢ 전통 신앙인 신도를 강조하였다.
㉣ 군주를 상징적인 존재로 규정하였다.
㉤ 지방 분권적 체제를 수립하고자 하였다.

답 Q5 ㉡, ㉢, ㉣ / Q6 ㉠, ㉡

정답과 해설 ▸ 33쪽

01 서로 관련 있는 내용끼리 연결해 보자.

a. 북위 •　　　　• ㄱ. 당의 장안성을 본떠 상경성을 건설함

b. 발해 •　　　　• ㄴ. 호한 융합 정책과 균전제를 실시함

c. 야마토 정권 •　　　　• ㄷ. 지방 호족들에게 지위를 나타내는 성을 부여함

02 아래 설명이 맞으면 ○표, 틀리면 ×표를 해 보자.

(1) 고구려는 한강 유역을 중심으로 마한 지역과 탐라를 복속시켰다. (　　)

(2) 쇼토쿠 태자는 일본 최초의 불교문화인 아스카 문화를 꽃피웠다. (　　)

(3) 남북조 시대에 강남 지방이 본격적으로 개발되면서 논농사가 발전하였다. (　　)

(4) 도왜인(도래인)들이 일본에 문화를 전파하며 일본 열도의 국가 발전에 기여하였다. (　　)

(5) 당은 안사의 난 이후 안정된 정치를 바탕으로 인구가 증가하고 경제적으로 번영하였다. (　　)

03 빈칸에 알맞은 말을 채워 보자.

(1) 5호에게 화이허강 이북 지역을 빼앗긴 한족은 강남으로 이동하여 (　　　　)을/를 건국하였다.

(2) 신라는 6세기에 (　　　　) 유역을 장악한 이후 수·당과 직접 교류하였다.

(3) 수는 남북조 시대를 통일하였으나 무리한 (　　　　) 원정으로 인해 멸망하였다.

(4) 왜는 백제의 부흥 운동을 지원하기 위해 군대를 파견하였으나 (　　　　)에서 패배하였다.

(5) 일본은 9세기에 견당사가 폐지되었고, 이후 일본의 색채가 강한 (　　　　)이/가 나타났다.

04 자료의 (가)와 (나)에 해당하는 국가들을 적어 보자.

> 5호(흉노, 선비, 저, 강, 갈)가 남하하여 화이허강 이북 지역에 여러 나라를 건국하였고, 선비족의 (가) 이/가 화베이 지방을 통일하면서 북조가 성립하였다. 한족은 화이허강 이북 지역을 빼앗기고 강남 지방으로 이동하여 토착 세력과 타협하였다. 이후 (나) 의 네 개 국가가 흥망성쇠를 거듭하였는데, 이를 통틀어서 남조라고 한다.

(가): ____________

(나): ____________

05 밑줄 친 '이 국가'의 이름을 적어 보자.

> 낙랑이 멸망한 후 낙랑 유민 일부가 남하하여 이 국가의 발전에 영향을 주었다. 이 국가는 4세기 이후 일본과 긴밀한 관계를 유지했으며 유학, 한자, 불교, 천문, 역법 등의 다양한 문물을 전함으로써 일본의 정치 및 문화 발전에 커다란 영향을 끼쳤다. 5~6세기에는 중국 남조와 외교 관계를 맺기도 하였다.

____

06 |보기|의 사건들을 순서대로 나열해 보자.

| 보기 |

ㄱ. 나·당 연합군이 백제를 멸망시켰다.
ㄴ. 신라가 당군을 한반도에서 쫓아냈다.
ㄷ. 당이 대군을 동원하여 고구려를 공격하였다.
ㄹ. 고구려 유민들이 말갈족과 함께 발해를 세웠다.

____

07 다음 설명과 관련된 사건의 이름을 적어 보자.

> 일본에서 천황 중심의 중앙 집권적 지배 체제를 구축하기 위해 이루어진 일련의 정치 개혁을 말하며, 나카노오에 황자에 의해 추진되었다. 토지와 인민의 사유화 금지, 백성에게 구분전 지급, 지방 행정 조직 정비 등이 주요 내용이다.

____

총 문항수 12	처음 푼 날 　월 　일
정답과 해설 33쪽	오답 푼 날 　월 　일

01 밑줄 친 ㉠~㉤ 중 옳지 않은 것은?

> 기원 전후부터 동아시아 지역에서는 인구 이동이 활발하게 이루어졌으며, ㉠ 대체로 북에서 남으로 이루어졌다. 인구 이동이 나타난 ㉡ 환경적 요인으로는 기후 변동, 이민족의 침략으로 인한 토지 부족 등이 있으며 ㉢ 정치적 요인으로는 국가 간 전쟁, 국가의 멸망 등이 있다. 인구 이동으로 인해 ㉣ 이주민과 토착민 혹은 이주민과 이주민의 갈등이 발생한 경우에는 연쇄 이동이 일어났다. ㉤ 토착민이 이주민을 적극 수용할 경우에는 새로운 국가의 탄생으로 이어지기도 하였다.

① ㉠　② ㉡　③ ㉢　④ ㉣　⑤ ㉤

02 (가)에 들어갈 내용으로 옳은 것은?

> 만주와 한반도 지역의 인구 이동은 주로 전쟁과 반란, 국가 멸망, 정치 집단 간 갈등으로 인해 발생하였다. 그 중 국가의 멸망으로 인해 발생한 인구 이동의 사례로는 (가) 을/를 들 수 있다.

① 망명 집단을 이끌고 이주한 위만
② 한반도 남부에 문화를 전파한 준왕
③ 고구려에서 남하한 온조와 비류 집단
④ 신라 건국에 영향을 준 고조선 유민들
⑤ 압록강 유역으로 남하하여 토착민과 연합한 주몽 집단

03 빈출 다음 지도는 3~4세기 무렵의 인구 이동을 표시한 것이다. ㉠과 ㉡에 대한 설명으로 옳은 것은?

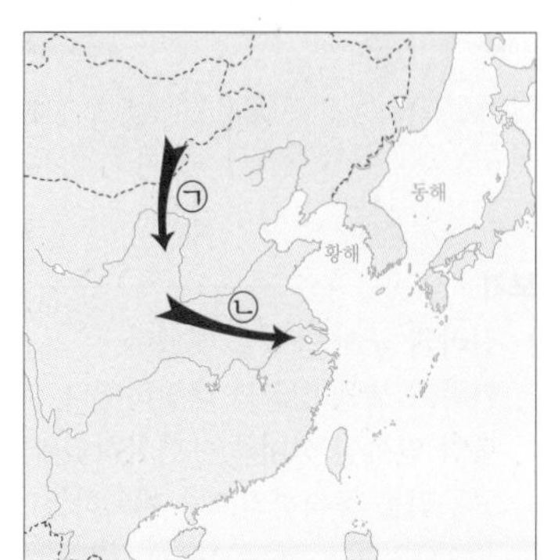

① ㉠은 한족의 이동 방향이다.
② ㉠에 의해 철기 문화가 전파되었다.
③ ㉡으로 인해 불교가 널리 확산되었다.
④ ㉠과 ㉡ 모두 토착 세력을 몰아내고 정착하였다.
⑤ ㉠으로 인해 화베이 지방에 여러 국가들이 세워졌다.

04 빈출 다음 목적으로 시행된 정책과 관련 있는 설명으로 옳지 않은 것은?

> 효문제는 호족(胡族)과 한족의 갈등을 줄여 중원을 안정시키고 황제권을 강화시키고자 하였다.

① 과거제를 시행하였다.
② 균전제를 실시하였다.
③ 수도를 평성에서 뤄양으로 옮겼다.
④ 조정에서 선비어 사용을 금지하였다.
⑤ 유목 민족의 문화와 한족의 문화가 융합되었다.

05 빈출 (가) 국가에 대한 옳은 설명을 |보기|에서 고른 것은?

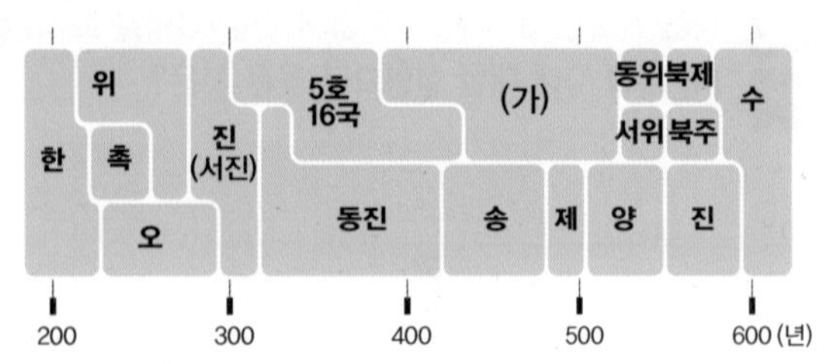

|보기|
ㄱ. 신라와 군사 동맹을 맺었다.
ㄴ. 한족이 세운 정권과 대립하였다.
ㄷ. 북방 민족인 선비족이 건국하였다.
ㄹ. 고구려를 공격하였으나 패배하였다.

① ㄱ, ㄴ ② ㄱ, ㄷ ③ ㄴ, ㄷ
④ ㄴ, ㄹ ⑤ ㄷ, ㄹ

06 밑줄 친 '이 국가'와 관련 있는 탐구 활동으로 옳은 것은?

> 이 국가는 식량 생산이 충분하지 않은 지역에서 건국되었기에 일찍부터 옥저 등 주변 국가들을 복속시켰고, 낙랑까지 정복하며 점차 영토를 넓혔다.

① 가야를 완전히 병합한 시기를 찾아본다.
② 마한의 소국들이 통합되는 과정을 알아본다.
③ 스에키 토기 형성에 영향을 준 토기를 조사한다.
④ 일본에 조선술과 축제술이 전래된 과정을 파악한다.
⑤ 대동강 유역을 확보함으로써 나타난 변화를 탐구한다.

07 다음 글과 관련 있는 국가에 대한 옳은 설명을 |보기|에서 고른 것은?

> 본래 호족들의 연합체에 불과하였으나, 중앙 정부가 호족들에게 지위를 나타내는 성을 부여함으로써 통합에 성공하였다.

|보기|
ㄱ. 가야로부터 철을 수입하였다.
ㄴ. 돌궐과 연계하여 수·당에 맞섰다.
ㄷ. 아스카 지역을 중심으로 불교문화를 꽃피웠다.
ㄹ. 덕치주의와 천명사상을 통치 이념으로 하였다.

① ㄱ, ㄴ ② ㄱ, ㄷ ③ ㄴ, ㄷ
④ ㄴ, ㄹ ⑤ ㄷ, ㄹ

08  (가)와 (나) 사이에 발생한 사건으로 옳은 것은?

> (가) 수는 고구려를 굴복시키기 위해 대군을 동원하여 공격하였다.
> (나) 나·당 연합군이 백제를 멸망시켰다.

① 고구려가 멸망하였다.
② 수가 남북조 시대를 통일하였다.
③ 신라가 한강 유역을 차지하였다.
④ 당이 고구려를 공격했으나 실패하였다.
⑤ 백제·왜 연합군이 백강 전투에서 패배하였다.

09 다음 글에 대한 설명으로 옳은 것은?

> **1조** 화합(和)을 귀하게 여기고, 거스르지 않음을 으뜸으로 삼을 것.
> **2조** 독실하게 삼보(부처, 불법, 승려)를 숭상할 것.
> **3조** 군주의 명령(詔)을 받으면 반드시 받들 것.

① 다이카 개신의 영향을 받았다.
② 불교와 유학을 바탕으로 하였다.
③ 지방 분권적 체제를 추구하였다.
④ 나카노오에 황자에 의해 추진되었다.
⑤ 소가 씨 세력이 제거된 후 선포되었다.

10 8세기 후반 동아시아의 모습으로 옳은 설명을 |보기|에서 고른 것은?

|보기|
ㄱ. 일본 – 나라 시대가 막을 내렸다.
ㄴ. 발해 – 당의 장안성을 본떠 상경성을 건설하였다.
ㄷ. 당 – 안정된 정치를 바탕으로 경제적으로 번영하였다.
ㄹ. 신라 – 왕위를 둘러 싼 귀족 간의 갈등이 발생하였다.

① ㄱ, ㄴ　② ㄱ, ㄹ　③ ㄴ, ㄷ
④ ㄴ, ㄹ　⑤ ㄷ, ㄹ

서술형 문제

11 빈출 밑줄 친 ㉠으로 인해 강남 지방에 어떤 경제적 변화가 나타났으며, 그 이유는 무엇인지 서술해 보자.

> 진(晉) 영가 연간(307~313)에 크게 어지러워, …… ㉠ 화이허강 북쪽 유민들이 강을 건너고, 또한 창장강을 건너서 진릉군(晉陵郡)의 경계에 머무는 자들이 있었다. –『송서』–

서술형 문제

12 다음 글을 읽고 물음에 답해 보자.

> ㉠ 간무 천황은 헤이안쿄로 천도하였다. 천도한 이후부터 가마쿠라 막부가 등장할 때까지를 (가) (이)라고 한다. 이 시대에는 견당사가 폐지되었으며 일본인의 생활과 풍토에 어울리는 국풍 문화가 나타났다.

(1) (가)에 들어갈 시대의 명칭을 써 보자.

(2) 밑줄 친 ㉠의 시대적 배경과 그 목적을 설명해 보자.

내신 만점 도전하기

01 (가)와 (나)의 인구 이동에 대한 설명으로 옳은 것은?

> (가) 7년 가을 9월, 고구려인, 백제인, 임나인, 신라인이 같이 건너왔다. 무내숙녜(武內宿禰)에게 명령하여 모든 한반도인을 거느리고, 연못을 만들게 하였다. 그래서 그 못을 한인지(韓人池)라 한다. -『일본서기』-
> (나) 비류와 온조는 오간·마려 등 열 명의 신하와 함께 남쪽으로 갔는데 따르는 백성들이 많았다. -『삼국사기』-

① (가)는 통일 정권의 발전에 기여하였다.
② (가)는 환경적 요인에 의한 인구 이동에 해당한다.
③ (나)는 인구의 연쇄적인 이동으로 이어졌다.
④ (나)로 인해 이주민과 토착민의 갈등이 발생하였다.
⑤ (나)는 이민족의 침략으로 인한 인구 이동에 해당한다.

02 (가)에 들어갈 내용으로 옳은 것은?

> **동아시아사 신문 기사 작성하기**
> ◎ 활동 주제: 3~4세기 동아시아의 인구 이동
> ◎ 활동 내용: 3~4세기 무렵 동아시아의 인구 이동과 그로 인한 다양한 정치 집단의 발전에 대해 다룬 신문 기사를 작성한다.
> ◎ 기사 제목: (가)

① 준왕, 스스로 한의 왕을 칭하다.
② 압록강 유역에 정착한 주몽 집단
③ 진한 6부를 형성한 고조선의 유민들
④ 서쪽에서 온 새로운 왕, 위만은 누구인가?
⑤ 5호, 한족을 밀어내고 화베이 지방을 점령하다.

03 다음 정책을 시행한 황제에 대한 설명으로 옳은 것은?

중요

> 천하의 백성에게 토지를 공평하게 나누어주었다. 15세 이상의 모든 남자는 황무지 40무(畝)를 받으며, 부인은 20무, 노비는 양민과 같은 방법으로 받는다. 소 한 마리 당 토지 30무를 받되 네 마리까지로 제한한다. …… 모든 백성은 국가에서 역을 부과할 나이가 되면 토지를 받으며, 70세 이상이 되거나 죽으면 토지를 국가에 반납한다. -『위서』-

① 수도를 건강으로 천도하였다.
② 유교를 국가의 통치 이념으로 채택하였다.
③ 서역에 사신을 파견하여 비단길을 개척하였다.
④ 공식적인 자리에서 한족의 언어를 사용하도록 하였다.
⑤ 북방 민족의 국가들을 정복하고 화베이를 통일하였다.

04 밑줄 친 '국가'에 대한 설명으로 옳은 것은?

> **갑** : 여행 오니까 좋지? 여기가 바로 낙동강이야.
> **을** : 응 정말 좋아. 옛날 이 지역에 어떤 국가가 있었다고 하지 않았어?
> **갑** : 맞아. 6세기에 신라에게 통합되면서 중앙 집권 국가로는 발전하지 못했지만 말이야.

① 일본에 철을 수출하였다.
② 탐라를 복속시켜 공납을 받았다.
③ 옥저 등의 주변 세력을 정복하였다.
④ 일본에 회화와 종이, 붓 등을 전하였다.
⑤ 수·당과 직접 교류하며 외교 관계를 맺었다.

05 중요 밑줄 친 '황제'에 대한 옳은 설명을 |보기|에서 고른 것은?

동아시아사 연극 대본

#3. 어느 농촌 마을
지저분하고 낡은 옷을 걸친 농민 여럿이 둘러앉아 심각한 표정으로 이야기를 나누고 있다.

농민 1 : 랴오둥에 가면 다 죽는다던데, 끌려 갈 거야?
농민 2 : 난 안가! 이놈의 황제는 맨날 토목 공사 아니면 전쟁이여. 더 이상 이렇게는 못 살아.
농민 3 : 지난번 전쟁터에 끌려간 113만 명도 엄청나게 죽었다던데. 또 전쟁을 한다지? 말도 안 돼.

|보기|
ㄱ. 6개의 도호부를 설치하였다.
ㄴ. 안시성 싸움에서 패배하였다.
ㄷ. 남북을 잇는 대운하를 완성하였다.
ㄹ. 고구려와 돌궐의 연계를 경계하였다.

① ㄱ, ㄴ ② ㄱ, ㄹ ③ ㄴ, ㄷ
④ ㄴ, ㄹ ⑤ ㄷ, ㄹ

06 중요 다음 글에 나타난 사건과 관련 있는 탐구 과제로 가장 적절한 것은?

"지금 들으니, 일본의 구원할 장수 려원군신(廬原君臣)이 1만의 병력을 거느리고 바다를 건너오고 있다. 모든 장군들은 미리 대책을 세우길 바란다. 나는 스스로 백촌(백강 유역)에 가서 기다리고 있다가 접대하리라."라고 하였다. -『일본서기』-

① 천리장성이 축조된 배경을 살펴본다.
② 기미 정책의 내용과 목적을 파악한다.
③ 백제 부흥 운동의 전개 과정을 조사한다.
④ 동돌궐을 와해시킨 국가에 대해 학습한다.
⑤ 매소성 전투와 기벌포 전투에 대해 알아본다.

07 밑줄 친 ㉠과 ㉡에 대한 설명으로 옳은 것은?

다이카(大化) 원년(645) 6월, ㉠ 나카노오에 황자 등이 소가노이루카와 그의 아버지 소가노에미시를 멸하였다. 이를 통해 실권을 장악한 나카노오에 황자는 다음 해 정월, '개신(改新)의 조(詔)'를 발표하여 신정부의 개혁 방안을 제시하였다. 이를 ㉡ 다이카 개신이라 한다.

① ㉠ - 아스카 문화를 발전시켰다.
② ㉠ - 고구려 승려 혜자의 제자였다.
③ ㉠ - 「17조 헌법(규범)」을 반포하였다.
④ ㉡ - 토지와 인민을 국가의 소유로 하였다.
⑤ ㉡ - 관리 선발을 위해 과거제를 도입하였다.

08 밑줄 친 시기의 동아시아의 상황으로 옳은 것을 |보기|에서 고른 것은?

이란계 소그드 인 아버지와 돌궐인 어머니 사이에서 태어난 안녹산은 당 현종의 총애를 받았고, 막강한 세력을 지닌 절도사로 성장하였다. 그러나 재상 양국충과 대립하게 되면서 그를 제거한다는 명분으로 반란을 일으켰다. 이 난리가 8년 동안 지속되면서 당에서는 반란이 발생하기 이전에 비해 많은 변화가 나타났다.

|보기|
ㄱ. 일본에서 국풍 문화가 발전하였다.
ㄴ. 발해는 독자적인 연호를 사용하였다.
ㄷ. 신라는 진골 귀족의 특권을 약화시켰다.
ㄹ. 당에서 지방 세력의 독립화가 이루어졌다.

① ㄱ, ㄴ ② ㄱ, ㄷ ③ ㄴ, ㄷ
④ ㄴ, ㄹ ⑤ ㄷ, ㄹ

총 문항수 2 | 처음 푼 날 월 일
정답과 해설 35쪽 | 오답 푼 날 월 일

01 (가)에 들어갈 내용으로 가장 적절한 것은?

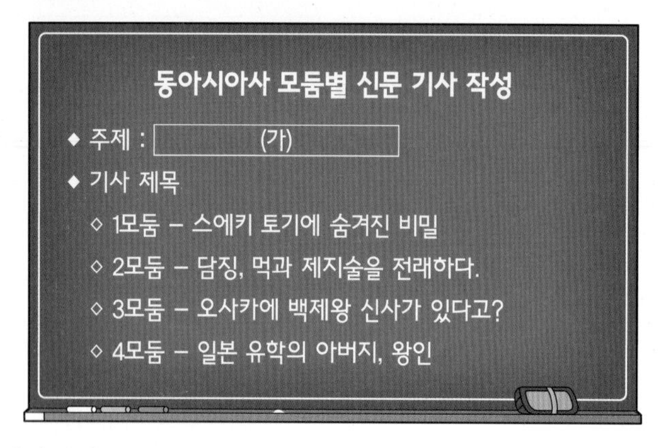

① 국풍 문화의 발전
② 도왜인(도래인)의 활약
③ 고조선 유민의 이주와 활동
④ 견당사의 파견과 문물 수용
⑤ 5호의 이동과 한족 문화의 확산

유형 분석
모둠 과제 형태로 주어진 제목들을 포괄할 수 있는 주제를 찾는 유형이야.

해결 비법
모둠별 기사 제목이 공통적으로 다루고 있는 주제를 찾아야 해. 모둠별 기사 제목 속에 문제를 풀 수 있는 힌트들이 있어. 비슷한 유형으로 탐구 과제를 제시하고 이를 바탕으로 탐구 주제를 찾는 문제가 있지.

02 (가)~(다) 국가에 대한 설명으로 옳은 것은?

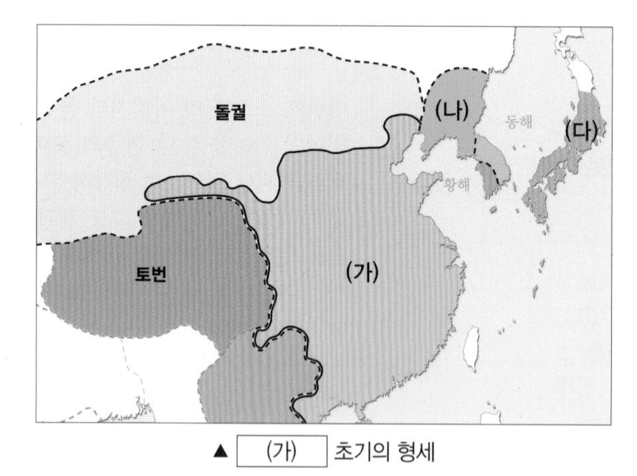

▲ (가) 초기의 형세

① (가)는 호한 융합 정책을 실시하였다.
② (나)는 수도 건설에서 (가)의 영향을 받았다.
③ (나)는 (다)에 철기 제작 기술을 전래하였다.
④ (가)는 신라와 함께 (다)의 군대를 격파하였다.
⑤ (다)는 과거제를 도입하고 균전제와 부병제를 정비하였다.

유형 분석
지리적 위치를 바탕으로 동아시아의 주요 국가들에 대해 묻는 유형이야.

해결 비법
주변에 표시되어 있는 다른 국가들 혹은 국경선의 모습이 (가)~(다)를 파악하는 힌트가 될 수 있어. 또한 (가) 초기의 모습이라고 언급된 설명 역시 힌트야. 또한 (가)~(다) 국가의 주요 정책 및 특징에 대해서도 파악하고 있어야 해.

심화 **기출 지문 활용하기**

총 문항수 6 | 처음 푼 날 월 일
정답과 해설 35쪽 | 오답 푼 날 월 일

2014학년도 수능

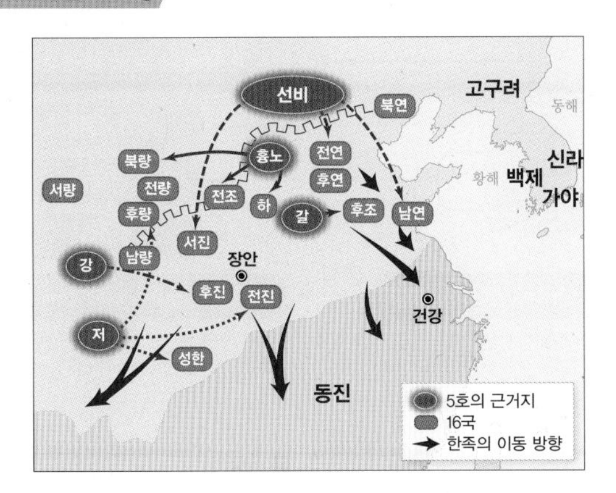

서술형 문제

01 지도의 인구 이동이 나타난 정치적 배경과 결과를 서술해 보자.

수능 문제

02 지도에 나타난 시기의 상황으로 옳지 않은 것은?

① 강남 지방의 개발이 촉진되었다.
② 인구 이동이 연쇄적으로 발생하였다.
③ 위만이 무리를 이끌고 한반도에 들어와 집권하였다.
④ 북방 민족이 화북 지역에 새로운 정권을 수립하였다.
⑤ 한족의 이동과 함께 중원 지역의 문화가 각지로 전파되었다.

활용 문제

03 지도에 나타난 시기에 대한 탐구 활동으로 옳은 것은?

① 주몽 집단이 남하한 이유를 파악한다.
② 강남의 개발이 촉진된 배경을 알아본다.
③ 대운하 건설이 미친 경제적 영향을 조사한다.
④ 한반도 남부로 남하한 준왕의 생애를 찾아본다.
⑤ 신라가 중원 왕조와 직접 교류하게 된 과정을 이해한다.

2015학년도 수능

- 황제가 말하기를 "우리 선비족은 북쪽에서 일어나 평성으로 옮겨 와서 살고 있소. 평성은 무력을 행사하기에는 알맞지만 덕으로 통치할 수 있는 곳은 아니오. 그래서 짐은 뤄양으로 천도하는 게 상책이라고 생각하오."라고 하였다.
- 황제가 말하기를 "이제 중원의 언어만 사용하도록 하오. 만약 고의로 호어(선비어)를 쓴다면, 마땅히 작위를 낮추고 관직에서 내칠 것이오. 각자 깊이 경계하도록 하시오."라고 하였다.

서술형 문제

04 위 정책의 실시 목적과 결과를 서술해 보자.

수능 문제

05 자료에 나타난 왕조 시기 동아시아의 상황으로 옳은 것은?

① 거란이 여러 차례 고려를 침략하였다.
② 북조가 한족 왕조인 남조와 대립하였다.
③ 중원 왕조가 약화되자 응오 왕조가 독립하였다.
④ 부여족의 일부가 남하하여 고구려를 건국하였다.
⑤ 다이카 개신으로 중앙 집권적 체제가 성립되었다.

활용 문제

06 자료와 관련 있는 왕조에 대한 설명으로 옳은 것은?

① 과거제를 도입하였다.
② 대운하를 건설하였다.
③ 안사의 난을 진압하였다.
④ 백성들에게 토지를 분배하였다.
⑤ 신라와 함께 백제를 멸망시켰다.

주제 5 동아시아문화권의 형성과 발전

주제 흐름 읽기

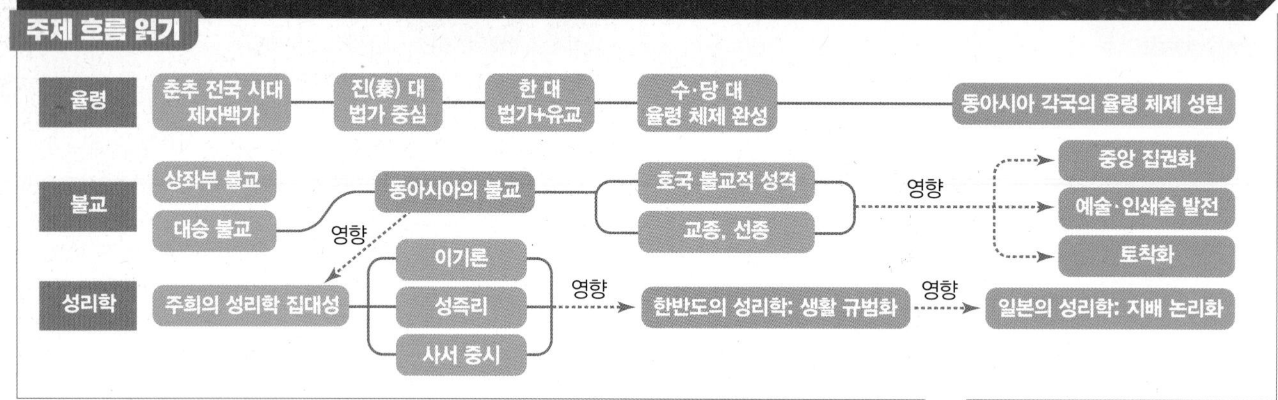

1 율령과 유교

1. 동아시아문화권의 형성과 한자의 사용

동아시아문화권은 어떤 과정을 거치며 형성되었을까요?

(1) 중국 문화의 수용 자료 1

한자	• 문자를 통한 문화 교류가 가능해짐
제지술	• 종이가 보급되며 학문과 사상의 발전 및 문화 교류에 기여

어디서? 교역, 인구 이동, 전쟁을 통해 중국 → 만주·한반도 → 일본으로 전파되었어.

누가? 후한의 채윤이 개량하였어.

(2) **동아시아문화권의 형성** 한자·종이를 바탕으로 다양한 문화를 수용하며 형성

무엇을? 유교 경전과 불교 경전 등을 비롯한 다양한 문화를 수용하였어.

2. 율령❶에 기초한 법치와 유교

율령은 시대별로 어떻게 발전해 나갔을까요?

(1) 진·한 대의 율령

진	• 법가를 바탕으로 중국을 통일했으나 가혹한 통치로 인해 멸망
한	• 법에 유교 윤리를 반영하여 법치와 유가 사상을 조화시킴

왜? 유교는 법치와 강제성을 강조한 법가와 달리 도덕적 자발성을 중시하였고, 국가와 가족의 질서를 유지하는 데 효과적이었어.

(2) **수·당의 통치 체제** 수·당 시대에 율·영·격·식❷의 법체계 완성

통치 제도	• 중앙에 3성 6부 설치, 지방에 주·현을 두어 지방관 파견 자료 2
교육 제도	• 중앙에 국자감, 지방에 향교를 두어 인재 양성
관리 등용	• 시험을 통해 관리를 선발하는 과거제 실시
수취 제도	• 균전제를 기반으로 조용조와 부병제 실시❸

3. 율령의 수용과 통치 제도 정비

동아시아 각국은 율령을 어떻게 수용하였을까요?

(1) 동아시아 각국의 율령 수용

왜? 다양한 구성원을 효과적으로 통치하기 위한 중앙 집권적인 체제가 필요했어.

삼국	• 백제(고이왕), 고구려(소수림왕), 신라(법흥왕) 순으로 율령 반포
통일신라	• 국학 설치(유교 교육), 독서삼품과❹의 제한적 실시
발해	• 3성 6부제를 변형하여 수용, 교육 기관인 주자감 설치
일본	• 다이호 율령(701): 2관 8성제, 중앙에 대학·지방에 국학 설치
고려	• 2성 6부제 실시, 교육 기관인 국자감 설치, 과거제 실시

왜? 신라의 주요 관직들에는 여전히 골품제가 적용되었어.

(2) **율령 수용에서 나타나는 공통점** 기존의 질서와 관습에 따라 선택적으로 수용

---

❶ 율령
중국 전근대 왕조 국가의 법체계로 형벌과 엄격한 법을 강조한 법가에 의해 발전하였으며, 동아시아 주변국들에 널리 전파되었다. '율(律)'은 처벌을 규정한 형법, '영(令)'은 제도에 관한 규정과 행정법이다.

❷ 격·식
'격(格)'은 율령의 규정을 개정, 추가, 보완한 것이고 '식(式)'은 율·영·격의 구체적인 시행 세칙이다.

❸ 균전제, 조용조, 부병제
균전제는 북위에서 처음 실시되었으며, 백성에게 토지를 분배하는 제도이다. 조용조(租庸調)는 국가가 백성에게 토지를 분배한 대가로 백성으로부터 조세(조), 노동력(용), 공물(조)을 수취한 제도이다. 부병제는 조용조와 마찬가지로 백성들이 토지를 지급받은 대가로 병역의 의무를 지게 하는 제도이다.

❹ 독서삼품과
통일 신라에서 이루어졌던 관리 등용 제도로 국학의 학생들이 그 대상이었다. 성적을 상·중·하로 나누어 우수한 학생들을 관직에 등용하고자 하였으나, 신라 고유의 신분 제도인 골품제의 영향력이 강했기 때문에 제대로 실시되지는 못했다.

자료 1 중국 문화의 수용

◀ 만주와 한반도 지역에서 출토된 명도전

◀ 창원 다호리 유적에서 출토된 붓

뜯어보기 포인트

일찍부터 이루어졌던 활발한 교류로 인해 만주와 한반도 지역에 중국의 문화가 전해졌음을 기억하자.

◎ 명도전은 무엇이며, 왜 만주와 한반도에서 발견되었을까?

명도전은 중국 전국 시대의 전국 7웅 중 하나였던 연의 화폐야. 칼처럼 생겼다고 하여 '도(刀)'자가 붙었지. 명도전이 만주와 한반도에서 발견되었다는 사실을 통해 당시 이 지역에 존재했던 고조선이 중국과 활발하게 교류하였음을 알 수 있어.

◎ 한반도에서 붓이 출토되었다는 것은 어떤 의미일까?

붓은 글씨를 쓸 때 사용되는 도구로, 붓이 출토되었다는 것은 문자를 사용했다는 의미야. 당시 한반도 남부 지역에 존재했던 정치 집단이 중국과의 교류를 통해 한자를 도입하여 사용했음을 짐작할 수 있지.

Q1 중국 문화의 수용과 관련하여 옳은 것들을 모두 선택해 보자.

㉠ 창원 다호리에서 붓이 출토되었다.
㉡ 전국 시대에 고조선은 중국과 활발하게 교류하였다.
㉢ 한반도에서는 일찍부터 독자적인 문자를 사용하였다.
㉣ 연의 화폐가 만주와 한반도 지역에서 출토되었다.
㉤ 중국에서 제지술이 보급되며 학문 발전에 기여하였다.

자료 2 당과 동아시아 각국의 중앙 정치 제도

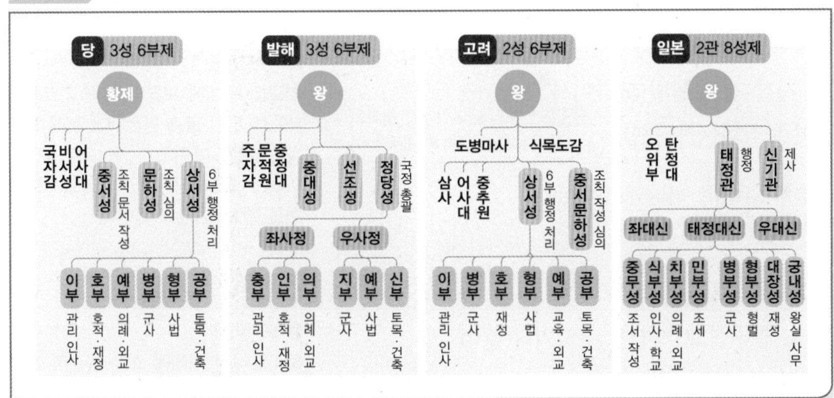

뜯어보기 포인트

당의 3성 6부제를 동아시아 각국이 각자의 필요에 맞게 변형하여 수용하였음을 기억하자.

◎ 당의 3성 6부제는 어떻게 운영되었을까?

3성은 중서성, 문하성, 상서성을 말해. 중서성은 정책의 기초를 수립하였고, 문하성은 수립된 정책을 심의하였으며, 상서성은 결정된 정책을 집행하였어. 상서성 아래에는 6부가 분야별로 나누어 정책을 담당하였지.

◎ 동아시아 국가들은 3성 6부제를 어떻게 수용하였을까?

발해는 당의 3성 6부제를 수용하되 명칭과 운영 방식에서 독자성을 가졌어. 중대성(중서성), 선조성(문하성), 정당성(상서성)의 3성이 있었고 정당성이 국정을 총괄하였는데, 정당성 아래에는 유교 덕목의 명칭을 딴 6부가 당과 마찬가지로 분야별로 나누어 정책을 집행했지. 고려는 2성 6부제를 운영하면서 도병마사와 식목도감이라는 독자적인 합의 기구를 별도로 설치하기도 했어. 일본은 제사를 담당하는 신기관과 행정을 담당하는 태정관의 2관, 그리고 태정관 아래의 8성으로 이루어진 2관 8성제를 운영하였어.

Q2 당과 동아시아 각국의 중앙 정치 제도와 관련하여 옳은 것을 모두 선택해 보자.

㉠ 중서성은 정책의 기초를 수립하였다.
㉡ 당은 2성 6부의 정치 제도를 운영하였다.
㉢ 일본에는 제사를 담당하는 관청이 존재하였다.
㉣ 고려에는 유교 덕목의 명칭을 딴 6부가 존재하였다.
㉤ 발해는 3성 6부제를 수용하되 명칭과 운영 방식에서 독자성을 가졌다.

답 Q1 ㉠, ㉡, ㉣, ㉤ / Q2 ㉠, ㉢, ㉤

2 불교의 수용과 교류

1. 불교의 성립과 중국으로의 전파 자료 3
중국에 전해진 불교는 어떤 과정을 거치며 발전하였을까요?

(1) **불교의 성립** 기원전 6세기경 인도의 붓다(석가모니)에 의해 창시

(2) **대승 불교의 등장**

상좌부 불교	• 출가자 중심이며 수행을 통한 개인의 해탈을 중시
대승 불교	• 일반 신도 중심, 이타행❶ 강조, 붓다 신격화, 중생의 구제 강조

언제? 기원전 1세기 무렵에 등장했어.

(3) **불교의 중국 전파** 기원 전후 중국에 처음 들어왔으나 크게 관심을 받지 못함

위진 남북조	• 유목 군주들이 호국 불교❷로서 적극 후원, 달마가 선종❸ 창시
당	• 화엄종 · 법상종 등 성립, 『부모은중경』❹ 편찬

2. 한반도와 일본 열도로 전파된 불교 자료 4
삼국과 일본이 불교를 수용한 까닭은 무엇일까요?

(1) **불교 수용의 목적** 중앙 집권 체제 확립, 각 지역의 전통 신앙을 불교로 통합

(2) **삼국과 통일신라의 불교**

언제? 고구려는 4세기 소수림왕, 백제는 4세기 침류왕, 신라는 6세기 법흥왕 때에 공인하였어.

삼국	• 왕실과 귀족 중심, 왕실 · 국가의 안녕을 비는 호국 불교의 성격
통일신라	• 의상(화엄종, 사회 통합), 원효(종파 간 대립 완화, 불교 대중화)

(3) **일본 열도의 불교**

왜? 대규모 사찰 건립을 통해 지배층의 권위를 과시하고자 하였어.

① 백제로부터 수용한 후 국가의 보호를 받으며 중앙 집권 체제 정비에 기여

② 아스카 · 나라 시대에 왕실과 유력 가문의 사찰 건립 활발(도다이사❺ 등)

③ 일본 고유 신앙인 신도와 불교가 융합하여 토착화(신불습합)

어떻게? 신도의 신이었다가 불교의 수호신이 된 하치만 신이 대표적인 사례야.

3. 승려들의 교류와 활동
동아시아 불교 전파와 문화 교류에서 승려들의 역할은 무엇이었으며, 선종은 각국 불교에 어떤 영향을 주었을까요?

(1) **교류에 힘쓴 승려들**

① 쿠마라지바: 위진 남북조 시대에 불교 경전을 한자로 번역

② 법현(동진), 현장(당), 혜초(통일신라): 인도에서 불교 경전을 구하거나 순례

③ 혜자(고구려): 쇼토쿠 태자의 스승으로서 정치 자문 역할

④ 의상(신라), 사이초(일본), 구카이(일본): 당 유학 후 돌아와 여러 종파 개창

⑤ 감진(당): 일본으로 건너가 계율 전파

(2) **선종의 전파** 당 시대에 각국에 전해져 주류 종파로 성장

누가? 의천은 교종의 입장에서, 지눌은 선종의 입장에서 두 종파를 통합하고자 하였어.

① 신라 말 한반도에 전파되어 교종과 대립 → 고려 때 교 · 선 통합 운동 전개

② 에이사이(가마쿠라 막부): 일본 선종의 주류 → 막부는 선종을 적극 보호

왜? 소박한 무사의 기풍과 참선을 중시하는 선종의 가르침이 잘 맞았기 때문이야.

4. 불교 예술과 인쇄술의 발전
동아시아의 불교는 예술과 인쇄술에 어떤 영향을 주었을까요?

사원 건축	• 궁궐이나 사원, 일반 주택의 건축에 영향
탑	• 인도(스투파) → 중국(벽돌탑), 한국(석탑), 일본(목탑)
인쇄술	• 불교 경전의 영향으로 목판 인쇄술 도입: 신라(『무구정광대다라니경』), 일본(『백만탑다라니경』), 송(『촉판대장경』❻), 고려(『팔만대장경』)

왜? 각국에서 쉽게 구할 수 있는 재료를 사용하였어.

❶ 이타행
자신의 이익보다 타인의 이익을 위해 공덕을 베풀며 자비를 실천하는 것을 말한다.

❷ 호국 불교
불교 신앙의 힘으로 국가 체제를 수호하고자 하는 불교 이념을 말한다. 여기서 '호국'은 외적의 침입으로부터 국가를 수호한다는 의미와 더불어 왕(황제) 중심의 중앙 집권적인 체제를 수호한다는 의미도 갖고 있다.

❸ 선종
중국에 온 서역승인 달마에 의해 시작된 불교의 종파로, 불교 경전 연구를 중시하는 교종과 달리 직관적인 깨달음과 참선을 강조한다. 귀족적이고 교리 중심적인 성향이 강한 교종에 비해 서민적인 성격이 짙다.

❹ 『부모은중경』
부모의 은혜에 보답할 것을 가르치는 내용이 담긴 불교 경전이다. 본래 인도에는 없었으며 유교의 영향으로 동아시아에서 새롭게 등장하였다. 불교의 토착화를 잘 보여주는 사례이다.

❺ 도다이사
8세기 나라 시대에 쇼무 천황이 호국 불교 진흥 정책을 펼치며 나라 지방에 세운 거대 사찰이다. 중심 건물인 대불전은 세계에 현존하는 목조 건축물 중 가장 거대한 규모를 자랑한다. 대불전 내에는 청동으로 주조한 거대한 대불이 위치하고 있다. 도다이사 대불 완성 행사에는 당, 인도, 참파 등 각국의 승려들이 참석하였다.

❻ 『촉판대장경』
10세기 후반 송 대에 제작된 최초의 목판 불교 대장경이다. 이 대장경은 친선의 의미로 고려 · 일본 · 서하 등에 보내졌으며, 이후 고려의 대장경과 거란의 대장경 등에 큰 영향을 주었다.

자료 3 불교의 성립과 중국으로의 전파

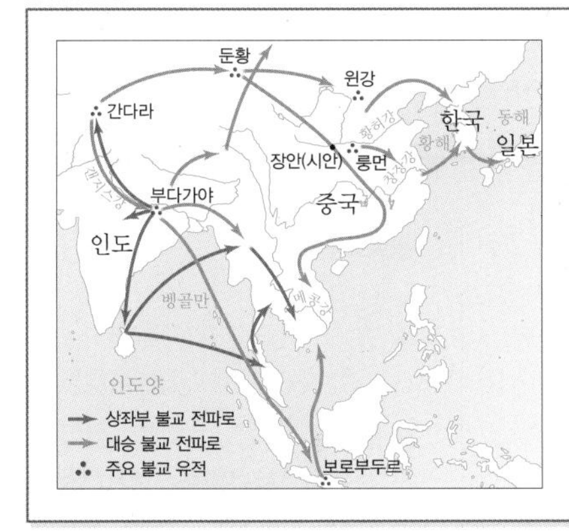

▲ 윈강 대불(중국 다퉁)

뜯어보기 포인트

동아시아에는 주로 대승 불교가 전파되었고, 특히 호국 불교의 성격이 강했다는 점을 기억하자.

◎ 대승 불교와 상좌부 불교는 주로 어느 지역으로 전파되었을까?

대승 불교는 중국을 거쳐 한반도와 일본으로 건너가 북방 불교의 주류가 되었어. 상좌부 불교는 주로 동남아시아 지역으로 전파되었지. 베트남은 동남아시아에 속하지만 북부의 경우 중국의 영향을 많이 받았기 때문에 대승 불교가 주류를 형성하였어.

◎ 중국에서 오른쪽 사진과 같은 석굴 사원을 건립한 이유는 무엇일까?

오른쪽의 윈강 대불은 북위 시대에 제작되었어. 불상의 얼굴은 당시 북위 황제의 얼굴을 본떠 만들었다고 해. 왕즉불 사상을 통해 중앙 집권 체제를 뒷받침했던 북위 불교의 호국 불교적 성격이 드러나 있어.

Q3 동아시아의 불교와 관련하여 옳은 것을 모두 선택해 보자.

㉠ 선종은 상좌부 불교에 속한다.
㉡ 북위 시대에 윈강 대불이 만들어졌다.
㉢ 동아시아에는 대승 불교가 전파되었다.
㉣ 북위의 불교는 호국 불교적인 성향이 강하였다.
㉤ 북베트남에서는 상좌부 불교가 주류를 형성하였다.

자료 4 한반도와 일본 열도로 전파된 불교

- **신라** | 법흥왕 또한 불교를 일으키려고 하였으나 …… (신하들이) 불평을 많이 하였으므로 왕이 근심하였다. …… 이차돈이 아뢰기를, "제 목을 베어 여러 사람의 논의를 진정시키십시오."라고 하였다. …… 목을 베자 …… 피가 솟구쳤는데 그 색이 우윳빛처럼 희었다. 여러 사람이 괴이하게 여겨 다시는 불교를 헐뜯지 않았다. -『삼국사기』, 신라본기 -
- **일본** | 백제 성왕 때, 태자상(석가모니상) …… 등을 보내고 …… 천황이 받고는 여러 신하에게 "…… 써야 하겠는가, 쓰지 않아야 하겠는가? ……" 라고 말했다. 신하들은 "…… 다른 나라 신을 예배해서는 안 됩니다."라고 하였는데 다만 소아대신도목숙네(蘇我大臣稻目宿禰: 소가 씨) 홀로 "다른 나라에서 귀하게 여기는 것은, 우리나라에서도 또한 귀하게 여겨야 합니다."라고 하였다. …… 이에 그 곳(모구원 후궁)에 두고 모시기 시작하였다. -『원흥사연기』-

뜯어보기 포인트

신라와 일본 모두 불교를 수용하는 과정에서 전통 신앙과 충돌하였으나 결국 국가 차원에서 불교를 공인하였음을 기억하자.

◎ 신라와 일본이 불교 수용 과정에서 겪은 공통적인 문제는 무엇일까?

두 국가 모두 왕이 불교를 수용하고자 했으나 신하들의 반대가 극심했어. 이들은 외래 종교인 불교가 자신들의 전통적인 신앙을 대체하는 데에 큰 거부감을 느꼈지.

◎ 신라와 일본이 불교를 수용하고자 했던 가장 큰 이유는 무엇일까?

선진 종교인 불교를 수용함으로써 사상적 통합을 이룰 수 있다고 보았지. 불교가 갖고 있는 호국적인 성격에도 주목했어. 궁극적으로 왕 중심의 중앙 집권적인 국가 체제를 수립하는 데에 큰 도움이 될 것이라고 판단했던 거야.

Q4 한반도와 일본의 불교에 대한 설명으로 옳은 것을 모두 선택해 보자.

㉠ 호국 불교적인 성격이 강했다.
㉡ 일본은 백제를 통해 불교를 수용하였다.
㉢ 신라는 동진으로부터 불교를 수용하였다.
㉣ 불교를 왕권 강화의 수단으로 인식하였다.
㉤ 일본은 불교 수용 과정에서 소가 씨의 극심한 반발에 부딪혔다.

답 Q3 ㉡, ㉢, ㉣ / Q4 ㉠, ㉡, ㉣

3 성리학의 성립과 확산

1. 성리학의 성립과 발전

성리학의 등장 배경과 발전 과정 및 이론적 특징은 무엇일까요?

배경	• 사대부[1]의 성장, 북방 민족의 압박으로 인한 중화사상의 강화 • 인간의 본성과 우주의 원리를 탐구하는 유교 사상가들이 등장
특징 자료 5	• 남송의 주희가 집대성, '오경'보다 '사서'를 중시[2] → 『사서집주』 집필 • 인간의 본성[性]과 우주의 원리[理]를 탐구 • 사물의 이치 탐구와 수양을 통해 본성을 회복할 것을 주장
보급	• 성리학자들이 서원과 향약을 통해 성리학적 윤리 보급 • 원 대에 『사서집주』를 과거 교재로 채택, 명·청 대에 신사[3] 등장

왜? 형이상학적인 불교와 도교의 영향을 받았어.

2. 성리학의 확산과 영향

한반도와 일본의 성리학은 어떻게 발전하였을까요?

한반도	고려	• 13세기 말 원 간섭기에 안향을 통해 성리학 수용 • 신진 사대부의 개혁 논리로 활용 → 조선의 통치 이념화
	조선	• 16세기 이후 사림에 의해 사회 규범으로 확산 • 이황·이이 등에 의해 이론이 심화되며 학파 발생 → 붕당 정치
일본		• 14세기 초에 전해졌으나 에도 막부 시대에 이르러 주목받음 • 에도 막부 : 성리학적 명분론[4]의 지배 논리화 → 사회 규범으로는 발전하지 못함 • 야마자키 안사이(상하 질서 절대화), 하야시 라잔(에도 막부의 제도·의례 정비)

왜? 권문세족의 횡포와 불교의 폐단을 비판한 신진 사대부가 이성계와 손잡고 조선을 건국했어.

왜? 민간에서는 기존에 도입된 종교인 불교와 전통 신앙인 신도의 영향력이 강했어.

4 동아시아문화권의 확립과 발전

1. 동아시아문화권의 확립

동아시아문화권은 어떻게 형성되었을까요?

– 각국은 당의 문화를 수용하되 전통과 조화시킴

예 신라는 한자의 음과 뜻을 활용해 신라 말을 표현하는 이두를 만들었고, 일본은 한자를 간략하게 고쳐 가나를 만들었어.

당	• 수도 장안성이 국제도시로 발전 → 각국의 수도에 영향 자료 6 • 외국인 관리 선발 시험인 빈공과 실시 → 외국인 관리 채용
신라	• 당에 신라방, 신라원, 신라소 설치, 장보고[5]의 활약
발해	• 문왕 이후 당과 친선을 유지 → 발해 사신 숙소인 발해관 설치
일본	• 7세기 이래 '견수사', '견당사'란 이름으로 중국에 사절단 파견

누가? '토황소격문'의 저자 신라인 최치원, 안남도호부의 도호였던 일본인 아베노 나카마로 등이 있어.

어디? 산둥반도에 설치되었어.

2. 동아시아문화권의 발전

동아시아의 문화 교류가 어떻게 이루어졌으며, 동아시아문화권의 발전에 어떤 영향을 끼쳤을까요?

(1) 성리학의 교류

① 고려의 충선왕은 원의 수도 대도에 만권당을 세워 학문 교류를 활성화시킴

② 일본의 후지와라 세이카는 강항[6]의 도움을 받아 『사서오경왜훈』 간행

(2) 인쇄술의 발달과 문화의 발전

① 고려 후기에 사대부 성장, 조선 시대에 독서인층 증가 → 금속 활자 기술 발달

② 일본에서는 무로마치 시대에 교토 문화가 지방에 전파되며 무사의 교양 증진 → 에도 시대에는 각 번에 학교(번교)가 세워지고 무사의 자제들이 입학

(3) 성리학, 불교, 인쇄술의 발달이 끼친 영향 성인 또는 부처가 되도록 노력하는 문화를 만들고, 독서와 실력을 중시하는 사회로 변화하는 데 기여

무엇? 일본의 지방 영주인 다이묘의 지배하에 있는 영지와 그 지배 조직을 말해.

[1] 사대부
학자를 뜻하는 사(士)와 관료를 뜻하는 대부(大夫)를 합친 말로 학자 출신의 관료를 의미한다. 5대 10국 시대를 거치며 귀족이 몰락하였고, 송 대에는 유교 지식을 갖춘 사대부가 등장하였다. 주로 강남의 지주 출신이었으며, 과거를 통해 관료로 진출하였다.

[2] 오경과 사서
오경은 『시』, 『서』, 『역경』, 『예기』, 『춘추』를 통틀어 일컬으며, 전통적인 유교 경전이다. 사서는 『논어』, 『맹자』, 『대학』, 『중용』의 네 가지 유교 경전을 말하며, 주희에 의해 새롭게 강조되었다.

[3] 신사
명·청 대의 지배층으로 유교적 소양을 갖춘 학위 소지자이다. 향촌 사회에서 영향력을 행사하였다.

[4] 성리학적 명분론
모든 존재는 주어진 위치에 따른 역할이 정해져 있다고 보는 성리학의 이론이다. 임금과 신하, 아버지와 아들, 남편과 아내, 주인과 노비 등 각자 주어진 사회적인 역할이 존재하고, 이는 상명하복의 질서 속에 서로 조화가 이루어져야 한다고 보았다. 이는 곧 차별을 정당화하였다.

[5] 장보고
통일신라의 무장으로 완도에 청해진을 세워 당과 일본을 잇는 해상 무역을 주도하였다.

[6] 강항
조선의 성리학자로 16세기 말 임진왜란 때 포로로 일본에 잡혀갔으며, 후지와라 세이카와 교류하였다.

자료 5 성리학의 이론적 특징

성(性)은 본래 선한 것이니, 이(理)를 좇아 행하게 된다. …… 사람은 본래 이(理)를 가지지만 단지 기(氣)를 받아 물욕*(物欲)에 가리어진다. 만약 격물·치지(格物·致知: 사물의 이치를 끝까지 파고들어 가 앎에 이른다.)하지 않게 된다면 …… 거듭 실패하게 된다. …… 배우는 자의 공부는 오직 거경·궁리(居敬·窮理: 내면적 집중과 엄숙한 태도에 머물며 이치를 궁리함) 두 가지에 있다.

* 물욕 재물을 탐내는 마음이다.

뜯어보기 포인트
성리학에서는 만물을 '이'와 '기'로 파악하고 있어. 그 중 인간의 선한 본성을 '이'로 보고 이를 회복하기 위한 수양 방법을 제시하고 있음을 파악하자.

이(理)와 기(氣)란 무엇일까?
성리학에서는 우주 만물이 모두 이(理)와 기(氣)로 이루어져 있다고 보았어. 이는 보편적이고 불변의 법칙을 말하며, 사물의 본질에 해당해. 기는 법칙에 의해 겉으로 드러나는 가변적인 현상을 말하지.

성리학에서 추구하는 올바른 수양이란 무엇일까?
주희는 인간의 본성은 선하고 순수한 이(理)와 같은 존재라고 보았어. 이것을 '성즉리(性卽理)'라고 해. 하지만 이는 개인의 욕심과 같은 후천적 요인인 기(氣)에 의해 더럽혀진다고 생각했어. 따라서 선한 본성을 회복하기 위해서는 마음을 경건하게 하고 이치를 탐구(거경궁리: 居敬窮理)하며, 사물의 본질을 파고들어 지식의 폭을 넓혀가는 것(격물치지: 格物致知) 등의 올바른 수양이 필요하다고 보았지.

Q5 성리학과 관련하여 옳은 것을 모두 선택해 보자.

㉠ 거경궁리와 격물치지를 강조하였다.
㉡ 인간의 마음이 곧 이(理)라고 보았다.
㉢ 인간의 본성은 악하다고 생각하였다.
㉣ 만물이 이와 기로 이루어져 있다고 보았다.
㉤ 이는 보편적 법칙을, 기는 가변적 현상을 말한다.

자료 6 당과 발해, 일본의 수도 구조

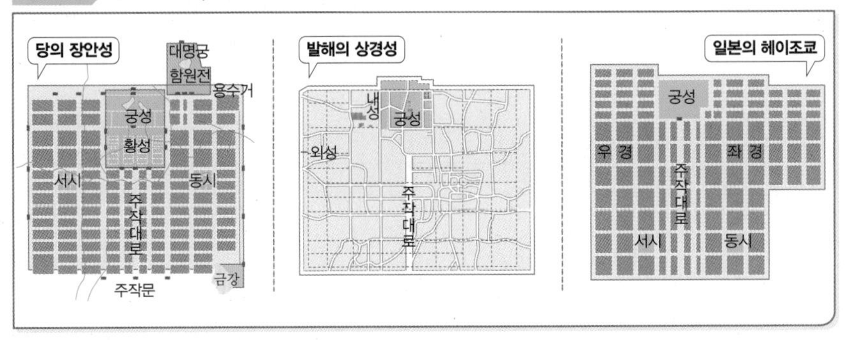

뜯어보기 포인트
당의 문화가 발해·일본의 수도 구조 등 다양한 부분에서 동아시아 각국의 문화에 영향을 끼쳤다는 점을 기억하자.

당의 장안성은 발해와 일본의 수도 구조에 어떤 영향을 끼쳤을까?
당의 장안성은 중심부 상단에 황제의 거처인 궁궐이 있고, 넓은 주작대로가 중앙을 관통하고 있지. 발해의 상경성과 일본의 헤이조쿄도 이를 본떠 바둑판식 도로와 함께 중앙에 주작대로를 놓았어.

발해와 일본 등 동아시아 국가들은 당의 문화를 어떻게 수용하였을까?
발해는 2대 무왕 때 당과 충돌하였으나 3대 문왕 시대에 당과 다시 공식적인 외교 관계를 맺고 사신을 파견하며 문물을 수용하였어. 일본은 당의 책봉을 받지는 않았지만 주기적으로 견당사를 파견하여 당의 문물을 수용하였고 당의 율령을 참고하여 701년 다이호 율령을 반포하기도 했지. 신라 등 다른 동아시아 국가들 역시 당에 사절단을 파견하며 다양한 문화를 수용하였어. 당 시대의 활발한 문화 교류는 동아시아문화권을 형성하는 데 큰 영향을 주었지.

Q6 당 문화의 수용과 관련하여 옳은 것을 모두 선택해 보자.

㉠ 발해는 2대 무왕 이후로 당과 활발하게 교류하였다.
㉡ 발해의 온돌 장치를 통해 당 문화의 영향을 엿볼 수 있다.
㉢ 일본은 당의 문물을 수용하기 위해 견당사를 파견하였다.
㉣ 일본은 당의 율령을 참고하여 다이호 율령을 반포하였다.
㉤ 당의 장안성은 발해의 상경성과 일본의 헤이조쿄에 영향을 주었다.

답 Q5 ㉠, ㉣, ㉤ / Q6 ㉢, ㉣, ㉤

1단계 개념 익히기

정답과 해설 ▸ 36쪽

01 서로 관련 있는 내용끼리 연결해 보자.

a. 당 •　　• ㄱ. 중앙에 3성 6부를 두고 지방에 주·현을 설치함

b. 신라 •　　• ㄴ. 중앙 통치 제도를 2관 8성제로 정비함

c. 일본 •　　• ㄷ. 국학을 설치하고 독서삼품과를 실시함

02 아래 설명이 맞으면 ○표, 틀리면 ×표를 해 보자.

(1) 남북조 시대를 거쳐 수·당 시대에 율·영·격·식의 율령 체제가 완성되었다. (　　)

(2) 상좌부 불교에서는 자비에 의한 중생의 구제를 강조하였으며 부처를 신격화하였다. (　　)

(3) 일본의 성리학은 에도 막부 시대에 일상생활의 사회 규범으로 발전하였다. (　　)

(4) 장보고는 완도에 청해진을 세워 당과 일본을 잇는 해상 무역을 주도하였다. (　　)

(5) 일본의 야마자키 안사이는 조선의 성리학자 강항의 도움을 받아 『사서오경왜훈』을 간행하였다. (　　)

03 빈칸에 알맞은 말을 채워 보자.

(1) 춘추 전국 시대에 형벌과 법의 효율성을 주장한 (　　　　)은/는 법치와 율령을 발전시켰다.

(2) 당은 백성에게 토지를 분배하고 그 대가로 병역의 의무를 지는 부병제와 조세, 노역, 공물을 수취하는 (　　　　) 제도를 실시하였다.

(3) 남북조 시대에 달마가 창시한 (　　　　)은/는 직관적인 깨달음과 참선을 중시하였다.

(4) 주희는 사서를 주석한 (　　　　)을/를 저술하였고, 다양한 서적과 향약을 통해 성리학적 윤리를 보급하고자 하였다.

(5) 당이 외국인 중에서 관리를 뽑았던 (　　　　)에는 발해 및 신라의 유학생들이 합격하여 관리가 되었다.

04 ㉠~㉢에 들어갈 내용을 순서대로 써 보자.

> (　㉠　)은/는 당의 3성 6부제를 수용하되 명칭과 운영 방식에서 독자성을 드러냈다. 유교 덕목을 6부의 명칭으로 삼았으며, 최고 행정 기구는 당의 상서성에 해당하는 (　㉡　)이었다. 이는 당의 최고 행정 기구가 중서성이었던 것과 구분된다. 중앙의 최고 교육 기관으로는 (　㉢　)을/를 설치하였다.

05 ㉠~㉢에 불탑의 이름과 제작한 국가의 이름을 써 보자.

㉠	㉡	㉢
불탑의 이름: (　　　)	불탑의 이름: (　　　)	불탑의 이름: (　　　)
국가: (　　　)	국가: (　　　)	국가: (　　　)

06 아래 표를 완성해 보자.

고려	• (　　　)을/를 통해 성리학 수용 • 신진 사대부가 개혁 논리로 활용
조선	• 성리학의 통치 이념화 • (　　　)은/는 유교 윤리를 지방에 전파
(　　　)	• 신사가 향촌 사회에서 영향력 행사 • 실천을 중시하는 양명학 등장
에도 막부	• 성리학을 지배 논리로 활용 • (　　　)은/는 에도 막부의 제도와 의례 정비

01 다음 유물들을 통해 알 수 있는 사실로 적절한 것은?

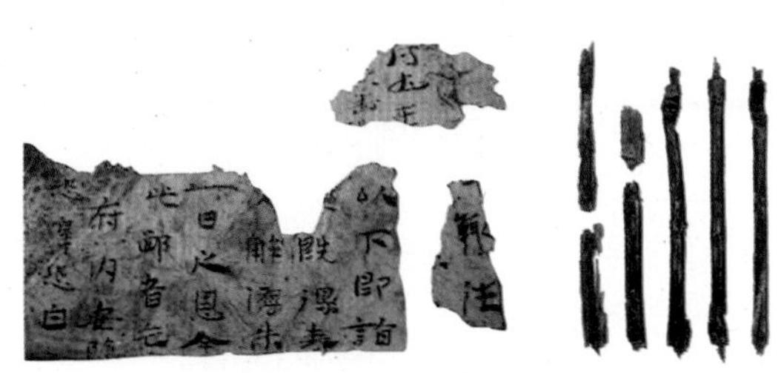

▲ 채윤의 제지술로 만든 종이 ▲ 창원 다호리 유적에서 출토된 붓

① 동아시아 각지에서 청동기를 사용하였다.
② 동아시아 각국의 농업 기술이 발전하였다.
③ 동아시아 지역에 한자가 널리 보급되었다.
④ 불교가 동아시아 각국의 중심 종교가 되었다.
⑤ 동아시아 지역에서 신권 정치가 널리 행해졌다.

02 빈칸에 들어갈 명칭을 순서대로 옳게 나열한 것은?

> 율령 체제의 틀은 수·당 시대에 완성되었다. 율령 체제는 크게 네 가지로 구성되어 있다. 행정법인 (㉠)과 형법인 (㉡), 시행 세칙인 (㉢)과 보완·개정된 내용인 (㉣)이 그것이다.

	㉠	㉡	㉢	㉣
①	율	영	격	식
②	율	격	식	영
③	율	식	영	격
④	영	격	식	율
⑤	영	율	식	격

03 빈출 (가)~(라)에 들어갈 내용으로 옳지 않은 것은?

> 동아시아사 핵심 정리
>
> **수·당의 통치 체제**
>
> 1. 중앙 정치 제도: (가)
> 2. 지방 통치 제도: (나)
> 3. 토지 제도와 수취 제도: (다)
> 4. 교육 및 관리 선발 제도: (라)

① (가) – 문하성에서는 6부를 관할하였다.
② (나) – 지방을 주와 현으로 나누어 통치하였다.
③ (다) – 병농 일치의 성격을 가진 제도를 운영하였다.
④ (라) – 중앙에는 국자감을, 지방에는 향교를 설치하였다.
⑤ (라) – 글짓기 능력과 유교 경전 이해력을 기준으로 관리를 선발하였다.

04 빈출 밑줄 친 ㉠의 결과 나타난 체제에 대한 옳은 설명을 |보기|에서 고른 것은?

> 덴무 천황 10년(681)에 천황과 황후가 같이 태극전에서 친왕과 여러 왕 및 신하에게 조서를 내려 "㉠ 짐은 이제부터 다시 율령을 정하여 법식을 정하려고 한다. 그러므로 같이 이 일을 수행하라."고 말하였다.
>
> –『일본서기』–

|보기|
ㄱ. 당의 영향을 받았다.
ㄴ. 독서삼품과를 실시하였다.
ㄷ. 제사를 담당하는 관청을 두었다.
ㄹ. 도병마사와 식목도감을 설치하였다.

① ㄱ, ㄴ ② ㄱ, ㄷ ③ ㄴ, ㄷ
④ ㄴ, ㄹ ⑤ ㄷ, ㄹ

05 빈출 밑줄 친 '이 국가'의 불교와 관련된 설명으로 옳은 것은?

왼쪽 사진은 중국 산시성 다퉁에 위치한 윈강 석굴 대불의 모습이다. 252개의 석굴과 51,000여 개의 석상으로 이루어진 이 석굴 사원은 이 국가 불교 미술의 위엄을 잘 보여주며, 유네스코 세계 문화유산으로 등재되었다.

① 신불습합이 이루어졌다.
② 법현이 순례 활동을 하였다.
③ 『부모은중경』이 편찬되었다.
④ 호국 불교의 성격을 띠었다.
⑤ 화엄종 · 법상종이 성립되었다.

06 밑줄 친 ㉠~㉤ 중 옳지 않은 것은?

삼국과 일본은 중앙 집권 체제 확립과 사상 통합을 위해 불교를 수용하였다. ㉠ 고구려는 소수림왕 때 전진으로부터 불교를 수용하였고, ㉡ 백제는 침류왕 때에 동진에서 온 승려가 불교를 전하였다. ㉢ 신라는 남조의 송을 통해 불교를 수용하였으나 전통 신앙과 충돌하였다. ㉣ 일본은 백제로부터 불교를 수용하였으나 초기에 마찰이 있었다. 그러나 소가 씨를 중심으로 불교를 수용한 후 국가의 보호를 받았다. ㉤ 나라 시대에는 왕실과 유력 가문의 사찰 건립이 활발하였다.

① ㉠ ② ㉡ ③ ㉢ ④ ㉣ ⑤ ㉤

07 빈출 (가)에 대한 설명으로 옳은 것은?

남북조 시대에 활동한 달마는 직관적인 깨달음과 참선을 중시하는 동아시아의 특징적인 불교 종파인 (가) 을/를 창시하였다.

① 일본 막부의 보호를 받았다.
② 의상에 의해 신라에 전해졌다.
③ 사이초는 일본에 (가)를 전하였다.
④ 만물의 조화와 포용을 중요시하였다.
⑤ 의천은 (가)를 중심으로 불교를 통합하고자 하였다.

08 (가), (나)에 대한 옳은 설명을 |보기|에서 고른 것은?

동아시아의 지배층				
당	5대 10국	송	원	명 · 청
귀족	절도사	(가)	몽골인 색목인	(나)

|보기|
ㄱ. (가) – 사회적 지위를 주로 세습하였다.
ㄴ. (가) – 과거를 통해 관료로 진출하였다.
ㄷ. (나) – 향촌 사회에서 영향력을 행사하였다.
ㄹ. (나) – 영토를 받은 대가로 왕에게 공물을 바쳤다.

① ㄱ, ㄴ ② ㄱ, ㄷ ③ ㄴ, ㄷ
④ ㄴ, ㄹ ⑤ ㄷ, ㄹ

09 빈출 **다음 글과 관련 있는 학문에 대한 설명으로 옳지 않은 것은?**

> 12세기 남송의 주희가 집대성한 학문으로, 성명의리지학(性命義理之學)이라고도 한다. 인간의 본성과 우주의 원리를 탐구하여 성인의 이르는 방법을 제시하였다.

① 불교와 도교의 영향을 받았다.
② 유교 경전에 대한 해석 중심이었다.
③ 서원과 향약을 통해 널리 보급되었다.
④ 남송 이후 통치 이념으로 자리 잡았다.
⑤ 사물의 이치를 꾸준히 탐구해야 한다고 보았다.

10 **밑줄 친 ㉠에 대한 옳은 내용을 |보기|에서 고른 것은?**

> 7세기 후반 동아시아 국가 간의 전쟁이 끝나고 각 지역 국가들이 자리를 잡으며 동아시아 세계는 안정 국면에 접어들었다. ㉠ 8세기부터 각국은 서로 친선 관계를 맺으며 교류를 활발히 하였다.

보기

ㄱ. 발해는 무왕 때부터 당과 친선 관계를 맺었다.
ㄴ. 장보고는 청해진을 세워 해상 질서를 주도하였다.
ㄷ. 장안의 도시 구조는 신라의 수도 구조에 영향을 주었다.
ㄹ. 일본인 아베노 나카마로는 안남도호부의 도호로 활동하였다.

① ㄱ, ㄴ ② ㄱ, ㄷ ③ ㄴ, ㄷ
④ ㄴ, ㄹ ⑤ ㄷ, ㄹ

서술형 문제

11 빈출 **다음 글을 읽고 물음에 답해 보자.**

> 기원전 6세기경 인도에서는 붓다에 의해 불교가 창시되었다. 붓다가 죽은 후 불교는 교리와 계율의 해석 문제로 인해 여러 분파로 갈라졌다. 기원전 1세기경에는 일반 신도를 중심으로 이타행을 강조하는 불교 운동이 일어나면서 새로운 불교 종파가 등장하였다.

(1) 밑줄 친 '새로운 불교 종파'의 이름을 써 보자.

(2) 기존의 불교 종파와 구별되는 위 종파의 특징 두 가지를 설명해 보자.

서술형 문제

12 **다음 글을 읽고 물음에 답해 보자.**

> 일본에서 성리학은 에도 막부 시대에 주목받기 시작했다. 무사 계층이 신분 질서를 절대시하는 (가) 을/를 지배 논리로 활용하였기 때문이다. 하지만 일본의 성리학은 조선과 비교해 ㉠ 큰 차이점이 있었다.

(1) (가)에 들어갈 단어를 써 보자.

(2) ㉠의 내용과 ㉠이 나타난 이유를 설명해 보자.

3단계 내신 만점 도전하기

01 다음은 율령의 시대별 변천 모습이다. (가)~(라)를 시대 순서대로 옳게 배열한 것은?

> (가) 율·영·격·식의 법체계가 완성되었다.
> (나) 엄격한 법에 의한 가혹한 통치가 이루어졌다.
> (다) 법에 유교 윤리를 반영하여 법치와 유가 사상이 조화되었다.
> (라) 형벌과 법을 강조한 법가와 덕과 예의를 강조한 유가가 대립하였다.

① (나) – (가) – (라) – (다)
② (나) – (다) – (가) – (라)
③ (나) – (라) – (다) – (가)
④ (라) – (나) – (다) – (가)
⑤ (라) – (다) – (나) – (가)

02 중요 (가)~(다)에 대한 설명으로 옳은 것은?

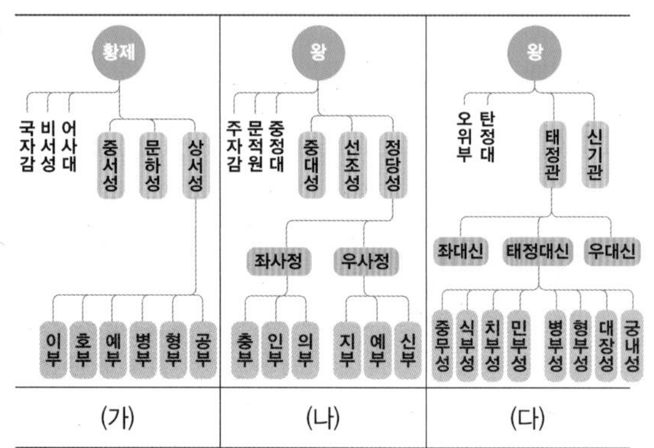

① (가) – 고려의 중앙 정치 제도이다.
② (나) – 정당성은 국정을 총괄하였다.
③ (나) – 중대성은 조칙을 심의하였다.
④ (다) – 태정관은 제사를 담당하였다.
⑤ (다) – (가)와 (나) 제도에 영향을 주었다.

03 중요 다음 글과 관련된 주제를 탐구하기 위한 활동으로 가장 적절한 것은?

> 당 대에 편찬된 것으로 보이는 『부모은중경』은 본래 인도에 없던 경전으로 부모의 은혜를 강조하는 내용을 담고 있으며, 효를 중시하는 유교 사상의 영향을 받았다.

① 하치만 신에 대해 찾아본다.
② 원효의 활동에 대해 알아본다.
③ 윈강 석굴이 조성된 배경을 분석한다.
④ 이차돈의 순교 사건이 일어난 배경을 조사한다.
⑤ 이타행을 강조하는 불교 운동에 대해 탐구한다.

04 밑줄 친 '이 시대'의 동아시아 불교에 대한 옳은 설명을 |보기|에서 고른 것은?

> 왼쪽은 도다이사 대불전의 모습이다. 이 시대를 대표하는 일본의 사찰로 쇼무 천황이 호국 불교 진흥 정책을 펼치며 세웠다.

보기
ㄱ. 혜초가 인도 순례를 떠났다.
ㄴ. 쿠마라지바가 불경을 한자로 번역하였다.
ㄷ. 감진이 일본으로 건너가 계율을 전하였다.
ㄹ. 지눌이 선종의 입장에서 교종을 통합하고자 하였다.

① ㄱ, ㄴ ② ㄱ, ㄷ ③ ㄴ, ㄷ
④ ㄴ, ㄹ ⑤ ㄷ, ㄹ

05 밑줄 친 '그'에 대한 설명으로 옳은 것은?

중요

> 그는 중국을 대표하는 학자 중 한 명으로 주돈이, 정호, 정이 등의 사상을 종합하여 새로운 유학을 집대성하였다. 그는 끊임없는 연구를 통해 우주의 원리와 인간의 본성에 대한 형이상학적 접근을 시도함으로써, 기존의 행동 규범적 성격이 강했던 유교를 이론적으로 한 차원 발전시켰다. 그의 사상은 이후 동아시아에 커다란 영향을 미쳤다.

① 오경보다 사서를 더욱 강조하였다.
② 유교 경전에 대한 해석에 치중하였다.
③ 인간의 마음이 곧 이(理)와 같다고 보았다.
④ 개인의 수양과 구체적인 실천을 중시하였다.
⑤ 쇼토쿠 태자의 스승으로서 정치 자문 역할을 맡았다.

06 (가)~(다)에 들어갈 내용으로 옳은 것은?

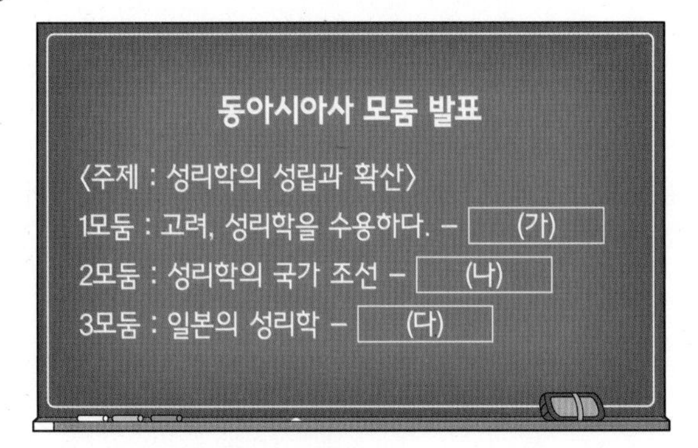

① (가) – 『사서오경왜훈』의 편찬
② (나) – 안향의 생애와 학문적 업적
③ (나) – 정치 집단으로 성장한 학파
④ (다) – 서원의 설립과 향약의 보급
⑤ (다) – 사회 개혁 사상으로의 활용

07 (가) 인물이 활동하던 시기에 볼 수 있는 모습을 |보기|에서 고른 것은?

중요

> 적산으로 돌아와서 청해진에서 (방향을) 바꾸어 본국으로 향하고자 합니다. 엎드려 바라옵건대 (가) 을/를 뵙고 자세히 사정을 아뢰어 주십시오. …… 만일 그곳(청해진)으로 사람과 배가 왕래한다면 청하옵건대 명령을 내려 특별히 찾아봐 주십시오.
>
> – 엔닌, 『입당구법순례행기』 –

보기

ㄱ. 문물 수용을 위해 견당사가 파견되었다.
ㄴ. 외국인 유학생들이 빈공과 응시를 준비하였다.
ㄷ. 만권당에서 학자들이 학문 교류에 열중하였다.
ㄹ. 친선의 의미로 동아시아 각국에 『촉판대장경』이 보내졌다.

① ㄱ, ㄴ ② ㄱ, ㄷ ③ ㄴ, ㄷ
④ ㄴ, ㄹ ⑤ ㄷ, ㄹ

08 밑줄 친 ㉠과 같은 현상이 나타난 배경으로 가장 적절한 것은?

> ㉠ 활자를 만들어 가히 많은 서적을 인쇄하여 영원히 세상에 전하게 하니 …… 인쇄하지 않는 책이 없고 배우지 않은 사람이 없어, 문교(인문 교육)의 진흥이 날로 전진하고 세상 도리의 융숭함이 더욱 성대할 것이다.
>
> – 서거정 외, 『동문선』 –

① 호국 불교가 발달하였다.
② 율령 체제를 수용하였다.
③ 『팔만대장경』 등이 간행되었다.
④ 선종이 동아시아 각국에 전파되었다.
⑤ 사대부와 독서인층의 수가 증가하였다.

심화 수능 유형 익히기

총 문항수 2	처음 푼 날 월 일
정답과 해설 38쪽	오답 푼 날 월 일

01 다음 제도를 실시한 왕조의 통치 체제에 대한 설명으로 옳은 것은?

> 무덕 7년에 율령을 제정하였다. 토지는 구분전과 영업전으로 나누어 지급한다. …… 성인 남자는 국가에 매년 곡물로 조(租)를 낸다. 조(調)는 비단이나 삼베로 낸다. 성인 남자는 매년 20일의 노역에 종사해야 한다. 노역을 하지 않을 경우 비단이나 삼베를 내도록 한다. 이를 용(庸)이라 한다.

① 정당성이 국정을 총괄하였다.
② 독서삼품과를 실시하여 관리를 등용하였다.
③ 병농일치의 성격을 지닌 부병제를 실시하였다.
④ 군현제와 봉건제를 절충한 군국제를 실시하였다.
⑤ 관리 양성 기관으로 중앙에 대학, 지방에 국학을 설치하였다.

유형 분석
주어진 자료를 분석해서 관련된 답을 찾는 유형이야.

해결 비법
처음 보는 사료 형태의 딱딱한 글이라 막막해 보일 수 있지만, 키워드만 잘 찾으면 해답이 금방 보여. 글의 전반적인 내용과 더불어 무엇에 대한 내용인지 알려줄 수 있는 중요한 키워드를 찾는 것이 답으로 가는 지름길이야. 또한 제도와 관련된 문제는 제도의 명칭도 중요하지만, 그 구체적인 내용까지 숙지하고 있으면 더욱 문제가 쉽게 풀려.

02 밑줄 친 '그'에 대한 옳은 설명을 |보기|에서 고른 것은?

> 그는 『대학』이 학문의 근본적인 큰 틀을 제시해 주고 『논어』가 튼튼한 기반이 되며, 『맹자』가 보다 세세한 부분들을 지도해 주고 『중용』이 깊은 철학성을 제공해 준다고 보았다. 이러한 생각을 바탕으로 그는 네 가지 책의 주석을 정리하여 『사서집주』를 편찬하였으며, 이후 과거 시험의 교재로 채택되기도 하였다.

|보기|
ㄱ. 인간의 본성이 곧 이(理)라고 보았다.
ㄴ. 형이상학적인 성리학을 집대성하였다.
ㄷ. 자비에 의한 중생의 구제를 중시하였다.
ㄹ. 개인의 수양과 구체적인 실천을 중시하였다.

① ㄱ, ㄴ ② ㄱ, ㄷ ③ ㄴ, ㄷ ④ ㄴ, ㄹ ⑤ ㄷ, ㄹ

유형 분석
지문에 제시된 행적이나 생각을 통해 인물을 파악해야 하는 유형이야.

해결 비법
지문에 나오는 여러 단어들을 통해 해당 인물이 누구인지 추측할 수 있어. 중요하게 다루어지는 역사적 인물의 경우 주요 행적 혹은 주장, 저서 등을 파악해 둘 필요가 있지.

총 문항수 6	처음 푼 날 월 일
정답과 해설 38쪽	오답 푼 날 월 일

2015학년도 수능

이 글은 (가) 체제를 지탱하는 법률을 구체적으로 설명해 주는 내용입니다.

무릇 법률은 네 종류가 있는데, 첫째 율(律)이고, 둘째 영(令)이며, 셋째 격(格)이고, 넷째 식(式)이다. …(중략)… 무릇 율로써 형벌을 바로 잡고, 죄목을 결정하며, 영으로써 규범을 만들고 제도를 세운다.

서술형 문제

01 진 대와 한 대의 (가)의 특징을 서술해 보자.

수능 문제

02 (가) 체제가 동아시아 각국에 미친 영향으로 적절하지 않은 것은?

① 발해는 중앙 관제로 3성 6부제를 도입하였다.
② 주는 혈연관계를 바탕으로 지방에 제후를 두었다.
③ 신라는 국학을 설립하여 유학 교육을 실시하였다.
④ 일본은 백성들에게 매매가 금지된 토지를 지급하였다.
⑤ 베트남은 리 왕조 시기에 과거제를 통해 관리를 선발하였다.

활용 문제

03 (가)에 대한 설명으로 옳지 않은 것은?

① 형법과 행정법으로 이루어져 있다.
② 수·당 대에 제도적으로 완성되었다.
③ 중앙 집권 체제 수립에 영향을 주었다.
④ 한반도에서는 고구려 – 백제 – 신라 순으로 반포하였다.
⑤ 각국은 기존의 질서와 관습에 따라 선택적으로 수용하였다.

2015학년도 수능

위 금당과 불상은 이 시대를 대표하는 문화재로 헤이조쿄로 천도한 이후 만들어졌다. 금당은 세계 최대의 단일 목조 건축물이고, 불상은 노사나불이다.

서술형 문제

04 밑줄 친 '이 시대'의 일본 불교의 특징과 그러한 특징이 나타난 이유를 서술해 보자.

수능 문제

05 밑줄 친 '이 시대'의 동아시아 불교문화에 대한 설명으로 적절한 것은?

① 감진이 일본에 계율을 전하였다.
② 달마가 중국에 선종을 전하였다.
③ 동진의 승려가 백제에 불교를 전해주었다.
④ 윈강 석굴 사원이 만들어지기 시작하였다.
⑤ 강승회가 불교 경전을 한문으로 번역하였다.

활용 문제

06 밑줄 친 '이 시대'에 활약한 승려에 대한 설명으로 옳은 것은?

① 의상이 신라 화엄종을 개창하였다.
② 에이사이가 일본 선종의 주류가 되었다.
③ 원효가 불교의 대중화를 위해 노력하였다.
④ 혜초가 인도 순례 후 『왕오천축국전』을 저술하였다.
⑤ 법현이 30여 개 국가를 순례하고 『불국기』를 저술하였다.

주제 6

동아시아 세계의 변화와 국제 관계의 다원화

주제 흐름 읽기

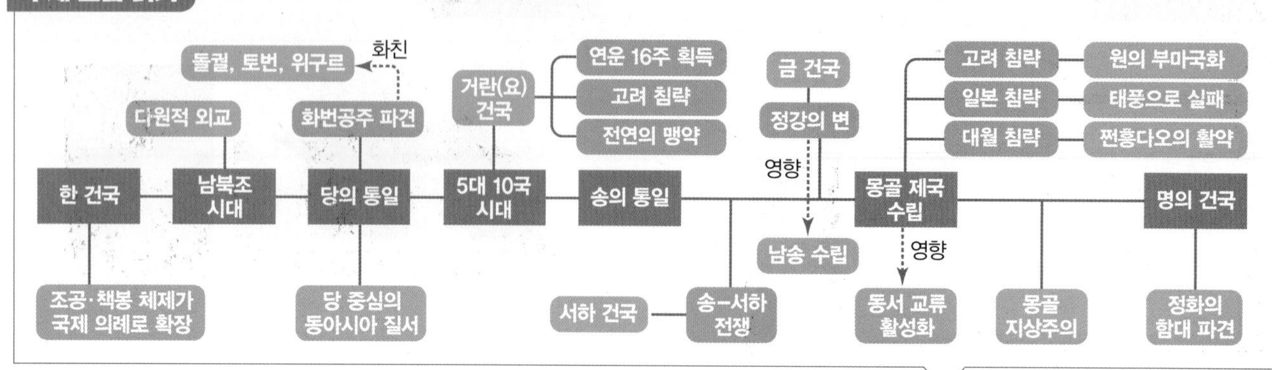

1 국제 관계의 형성과 변화

1. 국제 관계의 형성

조공 · 책봉의 외교 질서가 등장한 배경과 그 특징은 무엇일까요?

(1) **조공 · 책봉[1]의 외교 질서**

어떻게? 주변국의 지도자가 새로 즉위하면 중국의 황제에게 조공을 바치고 책봉을 받으면서 공식적인 외교 관계가 맺어졌어.

① 본래 주의 봉건제하에서 이루어진 정치 의례였으나 한 대에 국제 의례로 확장

② 형식적인 외교 관계에 불과 → 중원 왕조는 중국 중심의 국제 질서를 내세울 명분을 얻고, 주변국은 경제 · 문화적 교류와 통치의 정당성 등의 실리를 얻음

(2) **한과 흉노의 관계** 자료 1 한 고조와 흉노는 전쟁 이후 화친, 한이 매년 물자 지급 → 한 무제의 토벌로 흉노 세력 약화, 결국 분열 → 축출된 흉노 세력이 한과 군신 관계를 맺었으나 형식적인 관계에 불과

왜? 주변국에서 중국에 조공을 바치면 그 대가로 답례품을 받았는데, 주변국들은 답례품을 통해 경제적 · 문화적으로 막대한 이익을 취할 수 있었어.

2. 다원적 국제 관계와 조공 · 책봉

남북조 시대와 수 · 당 시대의 외교 관계는 어떻게 맺어졌을까요?

(1) **5호 16국과 남북조 시대의 국제 관계** 중원 왕조 분열 → 다원적 국제 관계 형성

북조	• 고구려 등을 포함한 주변 민족과 갈등 · 교섭을 반복
남조	• 북조를 견제하기 위해 유연[2] 및 고구려와 친선 관계 유지
고구려	• 남하 정책을 펴며 남북조 양측과 조공 · 책봉 관계 수립
백제	• 고구려의 남하를 견제하며 남조와 조공 · 책봉 관계 수립
신라	• 한강 유역 차지 전까지 백제 통해 전진[3] · 양(남조)에 사신 파견
왜	• 남조와 조공 · 책봉 관계를 수립하여 정당성을 확보하고자 함

누가? 장수왕이 남북조 모두와 교류하는 등거리 외교를 펼쳤어.

(2) **당 시대의 국제 관계** 당 중심의 국제 관계 형성

당	• 주변 지역 직접 통치 시도: 기미 정책[4] 시행, 한반도 장악 시도 • 직접 통치에 실패한 경우: 당 중심의 조공 · 책봉 체제로 포섭 자료 2
신라	• 통일 과정에서 당과 전쟁 → 이후 당과 조공 · 책봉 관계 수립
발해	• 초기에 당과 대립하였으나 점차 조공 · 책봉 관계 수용
일본	• 문물 수용과 무역 이익을 위해 견당사를 파견하여 조공
토번 · 돌궐 위구르[5]	• 당과 형식상 조공 · 책봉 관계를 맺기도 했으나, 경제적 이익이 적을 때는 당을 종종 침략 → 당은 화번공주 파견

무엇을? 중국에서 정략적으로 유목 민족 군주에게 출가시킨 황족의 여인이야.

❶ 조공 · 책봉
책봉은 군주가 신하에게 벼슬을 내리고 영토 지배를 인정하는 행위를 말하며, 조공은 책봉의 대가로 제후가 군주에게 예물을 바치는 것을 의미한다.

❷ 유연
4세기부터 6세기 초까지 북방 초원 지역에서 활약했던 유목 민족이다. 북위를 건국한 선비족과 같은 계통이었지만 북위와의 관계는 좋지 않았다. 남조는 유연을 이용하여 북위를 견제하는 이이제이(以夷制夷) 정책을 펼쳤다. 6세기에 돌궐에게 멸망하였으며, 돌궐은 초원 지역을 제패하고 돌궐 제국을 세웠다.

❸ 전진
5호 16국 중의 하나로 티베트 계통의 저족이 건국하였다. 화베이 지방을 통합하고 동진을 공격했으나 패배한 후 멸망하였다.

❹ 기미 정책
기미는 말의 굴레와 고삐를 말한다. 말에게 어느 정도의 자유를 주되 말고삐를 잡은 손을 놓지 않듯이, 이민족의 우두머리에게 어느 정도의 자치를 허용하는 대신 당의 지배를 인정하도록 하였다.

❺ 토번과 위구르
토번 왕국은 7세기부터 9세기까지 티베트 지역에 존재했던 왕국이며, 위구르 제국은 돌궐 제국을 무너뜨리고 8세기부터 9세기까지 북방 초원 지역에 존재했던 유목 제국이다.

자료 1 한과 흉노의 외교 관계

선우가 한나라에 글을 보낼 때는 …… 그 문구도 거만스럽게 "하늘과 땅이 낳으시고 해와 달이 세우신 흉노의 대선우는 삼가 한나라 황제에게 문안하오니 별일 없으신지? 그리고 보내 주는 물건은 …… 용건은 ……" 이라고 쓰여 있다.

－『사기』, 흉노열전－

(한 문제가) 흉노에게 사신을 보내며 …… "황제는 삼가 흉노의 대선우에게 문안하노니 그간 평안하신지? …… 한나라와 흉노는 서로 이웃한 대등한 나라요 …… 선우에게 해마다 일정한 수량의 차조, 누룩, 금, 비단, 명주솜 등 물건들을 보내겠소. ……" 이에 선우도 화친을 약속하였다.

－『사기』, 흉노열전－

두 사료에서 흉노의 선우와 한의 황제는 스스로를 무엇이라 칭하고 있을까?

첫 번째 사료에서 흉노의 선우는 자신을 '하늘과 땅이 낳으시고 해와 달이 세우신 흉노의 대선우'라고 칭한 반면, 두 번째 사료에서 한의 황제는 자신을 그냥 '황제'라고 언급하고 있어.

사료에 나타난 시기에 한과 흉노는 어떠한 관계였을까?

한 문제는 한의 5대 황제로, 한 문제의 치세에는 한 고조가 흉노와의 전투에서 패한 이래 흉노가 우위를 점하는 상황이 지속되어 왔어. 한은 매년 흉노에게 막대한 물자를 보내야 했지. 이 관계는 한 무제의 흉노 원정으로 비로소 역전되었어.

뜯어보기 포인트

한 초기에 한과 흉노의 관계에서 사실상 흉노가 우위에 있었음을 기억하자.

Q1 한과 흉노의 외교 관계와 관련하여 옳은 것을 모두 선택해 보자.

㉠ 한 문제는 흉노의 선우를 책봉하였다.
㉡ 한은 흉노에 매년 막대한 물자를 보냈다.
㉢ 한 고조는 흉노를 상대로 대승을 거두었다.
㉣ 한 문제는 한의 동아시아 질서를 수립하였다.
㉤ 한 무제의 흉노 원정을 계기로 한이 흉노보다 우위에 서게 되었다.

자료 2 당 대 조공 · 책봉 관계

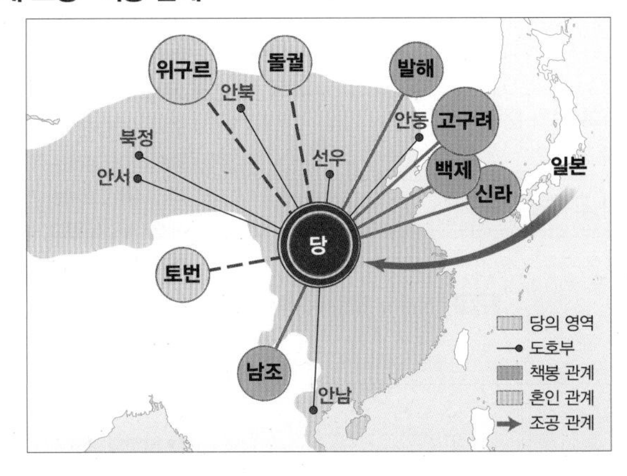

당과 동아시아 각국은 어떤 관계였을까?

당은 한반도 삼국 및 이후의 발해, 통일신라와 조공 · 책봉 관계를 맺었어. 하지만 일본과는 공식적 외교 관계를 맺지 않았지. 유목 민족인 토번 · 돌궐 · 위구르에는 화번공주를 보내 평화를 도모하였는데, 돌궐의 경우 무력으로 복속시킨 적도 있지만 오래 가지는 않았어.

당이 6개의 도호부를 설치한 이유는 무엇일까?

당은 정복지를 간접 통치하는 기미 정책을 실시하였어. 그리고 이들을 감독하기 위해 군사적 성격이 강한 행정 기구인 도호부를 총 6곳에 설치하였지. 위치는 지도에 나타나 있는 바와 같아.

뜯어보기 포인트

당 대에 다양한 형태로 외교 관계가 나타났음을 이해하고, 6개의 도호부를 두어 변경 지역의 통치를 감독했음을 기억하자.

Q2 당과 동아시아 각국의 관계와 관련하여 옳은 것을 모두 선택해 보자.

㉠ 일본은 당에게 책봉을 받았다.
㉡ 신라는 당과 대립하기도 하였다.
㉢ 당은 토번에 화번공주를 보냈다.
㉣ 당은 위구르를 무력으로 복속시켰다.
㉤ 발해는 당과 조공 · 책봉 관계를 맺었다.

답 Q1 ㉡, ㉤ / Q2 ㉡, ㉢, ㉤

2 북방 민족의 성장과 국제 관계의 다원화

1. 거란, 탕구트의 성장과 다원적 국제 관계

10~11세기의 동아시아에는 어떤 일들이 있었을까요?

(1) 거란(요)의 건국과 발전 자료 3

건국	• 야율아보기가 거란족 부족을 통합하여 건국(916)
발전	• 동쪽의 발해를 멸망시켰으며 만리장성 이남의 연운 16주 차지 • 송(북송)과 연운 16주를 두고 충돌 → 전연의 맹약[1] 체결(1004)
체제	• 황제 칭호를 사용하고 고유 문자를 사용하며 민족의식을 드러냄 • 남면관 · 북면관제 실시: 농경민과 유목민을 분리하여 이중 지배

(2) 서하의 건국과 발전

건국	• 탕구트족의 이원호가 건국(1038)하고 칭제(황제를 칭함)
발전	• 동서 교역으로 발전, 과거제 실시, 고유 문자 사용, 송과 강화 체결(1044)

어떻게? 서하가 송에게 복속하는 대신 송이 서하에게 매년 세폐를 공급하기로 하였어.

(3) 송의 건국과 발전

건국	• 후주의 절도사 조광윤이 건국(960) → 5대 10국[2] 통일(979)
발전	• 거란(요) · 서하와 전쟁 → 거란을 아우, 서하를 신하로 대하는 대신 세폐를 지급

왜? 송이 적극 추진한 문치주의 정책의 영향으로 황제권은 강화되었지만 군사력이 약화되었어.

(4) 고려의 건국과 대외 관계

건국	• 왕건이 건국(918) → 후삼국 시대 통일(936)
대외 관계	• 발해를 멸망시킨 거란을 적대시하며 송과 친선 외교 전개 • 거란(요)의 세 차례 침입을 방어[3] → 송-고려-거란의 세력 균형

(5) 일본 헤이안 시대의 전개

전개	• 천황의 권력이 약화되고 외척이 정권을 좌우하며 정치 문란 • 장원 확대 → 정치 문란으로 치안 불안 → 무사 등장
외교 관계	• 중국과의 공식적 외교 관계는 단절, 경제 · 문화 교류는 지속

어떻게? 9세기 말 견당사가 폐지되며 중국과의 공식적 교류는 끊겼지만, 송 상인과의 무역을 통한 교류는 계속 이어졌어. 송 상인들은 규슈 북부까지 진출하였고, 일본 승려들은 이들을 따라 송으로 건너가 교류하였어.

2. 금의 성장과 각국의 변화 자료 4

금, 남송, 고려, 일본은 주변 국가들과 어떤 관계에 있었을까요?

(1) 금의 건국과 성장

건국	• 아구다가 여진족 부족을 통일하고 금 건국(1115)
발전	• 거란을 멸망시키고 송을 공격해 화베이 지방 차지(정강의 변) • 맹안 모극제 · 주현제의 이중 지배를 실시하고 여진 문자 사용

(2) 각국의 변화

송	• 화베이 지방을 빼앗기고 남송 건국 → 신하로서 금에 조공
고려	• 윤관의 여진 정벌(동북 9성) → 여진에게 동북 9성 반환 → 여진족이 금 건국 후 고려에 사대 관계 요구 → 고려가 수용
일본	• 고려 및 남송과 교류 → 송의 동전 대량 유입 • 미나모토노 요리토모가 가마쿠라 막부를 수립하고 쇼군에 취임[4] → 실권 장악, 무사의 토지 지배 확대

어떻게? 치안 유지와 장원 관리를 쇼군이 파견한 무사들에게 맡김으로써 장원에서 점차 무사의 영향력이 커졌어.

[1] 전연의 맹약
송과 거란(요)이 맺은 평화 조약이다. 송과 거란은 각각 형과 아우로서 형제 관계를 맺고, 송이 거란에 매년 막대한 물자(세폐)를 공급하며, 양국의 국경선은 현상을 유지한다는 내용이다. 송은 형이라는 명분을, 거란은 물자와 영토라는 실리를 챙겼다.

[2] 5대 10국
당이 멸망한 907년부터 송(북송)이 중원을 재통일하는 979년까지 중원에서 흥망을 거듭한 다섯 왕조와 중원 외 지방 각지에 흩어져 존재하던 열 개의 국가들, 혹은 그 국가들이 존재했던 시대를 말한다.

[3] 거란의 고려 침입
거란은 송과 전쟁하기 전 배후를 안정시키기 위해 고려를 침입하였다. 1차 침입 때에는 서희가 송과의 단교를 약속하며 강동 6주를 획득하였다. 그러나 고려가 제대로 약속을 이행하지 않자 거란은 2차 침입을 하였고, 그럼에도 고려가 달라지지 않자 3차 침입까지 강행하였다. 강감찬이 귀주 대첩에서 거란을 격파하며 고려는 거란의 침입을 막아냈다. 이후 고려는 거란과 조공 · 책봉 관계를 체결하였고, 송-고려-거란 사이에 평화로운 세력 균형이 이루어졌다.

[4] 막부와 쇼군
막부는 본래 전쟁터에 나간 장군의 지휘 본부를 일컬었으나, 무사 정권을 의미하는 용어로 의미가 확대되었다. 가마쿠라 막부는 가마쿠라 지역을 기반으로 삼았던 일본 최초의 막부이다. 막부의 최고 지도자는 쇼군(장군)으로, 천황이 형식적으로 임명하긴 하지만 대부분의 실권을 장악하였다. 막부 체제 하에서 천황은 권력이 없는 상징적인 존재에 불과했다. 최초의 쇼군은 가마쿠라 막부의 창립자인 미나모토노 요리토모이다.

자료 3 거란(요)의 팽창과 11세기 동아시아의 정세

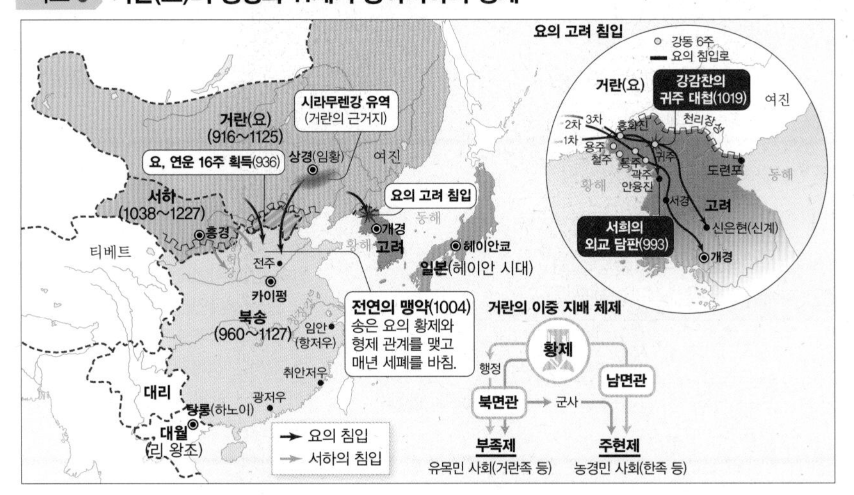

◎ 거란(요)과 송이 연운 16주를 두고 대립한 이유는 무엇일까?

5대 10국 시대에 거란은 만리장성 이남의 연운 16주를 획득했어. 송에게 만리장성 이남까지 세력을 뻗친 거란은 큰 위협이었지. 거란 역시 중원으로 진출하고자 하였기 때문에 양국은 충돌할 수밖에 없었어.

◎ 거란(요)이 이중 지배를 실시한 이유는 무엇일까?

거란은 유목민을 북면관제로, 농경민들을 남면관제로 다스렸어. 이런 이중 지배를 실시한 가장 큰 목적은 유목 민족 고유의 문화를 지키기 위해서였지.

뜯어보기 포인트

거란(요)과 송이 연운 16주를 두고 대립했다는 사실과 거란(요)이 이중 지배를 실시했다는 점을 기억하자.

Q3 11세기 동아시아와 관련하여 옳은 것을 모두 선택해 보자.

㉠ 고려가 귀주 대첩에서 승리하였다.
㉡ 송이 서하를 공격하여 정복하였다.
㉢ 거란(요)과 송이 형제 관계를 맺었다.
㉣ 거란(요)이 남면관 · 북면관제를 실시하였다.
㉤ 거란(요)는 5대 10국 시대에 연운 16주를 획득하였다.

자료 4 여진(금)의 팽창과 12세기 동아시아의 정세

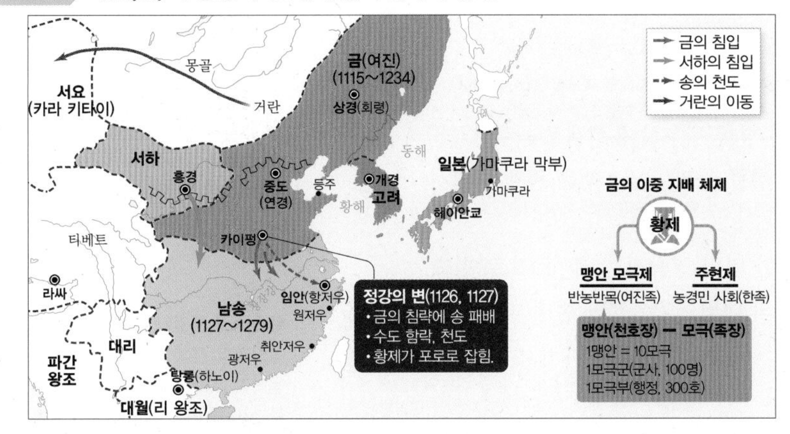

◎ 금과 주변국들과의 관계는 어떠하였을까?

금은 요를 멸망시킨 후 정강의 변을 일으켜 송을 공격하여 화베이 지방까지 차지했어. 송은 남쪽으로 내려가 남송이 되었지. 금은 남송, 고려, 서하와 조공 · 책봉 관계를 맺음으로써 12세기 동아시아의 중심 국가로 우뚝 섰어.

◎ 금은 여진족과 한족을 어떻게 통치했을까?

금은 유목 민족을 대상으로 맹안 모극제를 실시하였고 한족 등의 농경 민족은 기존의 주현제를 통해 통치하는 이중 지배를 실시하였어.

뜯어보기 포인트

금이 남송, 고려, 서하 등과 조공 · 책봉 관계를 맺었으며, 거란(요)과 마찬가지로 여진족과 한족을 이중적으로 통치했음을 기억하자.

Q4 금의 대외 관계 및 통치 체제와 관련하여 옳은 것을 모두 선택해 보자.

㉠ 남송과 형제 관계를 맺었다.
㉡ 고려를 침입하여 복속시켰다.
㉢ 서하와 조공 · 책봉 관계를 맺었다.
㉣ 농경민을 맹안 모극제로 다스렸다.
㉤ 정강의 변을 일으켜 화베이 지방을 차지하였다.

답 Q3 ㉠, ㉢, ㉣ / Q4 ㉢, ㉤

3 몽골 제국과 동서 교역망의 발전

1. 몽골의 성장과 교역망의 통합
몽골은 어떤 과정을 거쳐 대제국으로 성장했을까요?

(1) 몽골 제국의 성장 자료 5

칭기즈 칸	• 대몽골 울루스를 세우고(1206) 천호제를 바탕으로 영토 확대 • 서하 공격 → 금 공격 → 호라즘[1] 멸망시킴 → 서하 멸망시킴
우구데이 칸	• 금을 멸망시켰으며 남송·고려를 공격하고 유럽까지 원정군 파견
쿠빌라이 칸	• 남송 정복, 고려와 강화, 원을 직할지로 삼고 지방에 행성 설치 • 몽골 지상주의[2]: 몽골인·색목인(지배층), 한인·남인(피지배층)

(2) 동서 교역망의 발전

① 육상 교통로를 따라 설치된 역참을 통해 사신 왕래와 상인, 종교인, 학자 등의 교류 활성화 → 마르코 폴로, 카르피니, 이븐 바투타[3] 등이 동서 교류에 기여

② 여행자들은 정부가 발급한 증빙(패자)만 있으면 제국 내에서 안전 보장

③ 항저우, 취안저우 등에 시박사를 설치하여 무역선 관리 → 해상 교역 활성화

2. 몽골(원)과 고려·일본·대월의 관계
몽골은 고려·일본·대월과 어떤 관계를 맺었을까요?

고려	• 몽골(원)의 부마국[4]이 되었으며, 몽골의 일본 원정에 협조
일본	• 몽골의 2차례 원정이 태풍으로 실패 → 막부의 혼란 발생
대월	• 몽골이 3차례에 걸쳐 침입 → 쩐흥다오의 활약으로 몽골 격퇴

왜? 무사들이 몽골의 침입을 막아내는 과정에서 재정난에 시달렸으나 가마쿠라 막부가 제대로 보상을 해주지 못해 불만이 높아졌고, 그 틈을 타 고다이고 천황이 막부 타도 운동을 벌였어.

4 명의 발전과 국제 질서의 재편

1. 명의 건국과 조공·책봉 질서 자료 6
명은 건국 이후 주변 국가에 어떤 태도를 보였을까요?

(1) 명의 건국과 대외 관계

왜? 원이 재정난을 극복하기 위해 지폐인 교초를 많이 발행하여 경제가 혼란스러워졌고, 원의 몽골인 지상주의로 인해 한족들의 불만이 높았어.

① 한족 농민들이 원에 맞서 봉기 → 주원장이 명을 세우고 홍무제로 즉위(1368)

② 이성계가 세운 조선을 비롯한 일본·대월·류큐 등과 조공·책봉 관계 수립

(2) 영락제의 집권과 대외 정책

왜? 영락제가 황제가 되기 전에 세력 기반으로 삼았던 곳이 베이징 일대였어.

① 정변을 통해 조카인 건문제를 내쫓고 집권한 명의 영락제는 베이징으로 천도

② 북방의 몽골 공격, 만주의 여진 복속, 남쪽의 대월 정복, 정화 함대 파견

2. 조선과 일본의 외교 관계
조선과 일본은 주변 국가들과 어떤 관계였을까요?

어떻게? 여진족과 일본 쓰시마섬 세력 등에게 관직을 주거나 무역소를 설치해서 요구를 들어주는 회유책과 북방에 4군 6진을 개척, 남쪽의 쓰시마섬을 정벌하는 등 강경책을 펴기도 하였어.

조선	• 명: 초기에 대립하였으나 태종 이후 사대 정책 시행 • 여진과 일본: 강경책과 온건책을 병행하는 교린 정책 시행
일본	• 몽골 침입 이후 가마쿠라 막부 붕괴 → 남북조 분열기[5]가 이어지며 중앙 권력 약화 → 무로마치 막부의 3대 쇼군 아시카가 요시미쓰의 남북조 통일 • 명은 왜구의 피해를 막기 위해 막부 정권이 왜구를 통제하는 조건으로 조공 무역(감합 무역) 허용 → 16세기 중엽까지 진행 • 아시카가 요시미쓰는 명으로부터 '일본 국왕'으로 책봉을 받음 • 조선과도 3개 항구(제포, 부산포, 염포)를 통해 교역

❶ 호라즘
11세기에 등장한 서아시아의 이슬람 왕조로 동서 무역을 중계하며 번영하였으나, 13세기에 칭기즈 칸에 의해 멸망하였다.

❷ 몽골 지상주의
원의 민족 차별 정책으로 몽골인과 서방 출신 색목인을 지배층으로 삼아 군사와 정치의 주요 임무는 몽골인이 맡고 재정은 색목인이 담당하게 하였다. 반면 과거 금의 주민은 한인으로, 남송 출신은 남인으로 차별 대우하였다.

❸ 마르코 폴로, 카르피니, 이븐 바투타
마르코 폴로는 이탈리아 베네치아의 상인으로 원 시대에 중국을 여행하였으며, 그의 여행담이 『동방견문록』이라는 책으로 정리되었다. 카르피니는 프랑스 출신의 수도사로서 교황의 사신 임무를 수행하기 위해 몽골 제국을 방문하였다. 이븐 바투타는 모로코 출신의 순례 여행자였다.

❹ 부마국
부마는 왕이나 황제의 사위를 일컫는 말로써, 부마국은 사위의 나라를 말한다. 몽골과 강화한 이후 고려의 왕이 원의 공주와 결혼하게 되면서 고려는 원의 부마국이 되었다.

❺ 남북조 분열기(1336~1392)
몽골과의 전쟁 후 무사들의 불만을 이용하여 고다이고 천황이 가마쿠라 막부를 무너뜨렸다. 그러나 무사들의 처우가 나아지지 않자, 무사 출신 아시카가 다카우지가 고다이고 천황을 타도하였다. 그는 교토를 점령한 후 무로마치 막부를 세우고 새 천황을 옹립하였으며, 고다이고 천황은 남부의 요시노로 피신하여 별도의 조정을 선언하였다. 이로써 일본에 조정이 교토와 요시노에 각각 존재하게 되었는데, 이 시기를 남북조 분열기라 한다.

자료 5 몽골 제국의 성장

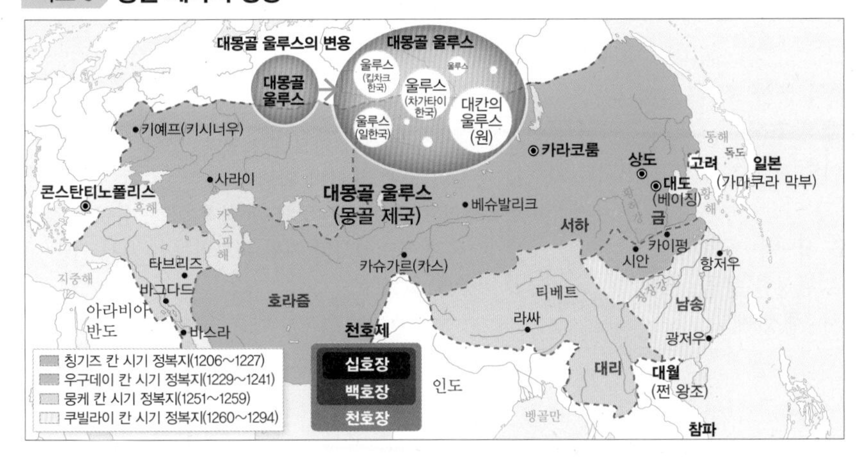

몽골이 넓은 영토를 정복할 수 있었던 이유는 무엇일까?

몽골군은 기마술과 전투력이 뛰어났으며 천호제를 통해 조직화되었어. 능력 중심의 인재 활용과 적의 기술도 수용하는 개방적인 자세 역시 몽골의 큰 강점이었지.

몽골과의 전쟁을 치르며 고려 · 일본 · 대월에는 어떤 변화가 나타났을까?

민족의식이 성장하였어. 고려에서는 『삼국유사』와 『제왕운기』가 편찬되었고, 일본에서는 몽골의 침입을 두 차례 막아낸 후 신이 일본을 지켜준다는 신국의식이 확산되었지. 대월도 몽골의 침입을 막아낸 자부심으로 역사서인 『대월사기』를 편찬하였어.

뜯어보기 포인트

몽골이 뛰어난 기마술과 천호제를 바탕으로 영토를 확대하였으며, 고려 · 일본 · 대월은 몽골과 싸우는 과정에서 민족의식이 성장하였음을 기억하자.

Q5 몽골 제국과 관련하여 옳은 것을 모두 선택해 보자.

㉠ 천호제를 실시하였다.
㉡ 일본을 공격하여 복속시켰다.
㉢ 전투력과 기마술이 뛰어났다.
㉣ 칭기즈 칸은 남송을 정복하였다.
㉤ 대월의 쩐 왕조는 몽골의 침입을 막아냈다.

자료 6 명의 건국과 발전

명과 주변국들과의 관계는 어떠하였을까?

조선과는 영락제 시대에 조공 · 책봉 관계를 체결하였어. 일본은 무로마치 막부의 아시카가 요시미쓰가 영락제에게 책봉을 받았지. 영락제는 몽골을 수차례 공격하였고 대월을 일시적으로 지배하기도 했어. 이후 대월은 명과 조공 · 책봉 관계를 맺었지.

영락제가 정화의 함대를 파견한 이유는 무엇일까?

신생 제국인 명을 널리 알림으로써 명 중심의 세계 질서를 세우기 위함이었어. 정화의 원정은 콜럼버스보다 70여 년 앞섰으며, 동아프리카 지역에까지 이르렀다고 해.

뜯어보기 포인트

명이 등장함으로써 명 중심의 국제 질서가 자리 잡았으며, 정화의 원정이 이를 더욱 공고하게 만들어 주었다는 사실을 기억하자.

Q6 명 초기 대외 관계와 관련하여 옳은 것을 모두 선택해 보자.

㉠ 북방의 몽골을 수차례 공격하였다.
㉡ 대월을 일시적으로 점령하여 지배하였다.
㉢ 명을 알리기 위해 정화의 함대를 파견하였다.
㉣ 일본은 명과 공식적인 외교 관계를 맺지 않았다.
㉤ 홍무제는 조선과 정식으로 조공 · 책봉 관계를 맺었다.

답 Q5 ㉠, ㉢, ㉤ / Q6 ㉠, ㉡, ㉢

정답과 해설 ▸ 39쪽

01 서로 관련 있는 내용끼리 연결해 보자.

a. 천호제 •　　　• ㄱ. 여진족의 군사 조직이자 행정 조직

b. 남면관·북면관제 •　　　• ㄴ. 요의 이중 지배 체제

c. 맹안 모극제 •　　　• ㄷ. 부족을 십-백-천호 단위로 편성한 몽골의 군사·행정 제도

02 아래 설명이 맞으면 ○표, 틀리면 ×표를 해 보자.

(1) 조공·책봉의 관계는 한 대에 들어 국제 의례로 확장되었다. (　　)

(2) 고구려는 남하 정책을 펴며 남북조 양측과 조공·책봉 관계를 맺었다. (　　)

(3) 송은 서하를 정벌하려 하였으나 전쟁이 길어져 결국 전연의 맹약을 체결하였다. (　　)

(4) 금은 배후를 안정시키기 위해 고려를 침공하였다. (　　)

(5) 가마쿠라 막부는 몽골의 침입을 막아낸 후 원과 조공·책봉 관계를 체결하였다. (　　)

03 빈칸에 알맞은 말을 채워 보자.

(1) 당은 주변 이민족과의 화친을 위해 이민족의 군주에게 황족의 부녀자를 (　　　　)(으)로 보냈다.

(2) 송은 (　　　　)을/를 두고 거란(요)과 군사적으로 대립하였다.

(3) (　　　　)은/는 가마쿠라 막부를 세우고 쇼군에 취임하였다.

(4) 몽골은 대월을 침략하였지만, 대월은 (　　　　)의 활약으로 몽골을 물리쳤다.

(5) 명의 영락제 시대에 (　　　　)은/는 함대를 이끌고 동아프리카까지 진출하였다.

04 (가)와 (나)에 들어갈 단어를 써 보자.

> 조공·책봉은 일방적인 주종 관계가 아니라 각국의 필요 때문에 형성된 외교 관계였다. 중원 왕조는 중국 중심의 국제 질서의 확립이라는 (가) 을/를 획득하였고, 주변국은 경제·문화적 이득, 통치의 정당성, 국제 사회에서의 지위 확보라는 (나) 을/를 얻을 수 있었다.

05 |보기|의 사건들을 순서대로 나열해 보자.

> **보기**
> ㄱ. 견당사가 폐지되었다.
> ㄴ. 마르코 폴로가 동서 교류에 기여하였다.
> ㄷ. 아시카가 요시미쓰가 남북조를 통일하였다.
> ㄹ. 윤관이 별무반을 조직하여 동북 9성을 쌓았다.

06 ㉠과 ㉡에 해당되는 민족의 이름을 써 보자.

> 원을 건국한 몽골족은 중원을 통치하는 과정에서 철저한 민족 차별 정책인 몽골 지상주의를 실시하였다. 아무리 능력이 출중해도 특정 민족 출신일 경우 관직에 진출할 수 없었다. 이렇게 ㉠ 지배층과 ㉡ 피지배층을 민족별로 명확히 구분한 정책은 여러 피지배 민족들의 불만이 쌓이게 되는 결과를 가져왔다.

07 아래 표를 완성해 보자.

거란(요)	• (　　　　)이/가 건국 • 황제 칭호와 고유 문자 사용
(　　　)	• 탕구트족의 이원호가 건국 • 동서 교역으로 발전, 과거제 시행
(　　　)	• 아구다가 건국 • 정강의 변을 일으켜 화베이 지배
명	• 농민군 출신인 주원장이 건국 • 일본과 (　　　　) 실시

2단계 내신 유형 익히기

총 문항수 12	처음 푼 날 월 일
정답과 해설 39쪽	오답 푼 날 월 일

01 (가)에 대한 설명으로 옳은 것은?

> 한 고조 시대 한과 (가) 의 전쟁 이후 양국은 화친을 맺었다. 표면적으로는 대등한 관계였으나, 실제로는 물자를 제공하여 맺은 우호 관계에 가까웠다. 한은 평화의 대가로 매년 (가) 에게 막대한 양의 물자를 보냈다.

① 황제 칭호를 사용하였다.
② 한 무제에 의해 쇠퇴하였다.
③ 이중 지배 체제를 형성하였다.
④ 천호제를 바탕으로 세력을 확대하였다.
⑤ 한 고조 시대에 조공·책봉 질서에 편입되었다.

02 빈출 (가)와 (나)의 대외 관계에 대한 옳은 설명을 |보기|에서 고른 것은?

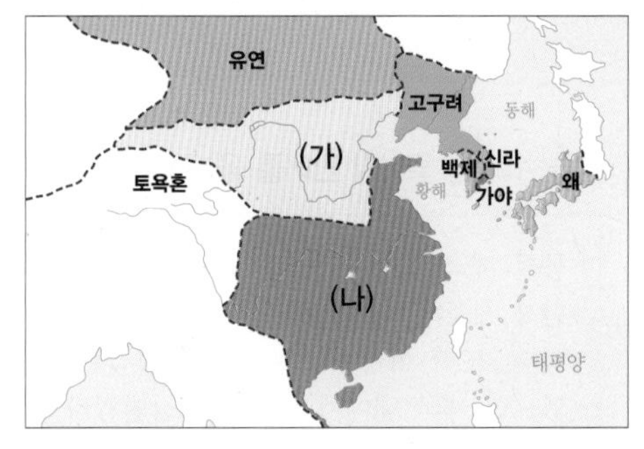

|보기|
ㄱ. 백제는 고구려를 견제하고자 (가)의 책봉을 받았다.
ㄴ. 왜는 (나)와 조공·책봉 관계를 맺었다.
ㄷ. (가)는 (나)를 견제하기 위해 유연에게 접근하였다.
ㄹ. 고구려는 (가), (나) 모두와 조공·책봉 관계를 맺었다.

① ㄱ, ㄴ ② ㄱ, ㄹ ③ ㄴ, ㄷ
④ ㄴ, ㄹ ⑤ ㄷ, ㄹ

03 빈출 밑줄 친 ㉠과 ㉡에 대한 설명으로 옳지 않은 것은?

> ㉠ 이들은 시라무렌강 유역에 살던 유목 민족이다. 야율아보기가 부족을 통합하여 국가를 세운 후, 동쪽으로는 발해를 멸망시키고 남쪽으로는 ㉡ 연운 16주를 차지하였다.

① ㉠은 고유 문자를 만들어 사용하였다.
② ㉠은 남면관·북면관제를 실시하였다.
③ ㉡은 만리장성 이남에 위치하였다.
④ ㉠은 5대 10국 시대에 ㉡을 획득하였다.
⑤ 송은 ㉠과 전연의 맹약을 맺으며 ㉡을 얻었다.

04 다음과 관련 있는 국가에 대한 설명으로 옳은 것은?

> 탕구트족의 이원호가 세운 국가이다. 본래 송의 지배를 받았지만 이원호는 1038년부터 황제를 칭하며 송으로부터의 완전 독립을 선언하였다. 동서 교역을 통해 발전하였고 과거제를 시행하였으며 고유 문자도 사용하였다.

① 일본을 두 차례 공격하였다.
② 정복지에 기미 정책을 실시하였다.
③ 2성 6부제의 중앙 정치 제도를 마련하였다.
④ 송의 신하가 되는 대신 송에게 매년 세폐를 받았다.
⑤ 화친을 위해 이민족의 국가에 화번공주를 파견하였다.

05 (가)~(다)에 대한 옳은 설명을 |보기|에서 고른 것은?

> 10~11세기 동아시아의 발전
>
> (가) – 5대 10국 시대 통일, 문치주의 정책 실시
> (나) – 후삼국 통일, 거란과 전쟁
> (다) – 중국과 공식적인 외교 관계 단절

보기

ㄱ. (가)는 (나)와 군사 동맹을 체결하였다.
ㄴ. (나)의 동전이 (다)에 대량 유입되었다.
ㄷ. (나)는 (가)에 조공 형식으로 친선 외교를 하였다.
ㄹ. (다)에서는 귀족과 호족들의 장원이 확대되었다.

① ㄱ, ㄴ　② ㄱ, ㄷ　③ ㄴ, ㄷ
④ ㄴ, ㄹ　⑤ ㄷ, ㄹ

06 빈출 다음 글과 관련 있는 국가에 대한 설명으로 옳은 것은?

> 평시에는 이들에게 고기잡이와 사냥을 허락하여 노동과 전투를 익히도록 하였고, 유사시에는 부락에 명령을 내린다. …… 그 부락 추장을 패근이라고 부르지만, 전쟁에 동원될 때에는 맹안과 모극이라 부르는데, 그 병사의 숫자가 많고 적음에 따라서 호칭이 붙여진다. –『금사』–

① 정강의 변을 일으켰다.
② 서하에 매년 세폐를 보냈다.
③ 고려를 세 차례 공격하였다.
④ 변경에 도호부를 설치하였다.
⑤ 무사가 치안 유지를 담당하였다.

07 빈출 밑줄 친 ㉠~㉢의 정책으로 옳은 것은?

> 13세기 초 북쪽의 초원 지대에서 테무친이 몽골 계통의 부족을 통일하고 칸의 자리에 올라 '대몽골 울루스'를 세웠으니, 그가 ㉠ 칭기즈 칸이다. 칭기즈 칸 이후 ㉡ 우구데이와 ㉢ 쿠빌라이 등의 칸들이 뒤를 이으며 몽골의 위엄을 전 세계에 떨쳤다.

① ㉠ – 고려를 침략하였다.
② ㉡ – 서하를 멸망시켰다.
③ ㉡ – 행성을 설치하였다.
④ ㉢ – 남송을 멸망시켰다.
⑤ ㉢ – 호라즘을 공격하였다.

08 (가)~(다)에 들어갈 단어를 옳게 나열한 것은?

> 몽골 제국에 존재했던 (가) 은/는 말과 숙소를 함께 제공하는 시설로 육로를 통한 교류에 이바지하였다. 또한 여행자들은 정부가 발급한 (나) 만 있으면 제국 내에서 안전을 보장받았다. 또한 원은 항저우, 취안저우 등에 (다) 을/를 설치하여 무역선을 관리하였다.

	(가)	(나)	(다)
①	패자	시박사	역참
②	역참	시박사	패자
③	역참	패자	시박사
④	시박사	패자	역참
⑤	시박사	역참	패자

09 (가)~(다)의 공통적인 결과로 옳은 것은?

> (가) 사신 저고여가 피살된 사건을 빌미로 몽골이 고려를 침략하자 최씨 무신 정권은 항전을 결의하였다.
> (나) 몽골은 일본에게 조공을 바칠 것을 요구했으나 일본은 거절하였다. 이에 여·몽 연합군의 침입이 시작되었다.
> (다) 막강한 전투력을 자랑하는 몽골군은 대월을 세 차례 공격하여 정복하고자 하였다.

① 민족의식이 성장하였다.
② 농민 봉기가 발생하였다.
③ 몽골(원)의 부마국이 되었다.
④ 몽골(원)의 정치적 간섭을 받았다.
⑤ 육로를 통한 교류가 활성화되었다.

10 빈출 (가)의 정책으로 옳은 것을 |보기|에서 고른 것은?

> **중국의 대표 유적, 자금성**
> 중국 베이징 중심부에 위치한 궁궐로, 세계 최대의 규모를 자랑한다. (가) 이/가 건설하였으며, 이후 약 500여 년 동안 24명의 황제가 이곳에서 중국을 통치하였다.

보기
ㄱ. 정화의 함대를 파견하였다.
ㄴ. 남쪽의 대월을 복속시켰다.
ㄷ. 난징을 수도로 명을 건국하였다.
ㄹ. 조선과 대립 관계를 형성하였다.

① ㄱ, ㄴ ② ㄱ, ㄷ ③ ㄴ, ㄷ
④ ㄴ, ㄹ ⑤ ㄷ, ㄹ

서술형 문제
11 다음 글을 읽고 물음에 답해 보자.

> ㉠ 거란은 고려를 세 차례 침공하였다. 고려의 서희는 거란의 1차 침입 당시 협상을 통해 (가) 을/를 획득하였다. 이후 (가) 의 중요성을 알게 된 거란은 반환을 요구하며 고려를 재차 침공하였다. 고려는 강감찬 등의 활약에 힘입어 거란의 공격을 막아냈다.

(1) (가)에 들어갈 명칭을 써 보자.

(2) 밑줄 친 ㉠이 일어난 주요 원인을 쓰고, ㉠ 이후 고려와 거란의 관계에 대해 설명해 보자.

서술형 문제
12 다음 글을 읽고 물음에 답해 보자.

> 일본은 몽골의 침입을 막아낸 후 정세가 혼란해져 가마쿠라 막부가 무너지고 남북조 분열기로 이어졌다. 이 시기 중앙 권력이 약화되자 왜구가 급증하여 고려와 명의 해안을 대대적으로 습격하였다. 무로마치 막부의 3대 쇼군이었던 그는 이 혼란을 극복하고 남북조를 통일하였다.

(1) 밑줄 친 '그'의 이름을 써 보자.

(2) 그가 집권하던 시기 명과 일본 외교 관계에 대해 설명해 보자.

01 다음과 같은 외교적 활동이 이루어지던 무렵 동아시아의 상황에 대한 설명으로 옳은 것은?
중요

> 고구려가 사신을 보내 와 제(齊)나라에 공물을 바쳤고, 배로 바다를 건너오는 사신의 왕래가 항상 있었다. 그들은 북위에게도 사신을 보냈지만 세력이 강성하여 제나라의 제어를 받지 않았다. 북위는 여러 나라의 사신 관저를 두었는데, 제나라 사신의 관저를 제일 큰 규모로 하고 고구려는 그 다음으로 크게 하였다.
> – 『남제서』 –

① 히미코 여왕이 '친위왜왕'으로 책봉되었다.
② 토번의 손챈감포가 화번공주를 맞이하였다.
③ 신라는 한강을 통해 중원과 직접 교류하였다.
④ 백제는 고구려 견제를 위해 남조와 외교 관계를 맺었다.
⑤ 돌궐이 북방 초원 지역을 제패하고 돌궐 제국을 세웠다.

02 (가)와 (나)에 대한 설명으로 옳은 것은?

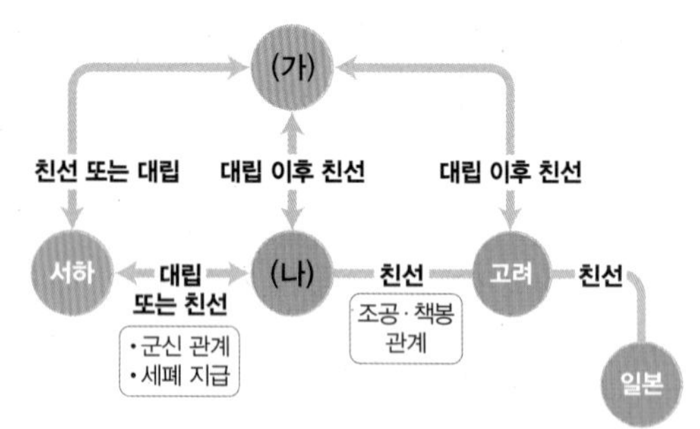

① (가) – 호한 융합 정책을 실시하였다.
② (가) – 유목 국가 최초로 중원을 통일하였다.
③ (나) – 별무반을 편성하여 동북 9성을 쌓았다.
④ (나) – (가)를 '아우의 국가'로 대하며 세폐를 지급하였다.
⑤ (나) – (가)에게 만리장성 이남의 연운 16주를 할양하였다.

03 밑줄 친 ㉠~㉤ 중 옳지 않은 것은?

> **일본 문화의 융성기인 헤이안 시대 집중 해부!**
> 1. 정치 : ㉠ 천황 중심의 율령 체제 확립
> 2. 경제 : ㉡ 귀족과 호족들의 장원 확대
> 3. 문화 : ㉢ 일본 특유의 국풍 문화 발달
> 4. 교류 : ㉣ 송 상인을 통한 무역의 활성화
> 5. 주변의 상황 : ㉤ 거란, 탕구트 등 유목 민족의 성장

① ㉠ ② ㉡ ③ ㉢ ④ ㉣ ⑤ ㉤

04 (가)와 (나)의 공통점으로 옳은 것은?
중요

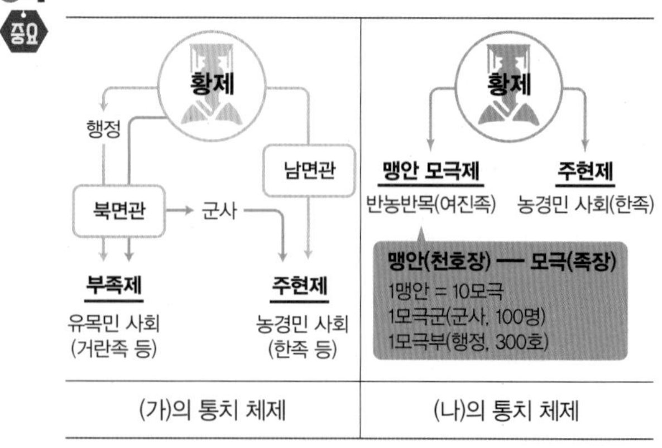

① 몽골에게 멸망하였다.
② 고유 문자를 사용하였다.
③ 고려 및 송과 전쟁을 치렀다.
④ 화베이 지방 전역을 차지하였다.
⑤ 일본과 조공·책봉 관계를 맺었다.

05 밑줄 친 ㉠에 대한 탐구 주제로 옳은 것은?

> 헤이안 시대 후기 무사들의 사회적 영향력이 커졌다. 12세기 말 무사단을 거느린 미나모토노 요리토모는 쇼군에 취임하여 권력을 장악하였다. 이로써 일본에 ㉠ 새로운 무가 정권이 탄생하였다.

① 다이카 개신의 주요 내용을 탐구한다.
② 감합 무역이 이루어진 배경을 파악한다.
③ 몽골의 일본 원정이 가져온 결과를 찾아본다.
④ 견당사를 통해 유입된 문물에 대해 알아본다.
⑤ 남북조의 분열기가 통일되는 과정을 이해한다.

06 중요 (가)와 (나) 사이 시기에 발생한 사건으로 옳은 것은?

> (가) 고려 원종이 몽골과의 강화를 성립시킴으로써 양국 간의 기나긴 전쟁도 끝이 났다. 수도는 강화도에서 다시 개경으로 돌아왔다. 삼별초가 이에 반발하여 끝까지 항쟁하였지만 결국 진압되었다.
> (나) 1차 일본 원정에 실패한 몽골은 재차 전쟁을 준비하여 2차 일본 원정을 강행하였다. 고려군 등이 포함된 약 14만의 군대가 일본으로 향하였으나 강한 폭풍이 불어닥쳐 결국 실패로 끝났다.

① 몽골이 호라즘을 정복하였다.
② 몽골에 의해 금이 멸망하였다.
③ 남송이 몽골의 침입으로 멸망하였다.
④ 몽골의 공격을 받은 서하가 멸망하였다.
⑤ 몽골이 서방 원정군을 유럽에 파견되었다.

07 (가)~(다)에 대한 설명으로 옳지 않은 것은?

> 동아시아사 모둠 발표
> 〈몽골(원)과 동아시아 각국의 전쟁〉
> 1모둠 세계 최강 원과 세 번 싸워 이기다 – (가)
> 2모둠 신이 보내 준 강력한 지원군, 태풍 – (나)
> 3모둠 왕이 정동행성의 승상이 되다 – (다)

① (가) – 쩐흥다오가 활약하였다.
② (나) – 몽골이 두 차례 침입하였다.
③ (나) – 정권 교체의 원인을 제공하였다.
④ (다) – 몽골의 대월 공격에 협조하였다.
⑤ (다) – 왕이 몽골(원) 황제의 부마가 되었다.

08 중요 밑줄 친 '황제'의 집권기에 볼 수 있었던 모습을 |보기|에서 고른 것은?

> 교양 수업 [대월의 역사] 강의 계획서
> 1차시 리 왕조, 대월의 역사를 시작하다.
> 2차시 몽골의 침입을 물리친 쩐 왕조
> 3차시 명의 황제에게 복속된 호 왕조
> 4차시 레 러이, 명으로부터 벗어나 레 왕조를 세우다.

|보기|
ㄱ. 교초의 남발로 인해 고통을 받는 백성들
ㄴ. 동아프리카 해안까지 진출한 명의 함선들
ㄷ. 새 왕조 개창을 선포하는 이성계와 관료들
ㄹ. 조공 무역을 위해 항구에 들어오는 일본의 무역선들

① ㄱ, ㄴ ② ㄱ, ㄷ ③ ㄴ, ㄷ
④ ㄴ, ㄹ ⑤ ㄷ, ㄹ

총 문항수 2	처음 푼 날 월 일
정답과 해설 42쪽	오답 푼 날 월 일

01 (가), (나) 국가에 대한 설명으로 옳은 것은?

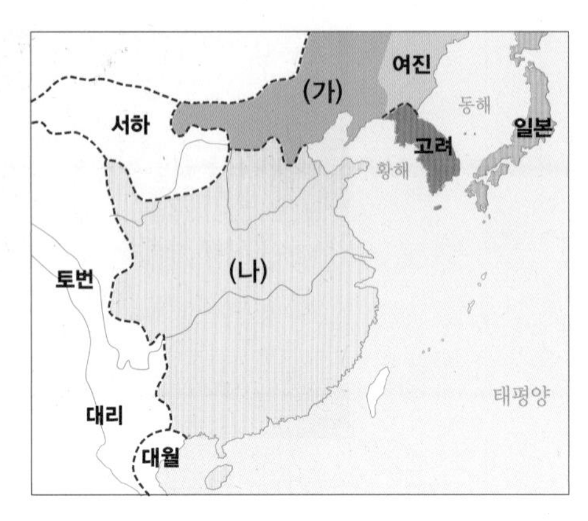

① (가) – (나)의 황제를 포로로 잡았다.
② (가) – 두 차례 일본 원정을 시도하였다.
③ (나) – (가)에 매년 세폐를 지급하였다.
④ (나) – 호라즘을 공격해 동서 무역로를 확보하였다.
⑤ (나) – 6개의 도호부를 설치하여 변경을 통치하였다.

유형 분석
지리적 위치를 바탕으로 각국의 특징과 대외 관계에 대해 묻는 유형이야.

해결 비법
시기별로 달라지는 동아시아의 상황을 지도로 알아 둘 필요가 있어. 지도에 나타난 주변국의 이름이나 국경선의 모양 등을 통해 해당 지도가 어느 시대를 표현하고 있는지, (가)와 (나)가 무슨 국가인지 알 수 있어. 교과서에 나오는 모든 지도들은 유심히 봐야 해. 각국의 특징 혹은 각국과 관련된 주요 사건을 파악해야 함은 물론이야.

02 밑줄 친 '제국'에 대한 설명으로 옳은 것은?

> ○월 ○일
> 고향을 떠나온 지가 언제인지 잘 생각이 나지 않는다. 집 생각이 간절하지만 이미 바다를 건넜기 때문에 돌아갈 수는 없다. 우리는 이미 쓰시마와 이키, 다카시마 섬을 점령했고 내일이면 규슈에 상륙하여 총공격에 나설 것 같다. 지금까지는 순조로웠는데 앞으로는 저들의 저항도 만만치 않을 것 같아 걱정이다. 사실 이 전쟁은 우리 고려의 일도 아닌데, <u>제국</u>에 의해 준비 과정에서부터 강제로 동원되어 여러모로 힘이 든다. 게다가 하늘도 심상치 않은 것이, 혹시나 폭풍이 몰아치지 않을까 걱정이 된다. 부디 무사히 살아서 고향으로 돌아갈 수 있기를 ……

① 송과 전연의 맹약을 체결하였다.
② 일본과 조공·책봉 관계를 맺었다.
③ 지방에 행성을 설치하여 통치하였다.
④ 남북조를 통일하고 대운하를 건설하였다.
⑤ 맹안 모극제와 주현제의 이중 통치를 실시하였다.

유형 분석
가상 일기를 통해 시대적 상황을 파악하여 답을 찾는 유형이야.

해결 비법
글자가 많아 보이지만 전혀 겁낼 것 없어. 이런 유형의 문제는 늘 지문 안에 시대를 유추할 수 있는 결정적인 힌트가 있지. 특히 가상 일기나 혹은 역사 연극 대본 등의 자료가 제시될 경우, 화자나 주인공이 현재 처해 있는 상황을 파악하는 것이 우선이야. 보통 이런 지문 안에는 화자나 주인공이 처한 상황에 대해 친절하게 언급되어 있어.

심화 기출 지문 활용하기

총 문항수 6 | 처음 푼 날 월 일
정답과 해설 42쪽 | 오답 푼 날 월 일

2016학년도 수능

그림은 티베트의 여러 세력을 통합한 (가) 의 손챈감포가 보낸 사신이 (나) 의 황제를 만나는 장면을 그린 「보련도」입니다. 이 황제가 신하들과 정치 문제를 논의한 내용이 『정관정요』에 잘 나타나 있어요.

서술형 문제

01 (가)와 (나)의 외교 관계에 대해 서술해 보자.

수능 문제

02 (가), (나) 국가에 대한 설명으로 옳은 것은?

① (가) – 위구르에 화번공주를 보냈다.
② (가) – 북제와 북주의 조공을 받았다.
③ (나) – 요와 전연의 맹약을 맺었다.
④ (나) – 베트남 북부에 안남 도호부를 설치하였다.
⑤ (가), (나) – 서하에 비단과 은을 제공하였다.

활용 문제

03 자료에 나타난 시기 동아시아의 상황으로 옳은 것은?

① 산둥반도에 발해관이 있었다.
② 요가 연운 16주를 주현제로 통치하였다.
③ 장보고가 동아시아 해상 무역을 주도하였다.
④ 대규모의 한족이 강남 지방으로 이동하였다.
⑤ 신라가 한강을 통해 중원과 직접 교류하였다.

2016학년도 수능

당시 중국과 일본 사이에는 정식 외교 관계가 없었지만 민간 교역은 매우 활발하였다. 이러한 양상을 보여 주는 대표적인 유물이 1976년에 신안에서 발견된 침몰선이다. 이 배는 무역선으로, 막부의 특혜를 받은 사원이 중국에서 수입한 많은 양의 동전과 징더전 도자기 등을 싣고 있었다.

서술형 문제

04 밑줄 친 '당시' 육로를 통한 교역이 활발하게 이루어질 수 있었던 제도적 요인 두 가지를 서술해 보자.

수능 문제

05 밑줄 친 '당시' 동아시아 경제 상황으로 적절한 것은?

① 한국 – 청해진이 동아시아 국제 무역의 거점이 되었다.
② 한국 – 권문세족에게 토지를 빼앗긴 농민이 노비나 예속 농민으로 전락하였다.
③ 중국 – 천계령이 철회되고 상선의 출항이 허용되었다.
④ 중국 – 한족이 대거 남하하면서 창장강 하류 유역이 개발되었다.
⑤ 일본 – 조카마치가 발전하면서 각 지역에서 도시화가 진전되었다.

활용 문제

06 밑줄 친 '당시' 동아시아의 상황으로 옳은 것은?

① 일본이 감합 무역에 임하였다.
② 남면관·북면관제가 실시되었다.
③ 서하가 동서 교역으로 발전하였다.
④ 색목인이 재정 관료로 활동하였다.
⑤ 5호가 남하하여 용병 생활을 하였다.

난이도 / 상●●● / 중●●○ / 하●○○
정답률 / 50% 미만 / 50~70% / 70%이상

●○○
01 다음과 같은 인구 이동의 결과로 가장 적절한 것은?

> 사마염에 의해 건국된 진(晉)은 삼국의 분립을 종결지었고, 중원에는 평화가 찾아오는 듯했다. 하지만 오래지 않아 여러 제후왕들이 권력을 두고 치열하게 다투면서 진은 극심한 정치적 혼란에 휩싸였다. 그 틈을 타 흉노, 선비, 저, 강, 갈의 다섯 유목 민족이 북방에서 대규모로 남하하였다.

① 만리장성이 축조되었다.
② 철기 문화가 보급되었다.
③ 정강의 변이 발생하였다.
④ 위만이 동쪽으로 망명하였다.
⑤ 인구의 연쇄적 이동이 발생하였다.

●●○
02 밑줄 친 '황제'와 관련 있는 탐구 과제로 적절한 것은?

> <u>황제</u>가 말하기를 "…… 이제 여러 북방의 언어를 쓰지 못하게 하고, 오로지 올바른 중원의 언어만 사용하도록 하려 한다. …… 현재 조정에 있는 서른 살 이하의 사람은 예전처럼 말해서는 안 된다. 만약 고의로 북방의 언어를 쓴다면, 마땅히 작위를 낮추고 관계(관계)에서 내칠 것이다. …… 점차 올바른 언어에 익숙해지면 풍속이 새롭게 교화될 것이다."라고 하였다.

① 뤄양 천도의 배경을 탐구한다.
② 대운하의 경제적 효과를 파악한다.
③ 과거제가 가져 온 변화를 알아본다.
④ 문치주의가 실시된 목적을 이해한다.
⑤ 「17조 헌법(규범)」의 내용을 분석한다.

●●○
03 (가)에 대한 옳은 설명을 |보기|에서 고른 것은?

> 〈 6세기 동아시아의 정치적 상황 〉
>
> ○ 중국 : 북주의 양견이 남북조 시대 통일
> ○ 한반도
> ■ 고구려, 백제, 신라의 삼국 시대
> ■ 신라가 한강 유역 장악 → 중원과 직접 교류
> ○ 일본 : (가) 이/가 크게 발전

| 보기 |
ㄱ. 가야로부터 제철 기술을 도입하였다.
ㄴ. 마한을 정복하고 탐라를 복속시켰다.
ㄷ. 돌궐·백제 등과 연계하여 수·당에 맞섰다.
ㄹ. 호족에게 지위를 나타내는 성을 부여하였다.

① ㄱ, ㄴ ② ㄱ, ㄹ ③ ㄴ, ㄷ
④ ㄴ, ㄹ ⑤ ㄷ, ㄹ

●●●
04 (가)와 (나) 사이 시기에 발생한 사건으로 옳은 것은?

> (가) 백제의 계백은 5천의 결사대를 이끌고 신라군과 맞서 싸웠으나 결국 장렬하게 전사하였고, 마침내 나·당 연합군에 의해 수도 사비성이 함락되었다.
> (나) 당의 장군 이근행이 대군을 이끌고 매소성 부근에 주둔하며 한강 하류 부근을 압박하고 있었다. 이에 신라군은 보급로를 차단하고 이근행의 군대를 공격하여 마침내 당군을 격파하였다.

① 일본이 헤이안쿄로 천도하였다.
② 고구려가 안시성 싸움에서 승리하였다.
③ 왜의 군대가 백강 전투에서 패배하였다.
④ 나카노오에 황자가 다이카 개신을 선포하였다.
⑤ 고구려 유민이 말갈족과 함께 발해를 건국하였다.

05 (가), (나)에 대한 옳은 설명을 |보기|에서 고른 것은?

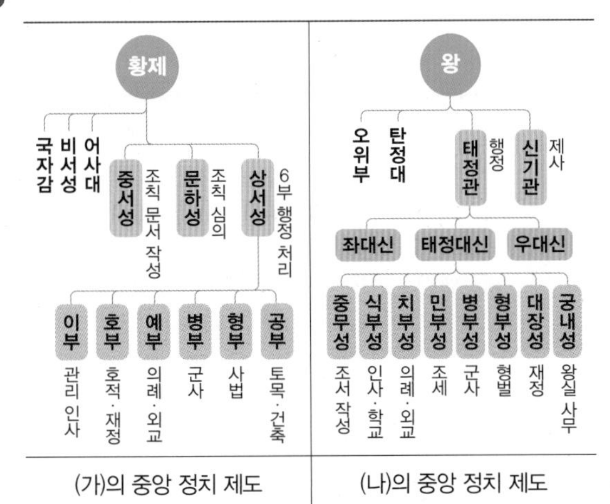

(가)의 중앙 정치 제도 | (나)의 중앙 정치 제도

보기

ㄱ. (가) – 독서삼품과를 실시하였다.
ㄴ. (가) – 백성들에게 토지를 분배하였다.
ㄷ. (나) – 관리 선발 제도로 과거제를 실시하였다.
ㄹ. (나) – 다이호 율령을 반포하여 통치 체제를 정비하였다.

① ㄱ, ㄴ ② ㄱ, ㄷ ③ ㄴ, ㄷ
④ ㄴ, ㄹ ⑤ ㄷ, ㄹ

06 다음 자료를 통해 알 수 있는 사실로 옳은 것은?

- 당 대에는 부모의 깊은 은혜와 효에 대한 부처의 가르침을 다룬 경전인『부모은중경』이 편찬되었다.
- 일본의 하치만 신은 본래 농업과 재물 등을 관장하는 신도의 신이지만 나라 시대에 불교의 신인 하치만 대보살로 간주되었다.

① 붓다를 신격화하였다.
② 이타행을 강조하였다.
③ 호국 불교가 발전하였다.
④ 불교의 토착화가 이루어졌다.
⑤ 직관적인 깨달음을 중시하였다.

07 다음 글과 관련 있는 학문이 동아시아에 끼친 영향으로 옳지 <u>않은</u> 것은?

성(性)은 본래 선한 것이니, 이(理)를 좇아 행하게 된다. …… 사람은 본래 이(理)를 가지지만 단지 기(氣)를 받아 물욕(物欲)에 가리어진다. 만약 격물·치지(格物·致知)하지 않게 된다면 …… 거듭 실패하게 된다. 배우는 자의 공부는 오직 거경·궁리(居敬·窮理) 두 가지에 있다.

① 고려 – 안향에 의해 수용되었다.
② 조선 – 국가 통치 이념으로 자리 잡았다.
③ 일본 – 후지와라 세이카가 체계화하였다.
④ 원 –『사서집주』가 과거 교재로 채택되었다.
⑤ 일본 – 일상생활의 사회 규범으로 확산되었다.

08 (가) 인물이 활동하던 시대의 동아시아의 상황으로 옳은 것은?

(가) 은/는 14세에 출가하였으며 계율과 천태종에 밝았다. 일본에 건너와 계율을 가르쳐달라는 견당사 에이에이와 후쇼의 제안을 받고 일본으로 건너갈 것을 결심한 그는, 다섯 차례 도항을 시도하였으나 모두 실패하였다. 그 과정에서 63세에 실명하였지만 굴하지 않고 마침내 여섯 번째 시도 끝에 겨우 큐슈 서남단 사쓰마국 아키메야우라에 상륙하였다. 그 후 일본에 정착하여 계율을 가르치고 불상, 불경, 약품 등을 전해 주었다.

① 윈강 석굴이 조성되었다.
② 일본에서 국풍 문화가 발전하였다.
③ 당의 장안성을 본떠 헤이조쿄가 건설되었다.
④ 만권당에서 학자들이 학문 교류에 임하였다.
⑤ 장보고가 청해진을 건설하여 해상 무역을 주도하였다.

정답과 해설 ▸ 42쪽

09 밑줄 친 ㉠, ㉡에 대한 설명으로 옳은 것은?

> 소손녕이 서희에게 말하기를, "㉠ 그대 나라는 신라 땅에서 일어났소. 고구려 땅은 다 ㉡ 우리의 소유인데 어찌하여 그대 나라가 침범하였는가? 또 우리와 국경을 맞대고 있는데도 바다를 건너 송을 섬기고 있소. 그 때문에 오늘의 출병이 있게 된 것이니, 만일 땅을 떼어 바치고 사신을 보내 서로 교류하게 된다면 무사할 수 있을 것이오."라고 하였다.

① ㉠ – 일본 원정에 참여하였다.
② ㉠ – 연운 16주를 차지하고자 하였다.
③ ㉡ – 탕구트족에 의해 건국되었다.
④ ㉡ – 송과 조공·책봉 관계를 맺었다.
⑤ ㉡ – 천호제를 통해 세력을 확대하였다.

10 (가)~(다) 국가에 대한 설명으로 옳은 것은?

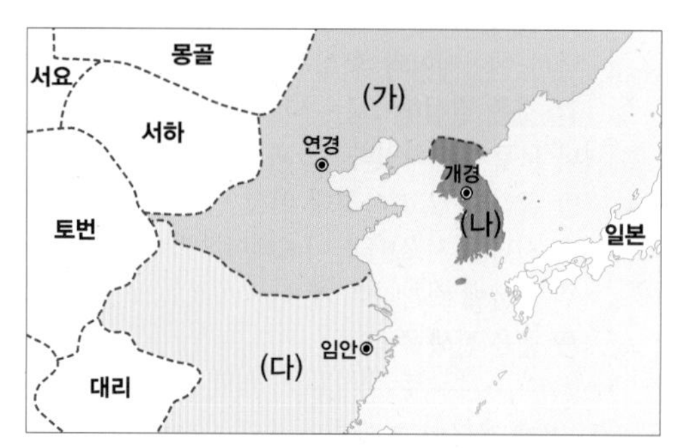

① (가) – 발해를 멸망시켰다.
② (가) – 야율아보기가 건국하였다.
③ (나) – 동북 9성을 쌓았다.
④ (다) – (가)와 형제 관계를 맺었다.
⑤ (다) – 토번에 화번공주를 파견하였다.

11 다음 자료에 나타난 시기 동아시아에서 볼 수 있는 모습을 |보기|에서 고른 것은?

> 3마일마다 있는 이 역참들에는 서기가 하나씩 배치되어 파발꾼이 도착한 날짜와 시간을 기재하고, 다른 파발꾼이 떠난 날짜와 시간도 마찬가지로 기재한다. 이것은 모든 역참에서 행해진다. 또 이들 역참을 돌아다니면서 검사해서 부지런하지 않은 파발꾼들이 있으면 그들을 처벌하는 일을 수행하는 사람들도 있다. 대칸은 이런 사람들에게서는 세금을 걷지 않고 오히려 자기 것으로 그들을 지원해준다.
>
> – 마르코 폴로, 『동방견문록』 –

|보기|
ㄱ. 항저우의 무역선을 관리하는 시박사의 관원들
ㄴ. 모극군으로 편성되어 군사 훈련을 받는 군인들
ㄷ. 쇼군의 명을 받아 장원의 치안을 관리하는 무사들
ㄹ. 포로로 잡혀가는 황제를 바라보는 카이펑의 백성들

① ㄱ, ㄴ ② ㄱ, ㄷ ③ ㄴ, ㄷ
④ ㄴ, ㄹ ⑤ ㄷ, ㄹ

12 (가) 인물에 대한 설명으로 옳은 것은?

> 가마쿠라 막부가 무너지고 남북조의 분열기가 이어지며 정세가 혼란하였다. 이 시기 중앙 권력이 약해지자 왜구가 급증하여 주변국의 해안을 대대적으로 습격하기도 하였다. 이 혼란기를 무로마치 막부의 3대 쇼군인 (가) 이/가 통일하였다.

① 별무반을 조직하였다.
② 요동 정벌을 계획하였다.
③ 북방의 몽골을 공격하였다.
④ 명과 감합 무역을 실시하였다.
⑤ 성리학을 지배 논리로 활용하였다.

정답과 해설 ▸ 44쪽

❖ 다음을 읽고 물음에 답해 보자.

(가) 삼별초의 대몽 항쟁

배중손은 원종 때 여러 관직을 거쳐 장군에 이르렀다. 원종 11년에 수도를 개경으로 다시 옮기면서 안내문을 붙여 일정한 기일 내에 모두 돌아가라고 재촉하였는데, 삼별초가 딴 마음이 있어 복종하지 않았다. 그때 왕이 장군 김지저를 강화로 보내서 삼별초를 해산하고 그 명단을 작성해 가지고 돌아오게 하였더니 삼별초는 그 명단이 몽골에 알려질 것으로 우려하고 나라를 배반할 마음이 더욱 굳어졌다. 배중손은 야별초 지유(指諭: 무관 직책 중 하나) 노영희 등과 반란을 일으키고 강화 거리로 사람들을 파견하여 "몽골의 대병이 침입하여 백성을 살육하니 나라를 도우려는 사람들은 모두 다 모여라!"라고 외치게 하였다. 삼별초는 사람들의 왕래를 금지하고 강 주변을 순찰하면서 외치기를 "배에서 내려오지 않는 자는 모조리 죽인다!"라고 하니 듣는 사람이 모두 무서워서 배에서 내렸다. 배를 띄워서 개경으로 향하려는 자가 있었으나 삼별초가 작은 배를 타고 추격하며 활을 쏘았으므로 모두 감히 움직이지 못하였다. …… 삼별초는 진도로 들어가서 근거지로 삼고 인근 고을들을 노략질하였으므로 왕이 김방경에게 명령하여 토벌케 하였는데, 이듬해 김방경은 몽골 원수 흔도 등과 함께 3군을 통솔하고 적을 격파하였다. 적은 모두 처자를 버리고 멀리 도망쳤으며 적장 김통정은 패잔병을 거느리고 탐라로 들어갔다.

(나) 3차 교육과정 초등학교 6학년 국사 교과서

몽고와의 강화에 반대하고 계속 싸울 것을 주장한 세력은 무신들이었다. 특히, 삼별초는 몽고에 대해 싸움을 그치지 않았다. 배중손을 지도자로 하는 삼별초의 군인들은, 강화도에서 항전하다 그 근거지를 진도로, 다시 제주도로 옮겨 가면서 4년간이나 항전을 벌였다. 삼별초는 고려 시대의 호국 정신을 나타낸 사람들로서, 우리 민족의 꺾일 줄 모르는 자주성을 드높였다.

더 알아보기

삼별초는 고려 무신 정권기의 특수 부대로, 최씨 무신 정권의 지도자였던 최우가 치안 유지를 위해 설치한 야별초에서 비롯되었다. 관군이었지만 최씨 무신 정권의 사병적 성격도 짙었다. 무신 정권 하에서 몽골과의 전쟁에 임하며 여러 공을 세웠다. 그러나 고려가 몽골에 항복하고, 끝까지 몽골과의 항전을 주장하던 무신 정권이 붕괴하면서 상황은 변하였다.

논술 갈라잡이

삼별초의 대몽 항쟁에 대한 기존의 평가는 대부분 (나)와 같았다. 삼별초에 대한 사료를 통해 (나)와 다른 각도에서 접근해 보자.

01 삼별초가 몽골에 대한 항쟁을 시작하게 된 원인과 항쟁 과정을 (가)에서 찾아 서술해 보자.

02 (가)에서 파악한 내용을 바탕으로 (나)의 입장을 비판해 보자.

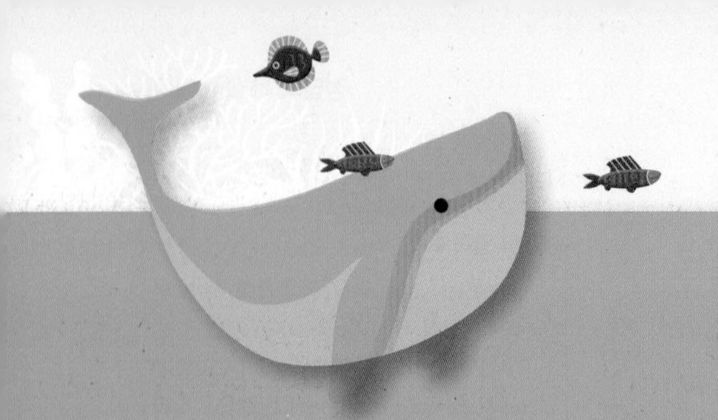

대주제 3

동아시아의 사회 변동과 문화 교류

학습 계획표

- 자신의 일정에 맞게 계획을 세우고, 실제 학습일을 적어 봅시다.
- 학습을 마무리한 후 스스로가 얼마나 학습 목표를 달성하였는지 점검해 봅시다.

주제 7 17세기 전후 동아시아 전쟁	쪽수	계획일	완료일	목표 달성도
Day 18 개념 정리, 자료 뜯어보기	98~105쪽	월 일	월 일	☆☆☆☆☆
Day 19 개념 익히기, 내신 유형 익히기	106~109쪽	월 일	월 일	☆☆☆☆☆
Day 20 내신 만점 도전하기, 수능 유형 익히기, 기출 지문 활용하기	110~113쪽	월 일	월 일	☆☆☆☆☆

주제 8 교역망의 발달과 은 유통	쪽수	계획일	완료일	목표 달성도
Day 21 개념 정리, 자료 뜯어보기	114~119쪽	월 일	월 일	☆☆☆☆☆
Day 22 개념 익히기, 내신 유형 익히기	120~123쪽	월 일	월 일	☆☆☆☆☆
Day 23 내신 만점 도전하기, 수능 유형 익히기, 기출 지문 활용하기	124~127쪽	월 일	월 일	☆☆☆☆☆

주제 9 사회 변동과 서민 문화	쪽수	계획일	완료일	목표 달성도
Day 24 개념 정리, 자료 뜯어보기	128~133쪽	월 일	월 일	☆☆☆☆☆
Day 25 개념 익히기, 내신 유형 익히기	134~137쪽	월 일	월 일	☆☆☆☆☆
Day 26 내신 만점 도전하기, 수능 유형 익히기, 기출 지문 활용하기	138~141쪽	월 일	월 일	☆☆☆☆☆
Day 27 대주제 마무리하기, 비판적 사고 기르기	142~145쪽	월 일	월 일	☆☆☆☆☆

주제 7

17세기 전후 동아시아 전쟁

주제 흐름 읽기

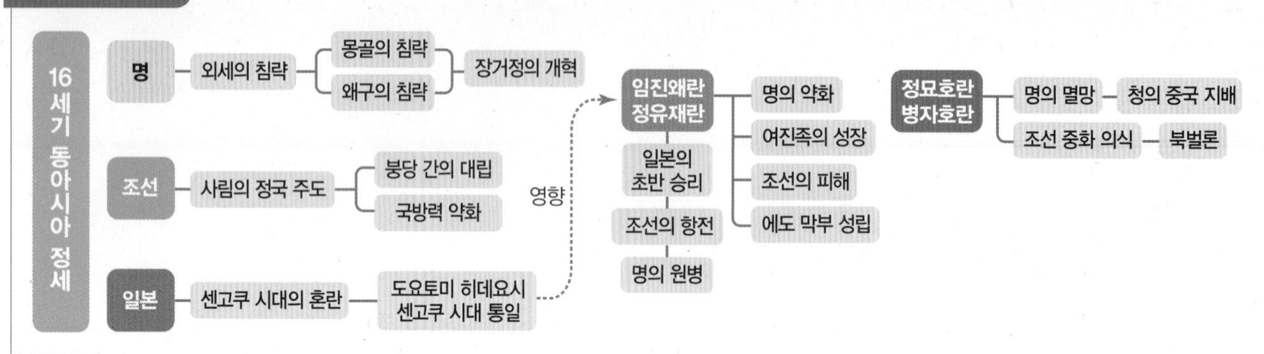

1 16세기 동아시아 정세의 변화

1. 명의 동요와 장거정의 개혁
명은 북로남왜로 겪은 어려움을 어떻게 극복하려 했을까요?

(1) **내부 상황** 무능한 황제 아래 환관이 국정을 좌우 → 사회 동요

(2) **외세의 침략**

① 몽골

㉠ 오이라트부와 타타르부가 명에 무역을 요구하며 수시로 침입

㉡ 토목보의 변[1], 몽골 세력에 의한 베이징 포위

② 왜구: 감합 무역 중단(1547) 이후 명의 동남해안에서 왜구가 다시 기승 자료 1

왜? 일본 무역선이 일으킨 닝보의 난 때문이야.

(3) **장거정의 개혁**

① 대외 정책: 몽골과의 강화로 군사비 절약

② 대내 정책: 일조편법 확대 실시

어떻게? 잡다하게 부과되던 부역과 조세의 세목들을 각각 하나로 통합하였어.

③ 사후: 관료들의 개혁 반발과 환관들의 부패 → 정치 혼란 심화

2. 조선과 일본의 정세
임진왜란 전 조선과 일본은 어떤 상황이었을까요?

(1) **조선의 정세**

① 사림[2]의 집권: 16세기 중엽부터 사림이 세력을 키워 훈구를 제치고 정계를 장악

② 사림의 정국 주도 이후의 상황

정치	• 사림 사이에 붕당이 나뉘고 붕당 간의 대립 시작
경제	• 방납[3]의 폐단, 군역 제도의 모순으로 백성들의 부담 가중
군사	• 군역 제도의 문란과 장기간 유지된 평화로 국방력 약화 자료 2

왜? 군역의 의미가 토목 공사에 동원되는 것으로 변질되었기 때문이야.

③ 임진왜란 전 일본과의 대외 관계

㉠ 3포왜란, 을묘왜변 발생: 일본인들의 무역 확대 요구 → 조선 정부의 통제 강화 → 일본인들의 반발

㉡ 이후 상황: 비변사를 설치하고 통신사를 파견하였으나 전쟁 대비 미비

❶ 토목보의 변
명의 정통제가 오이라트 부장 에센과 토목보에서 싸우다가 포로가 된 사건이다. 황제를 포로로 잡은 오이라트의 에센은 유리한 조건으로 송환하려고 하였으나 뜻대로 되지 않자 베이징을 포위하였다. 명이 끝내 굴복하지 않자 에센은 퇴각하고, 이후 정통제는 조건 없이 송환되었다.

❷ 사림
사림은 고려 말 온건파 신진 사대부를 계승하여 향촌 사회에서 기반을 다진 세력이다. 사림은 성종 때에 중앙 정계에 나아가 주로 3사의 관리가 되어 훈구의 부정과 비리를 비판하였다.

❸ 방납
중앙 관청의 서리들이 공물을 대신 내고 농민으로부터 그 대가를 받는 행위로 농민의 부담을 더욱 가중시켰다.

자료 1 왜구의 침입

왜구들이 슬그머니 발호하여 해안 지방에서는 병란이 잦았던 터였다. 거사(이탁오)는 밤에는 길을 걷고 낮에는 숨는 식으로 어렵사리 여행하여 여섯 달이 넘어서야 겨우 고향에 도착했다. 집에 닿자마자 그는 또 상주 노릇할 겨를도 없이 검은 상복을 입고 아우와 조카들을 거느린 채 밤낮으로 성곽에 오르고 딱딱이를 치며 야경을 돌고 성을 수비하는 일에 매달려야 했다. 성 아래에는 화살과 돌이 난무했고, 만 냥을 주더라도 쌀 한 섬 구입할 곳을 찾을 수가 없었다.

– 이탁오, 『분서』 –

뜯어보기 포인트
왜구의 침입이 명에게 준 영향을 파악하자.

이탁오가 부친상으로 고향에 갈 때 6개월이나 걸린 이유는 무엇일까?
이탁오가 부친상을 당하던 명 대 가정 연간은 왜구에 의한 침입이 가장 심한 시기였어. 자료를 보면 부친상으로 고향에 돌아갔으나, 상을 제대로 치르지도 못한 채 왜구의 침입을 막아내야 했던 상황이었음을 알 수 있지.

왜구의 침입은 명에 어떤 영향을 주었을까?
일본 무역선이 닝보에서 폭동을 일으킨 이후 명의 엄격한 무역 통제에 불만을 품은 왜구가 밀무역과 약탈을 일삼아 연안 지역은 물론 내륙 지역까지 큰 피해를 주었거든. 이는 몽골의 침략과 함께 16세기 중엽 명의 국력을 크게 소모시키는 원인이 되었어.

Q1 명에 대한 왜구의 침입에 관련하여 옳은 것을 모두 선택해 보자.

㉠ 명이 감합 무역을 중단하자 왜구가 기승을 부렸다.
㉡ 일본은 신패를 발급하여 왜구의 침입을 단속하였다.
㉢ 왜구에 의해 베이징이 포위당하기도 하였다.
㉣ 일본의 무역선이 닝보에서 난을 일으키기도 하였다.
㉤ 왜구의 침입을 막기 위해 명은 천계령을 선포하였다.

자료 2 조선의 군역 문란

백성들의 고생이 지금보다 심한 적이 없었습니다. …… 보병이 한번 군역에 복무하는 데 드는 값이 베 150필까지 되므로 가난한 백성이 파산하여 집안이 망하고, 두 번 복무하면 지탱할 수 없어 도망쳐 흩어집니다. 도망치면 그 친척에게 거두기 때문에 친척도 지탱하지 못하고 모두 흩어집니다.

– 『중종실록』, 중종 32년(1537) –

뜯어보기 포인트
조선에서 군역 제도가 문란해진 이유와 그 결과에 대해 알아보자.

보병이 한번 군역에 복무하는 데 베 150필까지 드는 이유는 무엇일까?
1464년 세조 때 보법을 실시하면서 군역 부담자 수가 늘어나고, 군역을 부담하는 사람들이 토목 공사 등에 동원되자 군역을 기피하는 현상이 심해졌어. 그래서 사람들은 돈을 주고 다른 사람에게 군역을 부탁하기 시작했거든. 이를 대립제라고 하고 그 대가로 지불하는 돈을 대립가라고 해. 많은 사람들이 대립가를 지불하고 다른 사람에게 군역을 부탁하자 대립가가 오르기 시작했는데, 중종 때에는 대립가가 베 150필까지 오르기도 하였지.

조선의 군역 문란은 어떤 결과를 가져왔을까?
대립가의 상승으로 군역에 대한 부담이 늘어나자 군역을 피하기 위해 도망가는 백성들이 늘어났어. 도망치는 백성들의 군역은 그 백성의 친척이나 이웃이 부담하였지. 친척이나 이웃 역시 그 부담을 이기지 못하고 도망가자 군역을 부담하는 백성의 수는 더욱 줄어들었어. 그 결과 조선에서는 병사의 수가 줄어들어 국방력이 약화될 수밖에 없었지.

Q2 임진왜란 전 조선의 군역 제도에 대한 설명으로 옳은 것을 선택해 보자.

㉠ 백성들에게 무기 몰수령을 내렸다.
㉡ 조총을 활용한 부대를 육성하였다.
㉢ 계속되는 전쟁으로 국방력이 약화되었다.
㉣ 명의 영향을 받아 훈련도감을 설치하였다.
㉤ 대립가의 상승으로 백성들의 부담이 늘어났다.

답 Q1 ㉠, ㉣ / Q2 ㉤

(2) **일본의 정세**

① 센고쿠 시대[1]의 혼란: 오닌의 난 이후 다이묘들 간의 패권 다툼 진행

② 조총[2]의 전래: 기마 부대 전법을 무력화하며 센고쿠 시대 통일 촉진

③ 도요토미 히데요시의 통치

활동	• 오다 노부나가의 뒤를 이어 센고쿠 시대 통일(1590)
정책	• 전국적인 토지 조사(검지) 시행 → 연공(세금) 부과 기준 마련 • 농민들의 무기를 몰수하고 신분 이동 금지
결과	• 병농 분리 확립, 무사의 거주지와 농민의 거주지 분리

왜? 잇키라 불리는 농민 반란을 방지하기 위해서야.

2 17세기 전후의 동아시아 전쟁

1. 임진왜란과 정유재란

임진왜란과 정유재란은 어떻게 전개되었을까요?

(1) **임진왜란**

배경 자료 3	• 다이묘들의 군사력 소진 → 국내 정치 안정 • 영토 확장과 무역 확대 목적
발발(1592)	• 일본 병력이 부산에 상륙 → 풍부한 전투 경험과 조총을 앞세워 한성과 평양 함락
조선의 반격	• 이순신이 이끄는 수군의 활약과 의병의 저항 → 일본군의 보급로 차단
전쟁 확대	• 명의 참전 자료 4 → 조·명 연합군의 평양 수복 → 벽제관 전투 패배로 전쟁은 소강 상태
강화 협상	• 명과 일본의 강화 협상 → 일본의 무리한 요구(일본이 제시한 강화 조건[3])로 결렬

(2) **정유재란(1597)** 일본의 조선 재침략 → 도요토미 히데요시 사후 일본군 철수

2. 전쟁의 피해와 동아시아의 정세 변화

임진왜란은 동아시아 각국에 어떤 영향을 주었을까요?

(1) **조선**

① 물적 · 인적 피해

㉠ 국토 황폐화: 경지면적이 170만 결에서 54만 결로 감소

㉡ 인구 격감: 많은 사람들이 사망, 일본에 노예로 끌려감.

㉢ 재정 부족: 부족한 재정을 보충하기 위해 공명첩 발급.

② 명에 대한 사대의식 강화: 원군을 파견했던 명을 재조지은으로 떠받드는 분위기 조성

어떻게? 명을 망해 가는 국가를 다시 일으켜 세워 준 은혜로운 국가로 떠받드는 분위기가 높아졌어.

(2) **일본** 도쿠가와 이에야스의 에도 막부 수립

언제? 도요토미 히데요시 사후 도쿠가와 이에야스가 권력을 장악하여 1603년에 세웠어.

(3) **명** 조선 파병으로 인한 재정 적자 심화로 쇠퇴

(4) **여진**

① 성장

누가? 청의 창건자이자 초대 황제야.

㉠ 누르하치의 주도 아래 부족을 통합

㉡ 명의 지배력 약화를 틈타 팔기제[4]를 완성하여 후금 건국(1616)

② 조 · 명 연합군 격파

㉠ 명의 요구로 조선은 강홍립 부대를 파견하여 조 · 명 연합군 결성

㉡ 조 · 명 연합군 패배 → 조선군은 후금에 항복 → 명의 파병 요구를 거절하며 후금과 친선 유지

❶ 센고쿠 시대
무로마치 시대에 쇼군의 후계 문제를 둘러싸고 교토를 비롯한 각지에서 내란이 일어났다. 이 난을 계기로 쇼군의 권력이 약화되고 각지의 다이묘들이 세력을 확대하였다. 다이묘들은 100여 년간 패권을 차지하기 위해 서로 다투었는데, 이 시기를 센고쿠 시대라고 한다.

❷ 조총
하늘을 나는 새를 쏘아 맞힐 수 있다는 의미에서 붙인 이름으로, 16세기 포르투갈에서 들여온 것을 개량하여 만든 총이다. 오다 노부나가가 나가시노 전투에서 조총 부대를 앞세워 승리하는 등, 일본 센고쿠 시대 당시 다이묘들의 전투에 조총이 사용되면서 세력 판도에 큰 변화가 발생하였다.

❸ 일본이 제시한 강화 조건
명이 일본군의 철수를 전제로 도요토미 히데요시를 일본 국왕으로 책봉하겠다고 제시하였다. 그러나 일본은 '명의 공주를 일본 천황의 후궁으로 줄 것', '조선의 남부 4도(경상, 전라, 충청, 경기)를 일본에 줄 것', '일본과 명의 무역을 재개할 것', '조선의 왕자와 대신을 일본에 볼모로 보낼 것' 등 무리한 조건을 내세웠다.

❹ 팔기제
1614년 누르하치가 여진 사회를 재편성하여 조직한 제도로서, 군사적 단위인 동시에 행정과 세금 부과의 단위이기도 하였다. 최소 단위인 니루는 300명, 5개의 니루가 1자란, 5개의 자란이 1기가 된다. 애초 만주인, 몽골인으로 구성되었다가 나중에 한인 팔기도 만들어졌다. 각 기에 소속된 성인 남성들은 평상시에는 일반인으로 생활하다가 전쟁이 일어나면 군인으로 동원되었다.

자료 3 **일본의 침략 목적**

> 도요토미 히데요시가 말하기를, 한(韓)의 사자를 만나보고, 사관에게 글을 지어 다음과 같이 답하게 했다. …… "나는 귀국의 길을 빌려 바다를 건너 곧장 명으로 쳐들어가 그 4백주를 우리의 풍속으로 바꾸게 할 것이다." …… 라고 하였다. 또, 여러 장수들을 모아놓고 말하기를 …… "나는 나라를 다스리는 일은 내부(內部)에 맡기고, 몸소 군사를 거느리고 조선으로 들어가 그 군대를 선봉으로 삼아 명으로 들어갈 것이다. 그리하여 랴오둥에서 곧장 베이징을 습격해서 그 나라를 차지하고 땅을 나누어 제군에게 나누어줄 것이다."라고 하였다.
>
> –『일본외사』–

뜯어보기 포인트
일본이 조선을 침략하기 위해 내세운 명분과 배경을 파악하자.

도요토미 히데요시의 조선 침략이 갖는 의미는 무엇일까?

센고쿠 시대를 마감하고 일본을 통일했다는 자신감을 바탕으로 조선과 명을 정복하고자 했던 도요토미 히데요시는 그 과정의 첫걸음으로 조선을 침략하였어. 이는 동아시아의 국제 질서를 일본이 주도하겠다는 의지의 표현이지. 또한 이것은 명에 의해 주도된 동아시아 국제 질서가 이 무렵에 이르러 큰 변화를 겪게 되었음을 의미해.

도요토미 히데요시가 조선을 침략한 까닭은 무엇일까?

통일 후에도 다이묘들은 여전히 강력한 군사력을 보유하였어. 이에 도요토미 히데요시는 다이묘들의 군사력을 소진하여 국내 정치를 안정시키는 동시에 영토를 확장하고 무역을 확대할 목적으로 조선을 침략하였지.

Q3 일본의 침략 목적과 관련하여 옳은 것을 모두 선택해 보자.

㉠ 여진족을 지원하려고 하였다.
㉡ 과도한 군사력을 배출하려고 하였다.
㉢ 영토를 확장하고 무역 확대를 꾀하였다.
㉣ 도쿠가와 이에야스가 막부의 권위 강화를 위해 침략하였다.
㉤ 도요토미 히데요시는 전쟁을 통해 국내 정치를 안정시키고자 하였다.

자료 4 **명의 참전**

> 신이 근심하는 것은 조선이 아니라 우리나라(명) 국경입니다. …… 랴오둥은 베이징의 팔 같은 것이고, 조선은 랴오둥의 울타리 같은 것입니다. …… 200년 동안 푸젠성과 저장성이 항상 왜(왜구)의 화를 입었으나, 랴오양과 톈진에 왜가 없었던 것은 조선이 울타리처럼 막았기 때문입니다.
>
> –『선조수정실록』–

뜯어보기 포인트
명의 참전으로 조선의 지배층이 명에 대해 가진 인식을 파악하자.

명이 참전한 이유는 무엇일까?

명이 전쟁에 참전하면서 내세운 '조선을 구하기 위해'라는 명분은 어디까지나 부차적인 것이었고, 주요 목적은 명의 안보를 확보하기 위한 것이었어. 이른바 '순망치한론(脣亡齒寒論)'에 바탕을 둔 것으로, 명의 참전은 베이징의 울타리인 랴오둥을 보호하기 위한 목적에서 이루어졌지.

명의 참전은 조선의 지배층에게 어떤 의미로 다가왔을까?

조선의 국왕이 대신들을 강둑에 모이게 하고 만력제의 서신을 읽도록 명했을 때, 그들은 모두 기쁨에 겨워 눈물을 흘렸다고 해. 이는 당시 조선의 지배층이 명의 참전을 '망해가는 국가를 다시 세워준 은혜(재조지은)'로 받아들였음을 보여주는 것이지.

Q4 명의 참전과 관련하여 옳은 것을 모두 선택해 보자.

㉠ 명은 일본과 강화 협상을 진행하였다.
㉡ 명은 타이완을 보호하기 위해 참전하였다.
㉢ 조 · 명 연합군은 평양 전투에서 승리하였다.
㉣ 명의 참전으로 여진족의 세력이 약화되었다.
㉤ 조선의 지배층은 명의 참전을 재조지은으로 받아들였다.

답 Q3 ㉡, ㉢, ㉤ / Q4 ㉠, ㉢, ㉤

3. 정묘호란과 병자호란

정묘호란과 병자호란은 왜 일어났을까요?

(1) 정묘호란(1627)

① 배경

㉠ 광해군의 대외 정책에 반발하던 서인 세력이 인조반정❶ 단행

왜? 조선의 지배층은 명에 대한 의리를 지키려고 했어.

㉡ 서인 정권이 친명배금 정책 시행 자료 5

㉢ 인조반정의 정당성을 인정받고자 명의 후금 정벌 요구 수용

㉣ 평안도 가도에 주둔한 명 장수 모문룡❷에 대한 조선의 지원

② 전개: 명과 대립한 후금이 배후에 있는 조선 공격 → 관군과 의병으로 조선이 저항

③ 결과: 후금의 형제 관계 제의를 조선이 수락하여 강화 체결

(2) 병자호란(1636)

① 배경

㉠ 후금의 홍타이지가 황제를 칭하고 국호를 청으로 교체

누가? 누르하치의 여덟째 아들로 중국의 2대 황제야.

㉡ 청이 조선에 군신 관계 요구 → 척화론으로 기운 조선의 반발

② 전개: 청의 침략 → 인조의 남한산성 피신 → 청군에 포위

③ 결과

㉠ 인조가 삼전도에 나와 항복

㉡ 청과 군신 관계를 맺고 명과 국교 단절

어디서? 서울과 남한산성을 이어주는 나루로, 지금의 송파구 삼전동이야.

4. 전쟁을 통한 문물 교류

17세기 전후 동아시아 전쟁을 통해 어떤 문물들이 교류되었을까요?

(1) 조선

① 명

㉠ 관우 숭배 사상❸ 전래(서울 동대문, 전남 남원 등지에 관우 사당)

㉡ 명의 병법서를 참고하여 조총 부대를 포함한 훈련도감❹ 창설

② 청: 청의 볼모로 잡혀갔던 소현 세자가 아담 샬과 교류하며 서양 문물 수용

③ 일본: 조총 제조법과 사격술 전래

④ 기타: 담배, 고추와 같은 새로운 작물도 전래

(2) 일본

① 약탈

㉠ 조선에서 수많은 서적, 금속 활자 도자기 등 약탈

㉡ 유학자, 기술자를 비롯한 수만 명의 포로를 잡아감

무엇을? 에도 막부의 아리타 도자기에 영향을 주었어.

② 결과

㉠ 에도 시대의 도자기 · 인쇄술 발달에 이바지

㉡ 성리학의 발달로 새로운 지배 체제 정비에 영향

(3) 명

무기의 중요성을 인식하여 네덜란드로부터 홍이포❺를 들여와 대포 제작

---

❶ 인조반정
1623년 이귀 · 김자점 등 서인 세력이 광해군과 북인 정권을 몰아내고 능양군 이종을 왕으로 옹립한 사건이다. 친명배금을 주장하던 서인이 정권을 장악함에 따라 이후 후금과의 관계가 악화되었다.

❷ 모문룡
명 말기의 무장으로 1621년 후금의 랴오둥 공격 당시 조선으로 도망쳤다가 광해군의 허락을 받아 명군과 난민 1만여 명을 이끌고 1629년까지 평안도 철산 앞바다의 가도에 머물렀다. 조선은 모문룡에 대해 계속 지원하였으며, 이는 1627년 정묘호란의 한 요인이 되었다.

❸ 관우 숭배 사상
임진왜란 때 조선에 온 명군을 통해 명의 문물이 전해졌는데, 이때 관우 숭배 사상도 함께 유입되었다. 관우는 군신, 재물의 신 등 다양한 신으로 숭배되고 있으며, 관우를 모시는 사당인 동묘는 중국의 사당 건축 형식으로 지어졌다.

❹ 훈련도감
임진왜란을 계기로 새로운 군사 조직이 필요해지자, 1593년 유성룡의 주장에 따라 명의 병법서 『기효신서』를 참고하여 설치하였다. 병사를 포수 · 사수 · 살수의 삼수병으로 분류하여 전문 기술을 가진 특수 부대를 형성한 데에 그 특색이 있다.

❺ 홍이포
1604년 명의 군대가 네덜란드와 전쟁을 치를 때, 중국인들은 네덜란드인을 '홍모이(붉은 머리를 한 오랑캐)', 네덜란드인들이 사용하던 대포를 '홍이포'라 불렀다. 당시 중국인들은 이 대포의 파괴력에 크게 압도되어 1618년 홍이포를 수입하였고, 1621년에는 복제품을 만들어 낼 수 있는 단계에 이르렀다.

자료 5 친명배금 정책

> 우리나라가 명을 섬겨온 것이 2백여 년이다. 의리로는 임금과 신하의 관계이며 은혜로는 부모와 자식 간의 관계와 같다. 임진년(1592)에 입은 은혜는 영원히 잊을 수 없는 것이다. …… 광해군은 배은망덕하여 하늘의 명을 두려워하지 않고 속으로 다른 뜻을 품고 오랑캐에게 성의를 베풀었다. 기미년(1619) 오랑캐를 정벌할 때에는 은밀히 장수를 시켜 상황을 보아 행동하게 하였다. …… 뿐만 아니라 황제가 자주 칙서를 내려도 구원병을 파견할 생각을 하지 않았다. 예의의 나라인 삼한(三韓)을 오랑캐와 짐승이 되게 만들었다. 어찌 그 분함을 이루 말할 수 있겠는가?
>
> – 『인조실록』 –

뜯어보기 포인트
광해군 시기와 인조반정 후 조선의 외교정책 변화를 파악하자.

◎ 인조반정이 일어난 이유는 무엇일까?

서인은 자신들의 행위를 정당화하기 위해 광해군의 외교 정책을 성리학적 사회 질서에 위배되는 행위라고 비판하였어. 이후 광해군을 몰아내고 인조를 왕위에 올린 인조반정을 단행하였지.

◎ 친명배금 정책을 펼친 이유는 무엇일까?

당시 조선의 양반들은 명을 천하의 중심이라고 여겼으며, 명이 임진왜란 당시 군대를 보내 조선을 도운 사실에 대해 '망해가는 국가를 다시 세워 준 은혜(재조지은)'로 인식하였지. 이에 후금과 명 사이에서 중립 외교를 펼친 광해군을 배은망덕한 존재로 표현하였던 거야.

Q5 인조반정 이후 조선의 외교 정책과 관련하여 옳은 것을 모두 선택해 보자.

㉠ 친명배금 정책을 추진하였다.
㉡ 여진과 형제의 맹약을 맺었다.
㉢ 명 장수 모문룡에 대한 지원을 강화하였다.
㉣ 명과 후금 사이에서 중립을 지키고자 하였다.
㉤ 여진을 견제하기 위해 일본과 국교를 재개하였다.

자료 6 병자호란의 종결과 조선의 항복

> (인조 15년) 용골대와 마부대가 성 밖에 와서 왕에게 빨리 나오라고 재촉하였다. 왕이 남색 옷에 백마를 타고 의장도 없이 시종 50여 명을 거느리고 서문으로 나갔다. 뒤따르던 백관들이 서문 안에 서서 가슴을 치고 뛰면서 통곡하였다. …… 삼전도에 따라 나아갔다. 멀리 바라보니 칸이 황옥을 펼치고 앉아 있고, 갑옷과 투구 차림에 활과 칼을 가진 자가 방진을 치고 좌우에 서 있었다. …… (용골대 등이) 단 아래에 북쪽을 향해 자리를 마련하고 왕에게 나가기를 청하였다. 청나라 사람을 시켜 큰 소리로 소리치게 하였다. 왕이 세 번 절하고 아홉 번 머리를 조아리는 예를 행하였다.
>
> – 『인조실록』 –

뜯어보기 포인트
병자호란이 동아시아 국제 정세에 미친 영향을 기억하자.

◎ 병자호란의 결과 어떻게 되었을까?

조선은 인조가 삼전도(지금의 서울 송파구)에 가서 항복을 한 뒤, 청과 조공·책봉 관계를 맺었어. 수많은 백성들이 포로가 되어 만주로 끌려갔지. 청의 내정 간섭은 심해졌고, 조선은 청을 도와 명을 공격해야 했어.

◎ 병자호란은 조선의 지배층에 어떤 영향을 미쳤을까?

인조의 뒤를 이은 효종은 청에 복수하기 위해 북벌을 도모하기도 하였어. 또한 명이 망한 후 조선에서는 조선이야말로 유일한 중화라고 자부하는 조선 중화 의식이 형성되었지.

Q6 병자호란과 관련하여 옳은 것을 모두 선택해 보자.

㉠ 인조는 남한산성에서 항전하였다.
㉡ 전쟁 후 명과 조선은 관계를 단절하였다.
㉢ 전쟁 후 조선은 청과 형제 관계를 맺었다.
㉣ 누르하치가 직접 군대를 이끌고 침략하였다.
㉤ 청은 명과의 전투에 앞서 배후의 위협을 없애고자 조선을 침략하였다.

답 Q5 ㉠, ㉡, ㉢ / Q6 ㉠, ㉡, ㉤

3 국제 질서의 재편과 교류의 재개

1. 명 · 청 교체와 각국의 변화
임진왜란 이후 동아시아 삼국에서 어떤 변화가 일어났을까요?

(1) **명** 이자성의 난❶으로 멸망(1644)

(2) **청**

누구? 이자성의 난으로 명이 멸망할 때 산하이관을 지키고 있던 명의 장수야. 이후 청에 항복했어.

중국 장악	• 명의 장수인 오삼계의 도움을 받아 중국 통치 선포 • 삼번의 난과 정성공 세력을 진압하여 중국 전역을 직접 지배
전성기	• 강희제, 옹정제, 건륭제 시기 • 한족 지배 계급인 신사층을 장악하여 지역 사회 지배 • 티베트, 신장, 몽골, 타이완 등지까지 영토 확장

무엇을? 청의 중국 통일에 공을 세웠던 한족 출신의 장수들이 일으킨 난이야.

(3) 조선

효종	• 붕당 정치 안정, 대동법 확대 시행
숙종	• 붕당 간 대립 격화 → 집권 붕당이 일시에 교체되는 환국 발생
영조 · 정조	• 붕당 정치의 문제점을 해결하기 위해 탕평책 실시 • 정조 사후 특정 가문이 권력을 독점하는 세도 정치 출현

(4) 에도 막부

막번 체제	• 쇼군이 중앙과 직할지를 지배하고 다이묘가 지방의 번을 통치 • 산킨코타이❷를 통해 다이묘들을 강력히 통제
신분 제도	• 병농 분리 이후 무사, 농민과 수공업자, 상인으로 구분

2. 국제 질서의 재편과 세계관의 변화
청과 조선은 중화사상을 어떻게 변화시켰을까요?

(1) 중화사상의 변화

중국	• 중화의 인의를 알면 중화인이 될 수 있다고 주장하여 만주족의 중국 지배를 합리화
조선	• 효종은 서인과 함께 북벌 운동❸ 추진 자료 7 • 청의 강성으로 북벌 운동 실패 후 조선 중화 의식 강화

(2) **조선과 일본의 관계** 북벌 운동을 전개하던 효종 대에 일본과 관계 개선

(3) **중국과 일본의 관계** 청과 국교를 맺지 않고 경제 관계 유지

3. 교류의 창구, 사절단
조선은 청 · 일본과 어떻게 교류하였을까요?

(1) **조선과 청** 조선이 청에 정기적으로 연행사를 파견

무엇을? 청의 수도인 연경에 가는 사절을 뜻하는 말이야.

(2) 조선과 일본

국교 재개	• 회답겸쇄환사❹라는 사절을 보내 일본의 상황 파악 및 포로 송환 • 국교 재개(1607) 및 무역에 관한 협정인 기유약조(1609) 체결
통신사 자료 8	• 조선이 일본의 재침략을 막기 위해 파견 • 19세기 초까지 쇼군의 교체에 즈음하여 여러 차례 파견 • 막부는 자신의 권위를 과시

왜? 북방 여진족의 성장 때문이야.

❶ **이자성의 난**
임진왜란 이후 명은 궁핍해진 재정을 해결하기 위해 과도한 세금을 징수하였다. 여기에 환관의 횡포로 사회가 더욱 혼란해지면서 농민 반란이 빈번해졌는데, 결국 농민 출신인 이자성의 반란으로 명은 멸망하였다.

❷ **산킨코타이**
쇼군이 중앙 집권을 강화하기 위해 전국의 다이묘들에게 정기적으로 에도에 와서 머물게 하고, 그 처자식들은 에도에 거주하게 한 제도이다. 다이묘들의 잦은 왕래는 문화 교류는 물론, 교통망과 여관업, 상업 발달로 이어져 도시가 성장하는 데 기여하였다.

❸ **북벌 운동**
병자호란 직후 조선에서는 청에게 당한 치욕을 씻고 명에 대한 의리를 지키자는 명분으로 북벌 운동이 대두하였으나, 청이 강성하여 실행에 옮기지 못하였다.

❹ **회답겸쇄환사**
임진왜란 이후 단절된 국교를 회복하고자 일본의 요청으로 세 차례 파견된 사절이다.

자료 7 조선의 북벌론

> 명 태조는 우리 태조와 더불어 동시에 창업하여 '군신의 의'와 작은 나라를 사랑하는 은혜와 충정의 절개를 정하여 거의 300년 동안 바꾸지 않았습니다. …… 갑신의 변(1644, 명 멸망)으로 천하에 임금이 없어졌습니다. …… 우리나라는 실로 명 신종 황제의 은혜를 입어 임진왜란 때에 나라가 이미 폐허가 되었다가 다시 보존되고 백성들이 거의 죽었다가 다시 소생하였으니, 우리나라의 나무 한 그루 풀 한 포기와 백성들의 모발 하나하나에도 황제의 은혜가 미치고 있습니다. 그런즉 오늘날 천하에 누가 우리만큼 원통하고 분개하겠습니까?
>
> – 송시열, 『송자대전』 –

뜯어보기 포인트
명 멸망 이후 조선의 세계관 변화를 알아보자.

○ 천하에 임금이 없어진 이유는 무엇일까?
임진왜란 이후 명은 궁핍해진 재정을 해결하기 위해 세금을 과도하게 징수하였어. 여기에 환관의 횡포로 사회가 더욱 혼란해지면서 농민 반란이 빈번해졌는데, 결국 농민 출신인 이자성의 반란으로 명은 멸망하고 말았지.

○ 명 멸망 이후 조선의 지배층은 세계를 어떻게 인식했을까?
조선의 집권층 사이엔 중화인 명이 멸망했으니 조선이야말로 중화 문명의 유일한 후계자라고 자부하는 조선 중화 의식이 나타났어.

Q7 북벌론에 대한 설명으로 옳은 것을 모두 선택해 보자.

㉠ 명의 은혜를 갚고자 하였다.
㉡ 조선 중화 의식이 사상적 배경이다.
㉢ 삼번의 난 발발을 계기로 수그러들었다.
㉣ 북벌을 위해 일본에 연행사를 파견하였다.
㉤ 병자호란 당시 겪었던 치욕을 설욕하고자 하였다.

자료 8 통신사

> 통신사 윤순지와 부사 조경이 대마도에서 돌아와 보고서를 올리기를, "신들이 사명을 받들고 일본에 당도하니 관백(關白)이 예로써 접대하고 극도로 후의를 보였습니다. 임진·정유년에 사로잡혀 간 백성들은 모두 자손을 두고 그 땅에 안주해 살면서 고향에 돌아가려고 하지 않아 14명만 데리고 나왔는데 도중에 병들어 죽은 자가 여섯 사람입니다. 일본 집정(執政: 내각의 최고 책임자)의 서계(書契: 외교 문서) 속에 우리나라가 토산물을 바쳤다는 말을 한 것이 있는데도 처음에 그것을 알지 못하고 그대로 가지고 왔으니, 황공하기 그지없습니다." 하니, 상이 대죄하지 말라고 명하였다.
>
> – 『인조실록』 –

뜯어보기 포인트
동아시아 국제 정세를 바탕으로 통신사를 파견한 목적을 알아보자.

○ 통신사를 파견한 이유는 무엇일까?
임진왜란 이후 조선은 일본을 '같은 하늘을 이고 살 수 없는 원수의 국가'로 생각하고 있었으나, 정묘·병자호란의 현실 속에서 일본에 우호적인 입장을 취할 수밖에 없었어. 이러한 조선의 곤경을 이용하여 일본은 임진왜란 이후 금지되었던 왜사(倭使)의 상경을 일시 허락받고, 통신사 파견을 이끌어 냈지.

○ 통신사는 어떤 역할을 하였을까?
통신사는 쇼군의 권위를 국제적으로 인정하는 외교 사절단의 역할뿐 아니라, 일본에 선진 문물을 전달하는 역할도 하였어.

Q8 통신사에 대한 설명으로 옳은 것을 모두 선택해 보자.

㉠ 한양에서 연경까지 행차하였다.
㉡ 일본과 청의 국교 체결에 도움을 주었다.
㉢ 주로 쇼군의 교체에 즈음하여 파견하였다.
㉣ 일본에 선진 문물을 전달하는 역할을 하였다.
㉤ 임진왜란 직후에는 회답겸쇄환사라는 이름으로 파견되었다.

답 Q7 ㉠, ㉡, ㉤ / Q8 ㉢, ㉣, ㉤

1단계 개념 익히기

정답과 해설 ▸ 44쪽

01 서로 관련 있는 내용끼리 연결해 보자.

a. 임진왜란 •　　　• ㄱ. 전쟁 후 명과 조선이 관계를 단절함

b. 정묘호란 •　　　• ㄴ. 전쟁 후 후금과 조선이 형제 관계를 맺음

c. 병자호란 •　　　• ㄷ. 일본이 조선을 침략하자 명이 원조함

02 아래 설명이 맞으면 ○표, 틀리면 ×표를 해 보자.

(1) 명이 감합 무역을 중단하자 몽골 세력에 의해 베이징이 포위당하였다. (　　)

(2) 15세기 조선은 훈구 세력이 정국을 주도하였지만, 16세기 중엽부터 사림이 세력을 키워 정계를 장악하였다. (　　)

(3) 도요토미 히데요시는 다이묘들의 군사력을 소진하여 국내 정치를 안정시키는 동시에 영토를 확장하고 무역을 확대할 목적으로 조선을 침략하였다. (　　)

(4) 광해군은 강성해진 후금과의 관계가 나빠질 것을 우려하여 강홍립에게 직접적인 대결을 피할 것을 지시하였다. (　　)

(5) 에도 막부는 청과 국교를 맺고 경제 관계를 유지하였다. (　　)

03 빈칸에 알맞은 말을 채워 보자.

(1) 내각 대학사 장거정은 일부 지방에서 시행하던 (　　　　)을/를 확대하여 재정을 확보하였다.

(2) 일본은 15세기 중엽 (　　　　) 이후 다이묘들 간의 패권 다툼으로 센고쿠 시대를 맞이하였다.

(3) 3년에 걸친 강화 교섭은 일본의 무리한 요구로 결렬되었고, 도요토미 히데요시는 (　　　　)을/를 일으켰다.

(4) 16세기 명의 지배를 받던 여진족은 (　　　　)의 주도 아래 부족을 통합하였다.

(5) 에도 막부는 쇼군이 중앙과 직할지를 지배하고, 다이묘가 지방의 번을 통치하는 (　　　　)을/를 시행하였다.

04 |보기|에서 17세기 전후 전쟁을 통한 한·중·일 문물 교류와 관련된 내용들을 골라 보자.

| 보기 |

동묘, 한자, 율령, 고추, 담배, 벼, 훈련도감, 홍이포, 도자기, 불교, 종이, 성리학, 훈고학, 대장경

05 |보기|의 사건들을 일어난 순서대로 나열해 보자.

| 보기 |

ㄱ. 임진왜란　　　ㄴ. 정유재란

ㄷ. 병자호란　　　ㄹ. 정묘호란

06 다음 자료와 관련된 사건의 이름을 적어 보자.

중국 명에서 1630년대 일어난 농민 봉기. 이로 인해 1644년 북경이 함락되고, 마지막 황제 숭정제와 주황후가 자결하며 명 왕조가 277년 만에 멸망했다. 이후 청의 중원 장악으로 진압되었다.

07 아래 표를 완성해 보자.

(　　)	• 명이 몽골 세력에게 공격 받음 • 명의 동남해안을 왜가 공격함
연행사	• 조선이 (　　　　)의 수도에 파견한 사절 • '연경을 다녀오다.'를 의미
통신사	• 조선은 일본의 재침략 방지를 위해 파견 • 일본은 (　　　　　　)의도
(　　)	• 조선과 일본 정식 국교 재개 후 체결 • 조선과 일본의 무역에 관한 협정

총 문항수 12	처음 푼 날 월 일
정답과 해설 44쪽	오답 푼 날 월 일

01 빈출 (가)에 들어갈 정책으로 적절한 것은?

> 명은 토목보의 변 이후 몽골 세력의 침입을 막고자 만리장성 보수에 막대한 비용을 들였습니다. 이에 만력제 때의 내각·대학사 장거정은 몽골과 강화를 맺어 군사비를 줄였습니다. 그리고 (가) 을/를 통해 재정을 확보하였습니다.

① 교초 발행
② 균전제 실시
③ 도량형 통일
④ 일조편법의 확대 시행
⑤ 일본과 감합 무역 실시

02 다음 자료의 상황이 나타난 당시 조선의 모습으로 옳지 않은 것은?

> 명은 북방의 몽골에 대해 점차 방어적인 태도로 돌아섰다. 만리장성을 쌓아 방어했음에도 불구하고 몽골은 다시 남쪽을 침범하였고, 한때 베이징을 며칠 동안 포위하는 등 강력한 위협 세력으로 등장하였다. 이 무렵 왜구도 명의 동남 해안에서 잇따른 약탈을 저질렀다. 두 세력의 침입으로 명의 국력은 크게 쇠퇴하였다. 서유럽의 신항로 개척 이후 포르투갈과 에스파냐의 아시아 진출도 동아시아 정세를 크게 변화시켰다.

① 장기간 유지된 평화로 국방력이 약화되었다.
② 붕당이 나뉘고 붕당 간의 대립이 시작되었다.
③ 외세에 당한 치욕을 씻고자 북벌을 준비하였다.
④ 방납제의 운용으로 백성들의 부담이 무거워졌다.
⑤ 군역 제도의 모순으로 고통 받는 백성이 늘어났다.

03 도요토미 히데요시에 대한 옳은 설명을 |보기|에서 고른 것은?

> **보기**
> ㄱ. 무기 몰수령을 내렸다.
> ㄴ. 다이카 개신을 추진하였다.
> ㄷ. 남북조 시대를 통일하였다.
> ㄹ. 전국적인 토지 조사 사업을 실시하였다.

① ㄱ, ㄴ ② ㄱ, ㄹ ③ ㄴ, ㄷ
④ ㄴ, ㄹ ⑤ ㄷ, ㄹ

04 밑줄 친 '이 전쟁'의 결과를 |보기|에서 고른 것은?

> 아! 이 전쟁은 참혹하였다. 수십 일 사이에 삼도(서울, 개성, 평양)를 지키지 못하였고 온 국가가 산산이 부서져 임금께서는 서울을 떠나 피난길에 오르셨다. 그럼에도 불구하고 오늘이 있게 된 것은 하늘이 도운 까닭이다. 또한 백성들이 나라를 생각하는 마음이 그치지 않았기 때문이며, 임금께서 지극한 정성으로 명 황제의 마음을 움직여 구원병이 여러 차례 도착했기 때문이다. 『시경』에 '내 지난 잘못을 반성하여 후환이 없도록 삼간다.'고 하였으니 이것이 내가 이 책을 저술한 까닭이다.
> −『징비록』−

> **보기**
> ㄱ. 명의 재정이 악화되었다.
> ㄴ. 조선에서 북벌 운동이 전개되었다.
> ㄷ. 일본에서 무로마치 막부가 성립하였다.
> ㄹ. 여진족이 세력을 키워 후금을 건국하였다.

① ㄱ, ㄴ ② ㄱ, ㄹ ③ ㄴ, ㄷ
④ ㄴ, ㄹ ⑤ ㄷ, ㄹ

05 다음 상황 이후의 동아시아 국제 정세로 옳은 것은?

> 이자성이 베이징을 점령할 무렵, 당시 명의 정예 군대는 후금을 막기 위해 산하이관에 집결해 있었다. 당시 산하이관을 지키고 있던 명의 장군 오삼계는 이자성의 농민 반란군을 진압하기 위해 산하이관을 열어 청의 군대를 끌어들였으며, 장성을 넘어온 청군은 이자성의 정권을 무너뜨리고 베이징을 차지하였다.

① 조선이 일본과 기유약조를 체결하였다.
② 조선이 모문룡에 대한 지원을 강화하였다.
③ 만주에서 누르하치가 여진족을 통일하였다.
④ 오다 노부나가가 나가시노 전투에서 승리하였다.
⑤ 강희제가 삼번의 난과 정성공 세력을 진압하였다.

06 빈출 다음 제도를 운영하였던 왕조에 대한 설명으로 옳은 것은?

> 사방을 기준으로 정람기, 정홍기, 정황기, 정백기 네 가지 색의 기(旗)를 만들었다. 각각의 기(旗)에 테두리를 두어 양람기, 양홍기, 양황기, 양백기를 만들었으니 이를 합하여 팔기라 하였다. 상삼기(정황기, 정백기, 양황기)는 천자의 친위 부대이다. …… 기(旗)에는 각각 도통·부도통·장경·효기·발집 등 관원을 두어 통솔하였다. -『연행기사』-

① 남면관제와 북면관제를 실시하였다.
② 조·용·조의 조세 제도를 확립하였다.
③ 점령지에 번부를 설치하여 통치하였다.
④ 남북을 연결하는 대운하를 건설하였다.
⑤ 군사 조직으로 천호·백호를 설치하였다.

07 

밑줄 친 '정묘년의 맹약'에 대한 설명으로 옳은 것은?

> 자기 힘을 헤아리지 않고 경망하게 큰소리를 쳐서 오랑캐의 노여움을 도발하여 백성이 도탄에 빠지고 종묘와 사직에 제사 지내지 못하게 된다면 그 허물이 이보다 클 수 있겠습니까? …… 우리의 국력은 현재 바닥나 있고 오랑캐의 병력은 강성합니다. <u>정묘년의 맹약</u>을 아직 지켜서 몇 년이라도 화를 늦추고, 그동안 …… 민심을 수습하고 성을 쌓으며, …… 적의 허점을 노리는 것이 우리로서는 최상의 계책일 것입니다. - 최명길, 『지천집』 -

① 조선이 명과 관계를 단절하였다.
② 조선이 후금에 원군을 파견하였다.
③ 조선이 일본과 국교를 재개하였다.
④ 조선이 후금과 형제 관계를 맺었다.
⑤ 조선이 후금에 연행사를 파견하였다.

08 통신사에 대한 설명으로 옳지 <u>않은</u> 것은?

① 일본은 막부의 권위를 과시할 수 있었다.
② 한양에서 출발하여 에도까지 이동하였다.
③ 조선과 일본 간 문물 교류의 통로가 되었다.
④ 에도 막부의 요청에 따라 조선에서 파견되었다.
⑤ 청 중심의 동아시아 질서가 확립되면서 시작되었다.

09 임진왜란 당시 인적·물적 교류로 옳지 않은 것은?

① 명은 홍이포를 들여와 대포를 제작하였다.
② 조선은 명으로부터 관우 숭배 사상을 받아들였다.
③ 조선에 담배와 고추 같은 새로운 작물이 전래되었다.
④ 조선은 일본으로부터 조총 제조법과 사격술을 들여왔다.
⑤ 일본에 끌려간 이삼평이 아리타 도자기의 시조가 되었다.

10 빈출 조선에서 다음 주장이 제기된 배경을 |보기|에서 고른 것은?

천조(명)는 우리나라에 부모의 국가이고 노적(청)은 우리나라에 부모의 원수입니다. 신하된 자로서 부모의 원수와 형제의 의를 맺고 부모의 은혜를 저버릴 수 있겠습니까? 더구나 임진년의 일은 조그마한 것까지도 모두 황제의 힘이니 우리나라가 살아서 숨 쉬는 한 은혜를 잊기 어렵습니다. -『인조실록』-

보기

ㄱ. 청이 조선에 군신 관계를 요구하였다.
ㄴ. 청을 정벌하자는 북벌론이 제기되었다.
ㄷ. 후금의 홍타이지가 자신을 황제로 칭하였다.
ㄹ. 집권 세력이 실리적인 중립 외교를 추진하였다.

① ㄱ, ㄴ ② ㄱ, ㄷ ③ ㄴ, ㄷ
④ ㄴ, ㄹ ⑤ ㄷ, ㄹ

서술형 문제

11 다음 지도를 보고 물음에 답해 보자.

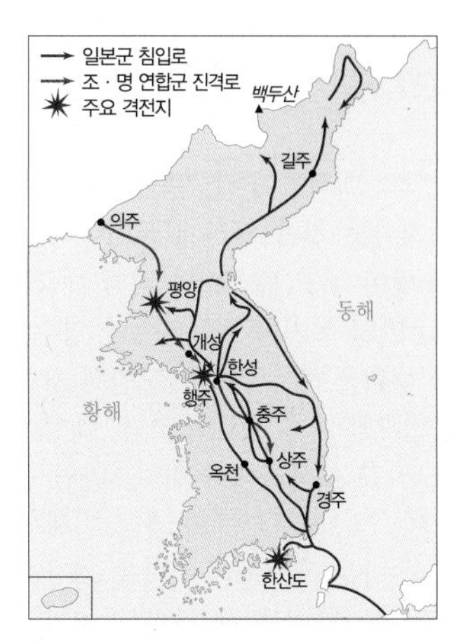

(1) 위 지도와 같이 전개된 전쟁의 이름을 써 보자.

(2) 위 전쟁이 한국, 중국, 일본에 끼친 영향을 서술해 보자.

서술형 문제

12 다음 자료를 읽고 물음에 답해 보자.

1. 여진이 와카를 취할 때 조선이 경계를 넘어와 여진을 공격하였다.
3. 조선은 여진과 원수도 아닌데 기미년 원병을 내어 명을 도왔고, 여진은 항복한 조선 관원을 석방시켰는데 사례하러 오지 않았다.
4. 여진이 요동을 점령한 후 도망간 모문룡을 체포하려 하였는데 조선이 협조하지 않았다.
7. 여진의 황제가 붕어하였을 때, 또 새로운 황제가 즉위하였을 때 사신을 보내지 않았다.

-『만문노당』-

(1) 다음 주장에 따라 시작된 전쟁을 써 보자.

(2) 위 전쟁이 조선에 끼친 영향 두 가지를 서술해 보자.

01 다음 조치들이 내려지면서 일본에서 나타난 변화로 옳은 것은?

중요

> • 지방의 백성들이 칼, 단도, 창, 조총, 기타 무기류를 소지하는 것을 엄하게 금지한다. 불필요한 도구류를 쌓아 두고 연공이나 기타 세금의 납부를 꺼리거나, 만일 봉기를 획책하거나 영주의 가신에게 불법한 행위를 하는 자들은 당연히 처벌해야 한다.
> • 작년 7월 이후 새로이 조닌, 백성이 된 자가 있으면 모두 잘 조사하여야 한다. 만일 숨겨두는 일이 있으면, 그 마을 전체의 과실로 해서 처벌할 것이다. …… 마을 백성들이 전답을 경작하지 않고, 사업에 종사하거나 삯일에 나가는 자가 있다면 본인뿐만 아니라 마을 전체를 처벌할 것이다.

① 도쿠가와 이에야스가 새로운 막부를 열었다.
② 오닌의 난 이후 지방의 다이묘가 성장하였다.
③ 하극상의 풍조가 심해져 사회가 더욱 혼란해졌다.
④ 전국 각지의 지역 정권이 다투는 센고쿠 시대가 시작되었다.
⑤ 농민의 무장이 해제되고 병농 분리의 사회 질서가 확립되었다.

02 다음 사건이 일어난 시기를 연표에서 고른 것은?

> 이 제독(이여송)이 파주에 진군하여 적군과 벽제관 남쪽에서 싸웠으나 이기지 못하였고, 개성으로 돌아와서 진을 쳤다. 처음에 평양이 수복되니 대동강 이남의 연도(沿道)에 있던 적들은 모두 도망쳐 가버렸다. 제독은 적군을 추격하고자 하여 나에게 말하기를 "대군이 지금 앞으로 진격하려 하는데, 듣건대 앞길에 군량과 마초가 없다고 하니 의정(류성룡)은 대신으로서 마땅히 국가 일을 생각해야 될 것이므로 수고를 꺼리지 말고 급히 가서 군량을 준비하여 소홀해서 잘못되는 일이 없도록 하시오."라고 하였다.
>
> –『징비록』–

임진왜란 발발		명의 원병 도착		강화 협상 시작		정유재란 시작		일본군 철수		기유 약조
	(가)		(나)		(다)		(라)		(마)	

① (가) ② (나) ③ (다) ④ (라) ⑤ (마)

03 (가), (나) 사이에 있었던 사실로 옳은 것은?

중요

> (가) 정묘년에 …… 성상께서 강화도로 거동하니, 세자가 분조를 만들어 남쪽으로 내려갔다. …… 저녁에 적군이 이미 임진강을 건넜다는 헛소문이 떠돌자, 분조의 재신들은 어찌할 바를 몰라 허둥대며 세자를 모시고 영남으로 이주하려 하였다.
> (나) 용골대와 마부대가 성 밖에 와서 왕에게 빨리 나오라고 재촉하였다. …… 용골대 등이 데리고 들어가 단 아래에 북쪽을 향해 자리를 마련하고 왕에게 나가기를 청하였다. 청의 사람을 시켜 큰 소리로 소리치게 하였다. 왕이 세 번 절하고 아홉 번 머리를 조아리는 예를 행하였다.

① 조선과 후금이 형제 관계를 맺었다.
② 조선과 일본이 기유약조를 체결하였다.
③ 이자성의 농민 반란으로 명이 멸망하였다.
④ 조선의 광해군이 명에게 지원군을 파견하였다.
⑤ 누르하치가 여진 부족을 통합하여 후금을 건국하였다.

04 지도의 상황이 나타났던 시기의 동아시아 정세에 대한 옳은 설명을 |보기|에서 고른 것은?

| 보기 |

ㄱ. 타이완의 정성공 세력이 진압되었다.
ㄴ. 명의 사무역 금지로 밀무역이 빈번하였다.
ㄷ. 포르투갈 상인에 의해 일본에 조총이 전래되었다.
ㄹ. 에도 막부가 슈인장을 발부하여 교역을 통제하였다.

① ㄱ, ㄴ ② ㄱ, ㄹ ③ ㄴ, ㄷ
④ ㄴ, ㄹ ⑤ ㄷ, ㄹ

05 밑줄 친 '나'가 실시한 정책을 |보기|에서 고른 것은?

중요

> 그가 말하기를, 한(韓)의 사자를 만나보고, 사관에게 글을 지어 다음과 같이 답하게 하였다. …… "나는 귀국의 길을 빌려 산과 바다를 건너 곧장 명으로 쳐들어가 그 4백 주를 우리의 풍속으로 바꾸게 할 것이다. ……"라고 하였다. 또, 여러 장수들을 모아놓고 말하기를 …… "나는 국가를 다스리는 일은 내부(內府)에 맡기고, 몸소 군사를 거느리고 조선으로 들어가 그 군대를 선봉으로 삼아 명으로 들어갈 것이다. 그리하여 랴오둥에서 곧장 베이징을 습격해서 그 나라를 차지하고 땅을 나누어 제군에게 나누어 줄 것이다."라고 하였다. – 『일본외사』 –

보기

ㄱ. 토지 면적의 단위와 도량형을 통일하였다.
ㄴ. 전국 규모의 토지 조사인 검지를 시행하였다.
ㄷ. 다이묘 통제를 위해 산킨코타이 제도를 실시하였다.
ㄹ. 에도 막부를 수립하고 조선과 외교 관계를 재개하였다.

① ㄱ, ㄴ ② ㄱ, ㄹ ③ ㄴ, ㄷ
④ ㄴ, ㄹ ⑤ ㄷ, ㄹ

06 다음 자료와 관련된 전쟁 중의 상황으로 옳은 것은?

> 우리나라를 도우러 온 명의 군대가 계속 전진하여 평양을 포위하였다. 이에 도원수가 이끄는 우리 군대도 가세하였다. 8일 이른 아침에 칠성·보통·함구 등 세 성문 밖에 진을 치자 적의 군대는 성 위에 흰 기와 붉은 기를 세우고 대항하였다. 잠시 후에 아군이 대포를 발사하며 일제히 공격하여 칠성문의 문루를 깨뜨리고, 또 함구문과 보통문으로 진입하자 적군이 도망쳤다.

① 후금이 정묘호란을 일으켰다.
② 조선에서 인조반정이 일어났다.
③ 명이 베트남을 침략하여 점령하였다.
④ 조선은 삼전도에서 청에 항복하였다.
⑤ 명과 일본이 강화 협상을 시작하였다.

07 밑줄 친 '전쟁'의 영향을 알아보기 위한 탐구 활동으로 적절한 것은?

> 7년간 조선에서 벌어졌던 이 전쟁에 대해 『재조번방지』에서는 "짐은 조선이 침탈당하여 수도를 빼앗기고 평양마저 점령당했다는 소식을 듣자마자 조선을 돕기 위해 군대를 모집하라고 변경의 관리들에게 명하였다."라고 하여 명의 역할을 부각하였다. 한편, 일본에서 쓰인 『관정중수제가보』에서는 다이묘들의 승리를 강조하였다.

① 일본에서 오닌의 난이 일어난 원인을 조사한다.
② 청이 정성공 세력을 진압하는 과정을 조사한다.
③ 조선 도공 이삼평의 비가 세워진 경위를 조사한다.
④ 명과 일본의 감합 무역이 중단된 배경에 대해 알아본다.
⑤ 명이 해금 정책을 시작하여 무역을 통제한 이유를 파악한다.

08 (가), (나) 국가에 대한 옳은 설명을 |보기|에서 고른 것은?

> 우리나라가 (가) 을/를 섬겨온 것이 2백여 년이다. 의리로는 임금과 신하의 관계이며 은혜로는 부모와 자식 간의 관계와 같다. 이 전쟁 때 입은 은혜를 영원히 잊을 수 없다. 선조께서 40년 동안 재위하시면서 지극한 정성으로 심지어 평생에 서쪽을 등지고 앉지도 않았다. 광해군은 배은망덕하여 천명을 두려워하지 않고 속으로 다른 뜻을 품고 (나) 에게 성의를 베풀었다. – 『인조실록』 –

보기

ㄱ. (가) – 막번 체제를 실시하였다.
ㄴ. (가) – 일조편법을 확대 시행하였다.
ㄷ. (나) – 삼번의 난을 진압하였다.
ㄹ. (나) – 일본과 감합 무역을 실시하였다.

① ㄱ, ㄴ ② ㄱ, ㄹ ③ ㄴ, ㄷ
④ ㄴ, ㄹ ⑤ ㄷ, ㄹ

심화 수능 유형 익히기

총 문항수 2 | 처음 푼 날 월 일
정답과 해설 46쪽 | 오답 푼 날 월 일

01 (가)에 들어갈 사실로 옳은 것은?

> 명의 장수 이여송이 이미 평양을 탈환한 후 왜병을 추격하여 개성에 이르렀다. 조선 군사 수만 명을 유격대로 삼아 왕성으로 보내 밤마다 사방에 불을 놓으니, 군량마저 끊어진 왜병은 더욱 겁을 내었다. 이때 누군가 이여송에게 "왜의 정예 군사는 평양 싸움에서 몰살되었으니, 지금 진격하면 반드시 승리할 것입니다."라고 말하였다. -『성호사설』-
>
> ↓
>
> (가)
>
> ↓
>
> 우리나라와 2백 년 가까이 교린을 지속해왔음에도 귀국은 임진년에 군대를 보내 전쟁을 일으켰다. …… 그러나 이제 귀국이 전쟁을 일으킨 잘못을 반성하고, 구례(舊禮)를 회복하기 위해 국교를 재개할 뜻을 보내왔다. 그렇게 된다면 양국 모두에게 복이 될 것이니 그 뜻을 받아들이기로 결정하였다.

① 후금이 정묘호란을 일으켰다.
② 조선에서 인조반정이 일어났다.
③ 명이 베트남을 침략하여 점령하였다.
④ 조선은 삼전도에서 청에 항복하였다.
⑤ 명과 일본이 강화 협상을 시작하였다.

유형 분석
글상자의 앞·뒤 사건을 모두 파악하고 그 사이 동아시아의 시대 상황을 유추하는 유형이야.

해결 비법
사료를 잘 읽어보고 어느 시기의 사료인지를 파악해야 해. 모르는 사료가 나오는 경우도 있으니 교과서에 나오는 중요 단어와 사건의 상황들을 구체적으로 기억하고 있는 게 좋아.

02 밑줄 친 '그'가 재위했을 때의 동아시아 상황으로 옳은 것은?

> 내가 비록 부덕하더라도 일국의 국모 노릇을 한 지 여러 해가 되었다. <u>그</u>는 선왕의 아들이니 나를 어미로 여기지 않을 수 없는데도 내 부모를 죽이고 품속의 어린 자식을 빼앗아 죽였으며 나를 유폐하여 곤욕을 치르게 했다. 어디 그뿐인가. 중국이 우리나라를 다시 일으켜 준 은혜를 저버리고 속으로 다른 뜻을 품고 오랑캐에게 성의를 베풀었다.

① 조선은 청과 군신 관계를 맺었다.
② 일본은 명과 감합 무역을 시작하였다.
③ 조선이 베이징에 연행사를 파견하였다.
④ 누르하치가 여진족을 통합하여 후금을 건국하였다.
⑤ 도요토미 히데요시가 센고쿠 시대의 혼란을 통일하였다.

유형 분석
글상자의 키워드나 내용을 바탕으로 사건이나 시기를 파악하고 이 시기의 동아시아의 모습을 유추하는 유형이야.

해결 비법
사료를 잘 읽어보고 그가 누구인지를 유추하는 것이 중요해. 또한, 17세기 전쟁 상황을 공부할 때 동아시아 여러 나라의 상황을 비교하면서 정리하는 게 좋아.

심화 기출 지문 활용하기

총 문항수 6	처음 푼 날 월 일
정답과 해설 47쪽	오답 푼 날 월 일

2014학년도 수능

> 일본에서 요시무네가 새로 쇼군이 된 뒤 사신을 보내왔다. 새로이 막부를 이어 받았으니 전례대로 국서를 교환하여 우호 관계를 돈독히 하자고 청하였다. 그래서 조정에서는 홍치중 등을 (가) (으)로 삼아 일본에 보내게 되었다. 숙종 44년 여름, 홍치중 등은 부산포를 떠나 대마도로 향하였다.
> – 『해유록』 –

서술형 문제

01 (가) 사절단의 명칭을 적고, 이 사절단이 일본에 끼친 영향을 서술해 보자.

수능 문제

02 (가)에 대한 설명으로 가장 적절한 것은?

① 책봉을 하기 위하여 파견된 사절이었다.
② 막부로부터 슈인장을 발급받아 활동하였다.
③ 매년 막대한 양의 은과 비단을 공물로 받아 왔다.
④ 일본이 비단 등 중국산 물자를 수입하는 중요한 창구였다.
⑤ 임진왜란 이후 일본과 국교가 재개되면서 여러 차례 파견되었다.

활용 문제

03 (가) 사절단이 파견된 시기 조선의 상황으로 옳지 않은 것은?

① 원으로부터 성리학을 수용하였다.
② 명의 멸망으로 조선 중화 의식이 등장하였다.
③ 공납 제도를 개편한 대동법을 확대 시행하였다.
④ 집권 정당이 일시에 교체되는 환국이 발생하였다.
⑤ 붕당 정치의 문제점을 해결하기 위해 탕평책을 실시하였다.

2017학년도 6월 평가원

> 우리나라를 도우러 온 (가) 의 군대가 계속 전진하여 평양을 포위하였다. 이에 도원수가 이끄는 우리 군대도 가세하였다. 8일 이른 아침에 칠성·보통·함구 등 세 성문 밖에 진을 치자 적의 군대는 성 위에 흰 기와 붉은 기를 세우고 대항하였다. 잠시 후에 아군이 대포를 발사하며 일제히 공격하여 칠성문의 문루를 깨뜨리고, 또 함구문과 보통문으로 진입하자 적군이 도망쳤다.

서술형 문제

04 (가)의 국가명을 적고, (가) 나라가 우리나라를 도우러 온 이유에 대해 써 보자.

수능 문제

05 위 자료에 나타난 시기의 (가) 국가에 대한 설명으로 옳은 것은?

① 금과 남송을 멸망시켰다.
② 농민에게 균전을 지급하였다.
③ 일조편법을 통해 조세를 징수하였다.
④ 팔기제를 완성하여 군사력을 강화하였다.
⑤ 무기 몰수령을 내려 무사와 농민의 신분을 구분하였다.

활용 문제

06 위 자료와 관련된 전쟁 중의 상황으로 옳은 것은?

① 조선은 남한산성을 근거로 항전하였다.
② 벽제관 전투 이후 교착 상태에 빠졌다.
③ 도요토미 히데요시가 센고쿠 시대를 통일하였다.
④ 누르하치가 부족을 통합하고 후금을 건국하였다.
⑤ 광해군이 강홍립에게 직접적인 대결을 피하라고 지시하였다.

주제 8

교역망의 발달과 은 유통

주제 흐름 읽기

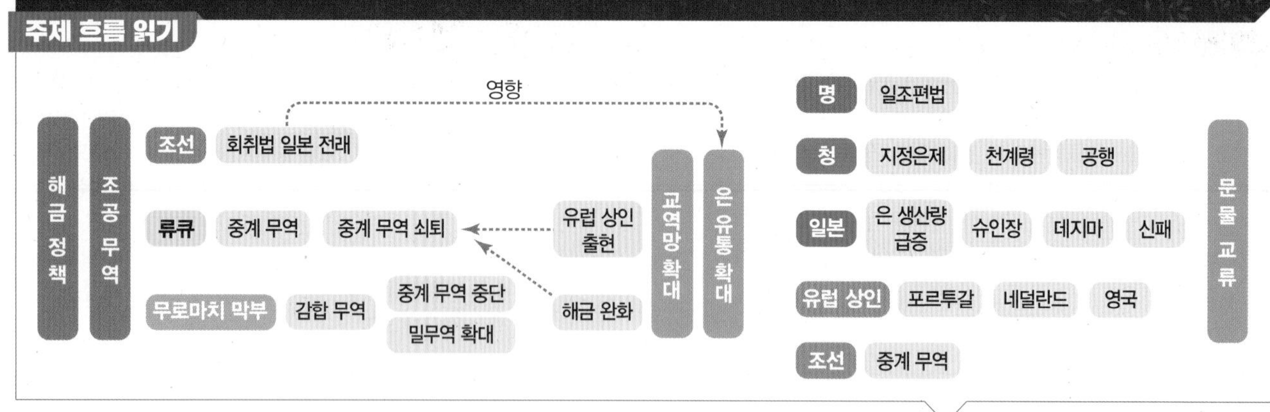

1 동아시아 각국의 교역 관계

1. 명의 해금 정책과 동아시아 교역

명의 해금 정책은 동아시아 교역 관계에 어떤 영향을 미쳤을까요?

(1) 해금 정책 — 언제? 명은 건국 초부터 해금 정책을 추진하였어.

목적	• 반명 세력과 결탁할 가능성이 있는 해적 집단을 단속 • 조공·책봉 체제로 황제의 통치권 강화
실시	• 사무역을 금지하고 조공의 형태로만 무역 전개 • 조공 무역 확대를 위해 영락제 때 환관 정화 파견

(2) 조공 무역

방식	• 조선, 류큐, 무로마치 막부, 대월 등의 공물과 명의 답례품을 교환
류큐	• 16세기 중반까지 중계 무역으로 류큐의 수도 나하 번성 자료 1
무로마치 막부	• 부족한 재원 마련을 위해 왜구 근절을 약속하고 감합 무역❶ 전개 자료 2

언제? 무로마치 막부의 3대 쇼군이었던 아시카가 요시미쓰 때의 일이야.

(3) 사무역

과정	• 명과 일본을 비롯한 다른 국가 상인 간 밀무역 확대 → 명의 단속 강화 → 왜구 성장 → 사무역 허용(1567)
영향	• 명·일 상인이 규슈·동남아시아 등지에서 일본산 은과 중국산 생사를 거래 • 류큐의 중계 무역은 쇠퇴, 조선은 명과 일본의 중계 무역으로 이익

왜? 해금 정책이 완화되고 포르투갈 상인이 나타났어.

2. 동아시아 교역망의 활성화와 각국의 규제

동아시아 교역망은 어떻게 활성화되었고 이에 각국은 어떻게 대처하였을까요?

(1) 조선 임진왜란 이후 일본과 국교 재개, 왜관(동래)❷을 복구하여 공·사무역 진행

(2) 에도 막부

슈인장 무역	• 슈인장❸을 발급받은 상인에게만 대외 무역을 허가하여 재정 확보
크리스트교 금지령	• 포르투갈 상인을 추방하고 크리스트교를 포교하지 않는 네덜란드 상인과 중국 상인만 허용

❶ 감합 무역
명과 무로마치 막부 사이에 이루어진 일종의 통제 무역으로 '감합'은 무역 허가증이다. 감합 무역은 명과 일본 사이에 주로 이루어졌고, 일본의 배가 명의 항구에 들어갈 때 반드시 감합을 제출해야 했다. 사신의 체재비와 기타 경비를 명이 부담하는 교역이었으므로, 막부에 큰 이익을 안겨 주었다.

❷ 동래 왜관
임진왜란 이후 왜관이 복구되어 양국 간 외교와 무역의 중심지 역할을 하였다. 왜관은 일본이 비단과 생사 등 중국산 물자를 수입하는 중요한 통로였다. 이 때문에 일본이 은 수출을 금지한 이후에도 왜관만은 예외가 되었다. 17세기 중반 이후에는 조선 인삼이 왜관을 통해 일본으로 활발히 수출되었다.

❸ 슈인장
17세기 초 에도 막부가 발급한 쇼군의 붉은 도장(주인, 朱印)을 찍은 해외 무역 허가증이다. 이를 발급하여 에도 막부는 무역을 통제하였고 동시에 큰 이익을 얻었다. 또한 일본 무역선의 신용을 높이는 기능을 하기도 하였다.

자료 1 **류큐의 중계 무역**

그 땅에서는 유황이 산출되는데, 1년 만이면 다시 구덩이가 차 아무리 파내어도 한이 없다. 해마다 중국에 사신을 보내고 유황 6만 근과 말 40필을 바친다. …… 해상 무역을 업으로 삼는다. 서쪽으로는 남만과 중국에 교통하고, 동쪽으로는 일본과 우리나라에 교통한다. 일본과 남만의 상선이 국도와 해변 포구에 모이므로, 백성들이 포구에 술집을 설치하여 서로 교역한다. -『해동제국기』-

밑줄 친 중계 무역을 할 수 있었던 이유는 무엇이었을까?

15세기 초 중산 왕국이 류큐 본토를 통일한 이후 류큐는 중국, 일본, 조선 상인과 동남아시아 상인들이 모여 활발히 교역을 벌이는 국제도시가 되었어. 특히 15~16세기 명이 자국 상인들의 해외 진출을 금지하였던 상황에서, 류큐 상인들은 명에 조공하고 얻은 도자기, 생사 등을 일본과 동남아시아의 여러 국가에 팔거나, 반대로 여러 국가의 특산물을 명과 조선에 팔아 이득을 남겼지.

류큐의 중계 무역은 이후 어떻게 되었을까?

명의 해금 정책이 완화되자 사무역이 활성화되어 명 상인이 직접 일본 규슈에서 중국산 생사와 일본산 은 등을 교역했어. 일본 상인들은 여전히 명에서 무역할 수 없었기 때문에 규슈 또는 동남아시아 등지에서 명 상인들과 거래했어. 16세기 중엽 포르투갈 상인들이 나타났지. 이런 상황에서 류큐의 중계 무역은 서서히 쇠퇴했어.

뜯어보기 포인트

명의 조공 무역, 해금 정책과 류큐의 중계 무역이 연관 있음을 기억하자.

Q1 류큐의 중계 무역에 관한 설명으로 옳은 것을 모두 선택해 보자.

㉠ 명과 조공 무역을 하였다.
㉡ 유럽 상인들과 공행을 통해 교역하였다.
㉢ 류큐의 수도 나하는 국제 교역으로 번창하였다.
㉣ 슈인장을 발급받은 상인에게만 무역을 허용하였다.
㉤ 에스파냐 상인에 의해 갈레온 무역의 중심지로 성장하였다.

자료 2 **감합 무역의 성립**

"제(요시미쓰)가 대명국의 황제 폐하에게 국서를 올립니다. 일본은 국가가 시작된 이후 귀국에 인사 사절을 보내지 않은 적이 없었습니다. 저는 다행히도 국정을 관장하여 국내의 평화를 보호하고 있습니다. 옛 방식에 따라 고이즈미(상인)를 소아(승려)와 동행시켜 일본의 토산물을 진상합니다." …… "짐(명의 영락제)이 대위를 계승한 뒤로 너희 오랑캐의 군장들 중 조공하러 오는 자가 수백을 헤아린다. 적어도 대의에 따르고 있다면 모두 예로써 이를 받아들여야 한다고 생각한다. 이에 너희 일본 국왕 미나모토노 도기(요시미쓰)가 (명의) 황실에 마음을 두어 황제를 사랑하는 정성을 품고, 거친 파도가 있는 바다를 건너 사신을 파견하여 내조하고, 표류민을 돌려보내니 …… 짐이 매우 기쁘다."

-『선린국보기』-

무로마치 막부가 명에 조공한 이유는 무엇이었을까?

무로마치 막부는 모자란 재원을 조달하기 위해 명에게 왜구 근절을 약속하고 국교를 재개하였어. 15세기 초 요시미쓰는 명의 황제로부터 일본 국왕이라는 책봉을 받고 감합 무역을 시작했지. 감합 무역은 사신의 체재비와 기타 경비를 명이 부담하는 교역이었기 때문에 막부에게 큰 이익이 되었어.

명과 무로마치 막부의 교역은 이후 어떻게 되었을까?

16세기 초 무역권을 독점하기 위해 경쟁하던 일본의 두 상인 집단이 명의 항구 닝보에서 폭동을 일으켜 감합 무역을 금지당하였어. 오닌의 난 이후 무로마치 막부가 쇠퇴하자 명의 동남해안에서 왜구가 기승을 부렸지.

뜯어보기 포인트

감합 무역이 명과 무로마치 막부에 어떤 영향을 미쳤는지 기억하자.

Q2 감합 무역에 대한 설명으로 옳은 것을 모두 선택해 보자.

㉠ 공행에 의해 통제되었다.
㉡ 조공 무역의 한 형태이다.
㉢ 닝보의 난으로 중단되었다.
㉣ 천계령 실시 이후 재개되었다.
㉤ 명은 슈인장을 발급하여 무역을 통제하였다.

답 Q1 ㉠, ㉢ / Q2 ㉡, ㉢

(3) 청

① 천계령(1661)

누가? 명의 부흥 운동을 전개한 인물이야.

㉠ 타이완의 정성공을 비롯한 반청 세력 때문에 해외 출항 금지

㉡ 삼번의 난 진압, 정씨 세력 항복 후 해제하고 출항 허용

② 해금 정책 폐지(1684)

㉠ 청 상인이 나가사키에서 일본과 교역 → 일본의 은 유출 증가

㉡ 에도 막부에서 은 유출 방지를 위해 신패❶ 발급

2 유럽의 진출과 교역망의 확대

1. 유럽의 동아시아 진출과 은 유통의 확산

유럽 상인의 진출과 은 유통의 확산은 동아시아에 어떤 영향을 주었을까요?

(1) 유럽 상인의 동남아시아 진출

배경	• 유럽 상인이 향신료 무역으로 이익을 얻기 위해 동남아시아 진출
무역 물품	• 중국의 비단·차·도자기, 일본의 도자기·은, 아메리카의 은
포르투갈	• 16세기 중엽에 믈라카, 호이안, 마카오를 거쳐 나가사키까지 진출 • 일본과 교역하여 얻은 일본산 은으로 동아시아 물품들을 유럽에 수출
에스파냐	• 마닐라에 교역 거점을 마련하여 멕시코산 은으로 갈레온 무역❷
네덜란드	• 바타비아를 거점으로 포르투갈에 이어 동남·동아시아 무역 주도

(2) 은 유통의 확산과 영향

명	• 막대한 양의 은 유입으로 일조편법❸이 전국으로 확대 시행 • 상품 작물 재배 활발, 상공업 발달 촉진
청	• 인두세를 지세에 포함하여 은으로 징수하는 지정은제 시행
조선 자료 3	• 16세기 초 은 유통 부진 → 16세기 말 은 유통 활발 → 17세기 후반 청과 일본의 직접 교역으로 중개 역할 비중 감소
일본	• 16세기 이후 회취법❹과 이와미 은광 개발로 은 생산량 급증 자료 4 • 16세기 말 다이묘들의 경쟁적 개발로 일본의 은 생산량 최고조 • 은의 길(일본~조선~랴오둥~베이징)을 통해 중국의 비단·생사와 조선의 인삼 유입 • 17세기 이후 은 생산량 감소 → 은화의 순도를 낮추는 정책, 새 은광 탐색, 무역량 제한 등으로 만회

2. 동아시아와 유럽의 문물 교류

세계 각지에서 동아시아에 어떤 문물이 전파되었을까요?

(1) **작물 전파** 아메리카에서 고추, 감자, 고구마, 옥수수, 담배 등 전파

(2) 명

어떻게? 원만한 포교를 위해 중국의 예절을 배우고 중국식 복장을 하였어.

마테오 리치	• 16세기 말 유교 소양을 익혀 서양 문물 전파 • 「곤여만국전도」, 『천주실의』 저술, 서광계와 함께 『기하원본』 번역
아담 샬	• 서양의 역법과 조총 제작법 소개
서광계	• 선교사와 교류하며 실용 학문 발달에 기여

❶ 신패
에도 막부가 청 상선의 수를 제한하기 위해 발행하였던 나가사키 입항 허가증으로, 입항 예정 연도와 무역 허용량을 미리 정하였다. 에도 막부는 천계령 해제 이후 늘어난 청 무역선으로 인한 은 유출을 막기 위해 신패를 발급하였다.

❷ 갈레온 무역
16세기에 에스파냐가 무장을 갖춘 대형 범선을 이용한 무역 형태이다. 에스파냐는 멕시코의 아카풀코에서 은을 싣고 필리핀에서 중국의 비단, 도자기와 교환하였다. 이후 멕시코에서 중국의 비단과 도자기를 은으로 교환한 태평양 무역이다.

❸ 일조편법
장거정의 주도로 실시된 수취 제도로, 잡다하게 부과되던 부역과 조세의 세목들을 각각 하나로 통합하였다. 납세자의 토지 소유 면적과 성인 남자 수에 따라 결정된 세액을 은으로 납부하게 하였다.

왜? 임진왜란 때 명이 은을 들여오고 중국과 일본 사이에서 은 유통의 중개 역할을 했기 때문이야.

어디서? 일본 혼슈 시마네현 오다시 해발 600m 산지에 있는 은광이야.

❹ 회취법
연은 분리법이라도 불리며, 무쇠 화로나 냄비 안에 재를 두르고 은광석을 채운 다음, 깨진 질그릇으로 사방을 덮고 숯불을 피워 녹여내는 것으로, 당시로는 최첨단의 제련술이었다. 그러나 조선에서는 이 기술의 가치를 제대로 주목하지 않았다. 16세기 중엽에 일본 상인들이 조선 장인을 초빙하여 회취법을 일본에 도입하였다. 이에 따라 이와미 은광을 비롯하여 일본 각지에서 은광 개발이 활발해지면서 은 생산량이 늘어나게 되었다.

자료 3 조선의 은 유통

호조가 아뢰기를 "…… 근래 와서 술과 고기, 두포*, 소금·간장, 시초* 등의 소소한 값들은 모두 은을 사용하고 있는데, 나라의 백성들이 오히려 그 덕으로 생계를 꾸려 간다고 합니다. 명군을 상대로 장사할 때 처음 시도하였는데, 오래 시행하고 나서는 습속이 되어 술을 팔고 땔감 파는 사람들이 물건을 살 사람을 만나면 반드시 먼저 은이 있는지 물어본다고 합니다. 그렇게 하는 것이 이익이 있기 때문입니다. ……"라고 하였다.

– 『선조실록』 –

*두포 콩으로 만든 음식의 하나이다. *시초 땔나무로 쓰이는 풀이다.

뜯어보기 포인트
동아시아의 은 유통과 조선의 은 유통 사이의 관련성을 기억하자.

조선에서 은 유통이 활발해진 이유는 무엇일까?

16세기 이후 명, 일본과의 교역이 활성화되면서 활발해졌어. 단천 등지의 은광 개발이 활발해졌고, 일부 대상인들이 일본 은을 명으로 가져가 비단과 사치품 등을 사오는 중계 무역을 벌였어. 임진왜란을 계기로 명군의 봉급이나 군량 매입 자금 등으로 명의 은이 상당량 유입되어 조선 농민과 소상인들도 은을 이용한 거래에 익숙해지기 시작했지.

조선에서는 은이 화폐처럼 사용되었을까?

조선에 들어온 은은 대부분 일본산 은이었는데 청의 물자를 수입하는 대금으로 이용되었어. 18세기 이후 상업화와 도시화가 진전되면서 상평통보 등 동전을 사용하게 되었는데, 이에 따라 국내 거래와 소액 거래에는 동전이 주로 사용되고 대외 무역과 고액 거래에는 은을 사용하는 이원적인 구조가 만들어졌지.

Q3 조선의 은 유통에 대한 설명으로 옳은 것을 모두 선택해 보자.

㉠ 조선을 통과하는 은의 길이 형성되었다.
㉡ 은 유출을 막기 위해 신패를 발급하였다.
㉢ 은의 유입이 늘어나자 일조편법을 실시하였다.
㉣ 중국산 사치품을 수입하는 데 은을 사용하였다.
㉤ 임진왜란 이후 명군의 은 사용으로 은의 유통이 활발해졌다.

자료 4 회취법(연은 분리법)

사헌부가 아뢰기를, "유서종이 산산에 지어놓은 정자에 서울 상인 홍업동 등이 상인들의 물품과 재화를 쌓아 두었다가 경차관*에게 발각되어 잡혔는데, 정자를 지키던 종은 도망가서 나타나지 않습니다. …… 서종이 범한 죄는 여기에 그치지 않고, 왜노(倭奴)와 사사로이 통해서 연철(鉛鐵)을 많이 사다가 자기 집에서 불려 은(銀)으로 만드는가 하면 <u>왜노에게 그 방법을 전습</u>하였으니, 그 죄가 막중합니다. 철저히 조사하여 법대로 죄를 정하소서."라고 하였다.

– 『중종실록』 –

*경차관 특수 임무를 맡은 관직이다.

뜯어보기 포인트
회취법의 전래가 일본에 미친 영향을 기억하자.

밑줄 친 왜노에게 전습한 방법은 무엇일까?

은을 제련하는 방법으로 연산군 때 개발된 회취법이야. 무쇠 화로 안에 재를 두르고 은광석을 채운 다음, 깨진 질그릇을 사방에 덮고 숯불을 피워 녹이는 신기술을 통해 아연 산지였던 단천은 조선 제일의 은광으로 발전하게 되었어.

회취법이 전래된 이후 일본에서는 어떤 변화가 일어났을까?

1533년 일본 후쿠오카의 상인에 의해 조선의 기술자들이 초빙되어 이와미 은 광산에 회취법이 도입되자, 일본의 은 생산량은 비약적으로 늘었어. 도요토미 히데요시는 일본을 통일한 이후 이와미 광산을 막부의 직할령으로 두고 막대한 은을 생산하기 시작하였는데, 이곳에서 생산된 은은 네덜란드와 포르투갈 등으로부터 최신 화포와 조총을 구입하는 데 쓰였어. 이는 임진왜란의 기반이 되었지.

Q4 회취법에 대한 설명으로 옳은 것을 모두 선택해 보자.

㉠ 조선에서 연산군 때 개발되었다.
㉡ 일본에 전래된 후 은 생산량이 급증하였다.
㉢ 조선에서 일조편법을 시행하는 계기가 되었다.
㉣ 도입 후 포르투갈 상인이 조선에 진출하였다.
㉤ 도입 후 조선이 갈레온 무역의 중심지가 되었다.

답 Q3 ㉠, ㉣, ㉤ / Q4 ㉠, ㉡

(3) 청

아담 샬	• 서양 역법에 기초한 『시헌력』[1] 제작에 기여
부베	• 「황여전람도」라는 전국 지도를 제작하는 데 참여
카스틸리오네	• 서양화 기법 소개 • 원명원 설계에 기여
유럽	• 중국 문화에 대한 관심 고조, 차 마시는 문화 유행 • 18세기 이후 전례 문제[2]로 선교사들을 추방하여 문화 교류 중단

어디서? 중국 베이징에 있는 청 대의 황실 정원이야. 서양의 건축 양식이 활용되어 지어졌지.

(4) 조선

경로	• 17세기 중국과 교류하는 과정에서 서양의 과학 지식 수용
역법	• 청을 통해 『시헌력』을 수용하여 조선의 역법으로 사용
지리	• 「곤여만국전도」와 『직방외기』 등 서양의 세계 지도와 지리서 수용 • 홍대용, 이익 등의 실학자들이 지구가 둥글다고 인식 자료 5

(5) 일본

경로	• 17세기 중반 나가사키를 통해 네덜란드와 교류
영향	• 서양의 과학과 문물을 연구하는 난학(란가쿠)[3] 발달 • 일본의 우키요에가 유럽의 인상파 화가들에게 영향

누가? 고흐가 대표적이야. 자신의 그림에 우키요에를 삽입하기도 하였어.

3. 동아시아의 제한 무역과 유럽의 대응

동아시아 삼국은 무역 확대에 어떻게 대처하였을까요?

(1) **조선** 왜관을 통해 일본과 제한된 교역만 허용

(2) **일본**

① 히라도 상관

㉠ 나가사키에 설치하여 포르투갈 · 영국 · 네덜란드 등과 무역

㉡ 크리스트교 금지령 이후 중국과 네덜란드에만 무역 허용

왜? 포르투갈인이 크리스트교를 전래했기 때문이야.

② 데지마[4]: 네덜란드 상관을 이전 설치하여 일본인과의 접촉 제한

(3) **청**

① 공행 무역: 유럽 상인에게 광저우에 설치한 공행을 통한 무역만 허용 자료 6

무엇을? 대외 무역을 담당한 특허 상인 조합이야.

② 영국과 청의 무역

㉠ 무역 형태: 청에 목화 · 모직물을 수출, 비단 · 차 · 도자기 등을 수입

㉡ 무역 적자 증가: 중국산 차 수입 증가로 무역 적자 증가 → 매카트니를 파견하여 청에 자유로운 무역 허용 요구 → 자국 물품이 풍부하다며 청이 거절

㉢ 영국의 대응: 인도산 아편을 중국에 밀수출하고 그 대가로 얻은 은으로 중국산 차 수입 → 청의 무역 적자 증가

㉣ 청의 대응: 관리를 보내 아편 밀수 단속 → 제한된 교역 체계를 문제 삼으며 영국이 반발 → 아편 전쟁 발발

---

❶ 시헌력
아담 샬이 중심이 되어 만든 역법으로, 태음력에 태양력의 원리를 적용하여 24절기와 하루의 시간을 정밀하게 계산하였다.

❷ 전례 문제
크리스트교 포교 과정에서 중국 전례(공자 · 조상 제사 등)의 인정 여부를 두고 일어난 수도회들 간의 논쟁을 말한다. 이후 청 조정과 예수회의 선교 방침을 비판한 교황청의 대립으로까지 확대되었다.

❸ 난학(란가쿠)
일본에서는 네덜란드를 뜻하는 홀랜드(Holland)를 '오란다(和蘭)'라고 하였는데, 난학이란 '오란다에서 들어온 서양 학문'이라는 의미이다.

❹ 데지마
데지마는 막부가 1636년 완성한 인공 섬이다. 1639년 쇄국령을 내려 포르투갈인을 추방한 막부는 1641년 이곳에 네덜란드 상인의 거주를 허용하였다. 약 4천 평에 달하는 이 섬에는 상관과 거주지, 관리인의 건물 등이 배치되었다. 이곳은 육지와 격리되어 관리인과 기녀 이외에는 출입할 수 없었고, 네덜란드인이 육지로 나가는 것 또한 허용되지 않았다.

자료 5 **홍대용의 천문 인식**

> 심하다. 너의 둔함이여! 모든 물(物)의 형체가 다 둥글고 모난 것이 없는데 하물며 땅이랴! 달이 해를 가릴 때는 일식이 되는데 가려진 모양이 반드시 둥근 것은 달의 모양이 둥글기 때문이며, 땅이 해를 가릴 때 월식이 되는데 가려진 모양이 또한 둥근 것은 땅의 모양이 둥글기 때문이다.
>
> – 홍대용, 『의산문답』 –

뜯어보기 포인트
동서 간 문물 교류가 활발해지면서 조선에 준 영향을 살펴보자.

홍대용이 지구의 모양이 둥글다고 주장하게 된 배경은 무엇일까?

홍대용은 1766년 흠천감(중국 명 · 청 시대에 천문과 역법, 시각 측정 등에 관한 일을 맡아 보던 관서) 관리로 있던 할러스타인 등을 만났어. 그리고 베이징의 관상대를 방문하여 천문 관측 기구를 살펴보았지. 이 경험으로 홍대용은 지구가 둥글고 지구가 하루에 한 번씩 자전하여 낮과 밤이 생긴다는 지전설을 주장하게 되었어.

조선에 영향을 준 과학 기술은 또 무엇이 있을까?

아담 샬이 개정한 역법이 조선판 『시헌력』으로 제작되어 사용되었어. 17세기 후반에 천체 관측 기구인 혼천의와 서양식 자명종을 결합한 혼천 시계가 제작되기도 했지. 또한 정약용이 거중기를 만든 것도 명에서 활약한 선교사인 테렌즈가 지은 『기기도설』의 유입 덕분이었어.

Q5 조선에 영향을 준 서양의 과학 기술로 옳은 것을 모두 선택해 보자.

㉠ 조선에서 난학이 유행하였다.
㉡ 청의 역법인 『시헌력』을 수용하였다.
㉢ 「곤여만국전도」가 유입되어 제작되었다.
㉣ 네덜란드 의학 서적을 번역한 『해체신서』가 발간되었다.
㉤ 전례 문제가 발생하여 서양 과학 기술 유입이 중단되었다.

자료 6 **건륭제가 영국 왕에게 보낸 서신**

> 청의 건륭제는 영국 조지 3세의 사절인 매카트니에게 …… "영국인만 광저우에서 무역하는 것은 아니다. …… 우리 제국의 생산물은 다양하고 풍부하여 다른 나라의 상품이 없어도 살아가는 데 지장이 없다. 특히 중국은 차, 도자기, 비단 그리고 다른 재료들이 풍부하다. 이런 물건들은 너희 나라와 다른 유럽 국가들에서 수요가 많다. 너희에게 관용을 베푸는 차원에서, 짐은 다양한 상품을 저장할 수 있는 공적인 창고를 광저우에 개설하도록 지시하였다."
>
> – 윌리엄 T. 로, 『하버드 중국사 청: 중국 최후의 제국』 –

뜯어보기 포인트
청의 제한 무역과 이에 따른 영국의 대응을 파악하자.

건륭제가 밑줄 친 대답을 한 이유는 무엇일까?

18세기 중엽 영국은 청에 목화, 모직물 등을 팔고 비단, 차, 도자기 등을 수입해 갔어. 그런데 영국은 산업 혁명 이후 국내의 차 수요가 늘어나 막대한 양의 은을 지불하고 중국에서 차를 수입했지만 중국으로의 수출은 부진했지. 이로 인해 영국의 무역 적자 규모가 계속 커지자 영국은 사절인 매카트니를 파견하여 무역 기간, 거래 장소, 교역품 등을 자유롭게 허용해 달라고 요구하였거든. 그 요구에 대해 건륭제는 중국은 다른 국가의 상품이 없어도 살아가는 데 지장이 없다고 거부했어.

영국은 대청 무역 적자를 어떻게 극복했을까?

영국은 불리한 무역 구조를 개선하고 은을 충당하기 위해 모직물이 아닌 아편을 수출 대체품으로 삼았어. 은이 영국으로 대량 유출되면서 청의 국가 재정은 어려워졌고, 청 국민들의 아편 중독으로 인한 폐해도 심각해졌지.

Q6 청과 영국의 무역에 대한 설명으로 옳은 것을 모두 선택해 보자.

㉠ 영국은 청에게 조총을 전해주었다.
㉡ 영국은 인도산 아편을 청에 수출하였다.
㉢ 청은 목화와 모직물을 영국에 수출하였다.
㉣ 광저우의 공행을 통해 무역을 진행하였다.
㉤ 영국이 자유로운 무역을 요구하자 청은 해금 정책을 실시하였다.

답 Q5 ㉡, ㉢ / Q6 ㉡, ㉣

정답과 해설 ▸ 47쪽

01 서로 관련 있는 내용끼리 연결해 보자.

a. 명 •　　　　• ㄱ. 은 유출을 막기 위해 신패 발급

b. 청 •　　　　• ㄴ. 은으로 세금을 징수하는 지정은제 시행

c. 에도 막부 •　　　　• ㄷ. 일조편법을 전국으로 확대 시행

02 아래 설명이 맞으면 ○표, 틀리면 ×표를 해 보자.

(1) 명은 건국 초부터 해금 정책을 펴 조공 무역을 허용하고 사무역을 통제하였다. (　　)

(2) 명의 해금 정책으로 에도 막부는 16세기 중반까지 중계 무역으로 번성하였다. (　　)

(3) 에도 막부는 크리스트교 포교에 나서지 않은 포르투갈 상인과 중국 상인만 나가사키에서 교역하도록 허용하였다. (　　)

(4) 천계령 철회 이후 명의 상인은 에도 막부가 허용한 나가사키에 출입하며 교역하였다. (　　)

(5) 조선에서는 농민과 소상인들은 명군과 접촉하면서 은 사용에 익숙해졌다. (　　)

03 빈칸에 알맞은 말을 채워 보자.

(1) 일본의 은 생산량은 이와미 은광이 개발되고 조선에서 (　　　　)이/가 도입되면서 급증하였다.

(2) 청은 인두세를 지세에 포함하여 은으로 징수하는 (　　　　)을/를 시행하였다.

(3) 에스파냐는 멕시코산 은으로 (　　　　) 무역을 하며 동아시아 물품들을 유럽에 수출하였다.

(4) 에도 막부는 은 유출을 막고자 (　　　　)을/를 발급하여 선박 수와 무역량을 제한하였다.

(5) 무로마치 막부는 명의 왜구 근절 요구를 수용하여 책봉을 받고 (　　　　)을/를 하였다.

04 16, 17세기 유럽 상인들이 중계 무역 중심지로 이용했던 항구들을 |보기|에서 골라 보자.

| 보기 |

에도, 요코하마, 믈라카, 다롄, 마카오, 나가사키, 부산, 마닐라, 아카풀코, 바타비아, 인천

05 |보기|의 사건들을 일어난 순서대로 나열해 보자.

| 보기 |

ㄱ. 명의 사무역 허용　　ㄴ. 명의 해금 정책 실시
ㄷ. 청의 천계령 선포　　ㄹ. 청의 공행 무역 실시

06 다음 설명과 관련된 상인조합의 이름을 적어 보자.

광둥 무역 체제에서 대외 무역을 담당한 특허 상인 조합으로 청 정부의 허가를 받고 차와 비단 등 수출품과 목화와 모직물 등 수입품을 독점하였다. 또한 정부를 대신하여 유럽 상인들에게 관세를 부과하거나 행동을 감시하였지만, 난징 조약으로 폐지되었다.

07 아래 표를 완성해 보자.

포르투갈 상인	• 16세기 중엽 중국의 (　　　　)을/를 거쳐 나가사키에 진출함
에스파냐 상인	• 마닐라에 기지를 건설하고 (　　　　) 무역을 진행함
(　　　　) 상인	• 바타비아를 거점으로 동남 · 동아시아 무역 주도
(　　　　) 상인	• 동인도 회사를 설립하고 인도산 아편을 청에 수출함

총 문항수 12	처음 푼 날 월 일
정답과 해설 47쪽	오답 푼 날 월 일

01 밑줄 친 '이 원정'의 결과로 옳은 것은?

빈출

> 명의 영락제는 7회에 걸쳐 이슬람 교도인 환관 정화에게 남해를 원정하게 하였다. 이 원정에서 정화는 동남아시아와 인도까지 진출하였고, 일부 함대는 아프리카 동해안까지 이르렀다. 이를 계기로 중국과 이슬람 세계 간에 도자기, 염료의 교류가 활발히 이루어졌으며, 중국인들의 동남아시아 진출을 자극하여 화교 사회가 형성되는 데 큰 영향을 끼쳤다.

① 일본과의 감합 무역이 중단되었다.
② 중국 중심의 조공 질서가 확대되었다.
③ 중국 동남부 해안에서 왜구의 밀무역이 위축되었다.
④ 유럽 상인이 중국에 진출하여 공행 무역을 진행하였다.
⑤ 광저우 등 중국 동남 해안 도시가 무역항으로 성장하였다.

02 (가)에 대한 옳은 설명을 |보기|에서 고른 것은?

> 바다는 푸젠 사람들에게 밭이나 마찬가지입니다. …… 가난한 자들은 생계를 위해 항상 무리 지어 바다로 나갑니다. (가) 이/가 엄격해지면 식량을 구할 길이 없어서 해안을 약탈할 수밖에 없습니다. 연해민들은 가만히 앉은 채 속수무책으로 모든 재산을 빼앗깁니다. 아들과 딸은 물론이고 은과 모든 세간을 빼앗기니 피해가 날로 극심합니다.
>
> -『천하군국이병서』-

보기

ㄱ. 공행이 무역을 통제하였다.
ㄴ. 신패를 발급받은 선박만 교역하였다.
ㄷ. 사무역을 통제하고 조공 무역을 허용하였다.
ㄹ. 반명 세력과 결탁할 수 있는 해적 집단 단속을 위해 실시하였다.

① ㄱ, ㄴ ② ㄱ, ㄹ ③ ㄴ, ㄷ
④ ㄴ, ㄹ ⑤ ㄷ, ㄹ

03 류큐에 대한 설명으로 옳은 것은?

① 왜관을 통해 조선과 교류하였다.
② 명 상인의 해외 진출로 쇠퇴하였다.
③ 정성공 세력의 근거지로 반청 운동이 전개되었다.
④ 나가사키를 개항하여 네덜란드와의 무역 중심지로 삼았다.
⑤ 에스파냐가 진출하면서 갈레온 무역의 중심지로 부상하였다.

04 다음 상황이 나타나던 시기의 동아시아 경제 상황을 |보기|에서 고른 것은?

빈출

보기

ㄱ. 류큐는 명과 일본 사이에서 중계 무역을 실시하였다.
ㄴ. 일본은 은의 유출을 막기 위해 구리로 수출품을 바꾸었다.
ㄷ. 조선은 명과 조공 무역을 통해 인삼, 종이 등을 수출하였다.
ㄹ. 유럽 상인들이 판매하는 아편이 중국에 대량으로 유입되었다.

① ㄱ, ㄴ ② ㄱ, ㄷ ③ ㄴ, ㄷ
④ ㄴ, ㄹ ⑤ ㄷ, ㄹ

05 (가) 국가에 대한 설명으로 옳은 것은?

남만병풍의 배기바지를 입은 사람들은 (가) 에서 온 사람들이다. 이들은 조총을 일본에 전해주었다. 하지만 크리스트교가 민중 봉기 세력과 연결되자 에도 막부는 (가) 인들을 몰아냈다.

① 청에 인도산 목화를 수출하였다.
② 에도 막부로부터 신패를 발급받았다.
③ 일본에 명의 생사와 비단을 수출하였다.
④ 필리핀 마닐라에 무역 기지를 건설하였다.
⑤ 17세기 중엽 이후 동아시아 교역의 주역이었다.

06 에도 막부가 슈인장을 발행한 배경으로 옳은 것은?

① 명이 감합 무역을 중단하였다.
② 일본에 크리스트교가 유입되었다.
③ 일본인들의 해외 진출이 활발해졌다.
④ 조선과 에도 막부가 무역을 재개하였다.
⑤ 포르투갈 상인이 나가사키에 진출하였다.

07 빈출 밑줄 친 내용이 중국에 미친 영향으로 옳지 않은 것은?

16세기 이후 은이 국제 통화로서 활발하게 유통되었다. 중국은 외국 은이 모이는 집결지가 되어, 해마다 많은 양의 은이 중국에 유입되었다. 이로 인해 중국에서는 은의 유통이 활발해지고, 본격적인 은 경제 시대가 시작되었다.

① 상공업의 발달이 촉진되었다.
② 일본과 조공 무역을 시작하였다.
③ 농민들의 상품 작물 재배가 촉진되었다.
④ 일조편법이 전국적으로 확대 시행되었다.
⑤ 인두세를 지세에 포함하는 지정은제가 시행되었다.

08 빈출 (가)에 들어갈 옳은 내용을 |보기|에서 고른 것은?

천계령이 해제된 이후 남경선 등으로 불린 청 무역선의 나가사키 입항이 늘어나 생사 등의 수입 대금으로 은 유출이 급증하였다. 에도 막부는 이에 (가)

보기
ㄱ. 신패라는 증명서를 발행하였다.
ㄴ. 공행을 통해 무역을 통제하였다.
ㄷ. 은 대신 구리로 수출품을 바꾸었다.
ㄹ. 일본 상인의 해외 진출을 엄격히 통제하였다.

① ㄱ, ㄴ ② ㄱ, ㄷ ③ ㄴ, ㄷ
④ ㄴ, ㄹ ⑤ ㄷ, ㄹ

09 빈출 밑줄 친 '막부'의 대중국 무역에 대한 옳은 설명을 |보기|에서 고른 것은?

> 15세기 후반에 쇼군의 계승 문제를 둘러싸고 막부 내의 대립이 발생하였다. 이는 전국적인 규모의 내란으로 확대되어 오닌의 난이 발생하였다. 그로 인해 교토는 초토화되었고 쇼군의 권위가 추락하였다. 이후 다이묘들이 가신들의 하극상으로 지위를 빼앗기게 되는 상황이 나타나고, 센고쿠 다이묘들이 새로운 지배자로 등장하면서 100여 년간 센고쿠 시대가 전개되었다.

보기

ㄱ. 명과 조공 무역을 하였다.
ㄴ. 명에게서 감합을 지급받았다.
ㄷ. 청 상인에게 신패를 발행하였다.
ㄹ. 슈인장을 발부하여 교역을 통제하였다.

① ㄱ, ㄴ ② ㄱ, ㄷ ③ ㄴ, ㄷ
④ ㄴ, ㄹ ⑤ ㄷ, ㄹ

10 동아시아 문화의 유럽 전파에 관한 내용으로 옳지 않은 것은?

① 차를 마시는 문화가 유행하였다.
② 도자기 제작 기술이 발달하였다.
③ 우키요에가 인상파 화가들에게 영향을 주었다.
④ 감자, 고구마, 옥수수 등의 작물이 전파되었다.
⑤ 계몽 사상가들이 중국의 사상에 관심을 보였다.

서술형 문제

11 다음 자료를 보고 물음에 답해 보자.

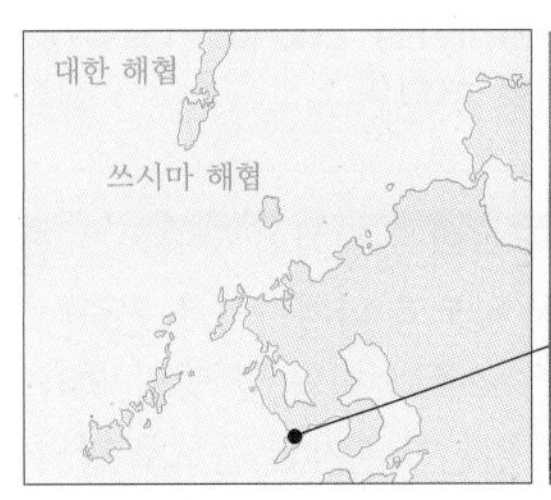

(1) 오른쪽 그림은 에도 막부가 설치한 인공섬이다. 이 섬의 이름을 써 보자.

(2) 이 섬을 사용했던 상인들이 누구인지 쓰고, 에도 막부가 인공섬을 설치한 목적을 설명해 보자.

서술형 문제

12 다음 자료를 보고 물음에 답해 보자.

> 유서종이 왜인과 서로 통하여 연철을 많이 사다가 불려서 (가) 을/를 만들고 왜인에게 그 방법을 전습한 일은 대간이 아뢴대로 국문하라. …… 서종이 만일 시골 집에서 쇠를 불려 (가) 을/를 만들고 심지어 왜인에게 그 방법을 전습시켰다면 이웃집에서 반드시 모르지 않았을 것이니, 서종의 집에서 가까운 사람을 잡아다가 조사하여 실증을 얻도록 힘쓰는 것이 어떠하겠는가?

(1) (가)에 들어갈 말을 써 보자.

(2) 밑줄 친 '방법'의 명칭을 쓰고, 그 방법이 일본에 미친 영향을 서술해 보자.

3단계 내신 만점 도전하기

01 중요 다음을 읽고 당시 동아시아의 상황을 적절하게 추론한 내용을 |보기|에서 고른 것은?

> • 포르투갈은 중계 무역의 중심지인 믈라카를 점령하고, 마카오를 거쳐 일본의 나가사키로 진출하였다. 포르투갈 상인들은 조총과 화약 및 명의 생사와 비단을 일본에 팔고, 일본이 결제한 은으로 명의 비단이나 도자기를 사서 유럽에 수출하였다.
> • 에스파냐는 동남아시아로 진출하면서 필리핀 제도에 기지를 건설하였다. 에스파냐 상인들은 무장을 갖춘 대형 선박을 이용하는 갈레온 무역을 통해 멕시코 아카풀코의 은을 가져와 중국 상품을 거래하였다.

|보기|
ㄱ. 동아시아 교역망이 세계로 확대되었을 것이다.
ㄴ. 외국 은에 대한 중국의 의존도가 낮아졌을 것이다.
ㄷ. 중국과 일본이 국교를 맺고 직접 교역하게 되었을 것이다.
ㄹ. 은이 유럽과 동아시아 사이 교역의 주요 결제 수단이었을 것이다.

① ㄱ, ㄴ ② ㄱ, ㄹ ③ ㄴ, ㄷ
④ ㄴ, ㄹ ⑤ ㄷ, ㄹ

02 (가) 인물에 대한 설명으로 옳은 것은?

> 병자호란 때 청에 볼모로 잡혀간 소현 세자는 심양(현 선양)에서 9년을 지냈다. 그곳에서 소현 세자는 예수회 신부로 중국에서 천문과 역법을 담당하던 (가) 와/과 교류하였다. 그는 (가) (으)로부터 천문 서적과 과학 서적, 천구의 등을 선물 받고 서양 문물에 대한 이해를 높였다. 귀국할 때 가져온 천구의는 소현 세자가 조선에 최초로 들여온 문물이었다고 하나 현재 전해지지는 않는다.

① 『천주실의』를 저술하였다.
② 「곤여만국전도」를 제작하였다.
③ 조총 제작법을 중국에 소개하였다.
④ 원명원을 설계하는 데 도움을 주었다.
⑤ 「황여전람도」를 제작하는 데 참여하였다.

03 중요 밑줄 친 '왜관'에서 볼 수 있었던 모습으로 적절한 것은?

> "우리나라는 불행하게도 일본과 이웃하고 있다. 임진년에 일본은 거국적으로 우리나라에 쳐들어와 '명을 침범하려 하니 길을 빌려 달라.'고 을러댔다. …… 우리나라가 힘이 없어 바다를 건너가 그들을 쳐 없애지 못하고 오히려 교린지국(交隣之國)으로 삼아 동래에 <u>왜관</u>을 지어 주고 예로써 접대하고 시장을 열어 교역하고 있다. 오호 통재라! 오호 통재라!"
>
> – 이성조, 『정묵당집』 –

① 견당사를 맞이하는 관리
② 신패를 발급받는 조선 상인
③ 조선 인삼을 구입하는 일본 상인
④ 명으로 출발 준비를 하는 조공 사절
⑤ 무역상에게 슈인장을 발급하는 관리

04 밑줄 친 '신법'이 조선의 역법이었을 때 볼 수 있는 모습을 |보기|에서 고른 것은?

> <u>신법</u>(『시헌력』)은 클라우디오스 프톨레마이오스, 알폰소 10세, 코페르니쿠스, 티코 브라헤 등 서양의 유명한 역법가에 기원을 둔다. …… 시대와 시기를 고증하고 중국 것과 서양 것을 나열하니 반은 여전히 옛것이지만 서로 다른 것을 합하여 하나로 만들었다. …… 책을 만들어 조정에 진상하니 신법이 천하에 시행되었다.
>
> – 『신법역인』 –

|보기|
ㄱ. 공행과 교역하는 유럽 상인
ㄴ. 감합부를 확인하는 중국 관리
ㄷ. 임진왜란에 참전하는 일본 병사
ㄹ. 조공 무역을 위해 베이징으로 향하는 연행사 일행

① ㄱ, ㄴ ② ㄱ, ㄹ ③ ㄴ, ㄷ
④ ㄴ, ㄹ ⑤ ㄷ, ㄹ

05 중요 **밑줄 친 '해금'에 대한 탐구 활동으로 적절한 것은?**

> 우리나라에서 스스로 꾀해 보지는 않고 오직 중국의 배로 (군량을) 실어 보내 주기만 바라면 되겠는가. 만약 가라앉을 염려가 있다면 중국의 배가 가라앉는 것이 더욱 미안하다. …… '중국에는 해금이 내려졌기 때문에 조그마한 배만 있고 큰 배는 전혀 없다.'고 하였으며, 또 '왜적이 중국의 남·북변을 침노할 계책이 있다.'고 하였다. 만약 그렇다면 중국 조정도 처리하기 어려울 것이어서 비록 이미 주기로 허락한 양곡이라 할지라도 주지 않을 것이니 더욱 급히 실어오지 않을 수 없다. -『선조실록』-

① 기유약조의 체결 과정을 파악한다.
② 3포의 난이 일어난 배경을 살펴본다.
③ 명 태조 홍무제가 실시한 정책에 대해 알아본다.
④ 오삼계 등이 삼번의 난을 일으킨 배경을 조사한다.
⑤ 아시아에서 갈레온 무역으로 성장한 곳을 찾아본다.

06 **(가) 국가에 대한 설명으로 옳은 것은?**

> 바타비아(현 자카르타)는 자와섬 북서쪽에 있는 항구 도시로 인도양과 남중국해 사이를 지나는 주요 길목이었다. (가) 은/는 이곳을 통해 아시아에 첫발을 내디뎠다. (가) 동인도 회사는 요새화한 항구 도시를 건설하여 이후 향신료 무역과 중국·일본 무역을 독점하였다.

① 마카오를 거쳐 나가사키에 진출하였다.
② 나가사키의 히라도에 상관을 건설하였다.
③ 은으로 필리핀에서 중국 상품을 구입하였다.
④ 일본에서 크리스트교 포교 문제로 추방당하였다.
⑤ 16세기에 믈라카를 점령하여 향신료 무역을 독점하였다.

07 **밑줄 친 '이 배'를 이용한 무역의 영향을 |보기|에서 고른 것은?**

> 이 배는 원양항해를 위해 발전한 배로 물건을 많이 실을 수 있고 속도가 빠르며 대포를 갖추었다. 증기선이 나타나기 이전까지 대항해 시대의 주력함이었다. 속도가 빠르고 적재량이 많고 포격전에도 유리하였으므로 서양 각국은 이 배를 건조하기 위해 노력하였고, 특히 에스파냐는 이를 대형화하여 아메리카 대륙 식민지의 물자를 본국으로 호송하는 데 사용하였다. 무적함대의 지휘함이었던 산 마틴호는 선원 600명이 탑승하고, 대포 50문이 장착된 1,000톤 급의 배였다.

보기

ㄱ. 멕시코산 은이 중국에 유입되었다.
ㄴ. 네덜란드 상인들이 일본에 진출하게 되었다.
ㄷ. 필리핀의 마닐라가 교역 중심지로 성장하였다.
ㄹ. 중국 동남부 해안에서 왜구의 밀무역이 위축되었다.

① ㄱ, ㄴ ② ㄱ, ㄷ ③ ㄴ, ㄷ
④ ㄴ, ㄹ ⑤ ㄷ, ㄹ

08 중요 **다음 상황이 나타나게 된 원인을 알아보기 위한 탐구 주제로 가장 적절한 것은?**

> 게이초 12년(1607) 4월 처음으로 다량의 은을 발견했을 때, 인근 지역뿐만 아니라 먼 곳까지도 이 소문은 널리 퍼졌다. 같은 해 8월과 9월에는 각지에서 사람들이 매일같이 끊임없이 몰려들었다. 그 중에는 주군을 잃은 무사도 있었다. 13년 봄에는 이들이 대여섯씩 무리를 지어 계곡과 인나이 촌락에 집을 짓기 시작했고 더는 빌릴만한 장소가 없게 되었다. -『일본서민생활사료집성』-

① 3포 개항의 계기
② 조세 은납화의 결과
③ 회취법의 일본 전파
④ 명군의 파병과 은의 유입
⑤ 인삼대왕고은의 유통 배경

총 문항수 2 | 처음 푼 날 월 일
정답과 해설 49쪽 | 오답 푼 날 월 일

01 (가)와 관련된 적절한 설명을 |보기|에서 고른 것은?

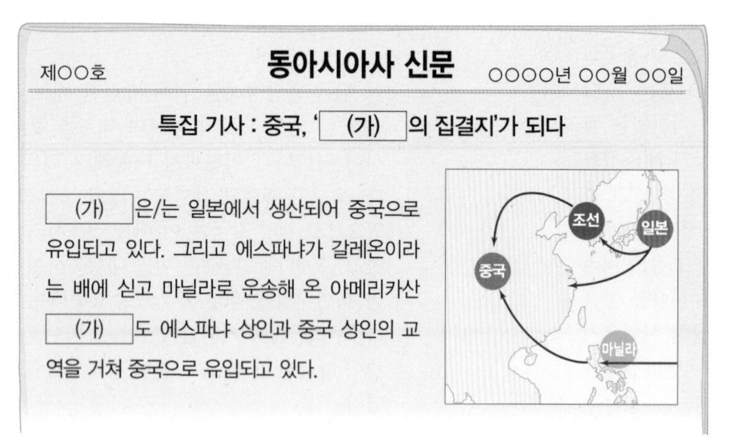
제○○호 **동아시아사 신문** ○○○○년 ○○월 ○○일

특집 기사 : 중국, '(가)의 집결지'가 되다

(가) 은/는 일본에서 생산되어 중국으로 유입되고 있다. 그리고 에스파냐가 갈레온이라는 배에 싣고 마닐라로 운송해 온 아메리카산 (가) 도 에스파냐 상인과 중국 상인의 교역을 거쳐 중국으로 유입되고 있다.

|보기|

ㄱ. 조선의 왜관을 통해 일본으로 수출되었다.
ㄴ. 차마고도를 통해 교역된 주요 물품이었다.
ㄷ. 포르투갈 상인이 중국에서 비단을 구입하는 데 사용되었다.
ㄹ. 중국인의 아편 구입이 늘어나면서 영국 등으로 대량 유출되었다.

① ㄱ, ㄴ ② ㄱ, ㄹ ③ ㄴ, ㄷ ④ ㄴ, ㄹ ⑤ ㄷ, ㄹ

유형 분석
자료 속에 빈칸을 제시하여 이와 관련된 설명으로 옳거나 틀린 내용을 묻는 유형으로 글상자나 지도를 통해 그 사건을 파악하고 더 나아가 그 사건에 대한 설명을 파악하고 있어야 해.

해결 비법
빈칸에 들어갈 말을 찾기 위해서 지문의 다른 내용을 잘 읽어봐야 해. 중요한 개념은 단어만 기억하는 것이 아니라 당시 상황과 연관지어 기억하는 것이 좋아.

02 (가), (나) 세력의 침입이 있었던 시기의 동아시아 경제 상황을 알아보기 위한 적절한 탐구 활동을 |보기|에서 고른 것은?

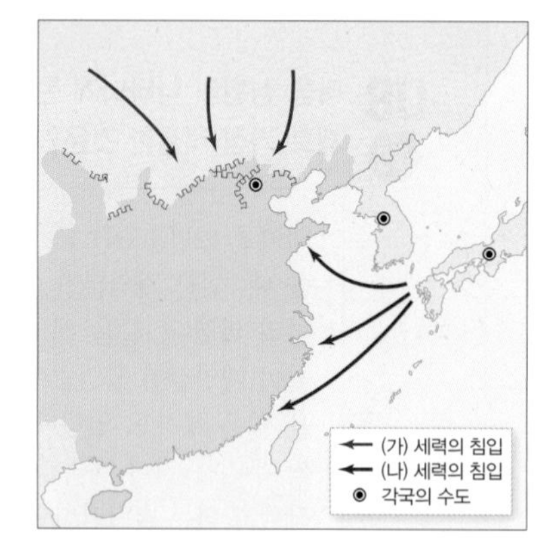

|보기|

ㄱ. 류큐의 수도 나하가 국제 교역으로 번창한 이유를 알아본다.
ㄴ. 일본에서 은광이 개발되고 은 생산량이 급증한 원인을 파악한다.
ㄷ. 조선이 초량 왜관을 통해 일본에 인삼을 수출한 과정을 살펴본다.
ㄹ. 네덜란드 상인이 나가사키를 통해 일본과 교역한 상품 종류를 조사한다.

① ㄱ, ㄴ ② ㄱ, ㄹ ③ ㄴ, ㄷ ④ ㄴ, ㄹ ⑤ ㄷ, ㄹ

유형 분석
제시된 지도를 분석하여 이 시기를 파악하고 시기에 맞는 탐구 주제를 고르는 유형이야.

해결 비법
각 시대별 사건이나 상황을 잘 기억해 두어야 해. 또한 일국의 사건뿐 아니라 그 시기 동아시아 각국의 상황이 어땠는지를 기억해 두는 게 좋아.

심화 기출 지문 활용하기

총 문항수 6 | 처음 푼 날 월 일
정답과 해설 50쪽 | 오답 푼 날 월 일

2017학년도 수능

(가) 앞으로 서양 선박은 오로지 광저우에서만 교역을 하도록 허락한다. 만약 다른 곳으로 가는 일이 있으면 뱃머리를 돌려 다시 광저우로 가도록 하라. 이 사실을 미리 서양 상인들에게 전달하여 잘 알게 하라.

(나) 중국은 아편을 금지할 정당한 권리를 행사했을 뿐입니다. 하지만 영국은 이 불공정한 무역을 정당화하기 위해 전쟁을 하려고 합니다. 저는 이토록 정의롭지 못하며 수치스러운 전쟁을 알지 못합니다.

서술형 문제

01 (가) 무역 형태의 명칭을 쓰고, (가) 형태의 무역을 실시한 이유를 써 보자.

수능 문제

02 (가), (나) 사이의 시기에 동아시아에서 볼 수 있는 모습으로 적절한 것은?

① 덴메이 대기근으로 고통받는 농민
② 염포에 왜관 설치를 허가하는 조선 국왕
③ 제주도에 표착한 하멜을 호송하는 벨테브레이
④ 나가사키에서 데지마 건설 공사를 감독하는 막부 관리
⑤ 슈인장(주인장)을 발급받아 마닐라로 항해하는 일본 상인

활용 문제

03 (나)의 밑줄 친 '권리'를 행사한 배경으로 옳은 것을 |보기|에서 고른 것은?

보기
ㄱ. 청이 해금 정책을 실시하였다.
ㄴ. 영국의 무역 적자 규모가 확대되었다.
ㄷ. 청에서 은 유출이 늘어나 물가가 급등하였다.
ㄹ. 청에 아편 중독자가 늘어나 사회 문제가 되었다.

① ㄱ, ㄴ ② ㄱ, ㄹ ③ ㄴ, ㄷ
④ ㄴ, ㄹ ⑤ ㄷ, ㄹ

2014학년도 수능

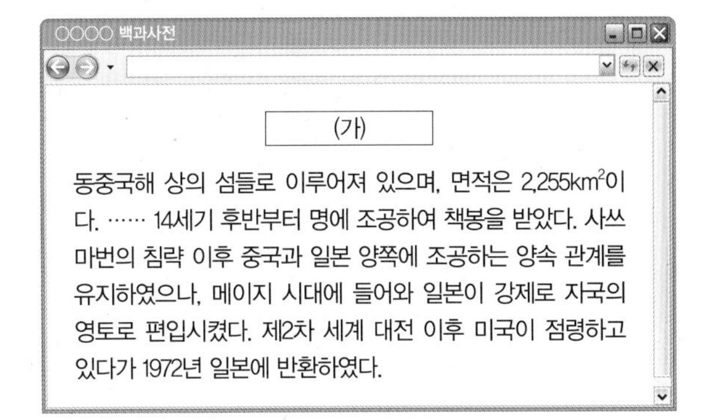
ㅇㅇㅇㅇ 백과사전

(가)

동중국해 상의 섬들로 이루어져 있으며, 면적은 2,255km²이다. …… 14세기 후반부터 명에 조공하여 책봉을 받았다. 사쓰마번의 침략 이후 중국과 일본 양쪽에 조공하는 양속 관계를 유지하였으나, 메이지 시대에 들어와 일본이 강제로 자국의 영토로 편입시켰다. 제2차 세계 대전 이후 미국이 점령하고 있다가 1972년 일본에 반환하였다.

서술형 문제

04 (가) 지역의 명칭을 쓰고, (가) 지역이 무역으로 번영할 수 있었던 이유를 써 보자.

수능 문제

05 (가)에 대한 탐구 활동으로 가장 적절한 것은?

① 에스파냐가 전개한 갈레온 무역의 거점을 살펴본다.
② 정성공이 반청 운동의 근거지로 삼은 지역을 찾아본다.
③ 왜구 문제를 해결하기 위하여 조선이 정벌한 섬을 알아본다.
④ 명의 해금 정책 실시 후 중계 무역으로 번영한 지역을 조사한다.
⑤ 에도 막부가 네덜란드 인에게 개방하여 교역을 허용한 지역을 파악한다.

활용 문제

06 (가)의 중계 무역이 쇠퇴한 배경으로 옳은 것은?

① 청이 광저우에 공행을 설치하였다.
② 청이 중국 상선의 해외 출항을 금지하였다.
③ 명이 해금령을 완화하여 사무역을 허용하였다.
④ 에도 막부가 일본인의 해외 도항을 전면 금지하였다.
⑤ 명이 닝보의 난 이후 일본과의 감합 무역을 중단하였다.

주제 9

사회 변동과 서민 문화

주제 흐름 읽기

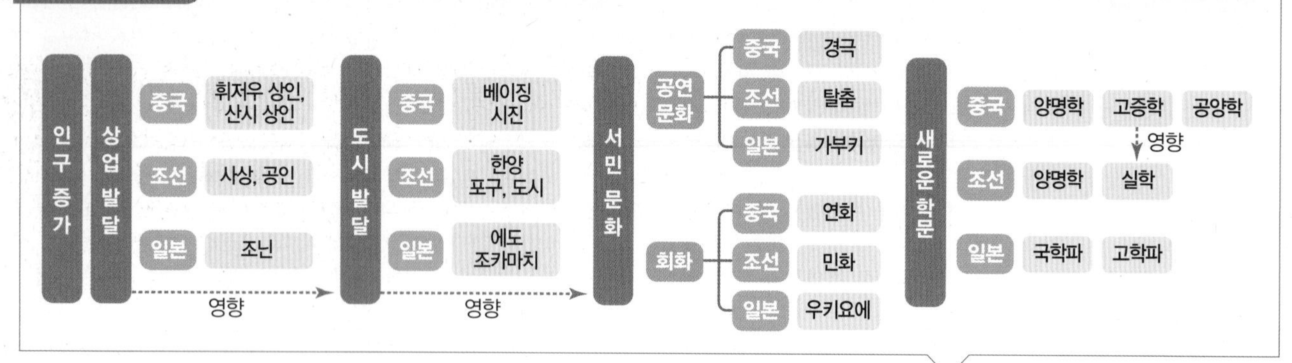

1 각국의 인구 증가와 사회 변동 자료 1

1. 인구 증가의 요인 장기간 평화, 생산력 증대, 의학의 보급 — 무엇을? 조선의 동의보감이 대표적이야.

2. 인구 증가에 따른 사회 변동 { 동아시아 3국의 인구 증가는 어떤 영향을 미쳤을까요?

(1) **청** 18세기 후반 인구 급증 자료 2

사회 변동	• 급격한 인구 증가와 수탈로 인한 식량 부족 → 백련교[1]의 난[2] • 산악 지대와 변경 지대로 인구 이동 → 갈등 발생 (어떻게? 마을 간 폭력을 동반한 계투가 일어났어.) • 동남 연안에서 동남아시아로 이주 → 화교 사회 형성

(2) **조선** 15세기에 비해 18세기에 2~3배 증가

증가 요인	• 농업 생산력의 향상과 정부의 빈민 구제책
영향	• 북부 지방의 인구 유입으로 개발 촉진 • 19세기 세도 정치기에 홍경래의 난, 임술 농민 봉기 발생

(3) **일본** 17세기에 급격히 증가한 후 몇 차례 기근을 거치며 인구 정체

영향	• 17세기부터 상품 작물 재배 유행 → 막부와 다이묘의 수익 저하로 수탈 강화 • 18세기 자연재해, 전염병이 겹치면서 잇키[3] 발생

[1] **백련교**
미륵불이 세상에 내려와 민중의 고통을 해소하고 천국을 세운다고 믿는 종교이다. 남송 대 이후 백련교도들은 비밀 결사를 통해 체제에 대한 저항을 시도하여 탄압을 받았다.

[2] **백련교의 난**
후베이, 쓰촨, 산시성 부근의 산악 지역에서 일어난 대규모 봉기(1796~1804)로, 청의 쇠퇴를 촉진하였다.

[3] **잇키**
권력이나 체제에 대한 집단적 저항으로 일어난 농민 봉기를 일컫는다.

2 상업과 도시의 발달

1. 명·청 대 상업과 도시 발달 { 중국에서 상업 발달과 도시 발달은 어떤 연관이 있을까요?

(1) **전국 상인의 등장**

무엇을? 어떤 물건을 혼자서만 판매할 수 있는 권리야.

배경	• 육상과 해상 교통 체계 확립
산시 상인 휘저우 상인	• 소금 전매권을 획득하고 면포, 비단, 차 등을 취급 • 대도시를 연결하는 유통망 확보

(2) **도시의 발달** 베이징은 정치와 행정의 중심지이자 최대 소비 도시로 성장

베이징	• 정치와 행정의 중심지이자 최대 소비 도시로 성장
시진	• 수로 교통이 편리한 강남 지역에 중소 상공업 도시 시진 발달

왜? 운하가 발달했기 때문이야. 대표적인 도시로 쑤저우가 있어.

자료 1 동아시아 3국의 인구 변동(17~19세기)

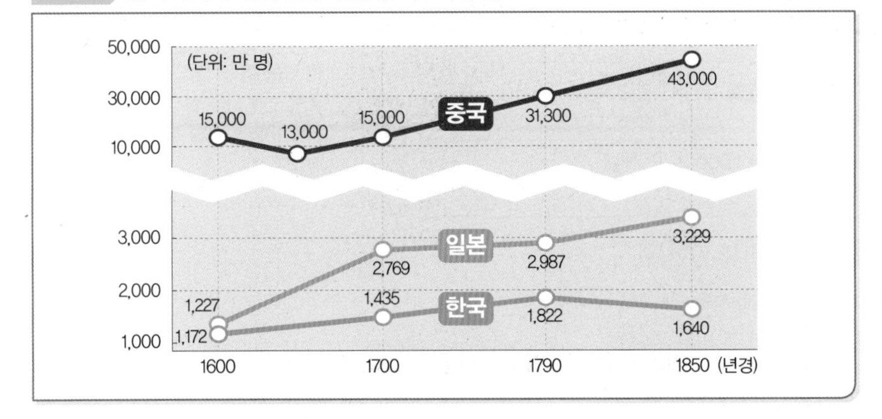

동아시아 삼국의 인구가 늘어난 이유는 무엇일까?

경지 면적의 확대와 새로운 농업 기술의 개발로 농업 생산성이 향상되었어. 상업이 발달하는 등 경제적 성장과 함께 새로운 의료 기술의 보급, 장기간의 평화 지속, 신대륙으로부터의 새로운 작물 전래 등이 배경이 되었지.

중국의 폭발적인 인구 증가는 어떤 영향을 미쳤을까?

물가가 크게 오르고 환경 파괴가 심해졌어. 비밀 결사가 늘어나고 농민 반란이 빈번하게 일어났지. 이에 따라 비교적 개발이 더디었던 산악 지대나 변경 지대로 인구가 이동하였고, 현지인과 이주민 사이의 갈등도 생겨나게 되었어.

뜰어보기 포인트

동아시아 3국이 17~19세기에 인구 변동이 나타난 배경을 파악하자.

Q1 17~19세기 동아시아 3국의 인구 변동에 대한 설명으로 옳은 것을 모두 선택해 보자.

㉠ 17세기 명에서 인구가 급격하게 증가하였다.
㉡ 17세기 일본에서 인구가 급격하게 증가하였다.
㉢ 19세기 조선에서 인구가 급격하게 증가하였다.
㉣ 18세기 일본에서 인구가 증가한 것은 자연재해가 없었기 때문이다.
㉤ 청에서는 18세기 후반 급격한 인구 증가로 백련교의 난이 일어났다.

자료 2 중국의 인구 증가

> 평화로운 시기가 100여 년 동안 지속되었으니 그 기간이 오래되었다고 할 수 있다. 그리하여 호구는 …… 백수십 년 이전보다 20배가 증가하였다. 그렇다면 한 가구가 고조 혹은 증조할아버지 당시에 10간의 집과 1경의 경작지가 있었다고 생각해 보자. 결혼을 해서 2인이 될 경우 그 두 사람이 10간의 집에 살며 1경을 경작하므로 상당히 여유가 있을 것이다. 그 부부가 아들 셋을 두어 이들이 …… 손자를 낳고 그 손자가 다시 아내를 얻으며 …… 손자 대의 가족 수는 20명 이상이 될 것이다. 비록 그 가족이 절약 생활을 한다 하더라도 전 가족의 부양이 불가능할 것이다.
>
> –『홍량길집』–

필자가 인구 증가를 우려했던 이유는 무엇일까?

필자는 홍량길이라는 사람으로, 18세기 청의 인구가 급증하자 지나치게 많은 인구와 자원 부족에 대한 심각한 우려를 나타냈어. 그는 급격한 인구 증가가 1인당 경지 면적을 감소시키고, 넘쳐나는 인력으로 인해 수많은 실업자가 생겨나 사회 불안을 고조시킨다고 보았지.

당시 중국의 인구가 급증한 이유는 무엇일까?

농업 생산력의 증대로 농민들의 경제적 형편이 나아지면서 영양 상태가 개선되고, 의약 등에 대한 지출이 늘어났어. 또한 당시 중국에서는 효율적인 구황 정책을 펼쳤는데 재해를 파악하고 굶주린 백성을 적극적으로 구제하여 인구 감소를 막을 수 있었지.

뜰어보기 포인트

18세기 중국의 인구 증가의 원인과 부작용을 기억하자.

Q2 중국의 인구 증가 부작용에 대한 설명으로 옳은 것을 모두 선택해 보자.

㉠ 물가가 급락하였다.
㉡ 환경이 파괴되었다.
㉢ 평균 수명이 단축되었다.
㉣ 실업자와 유민이 발생하였다.
㉤ 1인당 경지 면적이 감소하였다.

답 Q1 ㉡, ㉤ / Q2 ㉡, ㉣, ㉤

2. 조선 후기 상업과 도시 발달 조선 후기에 어떤 새로운 상인들이 출현하였을까요?

(1) **상업의 발달** 농업 생산력의 증대, 대동법, 인구 증가로 발달

상인	• 대동법[1] 시행으로 등장한 공인 • 전국을 무대로 활동한 사상
장시	• 15세기 후반부터 출현, 18세기 중엽에 1,000여 곳 개설 • 5일장으로 보부상이 연결하여 활동

누가? 관청에 필요한 물품을 구매하여 납품하는 상인이야.

(2) **도시의 발달** 수도 한양이 발달했으나 중국, 일본에 비해 약한 편

3. 에도 시대 상업과 도시 발달 에도 막부에서 도시가 발달한 이유는 무엇일까요?

(1) **도시의 발달** 명·청과 조선에 비해 높은 도시 거주 인구 비율 자료 3

조카마치	• 병농 분리 정책으로 형성되어 일본의 도시화에 기여 • 다이묘가 거주하는 성 아랫마을로 무사와 조닌이 거주
산킨코타이[2] 자료 4	• 다이묘가 정기적으로 쇼군을 알현하고 일정 기간 머물도록 규정 • 교통망, 여관업, 상업 발달로 도시 성장에 기여

누가? 에도 시대에 조카마치에 거주하는 상인과 수공업자를 뜻해.

(2) **조닌의 활동** 무사에게 필요한 물품을 공급

3 서민 문화의 발달

1. 공연문화와 대중 문학의 발달 새롭게 출현한 공연문화와 대중 문학에 어떤 것이 있을까요?

(1) **명·청**

공연	• 노래와 춤, 무술과 곡예의 예술적 기교를 갖춘 경극 유행
출판	• 『삼국지연의』, 『홍루몽』[3]과 같은 소설 및 실용서, 희곡 등이 인기
교육	• 서원과 같은 교육 기관을 통해 새로운 지식 전파

(2) **조선**

공연	• 권선징악, 정절 등의 가치관을 담은 판소리 유행 • 탈춤, 산대놀이 같은 가면극이 서민에게 인기
출판	• 『홍길동전』 등 한글 소설 유행, 중인·서얼 층의 시집 간행
교육	• 서당을 통한 교육의 보급, 실용적인 교재 출판

왜? 양반의 위선적인 모습, 사회의 부정과 비리를 풍자했기 때문이야.

(3) **일본**

공연	• 노래·춤·재주를 결합한 대중 연극 가부키[4] 유행 • 전통 인형극 분라쿠, 가면극 노가쿠 유행
출판	• 남녀의 애정이나 조닌의 생활을 소재로 한 문학 성장
교육	• 읽기, 쓰기, 셈법 등을 가르치는 데라코야 등장

무엇을? 『일본영대장』 등이 대표적인 작품이야.

2. 예술의 새 경향 동아시아 각국의 서민들은 어떤 예술을 좋아하였을까요?

(1) **명·청** 풍속화와 연화 유행, 상인들의 회관 문화 발전

(2) **조선** 풍속화와 민화 유행

(3) **에도 시대** 우키요에, 와카, 하이쿠, 다도 등을 주제로 동호회 결성

---

❶ 대동법
공납으로 집집마다 거두던 현물 대신 토지 1결당 쌀 12두 또는 베나 무명, 동전 등을 거두어들인 제도이다. 1608년 광해군 때 처음 실시된 이후 점차 확대되어 1708년 숙종 때 전국적으로 실시되었다.

❷ 산킨코타이
산킨코타이 제도는 지방 다이묘의 가족을 쇼군이 거주하는 에도에 인질로 거주시키고, 다이묘 자신도 1년을 주기로 에도와 자신의 영지 사이를 오가며 근무하는 제도이다. 이 제도는 다이묘들을 감시하는 것이 1차적 목적이었지만, 이들에게 과도한 경비를 부담시켜 세력 확산을 방지하는 효과도 있었다.

❸ 『홍루몽』
『홍루몽』은 오늘날까지 중국인에게 사랑받는 4대 장편 소설 가운데 하나이다. 작자인 조설근은 소설의 주인공인 가보옥, 임대옥, 설보채 등이 벌이는 애정 상황을 기본 줄거리로 하여 18세기 중반 청 대 사회의 세태를 섬세하게 묘사하였다.

❹ 가부키
에도 시대에 발생한 가부키는 문자 그대로 음악, 무용, 연기가 합쳐진 종합 예술이다. 초기에는 여자 배우들이 있었지만, 풍기상의 이유로 금지되어 현재는 성년 남자만으로 구성되어 있다. 남자만으로 이루어지기 때문에 온나가타(女形)라고 하는 다소 과장된 목소리와 몸짓으로 여성의 역할을 표현하는 특수한 예능을 탄생시켰다.

자료 3 18세기 일본의 도시 풍경

> 긴 다리 일곱 개를 지나서 비로소 대판(오사카)에 당도하니, 곧 모든 배가 정박하는 곳이었다. …… 일시에 국서를 받들고 음악을 울리며 나아갔다. 6~7리쯤 가서 사관에 이르렀는데, 그 사이에 있는 길 양쪽의 긴 건물들이 층층의 집 아닌 것이 없었으니, 이것은 온갖 물건을 하는 점포였다. …… 공후(公侯)의 좋은 집들은 또 그것의 배나 되고, 서민, 농업, 공업, 상업 등 부호의 집들이 또 천이나 만을 헤아린다. …… 온갖 종류의 장인과 잡화의 거간꾼이 온 나라에 퍼져 있으며, 또 바다 섬의 여러 오랑캐와 교통한다. 이런 번화하고 시원하고 기이한 경치가 천하에 으뜸이라 할 수 있다는 것이 옛 글에 기록된 바, 인도 계빈국과 파사국(페르시아)도 이보다 더 할 수는 없을 것이다. …… (에도) 길 옆에 있는 회랑은 모두 상점이었다.
> – 신유한, 『해유록』 –

뜰어보기 포인트

에도 시대 일본의 도시가 중국과 조선에 비해 더 발달한 이유를 기억하자.

필자가 일본에 다녀온 이유는 무엇이었을까?

신유한은 1719년 도쿠가와 요시무네의 쇼군 취임을 축하하기 위해 파견된 통신사 일행으로 일본을 방문했어. 이때 그의 글을 청하는 이들이 거리를 메웠고, 그는 앉은 자리에서 수백 편을 단숨에 힘차게 써 내려가 일본 문인들을 놀라게 했다고 해. 신유한은 『해유록』을 저술하여 당시 에도 시대 일본의 자연 경관, 정치 제도, 여러 지역의 견문 기록을 생동감 넘치는 필치로 남겼어.

일본에서 이와 같은 도시가 형성된 배경은 무엇이었을까?

에도 시대 일본에는 조카마치가 설치되었어. 다이묘의 거처를 중심으로 가신과 사무라이가 거주하고, 그에 따라 상공업자도 주변에 모여 조카마치를 형성했지.

Q3 에도 시대의 도시 발달에 대한 설명으로 옳은 것을 모두 선택해 보자.

㉠ 운하를 중심으로 도시가 성장하였다.
㉡ 에도, 오사카 등이 대도시로 발전하였다.
㉢ 조카마치가 상공업 중심지로 발달하였다.
㉣ 농민들이 조카마치에 이주하여 도시가 성장하였다.
㉤ 산킨코타이 제도의 실시로 지방의 중소도시가 몰락하였다.

자료 4 산킨코타이 제도

> **제2조** 다이묘와 쇼묘[小名]는 자신의 영지와 에도에 교대로 거주하도록 정한 바, 매년 여름 4월에 참근해야 한다. 종자의 인원은 근래 매우 많다. 이것은 국군(國郡)의 쓸데없는 비용이며 또한 민의 노고이다. 앞으로 신분에 상응하여 줄여야 한다. 다만 상경(수도에 입성)할 때에는 법령에 따르고 공역(公役)은 신분에 따라야 한다.
> –「무가제법도」–

뜰어보기 포인트

산킨코타이 제도가 미친 다양한 영향을 기억하자.

에도 막부가 산킨코타이 제도를 실시한 이유는 무엇일까?

에도 막부는 지방의 다이묘들을 통제하기 위해여 산킨코타이 제도를 시행하였어. 이 제도에 따라 지방의 다이묘는 1년마다 자신의 영지와 에도에 교대로 머물러야 했고 가족은 인질로 에도에 머물러야 했지. 자신의 가신과 사무라이들을 거느리고 1년에 한 번씩 거주 지역을 왕래하였던 다이묘들은 엄청난 재정을 부담해야 했고, 이에 따라 그들의 세력 확대가 억제되었어.

산킨코타이 제도는 어떤 영향을 미쳤을까?

산킨코타이 제도의 시행으로 다이묘들은 재정의 3분의 1을 소비하며 에도를 거대한 상업 지구로 만들었어. 또한 에도에 이르는 길을 중심으로 도로와 여관업도 크게 발달하여 상업 발달이 촉진되었지.

Q4 산킨코타이 제도에 대한 설명으로 옳은 것을 모두 선택해 보자.

㉠ 에도 주변의 도시가 번영하였다.
㉡ 무사와 조닌이 조카마치에 거주하게 되었다.
㉢ 지방의 다이묘는 5가도를 이용하여 상경하였다.
㉣ 도시가 성장하는 데 기여하며 시진이 증가하였다.
㉤ 다이묘 일행의 이동로를 따라 여관업이 발달하였다.

답 Q3 ㉠, ㉡, ㉢ / Q4 ㉠, ㉢, ㉤

4 새로운 학문의 발달

1. 실용과 개혁을 추구하는 학문의 발달
동아시아 삼국에 등장한 새로운 학문은 무엇일까요?

(1) 명 · 청의 학문

① 양명학: 왕수인이 주창하여 사대부와 상공업자로부터 환영

내용	• 마음이 곧 만물의 이치(심즉리), 지행합일의 실천 중시 • 인간은 도덕적인 존재이므로 평등한 존재

무엇을? 지식과 행동의 일치를 강조하는 말이야.

② 고증학 자료 5

배경	• 명말 서양 학문의 유입, 상공업 발달 • 경세치용[1]과 실사구시를 강조하는 학문 경향
내용	• 경전 및 역사서, 금석문 등을 실증적으로 연구 • 청의 『사고전서』[2] 편찬으로 발전

무엇을? 사실에 입각하여 진리를 탐구한다는 말이야.

③ 공양학: 서양 열강의 압박으로 현실을 비판하고 개혁하려는 공양학[3] 출현

(2) 조선의 학문

① 양명학: 17세기에 정제두 등 소론 학자들이 연구

② 실학: 사회 모순 해결을 위한 학문

특징	• 농촌 안정과 재정 확보 위해 토지 제도 개혁 강조(이익, 정약용) • 상공업 진흥과 기술 혁신 주장(홍대용, 박지원, 박제가) • 한반도의 역사, 지리, 국어를 연구(김정호)

누가? 중농학파라고 말하기도 해.
누가? 중상학파라고 말하기도 해.

(3) 에도 시대의 학문

① 양명학: 나카에 도주가 인간의 평등함 주장 → 막부 타도 운동에 영향

② 성리학에 비판적인 학문 등장 → 막부 타도 운동에 영향

고학파	• 공자, 맹자 등 성인 가르침을 받아 현실 개혁 주장
국학파 자료 6	• 일본 고유의 것을 연구하여 일본 고유의 정신으로 회귀할 것을 주장

2. 서학의 수용과 난학의 발달
동아시아 삼국은 서학에 어떤 반응을 보였을까요?

(1) **청** 서양 학문 수용으로 근본적 변화를 이끌어내지 못함

(2) **조선** 중국을 왕래한 사신 등을 통해 학문으로 수용

주장	• 박지원, 박제가 등이 중국을 통해 기술 수용 주장
탄압	• 천주교의 제사 거부와 평등 사상 전파로 서양과의 교류 통제

무엇을? 대표적으로 윤지충이 어머니의 위패를 불사른 사건이 있어.

(3) 에도 막부

난학	• 포교에 소극적이던 네덜란드 선교사를 통해 서양 학문 수용 • 난학 교습소를 설립하고 『해체신서』[4]를 번역

---

❶ 경세치용
경세는 세상을 경륜한다는 말로, 국가와 사회를 질서있게 영위하는 정치 · 경제 · 사회 활동을 가리키고, 치용은 현실의 문제를 효과적으로 해결하기 위해 실천적으로 활용하는 것을 의미한다. 즉 학문은 국가와 사회를 운영하는 데 실질적인 도움이 되어야 한다는 것이다.

❷ 『사고전서』
건륭제는 중국에 있던 모든 책을 20여 년에 걸쳐 경(經, 경전) · 사(史, 역사) · 자(子, 철학) · 집(集, 문학)으로 나누어 정리한 다음에 옛 책 3,500여 종, 79,000여 권을 수록하여 모두 36,000여 책에 이르는 총서로 묶어 『사고전서』라는 이름을 붙였다.

❸ 공양학
유가의 경전인 『춘추』의 해설서 가운데 『공양전』을 정통이라 인식하는 학문이다. 현실에서 멀어진 고증학의 학문적 한계를 반성하고 현실을 비판하며 개혁하기 위한 사상으로 등장하였다.

❹ 『해체신서』
1771년 한 여자 죄수의 시신을 해부하는 장면을 목격한 의사 스기타 겐파쿠는 네덜란드 의사가 갖고 있던 해부도의 정확함과 정교함에 놀라게 된다. 그는 네덜란드 해부도를 번역해야 할 필요성을 절감하고, 네덜란드 어를 익힌 동료들과 함께 4년간의 노력 끝에 『해체신서』를 발간하였다. 이 책은 일본 의학 발달에 새로운 장을 열게 되었다.

자료 5 청 대 고증학의 발전

역사를 읽는 사람들도 억지로 이론적 틀을 세우거나 멋대로 더하거나 덜어서 찬양하거나 비난해서는 안 된다. 다만 그 사건과 흔적의 사실 여부를 깊이 연구함에 있어서 연도를 날줄로 삼고 사건을 씨줄로 삼아 분류하여 배치하거나 모아서 차례를 정하고, 기록의 같고 다름 및 보고 들은 것의 어긋남과 일치됨을 하나하나 조목별로 분석하여 의심이 없게 한다. …… 일반적으로 학문의 길은 공허한 생각에서 구하는 것이 사실에서 추구하는 것만 못하니 찬양과 비난을 논의하는 것은 모두 공허한 말일 뿐이다. -『십칠사상각』-

뜯어보기 포인트
고증학의 등장 배경과 의의, 한계를 기억하자.

◎ 밑줄 친 부분은 어느 학문에 대한 비판일까?
비판한 대상은 성리학이야. 성리학이 과거 합격을 위한 학문으로 변질되고 지나치게 사변적으로 흐르자 거기에 대한 반발로 고증학이 나타났어.

◎ 고증학의 특징은 무엇일까?
과거 합격 여부와 무관하게 경전 및 역사서와 금석문 등을 실증적으로 연구하는 것이 특징이야. 서양 학문이 들어오고 상공업이 발달하면서 경세치용과 실사구시를 강조하는 것도 중요한 특징이지. 이후 청이 추진한 『사고전서』 등의 대규모 편찬 사업으로 고증학은 크게 발전해. 하지만 청의 지나친 사상 통제로 고증학이 현실 비판에서 멀어지게 되는 부작용이 나타나자, 19세기에 이르러 고증학의 한계를 극복하기 위해 공양학이 등장했어.

Q5 고증학에 대한 설명으로 옳은 것을 모두 선택해 보자.

㉠ 객관주의와 실사구시를 강조하였다.
㉡ 중국에서 전례 문제의 원인이 되었다.
㉢ 과거 합격을 위한 학문으로 인식되었다.
㉣ 청 대에 대규모 편찬 사업을 통해 발전하였다.
㉤ 조선에서 정제두 등의 소론 학자에 의해 연구되었다.

자료 6 에도 시대 국학의 발전

학문에서 도를 알려고 하면, 가장 먼저 한의*를 모두 제거하지 않으면 안 된다. 한의를 모두 제거하지 않는 한 어떻게 고서를 읽어도 고대의 정신은 이해하기 어렵고, 고대의 정신을 알지 못하고서는 도를 이해하기 어렵다. 원래 '도'라 하는 것은 학문에 의해 이해할 수 있는 것은 아니다. 타고난 그대로의 진심이야말로 귀중하다. 옛 도의 핵심인 진심이란 호불호와 관계없이 타고난 그대로의 자연적인 마음을 말한다. 그런데 후세의 사람은 하나같이 이 한의에만 마음을 빼앗겨 진심을 모두 잃어버렸기 때문에 현재는 학문을 닦지 않으면, 도를 이해할 수 없다고 생각해 버린다.

*한의 한서를 읽고 중국식 사고방식이나 사상에 심취하는 것으로, 주로 유교적 가치관이나 규범을 의미한다.

뜯어보기 포인트
에도 시대에 국학이 중국식 사고방식에서 벗어나려고 했다는 사실을 이해하자.

◎ 에도 시대에 국학이 형성된 배경은 무엇일까?
에도 시대의 국학은 16세기 말 임진왜란으로 명과의 외교 관계가 단절된 이후 일본 중심의 천하 질서를 추구하던 상황에서 일부 지식인 가문 내에서 전해져 내려온 신토 사상과 일본사 연구로부터 자극을 받아 형성되었어.

◎ 국학의 특징은 무엇일까?
국학은 유학·불교 등 외래 사상과는 다른 일본만의 고유한 정신이 있다고 믿었어. 그래서 고대 일본의 문학과 역사책에 반영된 일본인의 정신을 있는 그대로 파악하려 하였지. 신의 국가였던 고대 일본으로 되돌아가자고 주장하였고, 외국을 배척하는 경향도 강했어.

Q6 에도 막부 시기 국학에 대한 설명으로 옳은 것을 모두 선택해 보자.

㉠ 중국에서 전례 문제를 야기하였다.
㉡ 조선에서 예송 논쟁을 불러 일으켰다.
㉢ 『고사기』 등의 고전 연구를 통해 발전하였다.
㉣ 일본 고유의 정신으로 돌아갈 것을 주장하였다.
㉤ 공자, 맹자 때의 유학으로 돌아가자고 주장하였다.

답 Q5 ㉠, ㉣ / Q6 ㉢, ㉣

개념 익히기

정답과 해설 ▸ 50쪽

01 서로 관련 있는 내용끼리 연결해 보자.

a. 데라코야 •　　　　• ㄱ. 선현의 제사와 후학 양성을 위한 사설 교육 기관

b. 서당 •　　　　• ㄴ. 조선 후기 서민의 자제들도 교육받을 수 있는 곳

c. 서원 •　　　　• ㄷ. 에도 시대 읽기, 쓰기, 셈법 등을 가르치는 곳

02 아래 설명이 맞으면 ○표, 틀리면 ×표를 해 보자.

(1) 명·청 대에는 신대륙으로부터 옥수수, 고구마, 감자 등 새로운 작물이 도입되어 경작되기도 하였다. (　　)

(2) 청의 수도인 에도는 정치와 행정의 중심지이자 최대 소비 도시였다. (　　)

(3) 에도 시대는 문서 행정이 철저해지면서 읽기, 쓰기, 셈법 등을 가르치는 서원이 세워졌다. (　　)

(4) 19세기에 서양 열강의 압박이 심해지자 현실을 비판하고 개혁하려는 고증학이 나타났다. (　　)

(5) 18세기부터 에도 막부는 의학, 과학과 같은 서양 문물의 중요성을 인식하여 각지에 난학 교습소를 세웠다. (　　)

03 빈칸에 알맞은 말을 채워 보자.

(1) 명·청 대에는 중소 규모의 시장도시인 (　　　　) 이/가 증가하였다.

(2) 경강상인, 송상, 내상, 만상 등의 (　　　　)들은 전국을 무대로 활동하였다.

(3) 무사는 다이묘가 거주하는 성 아랫마을인 (　　　　) 에서 살게 하였다.

(4) 베이징 오페라라고 불리는 (　　　　)은/는 노래와 춤, 무술과 곡예의 예술적 기교를 갖춘 전통극이다.

(5) (　　　　)은/는 마음이 곧 만물의 이치이며, 누구나 도덕성을 갖고 태어나기 때문에 인간은 평등한 존재라고 주장하였다.

04 동아시아에서 서양 학문을 받아들인 증거를 |보기|에서 골라 보자.

| 보기 |

『해체신서』, 『사고전서』, 『발해고』, 『택리지』, 『삼국지연의』, 『홍루몽』, 『일본영대장』, 『화성성역의궤』, 『홍길동전』

05 |보기|의 학문들을 등장한 순서대로 나열해 보자.

| 보기 |

ㄱ. 성리학　　ㄴ. 고증학
ㄷ. 공양학　　ㄹ. 양명학

06 다음과 관련된 공연 문화의 이름을 적어 보자.

에도 시대에 유행했던 공연 문화, 전통 악기의 반주를 배경으로 배우가 대사를 읊으며 연기하거나 춤을 추었다. 회전 무대, 배우들이 등장하거나 사라지는 비밀문 장치 등을 설치하는 독특한 연출로 서민들의 관심을 끌었다.

07 아래 표를 완성해 보자.

명·청 대 문학	• 출판의 황금기로 소설 등이 인기 • 대표 소설로 (　　　), (　　　)
조선 후기 문학	• 양반 사회의 모순을 비판하는 한글 소설이 유행, 대표 소설 (　　　)
에도 시대 문학	• 남녀의 애정이나 조닌의 생활을 소재, 대표 작품 (　　　)
(　　　)	• 조선시대 권선징악, 정절 등의 가치관을 담음

총 문항수 12	처음 푼 날 월 일
정답과 해설 50쪽	오답 푼 날 월 일

01 빈출 (가)의 변화가 일어난 이유에 대한 옳은 설명을 |보기|에서 고른 것은?

〈중국의 인구 변화〉

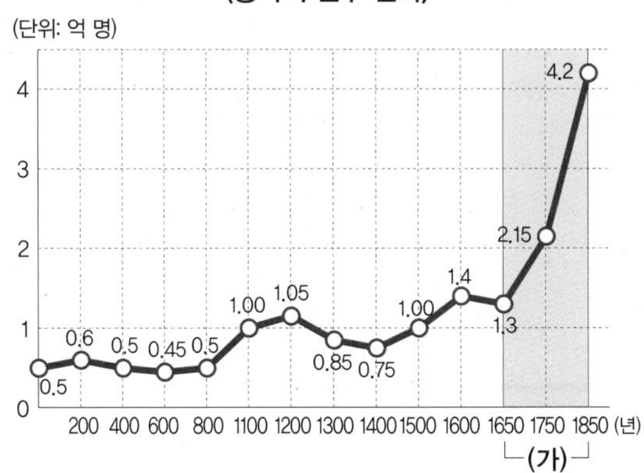

|보기|
ㄱ. 의료 기술이 향상되고 평화가 지속되었다.
ㄴ. 명에서 효율적인 구황 정책을 실시하였다.
ㄷ. 조생종 벼가 도입되어 벼의 이기작이 확산되었다.
ㄹ. 아메리카 대륙에서 감자, 고구마 등이 전래되었다.

① ㄱ, ㄴ ② ㄱ, ㄹ ③ ㄴ, ㄷ
④ ㄴ, ㄹ ⑤ ㄷ, ㄹ

02 에도 시대에 인구가 증가한 요인을 |보기|에서 고른 것은?

|보기|
ㄱ. 면화의 전래로 의생활이 개선되었다.
ㄴ. 구황 작물의 재배로 식량이 늘어났다.
ㄷ. 소농 중심의 집약 농업이 발전하였다.
ㄹ. 세금 감면을 요구하는 잇키가 자주 일어났다.

① ㄱ, ㄴ ② ㄱ, ㄷ ③ ㄴ, ㄷ
④ ㄴ, ㄹ ⑤ ㄷ, ㄹ

03 다음 도시의 발달 배경으로 옳은 것은?

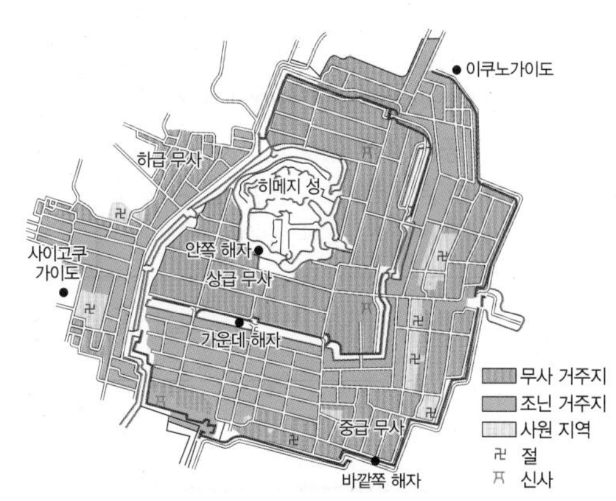

① 지방 곳곳에 장시가 형성되었다.
② 대운하를 통해 쌀이 운송되었다.
③ 대동법 시행으로 공인이 등장하였다.
④ 에도 막부가 병농 분리 정책을 시행하였다.
⑤ 중소 규모의 시장 도시인 시진이 증가하였다.

04 빈출 다음 시기에 볼 수 있는 문화 현상으로 옳지 않은 것은?

한양의 주민들 중에서 직임자는 봉록을 받아서 살며, 서리는 자질구레한 품으로 살고, 군인들은 군포를 받아서 살고, 영세 소상인들은 조그만 이익에 의지해서 살고, 수공업자는 힘들여 제조하여 생계를 유지한다. 그러나 아침에 모였다가 저녁에 흩어지고 여기저기 떠돌아다니면서 농사도 짓지 않고, 옷감을 짜지도 않고 먹고 사는 무리가 무려 수십만이나 된다.

① 소설이 유행하였다.
② 풍속화가 발전하였다.
③ 고유 문자가 만들어졌다.
④ 출판 문화가 성장하였다.
⑤ 서민이 문화의 소비층이었다.

05 밑줄 친 '이 의서'에 대한 설명으로 옳은 것은?

> 전교하기를, "허준은 일찍이 의방(醫方)을 찬집(撰集)하라는 명을 특별히 받들고 몇 년 동안 자료를 수집하였는데, 심지어는 유배되어 옮겨 다니는 가운데서도 그 일을 쉬지 않고 하여 이제 비로소 이 의서를 올렸다. …… 허준에게 길이 잘 든 말 1필을 직접 주어 그 공에 보답하고, 이 의서를 안팎으로 널리 배포하도록 하라."라고 하였다. -『광해군일기』-

① 인구 증가에 기여하였다.
② 네덜란드의 영향을 받았다.
③ 식량 증산에 도움을 주었다.
④ 사상 의학 발전에 기여하였다.
⑤ 예수회 선교사의 도움을 받아 편찬되었다.

06 (가)에 들어갈 말로 옳은 것을 |보기|에서 고른 것은?

> 에도 시대의 일본은 도시와 상공업의 발달로 상인 문화가 번창하였다. 경제적으로 여유가 있었던 상공업 계층인 조닌은 여가 시간을 보내고자 (가) 을/를 즐겼다.

|보기|
ㄱ. 경극　　ㄴ. 가부키
ㄷ. 분라쿠　　ㄹ. 산대놀이

① ㄱ, ㄴ　② ㄱ, ㄷ　③ ㄴ, ㄷ
④ ㄴ, ㄹ　⑤ ㄷ, ㄹ

07 밑줄 친 '이 도시'를 지도에서 고른 것은?

> 이 도시는 정치와 행정의 중심지이자 최대 소비 도시였고, 인구는 19세기에 100만 명까지 늘어났다. 이 도시의 인구를 부양하기 위해 매년 400만 석 이상의 쌀이 강남에서 화북으로 창장강과 대운하를 통해 운송되었다.

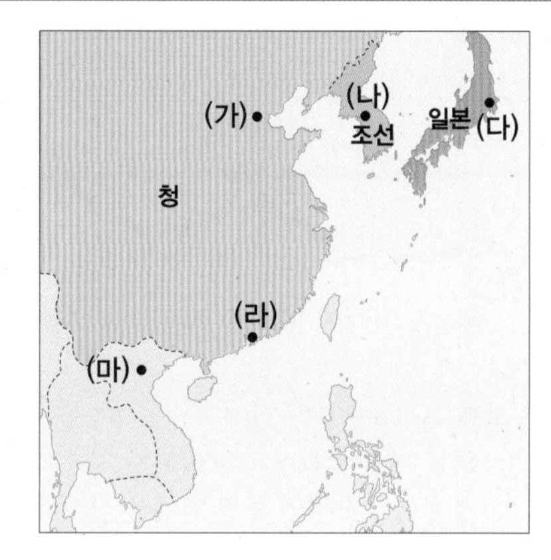

① (가)　② (나)　③ (다)　④ (라)　⑤ (마)

08 공양학에 대한 설명으로 옳은 것은?

① 지행합일과 심즉리를 강조하였다.
② 객관주의와 실사구시를 중시하였다.
③ 현실 사회 문제와 개혁에 관심을 가졌다.
④ 화이론적 성격이 강하여 다른 사상에 배타적이었다.
⑤ 고대 유학으로의 복귀를 강조하여 오경을 중시하였다.

09 빈출 **밑줄 친 '왕래 행렬'을 볼 수 있었던 시기 일본의 모습으로 옳지 않은 것은?**

> 왕래 행렬 비용과 함께 재정적 부담이 너무나 막대합니다. 게다가 영지의 통치를 소홀히 하게 되어 부채만 쌓여갑니다. 에도에 거주하는 기한을 줄여주시기를 쇼군인 도쿠가와 요시무네님께 간절히 바라는 바입니다.

① 난학이 발달하였다.
② 중국과 감합 무역을 전개하였다.
③ 일본인의 국외 도항을 금지하였다.
④ 통신사를 통해 문물을 수용하였다.
⑤ 나가사키 데지마에 외국 상인이 거주하였다.

10 **중국에서 서양 학문 수용이 본격적으로 이루어지지 못한 이유를 |보기|에서 고른 것은?**

|보기|
ㄱ. 서양 선교사들을 관직에 임명하지 않았다.
ㄴ. 서양의 계몽 사상가들이 중국 사상을 배척하였다.
ㄷ. 전례 문제로 크리스트교 포교 금지령이 내려졌다.
ㄹ. 사대부들이 호기심과 취미 차원에서만 접근하였다.

① ㄱ, ㄴ ② ㄱ, ㄷ ③ ㄴ, ㄷ
④ ㄴ, ㄹ ⑤ ㄷ, ㄹ

서술형 문제
11 **다음 자료를 읽고 물음에 답해 보자.**

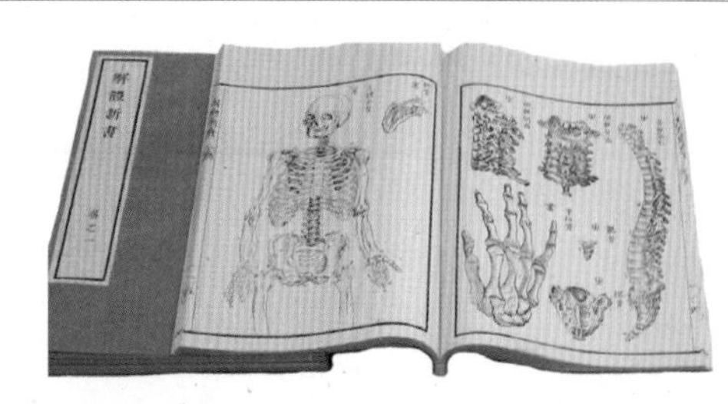

> 이 책은 의사였던 스기타 겐파쿠가 네덜란드 의학서를 번역한 것으로, 일본 의학 발달에 새로운 장을 열었다.

(1) 밑줄 친 '이 책'의 이름을 써 보자.

(2) 네덜란드의 영향으로 일본에 성립한 학문의 명칭을 쓰고, 그 영향에 대해 써 보자.

서술형 문제
12 **다음 자료를 읽고 물음에 답해 보자.**

> 이 도시는 수많은 무사와 상공업자들이 모여들어 번성하였는데, 18세기 초에는 인구가 100만 명을 넘을 정도였다. 또 각지의 영주들이 수도로 모여드는 제도로 인해, 이 도시에 이르는 길 주변의 도시에 교통과 숙박 및 화물 보관 시설과 치안 기구 등이 들어서 번영하였다.

(1) 밑줄 친 '이 도시'의 이름을 써 보자.

(2) 밑줄 친 '각지의 영주들이 수도로 모여드는 제도'의 명칭을 쓰고, 시행한 목적에 대해 써 보자.

01 (가) 시기 인구 변화의 요인에 대한 학생들의 발표 내용으로 옳지 않은 것은?

중요

〈조선의 인구 변화〉

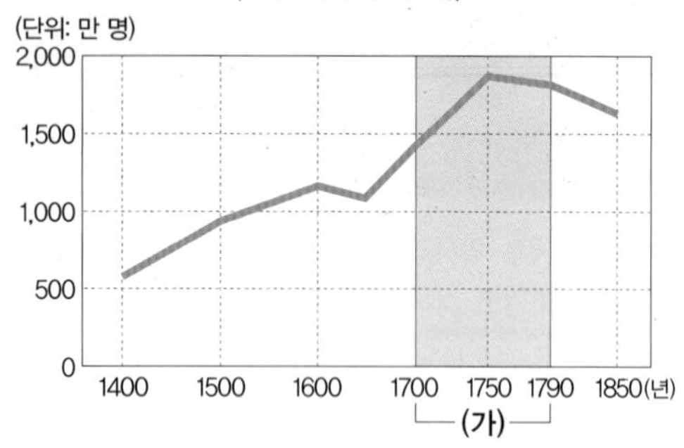

① 양난 이후 평화로운 시기가 도래했어.
② 소농 중심의 집약 농업이 발전하였어.
③ 의료 기술의 발달로 사망률이 낮아졌어.
④ 개간과 간척 사업으로 농경지가 늘어났어.
⑤ 아메리카 대륙에서 새로운 작물이 전래되어 식량 생산량이 늘어났어.

02 다음과 같은 학문적 경향이 나타난 배경으로 옳은 것은?

> 지금 양반이 상공업에 종사하는 것을 부끄러워하지만 …… 상공업은 개인 성향을 파악한 사람이 관직에 나가지 않고 노력하여 물품 교역에 종사하며 내 힘으로 먹고 사는 것이다. 어찌 천하거나 더러운 일이겠는가.
> – 유수원, 『우서』 –

① 서양의 개항 요구에 위기감이 고조되었다.
② 네덜란드의 영향을 받은 난학이 발달하였다.
③ 사회 · 경제 변동에 따른 사회 모순이 심화되었다.
④ 현실을 비판하고 개혁하려는 공양학이 등장하였다.
⑤ 천주교가 조상에 대한 제사 거부 문제로 탄압받았다.

03 다음 자료와 관련된 학문의 주장으로 옳은 것은?

> 아마테라스 오미카미(일본의 태양신)는 우주 사이에 견줄 바 없는 존재로서, 크리스트교의 하느님이나 유교의 천명(天命)도 이에 미치지 못한다. 이 아마테라스가 태어난 일본은 만국의 중심이 되는 국가이고, 그 후손인 천황의 대군주로서의 지위는 불변이며, 만세일계(萬世一系)라고 고한 영원한 신의 명령이야말로 도의 근본이다. …… 천황이 선하든 악하든 옆에서 판단할 수 없는 것이다.
> –『고사기전』–

① 하늘의 이치는 곧 인간의 마음 속에 있다.
② 인간의 본성인 성(性)이 곧 우주의 이치이다.
③ 학문은 실제 사실의 연구에 뿌리를 두어야 한다.
④ 고대 일본의 순수한 정신을 있는 그대로 이해해야 한다.
⑤ 현실적 사회 문제와 정치 개혁에 큰 관심을 기울여야 한다.

04 다음과 같은 문화 현상이 나타난 배경으로 옳지 않은 것은?

〈에도에서 출판된 책의 종수 추이〉

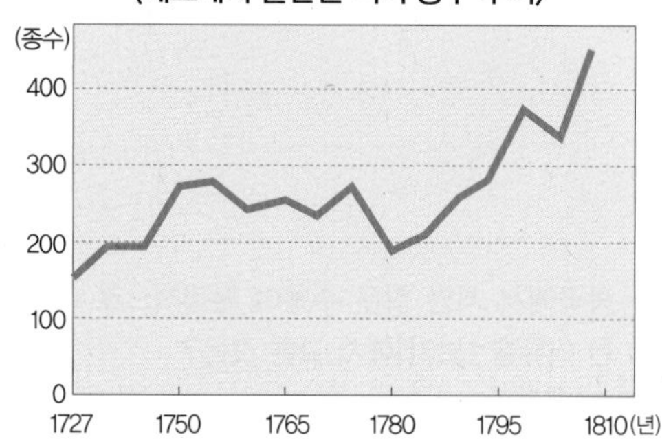

① 상업이 발달하고 대도시가 성장하였다.
② 책을 빌려주는 대여점의 수가 늘어났다.
③ 서민 교육 기관으로 데라코야가 등장하였다.
④ 조닌의 생활을 소재로 한 문학이 성장하였다.
⑤ 중인 · 서얼층의 문인들이 활발하게 시집을 간행하였다.

05 다음 사건의 원인이 된 인구 변동의 배경으로 적절하지 않은 것은?

> 후베이, 쓰촨, 산시성 3성 접경 지대의 산간 지역에는 이주민들이 대거 몰려들었으며, 그들 중에는 빈농, 궁민, 비적 등의 범죄자, 세금 체납자 등이 많았다. 백련교는 미륵이 출현하여 도탄에 빠진 중생을 구제해 줄 것이라는 민중 불교의 한 종파로, 산간 지역에서 불안정한 생활을 하던 이들에게 커다란 호소력을 가졌다. 과도한 세금과 고리대 착취에 시달리던 이주민들 사이에서는 지방관에 대한 불만이 높았으며, 이들의 분노는 백련교도에 대한 탄압을 계기로 폭발하였다.

① 화북과 강남을 잇는 대운하가 건설되었다.
② 의료 기술이 발달하여 사망률이 크게 낮아졌다.
③ 저습지와 임야 개발 등으로 경작지가 크게 늘어났다.
④ 오랫동안 평화가 유지되었고 온난한 기후가 이어졌다.
⑤ 아메리카 대륙에서 전래된 감자와 고구마 등이 재배되었다.

06 중요 밑줄 친 상인이 활약하던 시기의 동아시아 상황으로 옳지 않은 것은?

> 휘저우의 부민(富民)들은 모든 가족이 쑤저우, 항저우 등 여러 지역과 장시[江西]의 난창, 호광의 한구, 그리고 멀리는 베이징까지 진출한다. 그들은 가솔들을 데리고 가는데 심지어 수레에 조부(祖父)의 유골을 가져가 타향에 장사 지내면서 조금도 아쉬워하지 않으므로 휘저우 본토에는 빈한하여 밖으로 나갈 수 없는 자만이 남아있다. – 『휘주부지』 –

① 베트남 – 호이안이 국제 교역 도시로 성장하였다.
② 류큐 – 유럽 상인의 출현으로 중계 무역이 쇠퇴하였다.
③ 조선 – 대동법이 확산되면서 한양의 상업이 활발해졌다.
④ 일본 – 지방 치안 유지가 어려워지면서 무사 계급이 출현하였다.
⑤ 중국 – 산시 상인 등이 대운하를 무대로 상업 활동을 전개하였다.

07 중요 밑줄 친 '법도'에 대한 설명으로 옳지 않은 것은?

① 지역 간 교류가 증대되었다.
② 도시가 성장하는 데 기여하였다.
③ 대운하를 이용한 교통이 발달하였다.
④ 에도 주변의 상업과 숙박업이 발달하였다.
⑤ 다이묘의 경제력을 약화시키는 것이 목적이었다.

08 명·청 대 인구 증가의 영향으로 옳지 않은 것은?

① 식량 부족으로 백련교의 난이 발생하였다.
② 1인당 경지 면적이 줄어들고 환경이 파괴되었다.
③ 동남아시아 이주를 통해 화교 사회가 형성되었다.
④ 지나친 인구 증가로 19세기에 인구가 다시 감소하였다.
⑤ 산간 지대와 변경 지대로 인구가 이동하여 현지인과 갈등을 일으켰다.

심화 수능 유형 익히기

총 문항수 2 | 처음 푼 날 월 일
정답과 해설 52쪽 | 오답 푼 날 월 일

01 다음 사업으로 편찬된 서적에 대한 설명으로 옳은 것은?

① 영락제의 명으로 편찬되었다.
② 고증학 발전에 이바지하였다.
③ 중국인의 세계관을 넓혀주었다.
④ 농업 생산력 발전에 기여하였다.
⑤ 일본 천황에 대한 충성심을 일깨웠다.

유형 분석
개연성 있는 가상의 대화 상황을 설정한 후, 이에 대한 문제를 푸는 유형이야.

해결 비법
대화에서 문제를 풀 수 있는 힌트들이 있어. 어려운 문제는 제한적인 정보만 제공하는 경우도 있으니까 교과서에 나오는 여러 정보들을 같이 기억해 두는 게 좋아.

02 다음 대화가 이루어진 시기에 동아시아 각국에서 볼 수 있는 모습으로 적절하지 <u>않은</u> 것은?

① 교초를 내고 비단을 구입하는 상인
② 육로를 통해 상품을 유통하는 송상
③ 산킨코타이를 위해 에도로 향하는 다이묘 행렬
④ 중앙 관청에서 필요로 하는 물건을 조달하는 공인
⑤ 서양 무역상과 거래하기 위해 기다리는 공행 상인

유형 분석
개연성 있는 가상의 대화 상황을 설정한 후, 이에 대한 문제를 푸는 유형이야.

해결 비법
대화에 등장하는 키워드를 잘 보면 쉽게 문제를 풀 수 있어. 어려운 문제는 키워드뿐만 아니라 역사적 상황을 기억해야 하는 경우도 있으니까 역사적 맥락을 파악하는 것도 중요해.

심화 기출 지문 활용하기

총 문항수 6 | 처음 푼 날 월 일
정답과 해설 53쪽 | 오답 푼 날 월 일

2016학년도 수능

○○에게
오늘 (가) 공연을 봤어. (가) 은/는 춤, 음악, 연기가 어우러진 연극으로, 여자 역할도 남자 배우가 연기하지. 유행하던 당시에는 조닌과 무사들이 주로 봤다고 해. 공연 장면을 보여 주는 기념 우표 한 장을 붙여 보낸다.
－△△월 ○○일 □□가－

서술형 문제

01 (가)의 명칭을 쓰고, (가)가 유행했던 이유를 써 보자.

수능 문제

02 (가)가 유행하던 시기의 동아시아 문화에 대한 설명으로 옳지 않은 것은?

① 한국 – 『심청전』, 『춘향전』 등 한글 소설이 유행하였다.
② 한국 – 서민의 일상생활을 묘사한 풍속화가 그려졌다.
③ 중국 – 둔황, 룽먼 등에 석굴 사원이 조성되기 시작하였다.
④ 일본 – 서양의 의학, 천문학을 중심으로 한 난학이 형성되었다.
⑤ 베트남 – 수상 인형극과 같은 전통적인 극예술이 성행하였다.

활용 문제

03 밑줄 친 '조닌'에 대한 옳은 설명을 |보기|에서 고른 것은?

|보기|
ㄱ. 병농 분리 정책으로 조카마치에 거주하였다.
ㄴ. 다이묘로부터 영지나 봉급을 받아 생활하였다.
ㄷ. 쇼군이나 다이묘를 위해 행정을 담당하기도 하였다.
ㄹ. 토지세를 면제 받는 대신 무사의 필요 물품을 공급하였다.

① ㄱ, ㄴ ② ㄱ, ㄹ ③ ㄴ, ㄷ
④ ㄴ, ㄹ ⑤ ㄷ, ㄹ

2014학년도 수능

지극한 선의 이치를 내 마음에서만 구한다면 천하 사물의 이치를 모두 구할 수 있겠습니까?

(가) 마음이 곧 '이(理)'니라. 마음을 제외하고 달리 무슨 사물이 있겠으며, 무슨 '이'가 있겠느냐? 마음에 사욕의 가림이 없으면 그것이 바로 천리(天理)이니. 무엇 하나 밖에서 가져와 보탤 것이 없다.

서술형 문제

04 (가) 학문의 명칭을 쓰고, (가) 학문이 등장하게 된 배경에 대해 써 보자.

수능 문제

05 (가)에 나타난 사상에 대한 설명으로 옳은 것은?

① 형이상학적 학문 경향을 비판하고 실증을 중시하였다.
② 앎은 실천을 통하여 완성된다는 지행합일을 강조하였다.
③ 중국에서는 명·청 대를 통해 관학의 지위를 유지하였다.
④ 조선에서는 이황과 이이를 거치면서 이론적으로 심화되었다.
⑤ 일본에서는 하야시 라잔에 의해 신분 질서를 강화하는 이념으로 부각되었다.

활용 문제

06 (가) 사상이 동아시아에 미친 영향을 |보기|에서 고른 것은?

|보기|
ㄱ. 중국 – 사대부와 상공업자로부터 환영받았다.
ㄴ. 중국 – 경세치용과 실사구시를 강조하는 학문 경향이 나타났다.
ㄷ. 조선 – 정제두를 비롯한 소론 학자들이 강화학파를 형성하였다.
ㄹ. 일본 – 고대 성인의 경전을 통해 유학의 본모습을 깨우치려고 하였다.

① ㄱ, ㄴ ② ㄱ, ㄷ ③ ㄴ, ㄷ
④ ㄴ, ㄹ ⑤ ㄷ, ㄹ

대주제 3 마무리하기

난이도 / 상●●● / 중●●○ / 하●○○
정답률 / 50% 미만 / 50~70% / 70%이상

●●○
01 밑줄 친 '이 전쟁'이 일어나기 전 동아시아의 상황을 |보기|에서 고른 것은?

> • 일본에서는 이 전쟁을 '분로쿠노 에키', '게이초노 에키'라고 부른다. '에키'는 전쟁이라는 뜻으로, 침략이라는 의미가 들어 있지 않다.
> • 중국에서는 이 전쟁을 '항왜원조'라고 부른다. 일본에 맞서 조선을 도운 전쟁이라는 뜻이다. 조선을 도왔다는 사실을 통해 '조선에 대해 은혜를 베풀었다.'는 분위기를 강조한다.

|보기|
ㄱ. 조선 – 인조반정으로 광해군이 폐위되었다.
ㄴ. 청 – 삼번의 난과 정성공 세력을 진압하였다.
ㄷ. 명 – 무로마치 막부와 감합 무역을 중단하였다.
ㄹ. 일본 – 오다 노부나가가 나가시노 전투에서 승리하였다.

① ㄱ, ㄴ ② ㄱ, ㄹ ③ ㄴ, ㄷ
④ ㄴ, ㄹ ⑤ ㄷ, ㄹ

●●●
02 |보기|의 사건들을 일어난 순서대로 나열한 것은?

|보기|
ㄱ. 명이 일본과 감합 무역을 중단하였다.
ㄴ. 청이 조선을 침략하여 군신 관계를 맺었다.
ㄷ. 이자성이 이끄는 반란군에 의해 명이 멸망하였다.
ㄹ. 일본이 길을 빌려달라는 구실로 조선을 침공하였다.

① ㄱ – ㄴ – ㄹ – ㄷ
② ㄱ – ㄹ – ㄴ – ㄷ
③ ㄴ – ㄱ – ㄹ – ㄷ
④ ㄴ – ㄷ – ㄱ – ㄹ
⑤ ㄹ – ㄱ – ㄴ – ㄷ

●●●
03 밑줄 친 '화친'으로 종결된 전쟁의 원인을 |보기|에서 고른 것은?

> 조선이 금국과 맹약을 하였다. "우리 두 국가가 이미 화친을 결정하였으니 이후로는 서로 맹약을 준수하여 각각 자기 국가를 지키도록 하고 작은 일로 다투거나 도리에 어긋나는 일을 요구하지 않기로 한다. 만약 우리나라가 금국을 적대시하여 화친을 위배하고 군사를 일으켜 침범한다면 하늘이 재앙을 내릴 것이며, 만약 금국이 불량한 마음을 품고서 화친을 위배하고 군사를 일으켜 침범한다면 역시 하늘이 앙화를 내릴 것이다."

|보기|
ㄱ. 청이 조선에게 군신 관계를 요구하였다.
ㄴ. 조선의 서인 정권이 친명배금 정책을 추진하였다.
ㄷ. 조선이 명의 모문룡 군대에 대한 지원을 강화하였다.
ㄹ. 광해군이 강홍립으로 하여금 상황에 따라 대처하도록 하였다.

① ㄱ, ㄴ ② ㄱ, ㄹ ③ ㄴ, ㄷ
④ ㄴ, ㄹ ⑤ ㄷ, ㄹ

●●○
04 다음 주장이 제기된 왕조에 대한 설명으로 옳은 것은?

> 오랑캐라고 부르는 것은 대개 변방에 거처하여 중원과 말이 통하지 않기 때문이다. 중원에 태어났다고 하여 중화가 되는 것이 아니며 변방에 태어났다고 하여 중화가 될 수 없는 것도 아니다. 더불어 세상에 태어나서 음양의 기운을 함께 받았으니, 그 정기가 뛰어난 자가 중화가 되는 것이고, 편벽되고 특이한 정기를 받은 자가 오랑캐가 되는 것이다. 그러므로 중화인은 인의(仁義)를 아는 것이고 오랑캐는 윤리를 모르는 것이다. 그러하니 어찌 태어난 곳이 중원이냐 아니냐를 가지고 중화인과 오랑캐를 구별할 수 있겠는가?

① 신패를 발급하여 무역량을 조절하였다.
② 남북조를 통일하고 대운하를 건설하였다.
③ 남송을 정복하여 중국 전체를 지배하였다.
④ 점령지에 번부를 두어 간접 통치 방식으로 다스렸다.
⑤ 중국에서 과거제를 처음 도입하여 관리를 선발하였다.

05 밑줄 친 '왕조'의 정책으로 옳은 것은?

> 당시 중국에서는 갑작스러운 은 유입의 격감으로 전례 없는 재정 문제가 발생하였다. 에도 막부는 포르투갈 상인들을 나가사키로 들어오지 못하게 하여 양국의 교역이 중단되었다. 게다가 곧이어 마닐라에서 중국 상인과 에스파냐 간에 유혈 사태가 벌어져 양국의 요역마저 사실상 중단되었다. 이로 인해 조세를 은으로 징수하던 중국에서는 급격한 디플레이션과 은·곡물 사재기 현상이 일어났고, 곳곳에서 폭동이 일어났다. 이는 결국 왕조 멸망의 요인이 되었다.

① 일조편법을 전국적으로 확대 시행하였다.
② 네덜란드 상인에게만 교역을 개방하였다.
③ 이와미 광산을 개발하여 은을 생산하였다.
④ 은 유출을 막기 위해 천계령을 선포하였다.
⑤ 은과 교환할 수 있는 지폐인 교초를 발행하였다.

06 다음 자료의 무역이 이루어질 시기의 동아시아 상황을 |보기|에서 고른 것은?

> 우리 배가 항구로 들어오기 전에, 수로 안내인이 해관 감독에게 보고하였다. 관리들이 두 척의 배를 이끌고 도착하여 선미 양쪽에 대고 밀수품이 없는지 확인한 후 상관으로 인도하여 정박하게 하였다. 그 사이에 우리 배를 담당하는 공행은 사무를 처리하고 세금을 납부하였다. 관리들은 의례적으로 항해가 어떠하였는지를 묻고 선박의 길이와 폭 등을 측정하여 기록하였다. 세금 지불이 끝나면 선박의 승강구 개방이 허락되어 화물이 하역되고 또 새로운 화물이 적재되었다. 외국으로 나가는 화물의 적재가 끝나면 공행은 감독관에게 출항 허가서 발행을 신청하였고, 출항 허가서가 발급되면 배가 출항할 수 있었다.

| 보기 |

ㄱ. 류큐 – 중국·일본 간 중계 무역이 활발해졌다.
ㄴ. 한국 – 왜관을 통해 일본과 무역이 이루어졌다.
ㄷ. 일본 – 나가사키에서 네덜란드 상인이 교역하였다.
ㄹ. 중국 – 포르투갈 상인에게 마카오를 조차해 주었다.

① ㄱ, ㄴ ② ㄱ, ㄹ ③ ㄴ, ㄷ
④ ㄴ, ㄹ ⑤ ㄷ, ㄹ

07 (가)에 대한 설명으로 옳지 않은 것은?

> 근래 술과 고기, 두부, 염장, 땔감, 마초 등 소소한 물건의 값을 치르는 데 모두 (가) 을/를 사용하여 서울과 지방 백성들이 그 덕으로 생계를 꾸려가고 있습니다. 처음에는 명군과 거래할 때 시험 삼아 해보다가 시일이 오래 지나자 이미 습속으로 굳어졌습니다. 술이나 땔감을 파는 사람들이 사겠다는 사람을 만나면 반드시 (가) 을/를 갖고 있는지를 먼저 물어본다고 합니다. 그것은 다름이 아니라 그 이익이 있음을 알고 그러는 것입니다. –『선조실록』–

① 중국에서 일조편법 시행에 영향을 주었다.
② 조선에서 임진왜란 이후 많이 사용되었다.
③ 일본이 중국에서 수입하여 화폐로 통용하였다.
④ 일본에 회취법이 전래되면서 생산량이 늘어났다.
⑤ 유럽 상인이 비단 등을 사는 대가로 중국에 지불하였다.

08 (가)에 대한 옳은 설명을 |보기|에서 고른 것은?

> 명 중반 이후 서양 선교사를 통해 서양의 자연 과학이 활발하게 전해졌다. 특히 예수회 선교사들은 서학을 소개하면서 유교 등 중국의 전통문화를 이해하려고 노력하였다. 1583년 명에 들어 온 예수회 선교사 (가) 은/는 원만한 포교를 위해 유학의 소양을 키우고 중국식 복장 등을 입어 '태서의 유사'라는 존경을 받기도 하였다.

| 보기 |

ㄱ. 서양 역법에 기초한『시헌력』을 제작하였다.
ㄴ. 크리스트교 교리 문답서인『천주실의』를 저술하였다.
ㄷ.「곤여만국전도」를 제작하여 세계관 확대에 기여하였다.
ㄹ. 서양화 기법을 소개하고 원명원의 설계에 참여하였다.

① ㄱ, ㄴ ② ㄱ, ㄹ ③ ㄴ, ㄷ
④ ㄴ, ㄹ ⑤ ㄷ, ㄹ

09 다음은 일본의 인구 변화 그래프이다. (가) 시기의 인구 변동 요인으로 옳은 것을 |보기|에서 고른 것은?

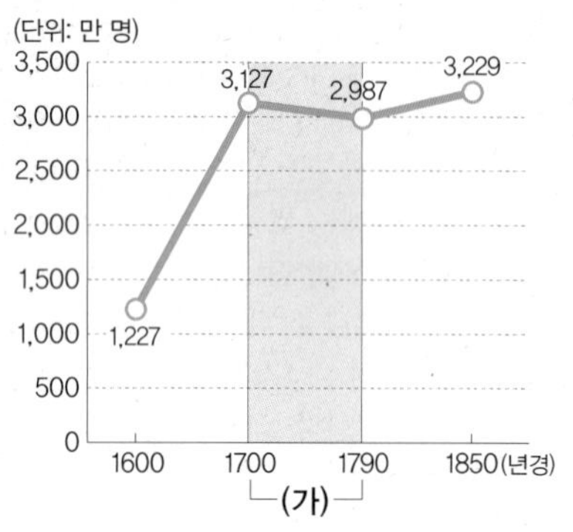

|보기|
ㄱ. 소농 중심의 집약 농업이 발전하였다.
ㄴ. 동남아시아로 많은 인구가 이주하였다.
ㄷ. 막부와 다이묘들이 수탈을 강화하였다.
ㄹ. 기상 이변 등의 자연재해가 빈번하게 일어났다.

① ㄱ, ㄴ ② ㄱ, ㄹ ③ ㄴ, ㄷ
④ ㄴ, ㄹ ⑤ ㄷ, ㄹ

10 다음 학문에 대한 설명으로 옳은 것은?

> 중국이 재산이 풍족할 뿐더러 한 곳에 지체되지 않고 골고루 유통함은 모두 수레를 사용한 까닭일 것이다. …… 사방이 겨우 몇 천리밖에 안 되는 국가에 백성의 살림살이가 이다지 가난함은 한마디로 표현한다면 수레가 국내에 다니지 못한 까닭이라 하겠다.
> –『열하일기』–

① 청의 공양학에 영향을 받았다.
② 청의 선진 문물 수용을 주장하였다.
③ 북벌 운동의 사상적 기반이 되었다.
④ 에도 막부의 국학파에게 영향을 주었다.
⑤ 개항을 통한 서양과의 통상 교류를 주장하였다.

11 밑줄 친 '이 도시'를 지도에서 찾은 것은?

> <u>이 도시</u>는 가장 큰 조카마치가 있었던 곳으로 수많은 무사와 상공업자들이 모여들어 18세기 초 인구가 100만을 넘었다. 특히 각 지방의 다이묘가 정기적으로 <u>이 도시</u>에 와서 쇼군을 알현하여 <u>이 도시</u>의 길목에는 교통과 숙박 등 각종 서비스업이 발달하게 되었다.

① (가) ② (나) ③ (다) ④ (라) ⑤ (마)

12 다음 상인들이 활동하던 시기의 문화 현상으로 옳지 <u>않은</u> 것은?

> • 휘저우 상인 – 창장강 유통로에서 소금과 쌀, 차, 목재 등을 유통하여 막대한 이득을 챙겼다. 점차 소금 판매에 대한 전매권을 획득하여 전국적으로 유명한 상인이 되었다.
> • 오미 상인 – 에도 막부 시기 크게 성장하여 오늘날 일본의 도요타 자동차를 비롯한 일본을 대표하는 많은 대기업을 일으킨 상인이다.
> • 개성 상인 – 협동과 근면, 신용을 최우선으로 여기고, 시세를 살피는 데 탁월하였으며, 개성 부기법이라는 일종의 복식 부기법을 사용하여 큰 상인으로 성장하였다.

① 시집을 간행하는 중인
②『홍루몽』을 읽는 도시민
③ 가부키를 관람하는 조닌
④ 회관 문화를 즐기는 상인
⑤ 만권당 설립을 축하하는 학자

정답과 해설 ▸ 55쪽

❖ 다음을 읽고 물음에 답해 보자.

(가) '임진왜란'에 대한 각국의 연구 경향

그 동안 이 전쟁에 관해 이루어진 연구는 전쟁에 개입했던 동아시아 삼국에서 모두 자국의 국가사 범위 안에서만 진행되었다. 주로 민족주의적 입장에서 이 전쟁을 보아왔기 때문에 이 전쟁이 동아시아 역사에서 차지하는 중요성을 깊이 인식하지 못하였다. 한국에서는 이순신의 활약과 의병들의 활동을 중심으로 한 항쟁사에 초점이 모아졌으며, 그 결과 침략군을 성공리에 격퇴시킨 전쟁으로만 해석되었다. 제국주의 시대의 일본은 이 전쟁을 대륙 침략의 선구적 업적으로 미화하고 히데요시를 영웅으로 추앙하였다. 제2차 세계 대전에서 패전한 이후 이 전쟁에 대한 해석이 크게 달라지기는 했지만, 히데요시의 조선 침략이라는 시각은 유지되어 전쟁의 본질을 비켜가려는 경향이 강하였다. 그리고 중국에서는 조선을 도와서 일본을 패퇴시켰다고 하여, 이 전쟁을 대국주의 관점에서 서술하고 있다. –『임진왜란, 동아시아 삼국 전쟁』–

(나) 임진왜란을 부르는 이름의 차이

- 한국에서는 ㉠ '임진왜란', '정유재란'으로 불렀다. 임진년과 정유년에 '일본인들이 저지른 난동'이라는 뜻이다.
- 일본에서는 ㉡ '분로쿠노 에키', '게이초노 에키'라고 부른다. 분로쿠와 게이초는 일본의 연호이며, '에키'는 전쟁이라는 뜻이다.
- 중국에서는 '항왜원조'라고 부른다. '일본에 맞서 조선을 도운 전쟁'이라는 뜻이다.

더 알아보기

전쟁의 실체와 당시 국제 정세의 정확한 이해를 위해 '왜란'보다는 '전쟁'이라는 용어를 이용해야 한다고 하여, 일각에서는 '임진 전쟁'이라는 용어를 사용하기도 해.

논술 갈라잡이

임진왜란을 부르는 각국의 용어가 어떤 부분에서 비판받을 수 있는지에 대해 생각해 보자.

01 (가)를 참조하여 ㉠ 용어의 문제점 두 가지를 서술해 보자.

02 (가)를 참조하여 ㉡ 용어의 문제점 두 가지를 서술해 보자.

대주제 4

동아시아의 근대화 운동과 반제국주의 민족 운동

학습 계획표

- 자신의 일정에 맞게 계획을 세우고, 실제 학습일을 적어 봅시다.
- 학습을 마무리한 후 스스로가 얼마나 학습 목표를 달성하였는지 점검해 봅시다.

주제 10 새로운 국제 질서와 근대화 운동	쪽수	계획일	완료일	목표 달성도
Day 28 개념 정리, 자료 뜯어보기	148~153쪽	월 일	월 일	☆☆☆☆☆
Day 29 개념 익히기, 내신 유형 익히기	154~157쪽	월 일	월 일	☆☆☆☆☆
Day 30 내신 만점 도전하기, 수능 유형 익히기, 기출 지문 활용하기	158~161쪽	월 일	월 일	☆☆☆☆☆

주제 11 서양 문물의 수용	쪽수	계획일	완료일	목표 달성도
Day 31 개념 정리, 자료 뜯어보기	162~167쪽	월 일	월 일	☆☆☆☆☆
Day 32 개념 익히기, 내신 유형 익히기	168~171쪽	월 일	월 일	☆☆☆☆☆
Day 33 내신 만점 도전하기, 수능 유형 익히기, 기출 지문 활용하기	172~175쪽	월 일	월 일	☆☆☆☆☆

주제 12 제국주의 침략 전쟁과 민족 운동	쪽수	계획일	완료일	목표 달성도
Day 34 개념 정리, 자료 뜯어보기	176~183쪽	월 일	월 일	☆☆☆☆☆
Day 35 개념 익히기, 내신 유형 익히기	184~187쪽	월 일	월 일	☆☆☆☆☆
Day 36 내신 만점 도전하기, 수능 유형 익히기, 기출 지문 활용하기	188~191쪽	월 일	월 일	☆☆☆☆☆
Day 37 대주제 마무리하기, 비판적 사고 기르기	192~195쪽	월 일	월 일	☆☆☆☆☆

주제 10

새로운 국제 질서와 근대화 운동

주제 흐름 읽기

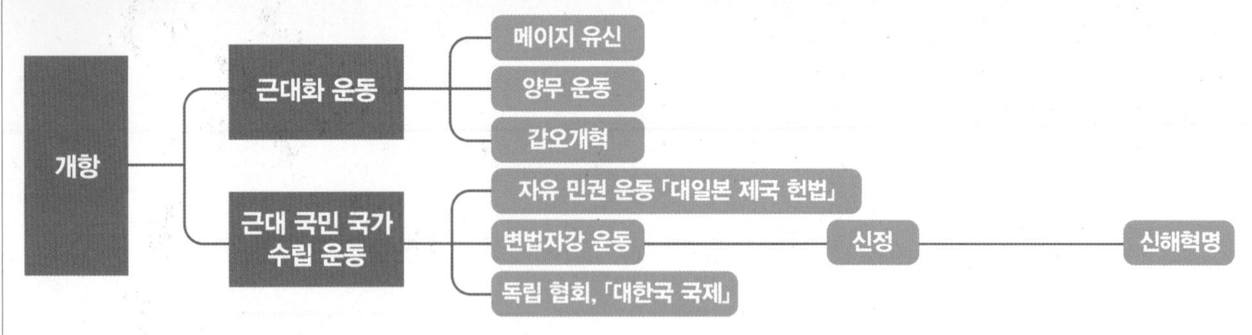

1 동아시아 각국의 개항 자료 1

1. 아편 전쟁과 국제 질서의 변화
청이 개항을 하게 된 배경은 무엇일까요?

(1) 청의 개항 배경 및 불평등 조약

배경	체결 조약	주요 내용
영국과의 아편 전쟁[❶]에서 패배	난징 조약 (1842)	• 5개 항구 개항 • 영국에 홍콩 할양 • 영사 재판권, 최혜국 대우 인정

무엇을? 다른 국가에 부여하고 있는 가장 유리한 대우를 상대국에도 부여하는 것을 말하는 거야.

(2) 중국 중심 조공 체제의 변화

일본과의 관계	• 청·일 수호 조규 체결(1871) → 동아시아 지역 최초로 조공 체제와 다른 근대적 외교 관계 성립 자료 2
조선, 베트남과의 관계	• 조선, 베트남은 개항 이후에도 조공 체제 유지 → 청·프 전쟁, 청·일 전쟁에서 청의 패배로 조공 체제 붕괴

2. 일본과 조선의 개항
일본, 조선, 베트남이 체결한 개항 조약에는 어떤 내용이 담겨 있었을까요?

(1) 일본의 개항

배경	체결 조약	주요 내용
미국의 군사적 압력	미·일 화친 조약[❷](1854)	• 시모다, 하코다테 개항
	미·일 수호 통상 조약(1858)	• 나가사키, 니가타 등 개항 • 영사 재판권 인정

(2) 조선의 개항

배경	체결 조약	주요 내용
운요호 사건[❸]	강화도 조약(1876)	• 3개 항구 개항, 영사 재판권 인정

어디에? 부산포(부산), 제물포(인천), 원산이 처음 개항되었어.

(3) 베트남의 개항

배경	체결 조약	주요 내용
프랑스의 침략	제1차 사이공 조약 (1862)	• 크리스트교 포교 허용 • 외교권 제한 • 3개 성 할양, 3개 항구 개항

왜? 베트남의 크리스트교 탄압을 구실로 군대를 파견했지.

❶ 아편 전쟁
영국은 청과의 무역에서 많은 적자를 보고 있었기 때문에 이를 만회하기 위해 몰래 아편을 판매하였다. 이로 인해 청의 은이 영국으로 유출되고 아편 중독자가 늘어나는 문제가 발생하자, 청 정부는 광저우에 임칙서를 파견하였다. 임칙서는 아편 무역을 적발하여 압수한 영국의 아편을 불태웠다. 이를 빌미로 영국은 청에 선전포고를 하였는데, 이를 아편 전쟁이라 부른다.

❷ 미·일 화친 조약
1853년 미국의 동인도 함대 사령관 페리 제독이 4척의 군함을 이끌고 와 일본의 항구들을 개방할 것을 요구하며 압력을 가한 결과 체결된 불평등 조약이다. 이로써 네덜란드 상인을 제외하고는 교역을 허락하지 않았던 200여 년 간의 쇄국 정책이 종결되었다.

❸ 운요호 사건
일본이 조선을 개항시키기 위해 일으킨 사건이다. 일본 군함 운요호가 허락없이 강화도로 접근하자 조선 수비대가 위협 포격을 가했다. 일본은 이를 구실로 군대를 영종도에 상륙시켜 살인과 약탈을 저질렀다. 이후 일본은 대규모 군함과 병력을 보내 조선의 개항을 요구하였다.

자료 1 동아시아 삼국의 개항 조약

제2조 영국인이 광저우, 아모이(샤먼), 푸저우, 닝보, 상하이에서 박해나 구속을 받지 않고 상업에 종사할 수 있도록 한다.
제5조 청국 정부의 특허를 얻은 행상하고만 거래를 하도록 하던 관행을 없애고, 누구하고나 자유롭게 거래하도록 한다. – 난징 조약(1842) –

제5조 외국의 모든 화폐는 일본 화폐와 같은 종류, 같은 질량으로 통용할 수 있다.
제6조 일본인에 대하여 범법 행위를 한 미국인은 미국 영사 재판소에서 조사하여 미국의 법으로 처벌한다. – 미 · 일 수호 통상 조약(1858) –

제4조 조선국은 부산 외에 두 곳의 항구를 개항하고 일본인이 와서 통상하도록 허가한다.
제10조 일본인이 조선국 지정의 각 항구에 머무는 동안에 죄를 범한 것이 조선인과 관계되는 사건일 때에는 모두 일본국 관원이 심판한다.
– 강화도 조약(1876) –

뜯어보기 포인트
동아시아 삼국의 개항 조약은 모두 불평등 조약이었다는 점을 기억하자.

◎ 난징 조약 제5조의 내용은 무슨 의미일까?
아편 전쟁 이전의 공행 무역 관행을 없애고 자유로운 무역을 허가한다는 내용이야. 이로써 영국의 공산품이 청 시장에 침투할 수 있는 조건이 만들어진 거지.

◎ 미 · 일 수호 통상 조약 제6조, 강화도 조약 제10조의 내용은 무슨 의미일까?
이런 조항을 치외 법권(영사 재판권)이라고 부른단다. 치외 법권 조항은 양국의 국력 차이가 큰 경우에는 강대국 국민이 약소국의 법을 어기며 피해를 줄 때 처벌하기 힘들다는 점에서, 약소국에 불리한 대표적인 불평등 조항이라 할 수 있지.

Q1 동아시아 삼국의 개항 조약의 공통점으로 옳은 것을 모두 선택해 보자.

㉠ 불평등 조약이었다.
㉡ 근대적 조약이었다.
㉢ 전쟁의 결과 체결되었다.
㉣ 영토 할양이 포함되었다.
㉤ 경제적인 내용은 포함되지 않았다.

자료 2 청 · 일 수호 조규

제1조 이후 일본과 청은 마침내 우호를 두텁게 하여 천지와 함께 영원히 끝이 없어야 한다. 또한 양국에 소속되는 국토에서도 각자 예를 가지고 상대를 대우하고 ……
제2조 양국이 우호를 나눈 이상 반드시 정중하게 대접해야 한다. 만약 타국에서 불공평하거나 경멸을 당하는 일이 있을 경우 …… 적당히 처리하고 우의를 두텁게 해야 한다.
제8조 양국의 개항장에는 양국 모두 영사관을 두고, 자국 상민의 단속을 실시해야 한다. …… 어느 쪽이나 서로 자국의 법률에 따르며 영사 재판권을 가진다.

뜯어보기 포인트
청 · 일 수호 조규는 동아시아 지역에서 최초로 조공 체제 아닌 외교 관계가 성립된 것이라는 것을 기억하자.

◎ 청 · 일 수호 조규의 의미는 무엇일까?
청 · 일 수호 조규는 1871년에 체결된 근대적 조약으로, 서로 영사 재판권을 인정하여 양국민의 분쟁 시에는 양국 관리의 협의 아래 재판을 하며, 관세율도 상호 협정으로 시행한다는 대등한 내용을 담고 있어. 청 · 일 수호 조약이 체결됨으로써 동아시아 지역에서 처음으로 전통적인 조공 · 책봉 체제를 벗어난 외교 관계가 성립된 거야.

Q2 청 · 일 수호 조규에 대한 설명으로 옳은 것을 모두 선택해 보자.

㉠ 불평등 조약이었다.
㉡ 양국에 영사 재판권을 부여하였다.
㉢ 조선에 대한 공동 파병을 결의하였다.
㉣ 청의 랴오둥반도를 일본에게 할양하였다.
㉤ 조공 체제에서 벗어난 외교 관계를 가져왔다.

답 Q1 ㉠, ㉢ / Q2 ㉡, ㉤

2 근대화 운동의 전개

1. 일본의 메이지 유신

일본의 메이지 유신은 어떤 특징을 가지고 있었을까요?

(1) 메이지 정부의 수립(메이지 유신, 1868)

수립 과정	• 개항 이후 막부와 외세에 대한 불만 → 사쓰마번, 조슈번은 막부 타도 운동 전개 → 천황 중심의 정권 수립
메이지 정부의 근대화 정책	• 중앙 집권 체제 확립: 폐번치현 • 신분제 폐지, 징병제 실시, 근대 국민 교육 시행 • 해외에 사절단[1] 및 유학생 파견 • 식산흥업 정책

무엇을? 번을 폐지하고 현을 설치한 후에 정부에서 직접 통치하는 거야.

(2) 대외 침략 정책 조선 침략(정한론), 타이완 침략, 류큐 병합 정책 추진

어떻게? 1879년, 일본은 류큐를 없애고 오키나와 현을 설치했어.

2. 청의 양무운동 자료 3

청의 양무운동의 특징과 한계는 무엇이었을까요?

배경	• 태평천국 운동[2] 진압 과정에서 서양 기술의 우수성 실감
주도 세력	• 증국번, 이홍장 등의 지방 한인 관료
내용	• 서양식 군수 공업 육성 중심(중체서용)
한계	• 중앙 정부의 체계적인 지원이 없어 지방마다 개별적으로 추진 • 양무파 내부 분열도 극심
결과	• 청·일 전쟁 패배(1894)

무엇을? 중국의 전통 체제를 유지하며 서양의 기술만 배우자는 주장이야.

3. 조선의 근대화 운동

조선의 근대화 운동에는 어떤 것들이 있었을까요?

(1) 갑신정변(1884)

배경	• 임오군란(1882)[3] 이후 청의 내정 간섭 극심
전개 과정 및 결과	• 급진 개화파[4]가 문벌 폐지, 인민 평등권 등을 목표로 정변을 일으킴 → 청군의 개입으로 실패
영향	• 급진 개화파 몰락, 근대화 운동 위축 • 청의 내정 간섭 강화

(2) 갑오개혁(1894)

어떻게? 동학 농민 운동 진압을 구실로 조선에 군대를 파병한 일본은 경복궁을 점령한 다음 조선의 개혁에 간섭하기 시작했어.

배경	• 동학 농민군의 요구, 일본의 개입
내용	• 근대 학교 설립, 봉건적 신분제 폐지 등의 근대화 개혁
백성의 반응	• 갑오개혁 추진 세력을 일본의 앞잡이로 인식 • 단발령 등의 정책에 거세게 반발 자료 4

3 근대 국민 국가의 수립 노력

1. 자유 민권 운동과 「대일본 제국 헌법」

「대일본 제국 헌법」의 특징은 무엇일까요?

(1) 자유 민권 운동 자료 5

등장 배경	• 메이지 유신 이후 소수 정치가의 권력을 독점 비판
활동	• 입헌 정치 실현 요구(의회 설립, 헌법안 제시) → 정부의 탄압
결과	• 메이지 정부는 「대일본 제국 헌법」 제정, 의회 설치

❶ 이와쿠라 사절단
메이지 정부는 미국 등 서양과 맺은 불평등 조약을 개정하고 서양 문물과 제도를 조사하기 위해, 이와쿠라 도모미를 전권 대사로 하는 사절단을 파견하였다. 이와쿠라 사절단은 1871년부터 1년 10개월 동안 서양 12개국을 시찰하였는데, 서구의 앞선 문물을 수용하는 데 큰 역할을 하였다.

❷ 태평천국 운동
홍수전이 크리스트교의 영향을 받아 상제회를 조직하고, 청 왕조 타도와 평등한 사회 건설, 토지 제도 개혁 등을 주장하며 펼친 운동이다. 농민들의 큰 호응을 받아 한때 난징을 점령할 정도로 세력이 커졌으나, 결국 정부군과 서양 군대에 의해 진압되고 말았다.

❸ 임오군란
신식 군대인 별기군에 비해 크게 차별받고 급료도 제대로 받지 못하자 구식 군인들이 봉기를 일으킨 사건이다. 개항 이후 생활이 어려워진 서울 하층민도 가담하였다. 임오군란은 정부의 요청을 받은 청군에 의해 진압되었다.

❹ 온건 개화파와 급진 개화파
온건 개화파는 청과의 전통적인 관계를 유지하면서 양무운동을 참고하여 서양의 기술만 받아들여야 한다고 주장하였다. 반면 급진 개화파는 청의 간섭에서 벗어나야 한다고 생각하였고 일본의 메이지 유신을 본받아 제도와 사상까지 전면적으로 개혁해야 한다고 주장하였다.

자료 3 **청의 양무운동**

신이 애써 밝히고자 하는 것은 서구식 기계는 농사나 직포, 인쇄, 도자기 제조 등에 필요한 물건을 모두 만들 수 있고, 백성의 생계와 일상용품에 도움이 되는 것이기도 하며 …… 중국의 문물제도는 바다 건너 야만의 풍속과는 전혀 다르고, 나라를 잘 다스리고, 제업(제왕의 업적)의 튼튼한 기초를 굳히고자 하는 방법은 당연히 원래부터 존재하고 있습니다. …… 지금 이 철공소를 완공한 것은 …… 서구의 장점을 취하여 중국의 장점으로 삼으면서도 서로 비교해 보아도 뒤처지지 않을 것입니다. 이것이 바로 유비무환이며, 신이 어리석게도 행운을 기대하는 바입니다.

– 이홍장, 동치 4년(1865) 8월 1일. –

뜯어보기 포인트
양무운동의 핵심 원칙은 중체서용이었다는 점을 기억하자.

이홍장이 말하는 서구의 장점과 중국의 장점은 무엇일까?

이홍장은 증국번 등과 함께 양무운동을 주도했던 대표적인 인물이야. 양무운동의 기본적인 원칙은 중국의 전통적인 체제를 유지하며 서양의 기술을 배우자는 '중체서용'이었어. 양무운동 세력들은 서양과 중국의 풍속이 다르고 중국의 제도 역시 서양 못지않게 훌륭하기 때문에 서양의 제도까지 받아들일 필요까지는 없다고 생각했지. 반면에 태평천국 운동을 진압하는 과정에서 서양의 군대와 무기가 뛰어나다는 것을 실감했기 때문에 서양의 기술, 특히 군수 공업은 받아들일 필요가 있다고 생각한 거야.

Q3 양무운동에 대한 설명으로 옳은 것을 모두 선택해 보자.

㉠ 만주 귀족들이 주도하였다.
㉡ 태평천국 운동이 계기가 되었다.
㉢ 서양의 제도를 수용하고자 하였다.
㉣ 청 · 일 전쟁 패배로 한계를 드러냈다.
㉤ 중앙 정부의 체계적인 지원을 받지 못했다.

자료 4 **단발령**

단발령이 내리자, 통곡 소리가 진동하고 사람마다 분노가 치밀어 억장이 무너졌으며 형세가 금방 변란이라도 일어날 것 같았다. 왜인들은 군대를 엄히 단속하며 대기하고 있었다. 경무사 허진은 순검들을 거느리고 칼을 차고서 길을 막고 있다가 만나는 사람마다 단발을 시행하였다. 그리고 집집이 들어가 빠짐없이 색출해 내니, 깊이 숨어 있는 사람이 아니면 면할 수가 없었다.

– 황현, 『매천야록』 –

뜯어보기 포인트
단발령은 갑오개혁과 일본에 대한 반발을 더욱 강하게 만들었다는 점을 기억하자.

단발령에 대한 조선인들의 반응을 통해 파악할 수 있는 사실은 무엇일까?

자료를 보면 알 수 있듯이 조선인들은 단발령에 대해 굉장히 분노하고, 또 슬퍼하고 있어. 상투는 부모에 대한 효의 상징이라고 생각했던 조선인들에게 단발령은 받아들일 수 없는 것이었지. 그런데 이 단발령은 갑오개혁 때 실시되었어. 갑오개혁은 개화파가 정권을 잡고 추진했지만 일본의 간섭 하에 진행되었지. 심지어 그 과정에서 일본의 손에 왕비인 명성황후가 시해되는 끔찍한 사건까지 벌어졌어(을미사변). 이런 상황에서 개혁 정책 중 하나로 단발령까지 시행되었으니 조선인들은 갑오개혁에 대해 긍정적으로 평가할 수는 없었겠지. 이처럼 단발령은 일본의 침략과 갑오개혁에 대한 조선인의 반감을 폭발시킨 사건이라고 볼 수 있어.

Q4 갑오개혁에 대한 설명으로 옳은 것을 모두 선택해 보자.

㉠ 의회가 설립되었다.
㉡ 단발령이 시행되었다.
㉢ 백성들의 지지를 받았다.
㉣ 봉건적 신분제가 폐지되었다.
㉤ 일본의 간섭 하에 추진되었다.

답 Q3 ㉡, ㉣, ㉤ / Q4 ㉡, ㉣, ㉤

(2) 「대일본 제국 헌법」(1889) 자료 5

주도 세력	• 이토 히로부미[1]가 독일, 오스트리아 헌법을 참고하여 작성
특징	• 천황이 국민에게 하사하는 형식으로 공포
내용	• 천황을 신격화하고 정치·군사의 최고 권력자로 규정 • 천황은 의회와 내각의 견제 없이 전쟁 개시 가능 • 국민의 기본권은 부분적으로 인정

어디서? '법률이 정한 범위 안에서'라는 단서가 붙어 부분적으로만 인정되었어.

2. 독립 협회와 대한 제국

독립 협회와 대한 제국은 어떤 목표를 가지고 있었을까요?

(1) 독립 협회

설립 배경	• 을미사변(1895)[2], 아관 파천(1896)[3] → 조선의 위신 추락, 열강의 이권 침탈 극심
주도 세력	• 서재필 등의 개화파
활동 내용	• 『독립신문』 발간, 각종 토론회 개최(만민 공동회)
의의	• 대중의 근대 정치 의식 향상

누가? 갑신정변을 주도했던 인물로 갑신정변 실패 이후 미국으로 건너갔었지.

언제? 러시아 공사관에서 돌아오고 나서 대한 제국이 수립되었어.

(2) 대한 제국의 수립 고종이 국호를 대한 제국, 연호를 광무로 정하고 황제에 즉위

식산흥업 정책		• 섬유, 운수, 광업, 금융, 철도 분야에서 근대적 회사 설립
「대한국 국제」 공포(1899)	성격	• 국가 운영의 기본 원칙을 정하고 있는 일종의 헌법
	내용	• 대한 제국이 자주독립국이며 황제가 권한이 절대적임을 선포
	한계	• 국민의 권리보다 황제의 무한한 권리만 강조

3. 변법자강 운동과 신해혁명

중화민국은 어떤 과정을 거쳐 수립되었을까요?

(1) 변법자강 운동 자료 6

배경	• 청·일 전쟁 패배 이후 위기감을 느낌
주도 세력	• 캉유웨이, 량치차오
내용	• 황제의 지지를 받아 메이지 유신을 참고하여 입헌 군주제를 목표로 개혁 시도 → 의회 제도 도입 주장
결과	• 보수파의 반발로 100일만에 실패

(2) 신정의 단행

배경	• 의화단 운동(1900)[4] 진압 이후 지배층의 위기의식
내용	• 의회 개설, 과거제 폐지 등
한계	• 전제 군주제를 유지하는 차원에서의 개혁

(3) 신해혁명과 청의 멸망(1911)

배경	• 청 정부가 민영 철도를 국유화하고 이를 담보로 외국에서 거액의 차관 도입
전개 과정	• 철도 국유화 반대 투쟁 → 우창에서 혁명파 군대 봉기 → 중화민국 수립(임시 대총통: 쑨원) → 청 황제를 물러나게 하는 조건으로 위안스카이에게 대총통 양보 → 청 멸망

왜? 위안스카이는 혁명 세력을 압도하는 군사력을 가지고 있었거든.

[1] **이토 히로부미** 일본의 근대화 정책을 주도했던 인물로 「대일본 제국 헌법」의 초안을 마련하고 의회를 확립시켰다. 조선에 대한 침략 정책을 주도하다가 하얼빈 역에서 안중근에 의해 처단당했다.

[2] **을미사변** 고종의 왕비인 명성황후가 러시아와 손을 잡고 일본의 간섭에서 벗어나기 위한 정책을 펼치다 일본에 의해 살해된 사건이다.

[3] **아관 파천** 을미사변으로 신변의 위협을 느끼던 고종이 일본의 간섭에서 벗어나기 위해 러시아 공사관으로 피신한 사건이다.

[4] **의화단 운동** 열강의 이권 침탈로 인해 민중들의 삶이 피폐해지자 의화단이라는 비밀 결사가 조직되었다. 의화단은 "청을 도와 서양 세력을 물리치자."는 구호를 내세우면서 서양인을 공격하고 서양인이 설립한 학교, 교회, 철도 등을 파괴하였으나 결국 연합군에 의해 진압되었다.

자료 5 **자유 민권 운동과 「대일본 제국 헌법」**

- 현재 정권이 누구에게 있는가 살펴보니 …… 오로지 일부 실권자들에게 있습니다. …… 애초에 정부에 조세를 낼 의무가 국민에게 있다는 것은 국민이 정부의 정치를 알고 시비를 판단할 권리가 있다는 것을 말합니다. 결국 국민이 뽑은 의원을 설립하는 길 밖에 없습니다. – 「민선」(1874) –

- **제72조** 정부가 제멋대로 국헌을 어기고 제멋대로 인민의 자유 권리를 침해하여 건국의 취지를 방해할 때는 일본 국민은 이것을 타도하고 새 정부를 건설할 수 있다. – 우에키 에모리가 만든 헌법안(1881) –

- **제1조** 대일본 제국은 만세일계의 천황이 이를 통치한다.
  제3조 천황은 신성하여 누구라도 침범할 수 없다.
  제11조 천황은 육해군을 통솔한다.
  제13조 천황은 전쟁을 선포하고 평화를 마련하며 여러 조약을 체결한다.
  제29조 일본 신민은 법률이 정한 범위 안에서 언론, 저작, 인쇄 및 발행, 집회, 결사의 자유를 허용한다. – 「대일본 제국 헌법」(1889) –

자유 민권 운동가들의 주장은 「대일본 제국 헌법」에서 어떻게 반영되었을까?

자유 민권 운동가들은 메이지 유신 이후 소수의 정치가들이 권력을 독점하고 있다고 정부를 비판하며, 의회 설립을 요구하고 헌법안을 제시했어. 이들이 제시한 헌법안에는 인민의 자유, 권리를 침해하는 정부를 타도할 수 있다는 내용까지 들어가 있었지. 자유 민권 운동은 정부의 탄압을 받았지만, 결국 그들의 주장대로 헌법이 만들어지고 의회가 설립되었어. 하지만 정부에 의해 만들어진 「대일본 제국 헌법」은 제1조, 3조, 11조, 13조를 보면 알 수 있듯이, 천황에게 막강한 권한을 보장하는 내용이 대부분이었어. 자유 민권 운동가들이 강조했던 국민 기본권은 제29조처럼 제한적으로만 언급되었지.

뜯어보기 포인트

「대일본 제국 헌법」은 자유 민권 운동의 요구와 다른 내용을 담고 있었다는 점을 기억하자.

Q5 「대일본 제국 헌법」에 대한 설명으로 옳은 것을 모두 선택해 보자.

㉠ 「대한국 국제」의 영향을 받았다.
㉡ 프랑스, 미국 헌법을 주로 참고하였다.
㉢ 자유 민권 운동가들이 초안을 작성하였다.
㉣ 천황이 국민에게 하사하는 형식으로 공포되었다.
㉤ 천황을 신격화하고 정치 · 군사의 최고 권력자로 규정하였다.

자료 6 **변법자강 운동 세력의 의회 개설 주장**

청 · 프 전쟁, 청 · 일 전쟁에서 왜 패배하였는가? 정부가 민의를 존중하지 않으면 우수한 기계를 들여와도 잘 운영될 리가 없기 때문이다. …… 서구의 의회 제도는 군민일체와 상하일심의 정치를 이룩하는 것으로 중국이 채용해야 할 제도이다. – 캉유웨이의 연설문 –

변법자강 운동가들이 의회 설치를 주장한 이유는 무엇일까?

청은 개항 이후 서양의 기술만을 받아들이자는 양무운동을 펼쳤단다. 하지만 양무운동은 청 · 프 전쟁, 청 · 일 전쟁에서 청이 잇달아 패배하면서 그 한계를 드러냈지. 그러면서 일본의 메이지 유신처럼 서양의 기술뿐만 아니라 제도, 사상까지 받아들여야 한다는 변법자강 운동이 펼쳐졌어. 변법자강 운동가들은 청도 서양이나 일본처럼 의회를 설치해야 한다고 주장했지. 의회를 설치하여 국민들의 의견을 정치에 받아들이면, 군주에 대한 국민들의 충성심도 높아지고 단결이 잘되어, 국가를 부강하게 만들 수 있을 거라고 생각했기 때문이야.

뜯어보기 포인트

변법자강 운동 세력은 의회 설치를 주장했다는 점을 기억하자.

Q6 변법자강 운동 세력의 주장으로 옳은 것을 모두 선택해 보자.

㉠ 입헌 군주제를 주장하였다.
㉡ 양무운동의 계승을 주장하였다.
㉢ 보수파의 탄압으로 실패하였다.
㉣ 이홍장, 증국번 등이 주도하였다.
㉤ 주장의 일부가 신정에 반영되었다.

답 Q5 ㉣, ㉤ / Q6 ㉠, ㉢, ㉤

1단계 개념 익히기

정답과 해설 ▸ 55쪽

01 서로 관련 있는 내용끼리 연결해 보자.

a. 아편 전쟁 •　　　　• ㄱ. 강화도 조약이 체결됨

b. 운요호 사건 •　　　　• ㄴ. 청이 개항을 함

c. 메이지 유신 •　　　　• ㄷ. 징병제를 실시함

02 아래 설명이 맞으면 ○표, 틀리면 ×표를 해 보자.

(1) 메이지 정부는 적극적인 쇄국 정책을 펼쳤다. (　　)

(2) 청·일 전쟁 패배에 대한 반성으로 양무운동이 펼쳐졌다. (　　)

(3) 임오군란, 갑신정변 이후 청의 내정 간섭은 더욱 강화되었다. (　　)

(4) 「대일본 제국 헌법」에서 천황은 의회와 내각의 동의 없이 전쟁을 개시할 수 없었다. (　　)

(5) 러시아 공사관에서 경운궁으로 돌아온 고종은 국호를 대한 제국, 연호를 광무로 고쳤다. (　　)

03 빈칸에 알맞은 말을 채워 보자.

(1) 청·일 전쟁 이후 (　　　　), (　　　　) 등은 황제의 지지를 바탕으로 (　　　　) 운동을 전개하였다.

(2) (　　　　)은/는 (　　　　)의 침략으로 개항을 하면서 제1차 사이공 조약을 체결하였다.

(3) 증국번, 이홍장과 같은 지방 한인 관료들을 중심으로 (　　　　)운동이 펼쳐졌다.

(4) 급진 개화파는 문벌 폐지, 인민 평등권을 내세우며 (　　　　)을/를 일으켰으나 실패하였다.

(5) 메이지 유신 이후 소수 정치가의 권력 독점을 비판하며 의회 설립 등을 요구하는 (　　　　) 운동이 펼쳐졌다.

04 다음 설명과 관련된 단체의 이름을 적어 보자.

『독립신문』을 발간하여 일반 민중을 상대로 자주독립의 중요성을 널리 알리고자 하였다. 민중들이 참여하는 토론회와 강연회를 열었으며 대중의 근대 정치 의식 향상에 기여하였다.

____

05 다음 설명과 관련된 개혁의 이름을 적어 보자.

군국기무처를 중심으로 근대 학교 설립, 봉건적 신분제 폐지와 같은 근대 개혁을 추진하였다. 하지만 일본의 간섭과 단발령 등으로 인해 백성들의 거센 반발을 사기도 하였다.

____

06 아래 표를 완성해 보자.

(　　)	• 5개 항구 개항 • 영국에 홍콩 할양
(　　)	• 나가사키, 니가타 등 개항 • 영사 재판권 인정
(　　)	• 3개 항구 개항 • 일본 수출입 상품에 대한 무관세 허용
(　　)	• 크리스트교 포교 허용 • 외교권 제한

총 문항수 12	처음 푼 날 월 일
정답과 해설 55쪽	오답 푼 날 월 일

01 빈출 동아시아 각국의 개항 과정에 대한 설명으로 옳은 것은?

① 청은 아편 전쟁 패배의 결과로 개항하였다.
② 베트남은 운요호 사건을 계기로 일본에 개항하였다.
③ 강화도 조약은 일본에게 불리한 불평등한 조약이었다.
④ 일본은 개항 이후에도 청과의 조공 관계를 유지하였다.
⑤ 조선은 미국의 군사적 압력에 굴복하여 동아시아에서 가장 먼저 개항하였다.

02 빈출 다음 자료와 관련된 일본의 근대화 운동에 대한 설명으로 옳은 것은?

> 예를 들어 여기에 인구 백만 명의 나라가 있다고 하자. 이 안에 천 명은 지식인이고, 99만 명 이상은 무지한 백성이다.…… 지혜도 힘도 없는 국민이 국가를 배반하는 일은 없다고 해도, '우리는 손님이잖아. 목숨까지 버리는 것은 정말 너무한 것 아냐.'라고 말하고 도망가 버리는 일이 많이 나올 것이다. 그렇게 되면 …… 사람 수가 아주 적어서 도저히 한 나라의 독립 등을 유지할 수 없다. 그러므로 나라 안의 사람들이 사회적 신분의 상하를 막론하고 …… 각각 국민의 책임을 지지 않으면 안된다.
>
> – 후쿠자와 유키치, 『학문을 권함』 –

① 막부가 주도하였다.
② 신분 제도를 강화하였다.
③ 폐번치현 정책을 펼쳤다.
④ 대외 침략 정책을 완전히 포기하였다.
⑤ 서양 근대 문물 수용에는 소극적이었다.

03 빈출 다음 자료와 관련된 근대화 운동의 계기가 된 사건으로 옳은 것은?

> 신이 애써 밝히고자 하는 것은 서구식 기계는 농사나 직포, 인쇄, 도자기 제조 등에 필요한 물건을 모두 만들 수 있고, 백성의 생계와 일상용품에 도움이 되는 것이기도 하며 …… 중국의 문물제도는 바다 건너 야만의 풍속과는 전혀 다르고, 나라를 잘 다스리고, 제업(제왕의 업적)의 튼튼한 기초를 굳히고자 하는 방법은 당연히 원래부터 존재하고 있습니다. …… 서구의 장점을 취하여 중국의 장점으로 삼으면서도 서로 비교해 보아도 뒤처지지 않을 것입니다.
>
> – 이홍장, 동치 4년(1865) 8월 1일. –

① 신해혁명
② 청·일 전쟁
③ 의화단의 난
④ 태평천국 운동
⑤ 변법자강 운동

04 다음 자료에 대한 옳은 설명을 |보기|에서 고른 것은?

> 조선은 오랫동안 제후국으로 있었으므로 …… 이번에 체결한 수륙 무역(水陸貿易) 규정은 중국이 속국을 우대한 것이고, 우호 관계를 맺은 각 국가가 다 이득을 보도록 하는 것은 아니다.

|보기|
ㄱ. 청 상인에게 내지 통상권을 주었다.
ㄴ. 동학 농민 운동의 직접적인 원인이 되었다.
ㄷ. 최초로 외국에 영사 재판권을 부여하고 있다.
ㄹ. 조선에 대한 청의 간섭 강화를 보여주고 있다.

① ㄱ, ㄴ ② ㄱ, ㄷ ③ ㄱ, ㄹ
④ ㄴ, ㄷ ⑤ ㄷ, ㄹ

05 (가), (나)에 대한 옳은 설명을 |보기|에서 고른 것은?

> 임오군란 이후 [(가)]와 [(나)]은/는 근대화 정책의 속도와 방향을 놓고 갈등하고 있었다. [(가)]의 대표적인 인물로는 김윤식, 김홍집 등이 있었고, [(나)]의 대표적인 인물로는 김옥균, 홍영식 등이 있었다.

|보기|
ㄱ. (가) – 항일 의병 운동을 주도하였다.
ㄴ. (가) – 청의 양무운동을 바탕으로 개혁을 추진하고자 하였다.
ㄷ. (나) – 일본의 메이지 유신을 참고로 개혁을 추진하고자 하였다.
ㄹ. (가), (나) – 갑신정변을 일으켰지만 실패로 끝났다.

① ㄱ, ㄴ ② ㄱ, ㄷ ③ ㄱ, ㄹ
④ ㄴ, ㄷ ⑤ ㄷ, ㄹ

06 다음 자료에 대한 설명으로 옳지 <u>않은</u> 것은?

> **제1조** 대일본 제국은 만세일계의 천황이 이를 통치한다.
> **제4조** 천황은 국가 원수로서 통치권을 총괄하며 이 헌법 조항에 따라 이를 거행한다.
> **제11조** 천황은 육해군을 통솔한다.
> **제29조** 일본 신민은 법률이 정한 범위 안에서 언론, 저작, 인쇄 및 발행, 집회, 결사의 자유를 허용한다.

① 이토 히로부미가 주도하였다.
② 청의 「흠정 헌법 대강」의 영향을 받았다.
③ 자유 민권 운동의 요구가 일부 반영되었다.
④ 천황이 국민에게 하사하는 형식으로 공포되었다.
⑤ 천황에게 의회와 내각의 승인 없이 전쟁을 개시할 수 있는 권한을 부여하였다.

07 (가), (나)에 대한 설명으로 옳지 <u>않은</u> 것은?

> [(가)]은/는 『독립신문』을 통해 일반 민중들에게 자주 독립의 중요성과 근대 민권 사상을 전파하려고 하였다. 한편 아관 파천 이후 러시아 공사관에 머무르고 있던 고종은 경운궁으로 돌아와서 국호를 [(나)](으)로 바꾸고 황제 즉위식을 거행하였다.

① (가) – 민중들이 참여하는 토론회와 강연회를 열었다.
② (가) – 독립에 대한 의지를 표현하기 위해 독립문을 세웠다.
③ (나) – 국내외에 대해 자주독립국임을 천명하였다.
④ (나) – 식산흥업 정책을 펼치면서 많은 근대적 회사를 설립하였다.
⑤ (가), (나) – 모두 황제권 제한과 국민의 권리 신장을 강조하였다.

08 변법자강 운동에 대한 옳은 설명을 |보기|에서 고른 것은?

|보기|
ㄱ. 황제의 탄압으로 실패하였다.
ㄴ. 의화단 운동에 영향을 주었다.
ㄷ. 입헌 군주제 수립을 목표로 하였다.
ㄹ. 캉유웨이, 량치차오 등이 주도하였다.

① ㄱ, ㄴ ② ㄱ, ㄷ ③ ㄱ, ㄹ
④ ㄴ, ㄷ ⑤ ㄷ, ㄹ

09 밑줄 친 개혁에 대한 옳은 설명을 |보기|에서 고른 것은?

> 의화단 운동이 열강의 군대에 진압된 이후 청 정부의 무능함이 드러났다. 이런 상황에서 서태후의 보수파 세력은 신정을 단행하였다.

| 보기 |

ㄱ. 의화단 운동의 요구를 수용하였다.
ㄴ. 전제 군주제를 유지한다는 한계가 있었다.
ㄷ. 의회 개설, 과거제 폐지 등의 내용을 담고 있었다.
ㄹ. 단발령이 포함되어 있어 백성들의 반발을 불러일으켰다.

① ㄱ, ㄴ ② ㄱ, ㄷ ③ ㄱ, ㄹ
④ ㄴ, ㄷ ⑤ ㄷ, ㄹ

10 |보기|의 사건을 일어난 순서대로 나열한 것은?

| 보기 |

ㄱ. 중화민국 수립 선언
ㄴ. 위안스카이의 대총통 즉위
ㄷ. 청 정부의 민영 철도 국유화
ㄹ. 우창에서 혁명파 군대의 봉기

① ㄱ－ㄴ－ㄷ－ㄹ
② ㄴ－ㄷ－ㄱ－ㄹ
③ ㄷ－ㄹ－ㄱ－ㄴ
④ ㄷ－ㄱ－ㄹ－ㄴ
⑤ ㄹ－ㄴ－ㄱ－ㄷ

서술형 문제

11 다음 자료가 헌법으로서 가지고 있는 한계를 서술해 보자.

> **제1조** 대한국은 세계 만국이 공인한 자주독립 제국이다.
> **제2조** 대한국의 정치는 만세불변의 전제 정치이다.
> **제6조** 대한국 대황제는 법률을 제정하여 그 반포와 집행을 명하고, 대사·특사·감형·복권 등을 명한다.
> **제9조** 대한국 대황제는 각 조약 체결 국가에 사신을 파견하고, 선전, 강화 및 여러 조약을 체결한다.

서술형 문제

12 다음 지도에 대해 물음에 답해 보자.

빈출

(1) 지도와 관련된 개혁의 명칭을 적어 보자.

(2) (1)의 개혁이 내세웠던 원칙을 구체적으로 설명해 보자.

3단계 내신 만점 도전하기

01 (가), (나)에 대한 옳은 설명을 |보기|에서 고른 것은?

> (가) 은/는 영국과의 아편 전쟁에서 패배하여 개항을 하였다. 한편 (나) 은/는 미국의 군사적 압력에 의해 개항을 하였다.

보기

ㄱ. (가) – 메이지 유신을 통해 근대화를 추진하였다.
ㄴ. (가) – 크리스트교 탄압을 구실로 베트남을 침략하였다.
ㄷ. (나) – 운요호 사건을 구실로 조선을 개항시켰다.
ㄹ. (가), (나) – 영국과 미국에 개항을 하면서 영사 재판권을 인정하였다.

① ㄱ, ㄴ ② ㄱ, ㄷ ③ ㄱ, ㄹ
④ ㄴ, ㄷ ⑤ ㄷ, ㄹ

02 중요 (가) 정부에 대한 옳은 설명을 |보기|에서 고른 것은?

> (가) 정부는 미국 등 서양과 맺은 불평등 조약을 개정하기 위한 예비 교섭을 추진하고 서양 문물과 제도를 조사하기 위해 우대신 이와쿠라 도모미를 전권 대사로 하는 사절단을 파견하였다.

보기

ㄱ. 징병제와 근대 국민 교육을 시행하였다.
ㄴ. 조선, 타이완 침략, 류큐 병합 등의 침략 정책을 추진하였다.
ㄷ. 사쓰마번과 조슈번에 명령하여 외국 함대를 공격하게 하였다.
ㄹ. 민영 철도 국유화 정책을 통해 거액의 차관을 들여오려 하였다.

① ㄱ, ㄴ ② ㄱ, ㄷ ③ ㄱ, ㄹ
④ ㄴ, ㄷ ⑤ ㄷ, ㄹ

03 중요 다음 자료와 관련된 근대화 운동에 대한 설명으로 옳지 않은 것은?

① 추진 세력 내부의 분열이 심했다.
② 청·일 전쟁의 패배로 한계를 드러냈다.
③ 의회 설립과 신분제 폐지를 추진하였다.
④ 증국번, 이홍장 등 한인 관료들이 주도하였다.
⑤ 중앙 정부의 체계적인 지원을 얻지 못해 지방마다 개별적으로 추진하였다.

04 다음 정책을 실시했던 개혁을 |보기|에서 고른 것은?

> 단발령이 내리자, 통곡 소리가 진동하고 사람마다 분노가 치밀어 억장이 무너졌으며 형세가 금방 반란이라도 일어날 것 같았다. 왜인들은 군대를 엄히 단속하며 대기하고 있었다. 경무사 허진은 순검들을 거느리고 칼을 차고서 길을 막고 있다가 만나는 사람마다 단발을 시행하였다. – 황현, 『매천야록』 –

보기

ㄱ. 신분제 폐지 등을 추진하였다.
ㄴ. 민중들의 적극적인 지지를 받았다.
ㄷ. 청의 양무운동을 모델로 한 것이었다.
ㄹ. 초기에는 군국기무처를 중심으로 추진되었다.

① ㄱ, ㄴ ② ㄱ, ㄷ ③ ㄱ, ㄹ
④ ㄴ, ㄷ ⑤ ㄷ, ㄹ

05 중요 다음과 같은 주장을 펼친 운동에 대한 옳은 설명을 |보기|에서 고른 것은?

> 정부가 제멋대로 국헌을 어기고 제멋대로 인민의 자유 권리를 침해하여 건국의 취지를 방해할 때는 일본 국민은 이것을 타도하고 새 정부를 건설할 수 있다.

보기
ㄱ. 메이지 정부의 탄압을 받았다.
ㄴ. 의회 설립을 요구하고 헌법안을 제시하였다.
ㄷ. 천황에게 절대적인 권한을 부여할 것을 주장하였다.
ㄹ. 언론 및 결사의 자유와 같은 국민 기본권 주장으로 나아가지는 못했다.

① ㄱ, ㄴ ② ㄱ, ㄷ ③ ㄱ, ㄹ
④ ㄴ, ㄷ ⑤ ㄷ, ㄹ

06 다음 헌법안이 마련된 이후에 일어난 사건으로 옳지 않은 것은?

> **제1조** 청 황제는 청 제국을 통치하며, 만세일계로 영원히 존중하고 떠받들어야 한다.
> **제3조** 황제는 법률을 공포하고 의안을 제안할 수 있는 권한을 가진다. 법률은 의회에서 의결하지만 황제의 비준 명령을 받아 공포된 것이 아니면 시행할 수 없다.

① 정부는 민영 철도 국유화 정책을 실시하였다.
② 우창에서 혁명파가 지원하는 군대가 봉기하였다.
③ 쑨원을 임시 대총통으로 하는 중화민국이 수립되었다.
④ 열강의 이권 침탈에 반발하여 의화단 운동이 일어났다.
⑤ 난징 임시 정부와 위안스카이의 타협으로 청이 멸망하였다.

07 다음 자료와 같은 주장의 영향을 받아 일어난 사건으로 옳은 것은?

> 지혜도 힘도 없는 국민이 국가를 배반하는 일은 없다고 해도, '우리는 손님이잖아. 목숨까지 버리는 것은 정말 너무한 것 아냐.'라고 말하고 도망가 버리는 일이 많이 나올 것이다. 그렇게 되면 …… 사람 수가 아주 적어서 도저히 한 나라의 독립 등을 유지할 수 없다. 그러므로 나라 안의 사람들이 사회적 신분의 상하를 막론하고 …… 각각 국민의 책임을 지지 않으면 안된다.
> – 후쿠자와 유키치, 『학문을 권함』 –

① 양무운동
② 갑신정변
③ 임오군란
④ 강화도 조약
⑤ 태평천국의 난

08 중요 다음 자료와 같은 주장을 펼쳤던 세력에 대한 설명으로 옳은 것은?

> 청·프 전쟁, 청·일 전쟁에서 왜 패배하였는가? …… 정부가 민의를 존중하지 않으면 우수한 기계를 들여와도 잘 운영될 리가 없기 때문이다. …… 서구의 의회 제도는 군민일체와 상하일심의 정치를 이룩하는 것으로 중국이 채용해야 할 제도이다.

① 정한론 등 대외 침략 정책을 주도하였다.
② 청조 타도와 공화정의 수립을 주장하였다.
③ 일본의 간섭 아래 강제된 단발령 등에 반발하였다.
④ 유교적 질서를 유지하되 서양의 기술만 수용하려 하였다.
⑤ 청·일 전쟁 이후 메이지 유신을 참고하여 개혁하려 하였다.

심화 수능 유형 익히기

총 문항수 2 | 처음 푼 날 월 일
정답과 해설 57쪽 | 오답 푼 날 월 일

01 밑줄 친 '전쟁'이 가져온 결과로 옳은 것은?

> 중국은 아편을 금지할 정당한 권리를 행사했을 뿐입니다. 하지만 영국은 이 불공정한 무역을 정당화하기 위해 전쟁을 하려고 합니다. 저는 이토록 정의롭지 못하며 수치스러운 전쟁을 알지 못합니다.

① 제1차 국·공 합작이 결성되었다.
② 중국 공산당과 홍군이 대장정을 펼쳤다.
③ 광저우 중심의 공행 무역이 강화되었다.
④ 청이 불평등 조약을 맺고 영국에 개항하였다.
⑤ 동아시아 지역에서 청 중심의 조공 체제가 확대되었다.

유형 분석
사료 속의 역사적 사실에 대한 지식을 묻는 문제야.

해결 비법
제시된 사료를 잘 읽어보면 어떤 역사적 사실과 관련된 것인지 잘 알 수 있어. 처음 접하는 사료라고 당황하지 말고, 사료 속에 힌트가 있다고 생각하고 차분하게 읽어보는 것이 좋아.

02 다음 조약에 대한 설명으로 옳은 것은?

> **제5조** 외국의 모든 화폐는 일본 화폐와 같은 종류, 같은 질량으로 통용할 수 있다.
> **제6조** 일본인에 하여 범법 행위를 한 미국인은 미국 영사 재판소에서 조사하여 미국의 법으로 처벌한다.

① 상호 평등한 조약이었다.
② 에도 막부가 체결한 조약이다.
③ 크리스트교 포교를 승인하였다.
④ 일본의 대한 제국에서의 우월권을 인정하였다.
⑤ 제2차 세계 대전 이후 전후 처리를 위해 체결된 것이다.

유형 분석
조약의 배경, 내용, 의미 등을 분석하는 문제야.

해결 비법
시험에 자주 언급되는 중요한 조약들은 많이 읽고, 그 배경, 내용, 의미 등을 충분히 이해해두는 것이 좋아. 그리고 일본은 메이지 정부가 아니라 막부가 개항을 했다는 것을 명심하자.

심화 **기출 지문 활용하기**

총 문항수 6 | 처음 푼 날 월 일
정답과 해설 57쪽 | 오답 푼 날 월 일

2014학년도 수능

> (가) **제5조** 외국의 모든 화폐는 일본 화폐와 같은 종류, 같은 질량으로 통용할 수 있다.
> **제6조** 일본인에 하여 범법 행위를 한 미국인은 미국 영사 재판소에서 조사하여 미국의 법으로 처벌한다.
> (나) **제4조** 조선국은 부산 외에 두 곳의 항구를 개항하고 일본인이 와서 통상하도록 허가한다.
> **제10조** 일본인이 조선국 지정의 각 항구에 머무는 동안에 죄를 범한 것이 조선인과 관계되는 사건일 때에는 모두 일본국 관원이 심판한다.

서술형 문제

01 (가), (나) 조약의 공통적인 의미를 서술해 보자.

수능 문제

02 (가), (나) 조약에 대한 설명으로 옳지 않은 것은?

① (가) – 메이지 정부가 개정의 대상으로 삼은 조약이었다.
② (가) – 미국이 화친 조약 체결 후 자유 무역을 요구함으로써 맺어졌다.
③ (나) – 조선이 자주국이며 일본과 동등한 권리를 갖는다고 명시하였다.
④ (나) – 일본이 운요호 사건을 계기로 개항을 강요함으로써 체결되었다.
⑤ (가), (나) – 영토의 할양과 배상금 지급 조항을 포함하였다.

활용 문제

03 (가) 조약이 체결된 이후에 일어난 사건으로 옳은 것을 |보기|에서 고른 것은?

> **보기**
> ㄱ. 메이지 유신이 이루어졌다.
> ㄴ. 미국이 에도만 입구에서 군사적 압력을 가하였다.
> ㄷ. 조슈번, 사쓰마번을 중심으로 존왕양이 운동이 펼쳐졌다.
> ㄹ. 막부는 데지마 상관을 열어 네덜란드 상인의 무역을 허용하였다.

① ㄱ, ㄴ ② ㄱ, ㄷ ③ ㄱ, ㄹ
④ ㄴ, ㄷ ⑤ ㄷ, ㄹ

2017학년도 수능

> • "청을 도와 서양 세력을 물리치자."라는 구호를 내세우며 교회와 철도를 파괴하고 외국 공관을 공격하는 (가) 이/가 고조되자 일본 등 8개국 연합군이 출병하여 진압하였다.
> • "오랑캐를 쫓아내고 민국을 수립하자."라는 강령을 내세운 중국 동맹회가 무장 봉기를 추진하는 가운데, 후베이 성 신군이 우창 봉기를 일으키며 (나) 이/가 시작되었다.

서술형 문제

04 (나)가 일어나게 된 계기를 서술해 보자.

수능 문제

05 (가), (나) 사건에 대한 설명으로 옳은 것은?

① (가)는 기독교 포교를 인정하는 계기가 되었다.
② (가)는 영·일 동맹에 따라 일본군이 출병하는 원인이 되었다.
③ (나)는 베트남 광복회 결성에 영향을 주었다.
④ (나)는 내전 중지와 항일 투쟁을 기치로 내걸었다.
⑤ (가)는 입헌 군주제, (나)는 공화제를 목표로 하여 일어났다.

활용 문제

06 (가), (나) 사이에 일어났던 사건으로 옳은 것은?

① 조선에 대한 지배권을 놓고 청·일 전쟁이 일어났다.
② 난징 임시 정부는 위안스카이에게 대총통 자리를 넘겨주었다.
③ 아편 전쟁의 결과 청은 영국에 홍콩 등 5개의 항구를 개항하였다.
④ 서태후의 보수파 정권은 입헌파의 주장을 수용한 신정을 단행하였다.
⑤ 캉유웨이, 량치차오 등은 황제의 지지를 바탕으로 변법자강 운동을 전개하였다.

주제 

11 서양 문물의 수용

주제 흐름 읽기

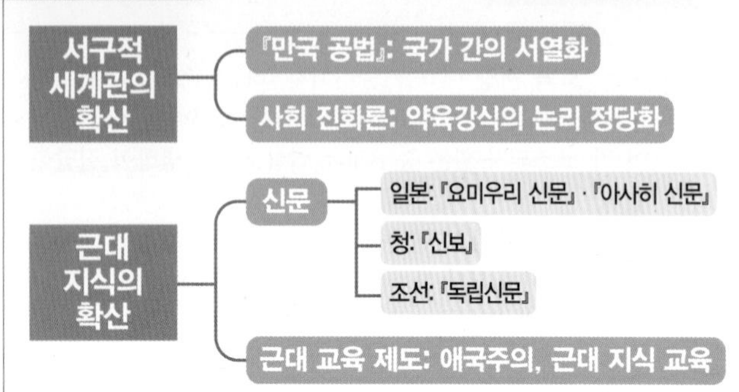

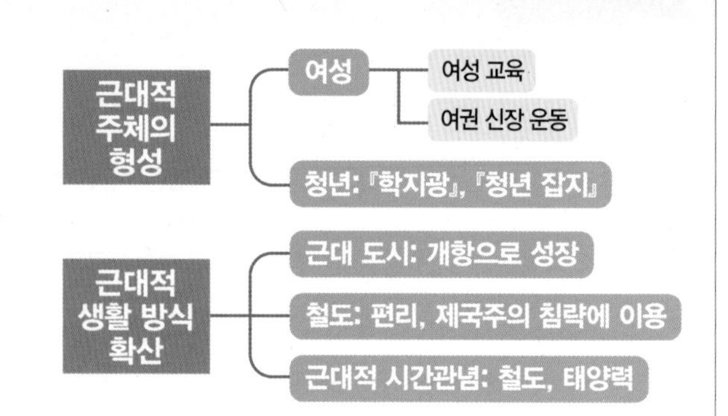

1 서구적 세계관의 확산

1. 새로운 국제 질서, 『만국 공법』 자료 1

『만국 공법』은 동아시아 각국에 어떤 영향을 미쳤을까요?

(1) 『만국 공법』의 내용

① 근대 주권 국가 간의 대등한 관계를 국제 질서의 기본 원리로 제시

② 모든 국가를 문명국, 반문명국, 미개국❶으로 서열화하고 이들 간의 불평등한 국제 질서를 당연하게 간주

왜? 『만국 공법』이 말하는 대등한 관계는 문명 국가 간에만 해당되는 것이었어.

(2) 동아시아 각국의 『만국 공법』 수용

왜? 청은 중화사상에 따라 자신들이 세계의 중심이라 생각했기 때문에 다른 국가들을 대등한 관계로 생각하지 않았거든.

청	• 대외 관계의 실무 지침서 정도로 간주
일본	• 서구와 맺은 불평등 조약을 대등하게 개정하고 근대 국가 체제를 갖추기 위해 적극 참고 • 중국 중심의 국제 질서를 거부하고 조선의 개항을 정당화하는 논리로 활용
조선	• 일본의 조선 침략을 비판하고 주권을 수호하기 위한 외교 활동의 근거로 활용, 『만국 공법』의 국외 중립 조항에 관심

2. 제국주의 세계관, 사회 진화론 자료 2

사회 진화론은 동아시아 각국에 어떻게 수용되었을까요?

(1) 사회 진화론의 논리와 영향

① 국가 간의 약육강식 논리를 자연스러운 사회 현상이라 주장

② 『만국 공법』 속의 국가 서열화에 영향을 미침

③ 문화 진화론❷과 자문화 중심주의: 제국주의 침략을 합리화

어떻게? 제국주의 국가들은 자신들의 식민 지배를 반문명국과 미개국을 문명화로 이끌기 위한 것이라 합리화했지.

(2) 사회 진화론이 동아시아 각국에 미친 영향

① 일본

㉠ 인간의 기본권보다 국민 국가 확립을 중요시

㉡ 천황에 대한 충성심과 애국심 강조, 일본의 제국주의화 지지

② 청과 조선

㉠ 국가와 인종 간의 생존 경쟁에서 살아남기 위해서는 자본주의적 '문명화'를 통해 국가를 부강하게 만들어야 한다고 인식

㉡ 청의 변법자강 운동(캉유웨이, 량치차오❸), 조선의 실력 양성 운동에 영향을 미침

❶ 문명국, 반문명국, 미개국
『만국 공법』에서 말하는 문명국은 온전한 국가의 권리를 가진 국가, 반문명국은 그 자격이 부분적인 국가, 미개국은 국가의 자격을 인정할 수 없는 국가였다. 문명국은 미개국을 정복할 권리를 가지고 있으며, 반문명국에 대해서는 강제로 개항을 강요할 수 있었다. 여기에서 문명국은 서구식 근대 문화를 가진 국가를 의미하는 것이었다.

❷ 문화 진화론
사회 진화론과 밀접한 관련이 있는 이론으로, 인류는 같은 발전 단계를 거치게 되고, 아직 서구처럼 발전하지 못한 사회는 더 낮은 단계라고 보았다. 이러한 관점은 자문화를 기준으로 다른 사회나 문화의 우열을 가리는 것으로, 제국주의의 침략을 합리화하고 있다.

❸ 량치차오
청 말기와 중화민국 초의 사상가. 캉유웨이와 함께 변법자강 운동을 펼치다 실패하고 일본으로 망명하였다. 그는 언론 활동을 통해 봉건적인 인습을 타파하고 입헌 군주제를 세우자고 주장해 중국의 젊은이들에게 큰 영향을 주었다. 중화민국이 수립된 후 국민당 세력에 반대하고 공화국의 대총통 위안스카이를 지지하였으나, 위안스카이가 공화국을 전복하고 스스로 황제라 칭하자, 그를 몰아내는 데 앞장섰다.

자료 1 『만국 공법』에 나타난 국제 관계의 원리

> 국가를 다스리는 일상의 권리를 일러 주권이라 하는데, 이 주권은 안에서 행해지기도 하고 밖에서 행해지기도 한다. 주권이 안에서 행해지는 것은 각국의 법도에 따르며, 그것은 백성에게 맡겨지기도 하고 군주에 귀속되기도 한다. …… 주권이 밖에서 행해지는 데는 반드시 타국의 승인이 필요하며 …… 각국은 그 승인 여부를 모두 자주적으로 결정하며 그에 따른 책임을 진다.

『만국 공법』이 내세운 국제 질서는 평등한 것이었을까? 차별적인 것이었을까?

밑줄 친 내용을 보면 자국의 주권을 다른 국가에 미치기 위해서는 반드시 다른 국가가 자발적으로 허락을 해야 한다고 나와 있어. 다시 말해 다른 국가의 허락 없이 그 국가의 주권을 침해하거나 침략해서는 안 된다는 뜻이야. 이처럼 『만국 공법』은 기본적으로 주권 국가 간의 대등한 관계를 국제 질서의 기본 원리로 제시했어. 하지만 이러한 대등한 관계는 주권 국가 사이에서만 적용되는 것이었어. 『만국 공법』은 모든 국가를 문명국, 반문명국, 미개국으로 서열화했는데, 반문명국과 미개국은 주권 국가로 보지 않으면서 이들에 대한 침략 행위를 정당화했지.

일본은 중국 중심의 국제 질서를 거부하고 조선의 개항을 정당화하기 위해 『만국 공법』을 어떻게 활용했을까?

전통적으로 중국은 중화사상에 따라 자신들을 세계의 중심이라 인식하며 중국을 우위로 두고 주변 국가들과 조공·책봉 관계를 맺었어. 따라서 일본이 조선을 침략하려 할 때 청이 조선에 대한 종주권을 내세우며 개입할 여지가 있었어. 그래서 일본은 『만국 공법』을 활용하여 모든 국가는 대등하며, 조선 역시 청으로부터 독립된 국가이기 때문에 청은 조선 문제에 개입할 근거가 없다는 식으로 논리를 펼쳤던 거야.

뜰어보기 포인트

『만국 공법』이 실제로는 불평등한 국제 질서를 정당화했다는 점을 기억하자.

Q1 『만국 공법』에 대한 설명으로 옳은 것을 모두 선택해 보자.

㉠ 국제법의 원리를 담고 있었다.
㉡ 일본은 국외 중립 조항에 관심을 가졌다.
㉢ 조선은 대외 관계의 실무 지침서 정도로 간주하였다.
㉣ 모든 국가를 문명국, 반문명국, 미개국으로 서열화하였다.
㉤ 주권 국가 간의 대등한 관계를 국제 질서의 기본 원리로 제시하였다.

자료 2 사회 진화론

> - 백인이라는 우월한 인종이 야만스러운 미개인들과 침략, 약탈 전쟁을 벌이는 것은 결국 세계 전체의 진화를 촉진하는 자연 선택 법칙에서 나온 것이다. 열등 인종이 멸종에 이르고 우월 인종들이 전쟁으로 그 문명을 더욱 발전시킬 수 있는 것이 진화의 모습이다. – 가토 히로유키, 『천칙 백화』 –
> - 세계에 있는 것은 강자의 권리뿐이다. 강자가 늘 약자를 다스릴 뿐 다른 힘이라는 게 따로 없다. 그것이 진화의 가장 보편적인 원칙이다. 자유권을 얻고자 한다면 먼저 강자가 되는 방법 밖에 별 도리가 없다. – 량치차오, 『음빙실문집』 –

사회 진화론은 왜 제국주의 국가와 식민지가 될 위험이 있었던 국가 모두에 받아들여졌을까?

사회 진화론은 다윈의 생물 진화론을 사회와 사회, 국가와 국가 사이에서 적용시킨 이론이야. 환경 변화에 적응한 개체는 살아남고 그렇지 못한 개체는 도태되듯이, 우월한 국가나 인종이 열등한 국가나 인종을 멸망시키고 지배하는 것은 자연스러운 현상이라고 제국주의를 합리화하고 있었어. 그래서 일본 같은 제국주의 국가에서 사회 진화론은 자신들의 침략 행위를 생존을 위해 어쩔 수 없는 것으로 합리화하는 데 이용되었어. 반면 중국과 조선에서는 세계는 강자와 약자의 싸움터이기 때문에 열강의 침략을 막아내기 위해서는 국력을 키워야 한다는 논리로 이어졌지.

뜰어보기 포인트

사회 진화론은 국가 간의 약육강식 논리를 자연스러운 사회 현상이라 주장하였다는 점을 기억하자.

Q2 사회 진화론에 대한 설명으로 옳은 것을 모두 선택해 보자.

㉠ 『만국 공법』에 영향을 주었다.
㉡ 태평천국 운동에 영향을 주었다.
㉢ 제국주의를 비판하는 논리를 담고 있다.
㉣ 조선에서는 실력 양성 운동에 영향을 주었다.
㉤ 자유와 인권과 같은 인간의 기본권을 강조하였다.

답 Q1 ㉠, ㉣, ㉤ / Q2 ㉠, ㉣

2 근대 지식의 확산

1. 신문을 통한 근대 지식의 형성

신문은 근대 지식의 확산에 어떻게 기여했을까요?

(1) 개항 이후 동아시아 지역의 신문 발행

① 지식인들에게 세계 소식을 접하고 국가 정책을 토론할 기회 제공

② 정부 차원에서 관보, 상업화한 신문 발간

③ 신문사 운영비 마련을 위해 신문 광고도 등장

(2) 동아시아 각국의 신문

왜? 변법자강 운동 세력은 근대적 제도를 적극적으로 받아들여야 한다고 주장했거든.

청	• 『신보』❶: 조계지인 상하이에서 영국인이 발행, 변법자강 운동 세력 후원
일본	• 정부의 규제 정책 때문에 오락 소식을 전하는 신문이 많았음 • 『요미우리 신문』, 『아사히 신문』: 청·일 전쟁과 러·일 전쟁 소식 보도 • 『헤이민 신문』❷: 러·일 전쟁을 반대하며 평화를 주장
조선	• 『한성순보』: 정부가 발행, 개혁 정책과 근대 문물 소개 • 『독립신문』: 최초의 민간 신문, 민중을 계몽하기 위해 한글로 발간

2. 부국강병을 위한 기초, 근대 학교 자료 3

동아시아 각국의 근대 교육 정책은 무엇을 목표로 했을까요?

일본	• 메이지 유신 이후 교육, 병역, 납세를 국민의 3대 의무로 규정 • 천황 중심의 가족적 국가관과 충효의 가치관을 국민에게 주입 • 소학교 의무 교육, 도쿄 대학과 여러 지방 대학 설립
청	• 청·일 전쟁 패배 이후 교육을 통한 근대 지식 습득 강조 • 경사대학당❸: 과거제 폐지 이후 관리 양성 기능 담당 • 1900년대 초 유치원에서 대학까지 근대 교육 제도의 틀을 갖춤
조선	• 「교육입국 조서」 발표, 한성 사범학교를 설립 • 선교사와 계몽 운동가들이 적극적으로 학교 설립

무엇을? 갑오개혁 때 고종에 의해 반포된 것으로, 충군애국의 교육 목표와 지덕체를 겸비한 교육을 강조했지.

3 근대적 주체의 형성

1. 세상의 절반, 여성의 자각

동아시아 각국의 여성들은 여권 신장을 위해 어떤 활동을 펼쳤을까요?

(1) 동아시아 각국의 여성 교육 현모양처와 같은 전통적인 여성관 강조

일본	• 초·중등 의무 교육 대상에 여성이 포함
청	• 선교사들이 중심이 되어 여학교 설립
조선	• 민간 주도로 여학당 설립 • 근대 교육 제도가 확립되면서 여성 교육이 정식으로 이루어짐

(2) 동아시아 각국의 여권 신장 운동

누가? "남성 중심 체제에서 억압받는 여성의 자아를 해방해야 한다."고 주장했지.

일본	• 가부장적 권위에 저항하며 강요된 결혼을 거부하는 여성 등장 • 여성 단체(기독교 부인 교풍회 등), 여성 운동가 등장(히라쓰카 라이초 등)
중국	• 여성들이 전족을 거부하고 남성들과 거리를 활보 • 신해혁명, 신문화 운동 이후 여권 신장 주장 더욱 확대
조선	• 「여권 통문」: 여성 교육과 여성의 사회 진출 주장 자료 4 • 찬양회❹, 조선 여자 교육회 등

❶ 『신보』
조계지인 상하이에서 발간된 『신보』는 청·일 전쟁 전까지 가장 인기 있는 중국어 신문 중 하나였다. 중국인 독자층을 두껍게 형성하기 위해 중국 지식인과 상인의 논설, 글을 실어 여론을 반영하였다.

❷ 『헤이민 신문』
1903년에 창간하여 주로 사회주의자들의 주장을 대변하였다. 러·일 전쟁에 반대하여 러시아 사회주의 세력과의 연대를 주장하였다.

❸ 경사대학당
경사대학당은 중국의 량치차오가 1889년 원·명·청 시대의 최고 교육 기관이었던 국자감을 대체할 교육 기관으로 설립한 것이다. 청·일 전쟁 이후 서양의 학제를 모방한 학당들이 설립되었다. 경사대학당은 1912년 중화민국 수립 이후 국립 베이징 대학으로 개칭되었다.

❹ 찬양회
독립 협회는 전근대적인 각종 여성 차별을 없애고 여성도 근대 교육을 받아야 한다고 주장하였다. 이에 영향을 받아 여학교 설립을 위한 단체인 찬양회가 개화 여성들에 의해 결성되었다. 찬양회의 설립 취지문인 「여권 통문」은 여성의 교육받을 권리와 직업권 및 정치 참여권을 주장하고 있다.

자료 3 동아시아의 근대 교육

- 나의 신민이 충과 효로써 많은 사람의 마음을 하나로 만들어 대대손손 그 아름다움을 다하게 하는 것이 우리 국체의 정화이며 교육의 연원 또한 실로 여기에 있다. -「교육 칙어」(1890) -
- 청은 문물의 나라이지만 책을 읽는 식자층은 겨우 100명 중 20명이고, 교육비는 군비보다 수십 배나 적습니다. 재주와 지혜가 있는 백성이 많으면 나라가 강해집니다. 모든 향촌에 학교를 설립하여 어린아이 모두를 가르친다면 …… 인재를 쓰고 남을 것입니다. - 캉유웨이의 상소(1895) -
- 백성을 가르치지 않으면 나라를 굳건히 하기가 매우 어렵다. 세상 형편을 돌아보면 부유하고 강성하며 독립하여 위세를 가지고 남을 내려다보는 여러 나라는 모두 그 나라 백성의 지식이 발달하였다. -「교육입국 조서」(1895) -

◎ 동아시아 각국이 실시한 근대 교육의 목적은 무엇이었을까?

밑줄 친 내용을 보면 알 수 있듯이 당시 동아시아 각국은 근대 교육을 국민 개개인의 자아실현이 아닌 국가의 발전이나 천황에 대한 충성심을 주입하기 위한 수단으로 보고 있었단다. 그래서 일본에서는 교육을 병역, 납세와 함께 국민의 3대 의무로 규정하면서 교육의 목적을 천황 중심의 가족적 국가관과 충효의 가치관을 국민에게 주입하는 것이라 밝혔어. 또한 청 정부는 청·일 전쟁 패배의 충격에서 벗어나 국력을 키우기 위해, 조선 정부는 외세의 침략 속에서 독립을 유지하기 위한 힘을 키우기 위해, 근대 교육 제도를 갖추고 국민들에게 근대 교육을 보급하기 위해 노력했지.

뜯어보기 포인트

동아시아 각국이 실시한 근대 교육의 목적은 부국강병을 위한 것이었다는 점을 기억하자.

Q3 동아시아 각국의 근대 교육에 대한 설명으로 옳은 것을 모두 선택해 보자.

㉠ 조선에서는 적극적으로 대학을 설립하였다.
㉡ 일본은 소학교부터 의무 교육을 확대하였다.
㉢ 조선은 교육을 국민의 3대 의무로 규정하였다.
㉣ 일본은 민주 시민 의식을 키우는 것을 교육의 목표로 삼았다.
㉤ 청의 경사대학당은 과거제 폐지 이후 관리 양성 기능을 담당하였다.

자료 4 여권 신장을 위한 노력

혹시 신체와 손발, 눈코가 남녀 다름이 있는가. 어찌하여 …… 사나이의 벌어주는 것만 먹고 평생을 안채에서 그 절제만 받으리오. …… (먼저 문명개화한 국가는) 남녀가 일반 사람이라. 어려서부터 각각 학교에 다니며 제조를 다 배우고 …… 장성한 뒤에는 사나이와 부부의 연을 맺어 평생을 사는데, 그 사나이한테 조금도 절제를 받지 아니하고, 도리어 극히 공경함을 받는다.

-『황성신문』, 1898. 9. 9. -

◎ 여성의 권리에 대한 자각과 근대 교육은 어떤 관계가 있었을까?

위의 자료는『황성 신문』에 실린「여권 통문」이야. 밑줄 친 내용처럼 여성도 신체, 손발, 눈코가 있는 남성과 같은 사람인데 차별을 받을 이유는 없다는 주장이 담겨 있지. 동아시아 각국이 내세운 여성 교육의 목적은 현모양처와 같은 전통적인 여성관을 가르치는 것이었어. 하지만 교육의 기회가 점점 늘어나면서 여성들은 많은 근대적 지식을 접하게 되었고 점점 여성의 권리에 대한 자각도 커지게 되었지. 또한 선교사 학교나 민간 교육 기관 역시 인간 평등과 같은 근대적 가치들을 여성들에게 가르치면서 여성의 권리 의식 신장에 크게 기여했어.

뜯어보기 포인트

동아시아 각국에서의 여권 신장은 근대 교육의 영향을 받았다는 점을 기억하자.

Q4 개항 이후 동아시아 각국의 여권 신장과 관련된 사실로 옳은 것을 모두 선택해 보자.

㉠ 중국에서는 전족 풍습이 더욱 유행하였다.
㉡ 일본에서는 의무 교육 대상에 여성이 포함되었다.
㉢ 일본에서는 강요된 결혼에 순종하는 여성이 늘어났다.
㉣ 조선에서는 선교사들이 중심이 되어 여학교를 세웠다.
㉤ 조선에서는 여성 단체인 찬양회가 관립 여학교 설립을 청원하였다.

답 Q3 ㉡, ㉤ / Q4 ㉡, ㉣, ㉤

2. 근대화의 선봉장, 청년 동아시아 각국에서 '청년'은 어떤 의미를 가지고 있었을까요?

(1) **근대적 청년의 의미** 1900년대부터 근대 교육을 통한 지식을 백성에게 전하는 '이상적인' 국민으로 주목받음

(2) **한국과 중국의 청년**

① 한국: 1910년대 일본 유학생들이 『학지광』❶를 발간하여 민족의 독립과 근대화를 위한 주장, 방안 제시

② 중국: 서구 사상의 수용을 주장하며 신문화 운동을 이끌었던 『신청년』❷ 발간

❶ 『학지광』
도쿄의 조선 유학생 학우회에서 1914년부터 발간한 잡지로, 당시 학술계와 사상계에 큰 영향을 끼쳤다.

4 근대적 생활 방식의 확산

1. 근대 도시로 변모한 개항장과 수도 서구적 근대 도시로 성장한 도시들은 어떤 특징을 가지고 있었을까요?

(1) **조계(거류지)가 형성** 개항장이 서구식 근대 도시로 변모(상하이, 요코하마, 인천 등)

어떻게? 외국인 거주지가 형성되고 치외 법권이 적용되었거든.

(2) **한성과 도쿄의 근대 도시화**

① 한성: 대한 제국 정부가 황성 만들기 사업을 추진

② 도쿄: 일본 정부는 도쿄를 부국강병형 도시로 개발

❷ 『신청년』
신문화 운동을 펼쳤던 천두슈가 발간한 잡지. 천두슈는 신해혁명 이후 대총통이 된 위안스카이의 독재로 공화제가 유명무실해지자 그 원인을 전통적인 유교 사상으로 보았다. 그래서 그는 『신청년』을 발간하여 유교를 비판하면서 민주주의와 과학을 옹호하는 신문화 운동을 펼쳤다.

2. 교통 혁신의 출발점, 철도 철도 개통이 동아시아 각국에 미친 영향은 무엇이었을까요?

(1) **동아시아 각국의 철도 개통**

① 청

㉠ 1880년대에 양무파에 의해 철도 부설 시작

㉡ 철도 부설에 필요한 자본을 조달하기 위해 서구 열강의 자본과 기술을 끌어들임

② 일본

㉠ 도쿄 – 요코하마 사이에 최초로 철도 개통

㉡ 일본 – 조선 – 만주를 연결하는 철도 확보, 만주 침략의 발판 마련(남만주 철도❸)

③ 조선: 일본에 의해 경인선, 경의선, 경부선 개통

(2) **철도로 인한 도시 발달** 하얼빈, 대전 등이 철도가 개통되면서 교통의 중심지로 발전

(3) **철도에 대한 반발 이유** 자료 5

조선	• 일본의 철도 주변 토지 약탈 등
청	• 풍수와 조상묘 훼손 등
일본	• 국방 문제와 외국의 경제·문화 침투 우려 등

❸ 남만주 철도
중국 창춘에서 다롄까지를 연결한 철도로서, 일본이 러·일 전쟁에서 승리하며 맺은 포츠머스 조약으로 확보한 것이다. 제2차 세계 대전 이후 중국 공산당 정부가 들어서자 철도 운영권은 중국에 반환되었다.

3. 근대적 시간관념의 확산 자료 6 근대적 시간관념 확산에 영향을 준 요인들에는 어떤 것들이 있을까요?

(1) **철도와 학교**

① 철도 운행 시간표: 근대적 시간관념의 확산에 영향

② 외국인 거류지, 선교사 운영 학교: 정부가 태양력을 발표하기 이전부터 서구식 시간 적용

(2) **태양력의 도입** 태양력 도입 후에도 음력은 사라지지 않았음

왜? 음력은 농사 방식이나 각국의 풍습과 깊은 연관이 있거든.

(3) **시계탑** 근대적 시간관념이 확산되면서 도시 주요 광장과 큰 건물에 등장

자료 5 철도 부설의 제국주의적 성격

경의선 철도 부역에 품삯을 제대로 주지 않아 무리함이 지극하다. 또한 아무런 근거도 없이 나무를 베어 운반하며 일을 부리고 백성의 물자를 강제로 빼앗으니 백성들의 억울한 심정은 이루 말로 다 할 수 없다.

– 『황성신문』, 1906. 3. 27. –

◀ 중국에서 철도를 파괴하다 붙잡힌 한국인과 중국인

◎ 철도 부설이 가지고 있는 제국주의적 성격은 무엇일까?

제국주의 국가들은 자신들의 식민지나, 식민지로 만들고자 하는 지역에 철도를 건설했거든. 그런데 이것은 다름이 아니라 자신들의 침략을 용이하게 만들기 위한 것이었지. 예를 들어 일본의 경우 러·일 전쟁 시기에 경부선과 경의선을 건설했는데, 전쟁 물자와 군대를 전쟁터로 신속하게 이동시키고 철도 부지 확보를 명목으로 토지를 수탈하기 위한 목적이었어. 일본은 조선을 남북으로 잇는 경부선과 경의선뿐만 아니라 남만주 철도까지 확보하면서 만주 침략의 발판을 마련했단다. 철도 부설이 가지고 있는 이러한 제국주의적 성격 때문에 민중들의 반발을 불러오기도 했지.

뜰어보기 포인트

철도 부설에는 제국주의 국가들의 침략 의도가 깔려 있었다는 점을 기억하자.

Q5 동아시아의 철도에 대한 설명으로 옳은 것을 모두 선택해 보자.

㉠ 청은 독자적인 자본과 기술로 철도를 부설하였다.
㉡ 일본은 포츠머스 조약으로 남만주 철도를 확보하였다.
㉢ 철도가 개통되면서 대전은 교통의 중심지로 발전하였다.
㉣ 조선에서는 의병들이 철도 공사장을 공격하기도 하였다.
㉤ 일본은 청·일 전쟁 기간에 경부선과 경의선을 부설하였다.

자료 6 근대적 시간관념의 확산

철도는 정확한 시간에 맞추어 운행하므로 스스로 민중에게 시간을 지키도록 가르칩니다. 그러한 까닭에, 이런 관점에서 철도는 한국 사람들에게 문명의 지도자라 하지 않을 수 없을 것입니다.

– 미국 공사 알렌이 경부선 개통식에서 한 말, 1905 –

▲ 학교에 도입된 근대적 시간관념

◎ 철도와 학교 교육을 통해서 근대적 시간관념이 확산된 이유는 무엇일까?

근대적 시간관념의 특징은 시간을 세분화하고 정해진 시간표에 따라 일상생활이 이루어지는 거야. 그런데 조선을 비롯한 아시아인들은 개항 이전에는 생체리듬과 절기에 따라 자연스럽게 살아왔기 때문에, 정해진 시간표에 따라 생활하는 것에 익숙하지 않았어. 그러다 철도가 도입되고 기차 출발 시간에 맞추면서 근대적 시간관념에 조금씩 익숙해져 갔어. 한편 근대식 학교 역시 수업 시간과 쉬는 시간이 명확하게 정해져 있었기 때문에 근대적 시간관념 확산에 큰 영향을 미쳤지.

뜰어보기 포인트

철도와 학교 교육이 근대적 시간관념의 확산에 큰 영향을 미쳤다는 점을 기억하자.

Q6 근대적 시간관념의 확산과 관련 있는 것을 모두 선택해 보자.

㉠ 농사 방식
㉡ 태양력의 도입
㉢ 시계탑의 등장
㉣ 철도 운행 시간표
㉤ 중국의 연호 사용

답 Q5 ㉡, ㉢, ㉣ / Q6 ㉡, ㉢, ㉣

개념 익히기

정답과 해설 ▸ 58쪽

01 서로 관련 있는 내용끼리 연결해 보자.

a. 『해국도지』 •
b. 『만국 공법』 •
c. 사회 진화론 •

• ㄱ. 국가 간 약육강식의 논리를 정당화하고 있음
• ㄴ. 중국에서 편찬된 세계 지리 등을 소개한 책
• ㄷ. 근대 주권 국가 간의 국제법적 원리를 담고 있는 책

02 아래 설명이 맞으면 ○표, 틀리면 ×표를 해 보자.

(1) 변법자강 운동 세력은 신문, 잡지 창간에 반대하였다. (　　)
(2) 일본은 메이지 유신 이후 병역, 납세, 교육을 국민의 3대 의무로 규정하였다. (　　)
(3) 근대화가 진행되면서 여성에 대한 사회적 차별은 더욱 강화되었다. (　　)
(4) 열강의 요구로 개항장에는 조계(거류지)가 형성되었다. (　　)
(5) 동아시아의 철도 건설은 민중들의 적극적인 지지를 받았다. (　　)

03 빈칸에 알맞은 말을 채워 보자.

(1) (　　　　)은/는 모든 국가를 문명국, 반문명국, 미개국으로 서열화하고 차별을 당연하게 생각했는데 이는 (　　　　)의 영향을 받은 것이었다.
(2) 일본에서는 『(　　　　) 신문』과 『(　　　　) 신문』이 청·일 전쟁과 러·일 전쟁 당시 일본의 전승 소식을 상세히 보도하였다.
(3) 조선은 갑오개혁 당시 (　　　　)을/를 발표하여 충군애국의 교육 목표와 지덕체를 겸비한 교육을 강조하였다.
(4) 중국의 천두슈는 서구 사상의 수용을 주장하며 신문화 운동을 이끌었던 (　　　　)을/를 발간하였다.
(5) 개항 이후 조선과 일본, 중국에서는 음력 대신 새롭게 (　　　　)을/를 사용하게 되었다.

04 ㉠~㉢에 들어갈 내용을 순서대로 써 보자.

> 조선에서는 서울 북촌의 양반 부인들이 최초의 여권 선언서인 (　㉠　)을/를 발표하며 여성 교육과 여성의 사회 진출을 주장하였다. 이후 여성 단체인 (　㉡　)이/가 결성되어 고종 황제에게 관립 여학교 설립을 청원하였으며, 이에 영향을 받은 (　㉢　) 등이 여성 계몽 운동을 전개하였다.

05 동아시아 국가들의 근대적 시간관념 확산에 영향을 미친 요인들을 |보기|에서 골라 보자.

> **보기**
> ㄱ. 중국 연호의 수용
> ㄴ. 철도의 운행 시간표
> ㄷ. 각국의 풍습과 농사 방식
> ㄹ. 선교사들이 운영하는 학교

06 아래 표를 완성해 보자.

동아시아 각국의 근대 교육	
청	(　　　　) 이후 일본을 모방한 학당 설립
일본	(　　　　) 이후 소학교 의무 교육
조선	(　　　　) 이후 근대 교육 제도 정비

01 『만국 공법』에 대한 설명으로 옳은 것은?

빈출

① 세계의 역사와 지리를 소개한 책이다.
② 일본의 존왕양이 운동에 영향을 미쳤다.
③ 조선이 강화도 조약을 체결하는 근거가 되었다.
④ 모든 국가를 문명국으로 간주하고 평등한 국제 질서를 지향하였다.
⑤ 주권 국가 간의 대등한 관계를 국제 질서의 기본 원리로 제시하였다.

02 다음 논리에 대한 설명으로 옳지 않은 것은?

> 세계에 있는 것은 강자의 권리뿐이다. 강자가 늘 약자를 다스릴 뿐 다른 힘이라는 게 없다. 그것이 진화의 가장 보편적인 원칙이다. 자유권을 얻고자 한다면 먼저 강자가 되는 방법 밖에 별 도리가 없다.
>
> – 량치차오 –

① 자문화 중심주의가 깔려 있었다.
② 조선에서는 항일 의병 전쟁에 영향을 주었다.
③ 청에서는 변법자강 운동의 논리로 활용되었다.
④ 국가 간의 약육강식의 논리를 자연스러운 사회 현상이라고 주장하였다.
⑤ 일본에서는 천황에 대한 충성심과 제국주의 정책을 정당화하는 논리로 이어졌다.

03 근대화 과정에서 동아시아 각국이 발행한 신문에 대한 설명을 |보기|에서 고른 것은?

> **보기**
>
> ㄱ. 일본은 신문 발간을 자유롭게 허용하는 정책을 펼쳤다.
> ㄴ. 조선 최초의 민간 신문인 『독립신문』은 한글로 발간되었다.
> ㄷ. 청에서 발간된 『신보』는 변법자강 세력의 후원을 받았다.
> ㄹ. 독자층이 넓지 않았기 때문에 신문 광고는 존재하지 않았다.

① ㄱ, ㄴ　② ㄱ, ㄷ　③ ㄱ, ㄹ
④ ㄴ, ㄷ　⑤ ㄷ, ㄹ

04 일본의 『헤이민 신문』에 대한 설명으로 옳은 것은?

① 영국인이 창간하였다.
② 정부의 정책을 홍보하였다.
③ 오락 소식을 주로 전하였다.
④ 최초로 상업 광고를 게재하였다.
⑤ 러 · 일 전쟁에 반대하며 평화를 주장하였다.

05 빈출 일본의 근대 교육에 대한 옳은 설명을 |보기|에서 고른 것은?

| 보기 |

ㄱ. 예산 부족으로 대학은 설립되지 못했다.
ㄴ. 중학교에서부터 의무 교육을 확대하였다.
ㄷ. 병역, 납세와 함께 교육을 국민의 3대 의무로 규정하였다.
ㄹ. 천황 중심의 가족적 국가관과 충효의 가치관을 주입하고자 하였다.

① ㄱ, ㄴ ② ㄱ, ㄷ ③ ㄱ, ㄹ
④ ㄴ, ㄷ ⑤ ㄷ, ㄹ

06 다음 자료와 관련 있는 국가의 근대 교육에 대한 옳은 설명을 |보기|에서 고른 것은?

백성을 가르치지 않으면 나라를 굳건히 하기가 매우 어렵다. 세상 형편을 돌아보면 부유하고 강성하며 독립하여 위세를 가지고 남을 내려다보는 여러 나라는 모두 그 나라 백성의 지식이 발달하였다.

–「교육입국 조서」, 1895. –

| 보기 |

ㄱ. 1900년대에 소학교 취학률이 70%를 넘었다.
ㄴ. 과거제 폐지 후 성균관이 관리 양성 기능을 담당하였다.
ㄷ. 충군애국의 교육 목표와 지덕체를 겸비한 교육을 강조하였다.
ㄹ. 선교사들이 서구 지식을 전파하기 위해 학교를 세우기도 하였다.

① ㄱ, ㄴ ② ㄱ, ㄷ ③ ㄱ, ㄹ
④ ㄴ, ㄷ ⑤ ㄷ, ㄹ

07 빈출 (가), (나)에 들어갈 말로 옳은 것은?

일본에서는 도쿄와 (가) 사이에 처음으로 철도가 개통되었으며, 한국에서는 (나) 이 최초로 개통되었다.

	(가)	(나)
①	오사카	경부선
②	오사카	경인선
③	요코하마	경인선
④	요코하마	경의선
⑤	후쿠오카	경의선

08 다음 사진을 통해 알 수 있는 일본 사회의 모습을 |보기|에서 고른 것은?

| 보기 |

ㄱ. 강요된 결혼을 거부하는 여성들이 늘어났다.
ㄴ. 히라쓰카 라이초 등의 여성 운동가들이 등장하였다.
ㄷ. 초·중등 의무 교육의 대상에서 여성이 배제되었다.
ㄹ. 교풍회는 현모양처와 같은 전통적인 여성관을 강조하였다.

① ㄱ, ㄴ ② ㄱ, ㄷ ③ ㄱ, ㄹ
④ ㄴ, ㄷ ⑤ ㄷ, ㄹ

09 다음 설명에 해당하는 서적으로 옳은 것은?

> 1915년 천두슈가 상하이에서 처음 발행하였다. 신해 혁명 이후 대총통이 된 위안스카이의 독재로 공화제가 유명무실해진 상황에서, 중국의 전통적 유교 사상을 '노예적, 보수적, 퇴행적'이라 비판하며, 민주주의와 같은 서구 사상과 과학의 수용을 주장하였으며 신문화 운동을 이끌었다.

① 『신청년』
② 『학지광』
③ 『해국도지』
④ 『영환지략』
⑤ 『음빙실문집』

10 자료를 통해 알 수 있는 동아시아 각국의 시간관념의 변화와 관련 있는 것을 |보기|에서 고른 것은?

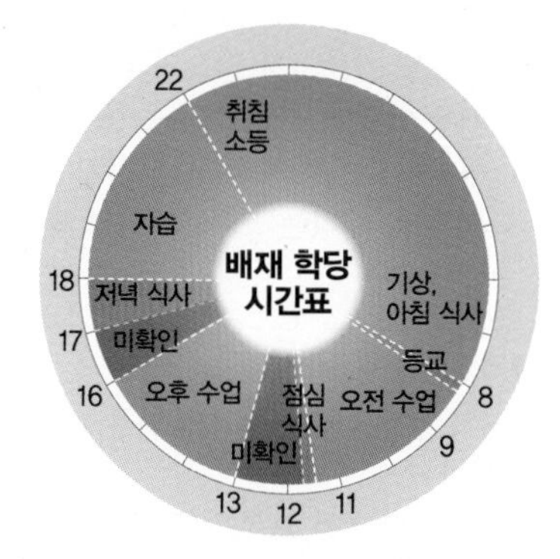

보기
ㄱ. 중국의 연호를 각국에서 사용하였다. ㄴ. 철도가 부설되어 운행되기 시작하였다. ㄷ. 광장이나 큰 건물에 시계탑이 등장하였다. ㄹ. 농사 등의 이유로 음력 사용이 확산되었다.

① ㄱ, ㄴ ② ㄱ, ㄷ ③ ㄱ, ㄹ
④ ㄴ, ㄷ ⑤ ㄷ, ㄹ

서술형 문제

11 빈출 다음 자료를 읽고 일본의 철도 부설이 가지고 있는 부정적인 측면 두 가지를 서술해 보자.

> 청·일 전쟁에서 승리한 일본은 식민지 타이완에도 남북을 관통하는 철도를 완성하였다. 조선에도 철도 부설권을 매수해 경인선을 건설하였고 경부선과 경의선을 부설하였다. 또한 창춘–다롄까지의 남만주 철도를 확보하였다.

서술형 문제

12 다음 주장에 대한 물음에 답해 보자.

> 인생의 만사가 경쟁을 의지하지 않는 일이 없으니, 크게 천하 국가의 일부터 작게 한 몸, 한 집안의 일까지 실로 다 경쟁으로 인해 먼저 진보할 수 있는 바라.
> – 유길준, 『경쟁론』 –

(1) 다음 주장과 관련된 이론의 명칭을 적어 보자.

(2) (1) 이론의 주장과 이론이 『만국 공법』에 미친 영향을 설명해 보자.

3단계 내신 만점 도전하기

01 (가)에 대한 설명으로 옳지 않은 것은?

중요

> 국가를 다스리는 일상의 권리를 일러 주권이라 하는데, 이 주권은 안에서 행해지기도 하고 밖에서 행해지기도 한다. 주권이 안에서 행해지는 것은 각국의 법도에 따르며, 그것은 백성에게 맡겨지기도 하고 군주에 귀속되기도 한다. …… 주권이 밖에서 행해지는 데는 반드시 타국의 승인이 필요하며 …… 각국은 그 승인 여부를 모두 자주적으로 결정하며 그에 따른 책임을 진다. - (가) -

① 조선은 국외 중립 조항에 특히 관심을 가졌다.
② 청은 대외 관계의 실무 지침서 정도로 간주하였다.
③ 조공·책봉 체제를 세계 질서의 기본 원리로 보고 있다.
④ 모든 국가를 문명국, 반문명국, 미개국으로 서열화하고 있다.
⑤ 일본은 근대 국가 체제를 갖추기 위해 적극적으로 참고하였다.

02 다음 주장에 대한 옳은 설명을 |보기|에서 고른 것은?

> 백인이라는 우월한 인종이 야만스러운 미개인들과 침략, 약탈 전쟁을 벌이는 것은 결국 세계 전체의 진화를 촉진하는 자연 선택 법칙에서 나온 것이다. 열등 인종들이 멸종에 이르고 우월 인종들이 전쟁으로 그 문명을 더욱 발전시킬 수 있는 것이 진화의 모습이다.

|보기|

ㄱ. 양무운동의 이념적 기반이 되었다.
ㄴ. 국가 간의 약육강식 논리를 정당화하였다.
ㄷ. 일본에서는 인간의 기본권을 확립하는 데 영향을 주었다.
ㄹ. 조선의 애국 계몽 운동가들의 실력 양성 운동에 영향을 미쳤다.

① ㄱ, ㄴ ② ㄱ, ㄷ ③ ㄱ, ㄹ
④ ㄴ, ㄹ ⑤ ㄷ, ㄹ

03 (가), (나)에 해당되는 신문으로 옳은 것은?

> • (가) 은/는 1872년 영국 상인이 상하이에서 발간된 신문으로 중국 지식인의 글을 많이 실었다.
> • (나) 은/는 1903년에 창간되어 주로 사회주의자들의 주장을 대변하였다. 러·일 전쟁에 반대하여 러시아 사회주의 세력과의 연대를 주장하였다.

	(가)	(나)
①	『독립신문』	『신보』
②	『신보』	『헤이민 신문』
③	『신보』	『아사히 신문』
④	『신보』	『요미우리 신문』
⑤	『독립신문』	『헤이민 신문』

04 (가), (나), (다) 국가의 근대 교육에 대한 옳은 설명을 |보기|에서 고른 것은?

중요

> (가) 나의 신민이 충과 효로써 많은 사람의 마음을 하나로 만들어 대대손손 그 아름다움을 다하게 하는 것이 우리 국체의 정화이며 교육의 연원 또한 실로 여기에 있다. -「교육 칙어」, 1890. -
> (나) …… 책을 읽는 식자층은 겨우 100명 중 20명이고 교육비는 군비보다 수십 배나 적습니다. 재주와 지혜가 있는 백성이 많으면 나라가 강해집니다. - 캉유웨이의 상소(1895) -
> (다) 백성을 가르치지 않으면 나라를 굳건히 하기가 매우 어렵다. 세상 형편을 돌아보면 부유하고 강성하며 독립하여 위세를 가지고 남을 내려다보는 여러 나라는 모두 그 나라 백성의 지식이 발달하였다. -「교육입국 조서」, 1895. -

|보기|

ㄱ. (가) - 정부는 소학교의 의무 교육 정책을 실시하였다.
ㄴ. (가) - 정부는 교육을 통해 평등 의식과 국민주권 의식을 주입하고자 하였다.
ㄷ. (나) - 정부는 개항 직후 경사대학당을 세워 관리 양성을 담당하게 하였다.
ㄹ. (다) - 계몽 운동가들이 인재 양성을 위해 학교를 세우기도 하였다.

① ㄱ, ㄴ ② ㄱ, ㄷ ③ ㄱ, ㄹ
④ ㄴ, ㄷ ⑤ ㄷ, ㄹ

05 중요 지도에서 (가)에 해당하는 도시들에 대한 옳은 설명을 |보기|에서 고른 것은?

|보기|
ㄱ. 전통적인 도시 형태가 유지되었다.
ㄴ. 모두 수도에서 멀리 떨어진 곳이었다.
ㄷ. 조계가 형성되어 치외 법권이 적용되었다.
ㄹ. 열강의 요구로 개항이 이루어진 개항장이었다.

① ㄱ, ㄴ ② ㄱ, ㄷ ③ ㄱ, ㄹ
④ ㄴ, ㄷ ⑤ ㄷ, ㄹ

06 다음과 같은 주장과 관련 있는 동아시아 사회의 변화로 옳지 않은 것은?

> 혹시 신체와 손발, 눈코가 남녀 다름이 있는가. 어찌 하여 …… 사나이의 벌어주는 것만 먹고 평생을 안채에서 그 절제만 받으리오. …… (먼저 문명개화한 나라는) 어려서부터 각각 학교에 다니며 제조를 다 배우고 …… 장성한 뒤에는 사나이와 부부의 연을 맺어 평생을 사는데, 그 사나이한테 조금도 절제를 받지 아니하고, 도리어 극히 공경함을 받는다.
> – 『황성신문』, 1898. 9. 8. –

① 조선에서는 여성이 의무 교육의 대상에 포함되었다.
② 일본에서는 강요된 결혼을 거부하는 여성들이 늘어났다.
③ 일본의 기독교 부인 교풍회는 남녀의 평등을 주장하였다.
④ 중국에서는 여성들이 전족을 거부하였으며 여성의 권리 요구가 더욱 커졌다.
⑤ 중국의 린후이인과 같이 여성과 남성의 능력이 동등함을 보여주는 여성들이 등장하였다.

07 중요 다음과 같은 변화를 가져온 기술에 대한 옳은 설명을 |보기|에서 고른 것은?

> 한성에서 마포나 용산을 다녀오는 시간이면 인천을 오가는 데 넉넉하고 그 차비도 싸려니와 …… 한성에 사는 자가 매일 인천에 와서 일을 보고 인천에 사는 벼슬아치가 매일 한성으로 출근하는 것이 해롭지 아니 하니라.

|보기|
ㄱ. 하얼빈과 대전이 쇠락하는 원인이 되었다.
ㄴ. 조선과 청에서는 백성들의 큰 지지를 받았다.
ㄷ. 일본은 만주 침략의 발판으로 활용하고자 하였다.
ㄹ. 일본에서는 도쿄와 요코하마 사이에 처음으로 개통되었다.

① ㄱ, ㄴ ② ㄱ, ㄷ ③ ㄱ, ㄹ
④ ㄴ, ㄷ ⑤ ㄷ, ㄹ

08 다음과 같은 광고가 등장하던 시기 동아시아 각국에 대한 옳은 설명을 |보기|에서 고른 것은?

▲ 역무원 얼굴과 합성한 시계 광고

|보기|
ㄱ. 주요 광장이나 큰 건물에 시계탑이 등장하였다.
ㄴ. 태양력이 도입되면서 음력 풍습은 사라지게 되었다.
ㄷ. 철도 운행 시간표의 영향으로 근대적 시간관념이 확산되었다.
ㄹ. 정부가 공식적으로 태양력을 발표하면서 서구식 시간이 처음 적용되었다.

① ㄱ, ㄴ ② ㄱ, ㄷ ③ ㄱ, ㄹ
④ ㄴ, ㄷ ⑤ ㄷ, ㄹ

총 문항수 2 | 처음 푼 날 월 일
정답과 해설 60쪽 | 오답 푼 날 월 일

01 다음 도시에 대한 옳은 설명을 |보기|에서 고른 것은?

> 개항 이후에 서양 상인이 모여들면서 무역과 금융의 중심지로 성장하였다. 홍콩 및 싱가포르 등과 연결되는 항로가 개설되었고, 1872년에는 영국 상인에 의해 『신보』가 창간되었다. 현재는 중국 경제의 급속한 성장을 상징하는 도시이다.

보기

ㄱ. 대한민국 임시 정부가 수립된 곳이다.
ㄴ. 청 · 일 전쟁으로 일본에 할양된 도시였다.
ㄷ. 조계가 형성되고 치외 법권이 적용되었다.
ㄹ. 개항 이전부터 정치적으로 중요한 대도시였다.

① ㄱ, ㄴ ② ㄱ, ㄷ ③ ㄱ, ㄹ ④ ㄴ, ㄷ ⑤ ㄷ, ㄹ

유형 분석
특정한 도시와 관련된 다양한 역사적 사실을 연결해서 묻는 문제야.

해결 비법
수능이나 모의고사에는 단원을 넘나드는 문제가 가끔 출제가 돼. 그래서 각각 다른 단원인데도 반복되어 나오는 인물이나 지명이 있다면 충분히 공부해두는 것이 좋아.

02 다음 이론에 대한 옳은 설명을 |보기|에서 고른 것은?

> 단체 결집력이 약한 존재들은 필히 결집력이 강한 존재들에 의해서 멸망을 당하고, 힘이 약한 자는 필히 힘이 센 자에 의해서 점령당한다. …… 세계가 진보해 가면서 생존을 위해서 요구되는 단체 결집력의 수준도 계속 높아진다. 그 수준을 따라가지 못해 몰락하는 것은 가히 두려워할 만한 일이다. 만물의 단체들이 서로 경쟁하는 것이 자연의 공고화된 법칙이다.

보기

ㄱ. 의화단 운동에 영향을 주었다.
ㄴ. 변법자강 운동의 논리로 활용되었다.
ㄷ. 제2차 세계 대전 당시 반제, 반전 운동으로 이어졌다.
ㄹ. 『만국 공법』이 주장하는 불평등한 국제 질서를 합리화하였다.

① ㄱ, ㄴ ② ㄱ, ㄷ ③ ㄴ, ㄷ ④ ㄴ, ㄹ ⑤ ㄷ, ㄹ

유형 분석
사료를 해석해서 관련된 역사적 사실을 찾아내는 문제야.

해결 비법
이런 유형의 문제를 쉽게 풀기 위해서는 교과서에 나오는 사료를 완벽하게 숙지하고 다양한 사료들을 접해두는 것이 좋아. 모르는 사료가 나왔더라도 제시된 사료를 읽어보면 힌트가 나오는 경우가 대부분이지.

심화 기출 지문 활용하기

총 문항수 6 / 처음 푼 날 월 일
정답과 해설 60쪽 / 오답 푼 날 월 일

2017학년도 수능

유길준

세상의 모든 일에 경쟁이 없는 것이 없습니다. 크게는 천하, 국가의 일부터 작게는 한 몸, 한 집안의 일까지 모두 경쟁을 통해 진보할 수 있습니다.

그렇습니다. 지금 세계에는 경쟁에서 이긴 강자의 권리만이 존재합니다. 강자가 약자를 지배할 뿐 다른 힘은 따로 없지요. 이것이 진화의 원칙입니다.

량치차오

서술형 문제

01 가상 대화에 나오는 이론이 청과 조선의 근대화 운동에 미친 영향을 서술해 보자.

수능 문제

02 가상 대화에 나타난 이론에 대한 옳은 설명을 |보기|에서 고른 것은?

|보기|
ㄱ. 위정척사 운동의 사상적 바탕이 되었다.
ㄴ. 태평천국 운동의 이념적 배경이 되었다.
ㄷ. 애국 계몽 운동을 추진하는 데 영향을 미쳤다.
ㄹ. 서양 열강의 침략을 정당화하는 논리로 이용되었다.

① ㄱ, ㄴ ② ㄱ, ㄷ ③ ㄱ, ㄹ
④ ㄴ, ㄷ ⑤ ㄷ, ㄹ

활용 문제

03 가상 대화에 나오는 이론에 영향을 받은 책에 대한 옳은 설명을 |보기|에서 고른 것은?

|보기|
ㄱ. 사회주의 운동에 영향을 주었다.
ㄴ. 조·청 상민 수륙 무역 장정 체결의 계기가 되었다.
ㄷ. 모든 국가를 문명국, 반문명국, 미개국으로 서열화하였다.
ㄹ. 일본은 근대 국가 체제를 갖추기 위해 적극적으로 활용하였다.

① ㄱ, ㄴ ② ㄱ, ㄷ ③ ㄴ, ㄷ
④ ㄴ, ㄹ ⑤ ㄷ, ㄹ

2015학년도 수능

(가) 의화단 운동 실패 이후, 서양 학문의 도입이 거스를 수 없는 대세로 자리 잡게 되면서 교육개혁이 추진되었다. 서원을 신식 학당으로 개편하는 등 근대 학제의 정비 작업이 본격화되었다.
(나) 근대화를 효과적으로 추진하기 위해서는 국민의 지식 수준을 높힐 필요가 있었다. 이에 유신 정부는 국민을 계몽하는 데 주력하여 서양의 학교 교육 제도 도입을 추진하였다. 이를 위해 교육 행정을 총괄하는 문부성을 설치하고, 학제를 공포하였다.

서술형 문제

04 (가), (나)와 같은 교육 정책의 공통점을 두 가지 서술해 보자(단, 서양식 교육 제도를 수용했다는 점은 제외할 것).

수능 문제

05 (가), (나)에 나타난 교육의 변화에 대한 설명으로 적절한 것은?

① (가) – 총독부가 서양식 교육 제도를 정착시켰다.
② (가) – 「교육 칙어」가 제정되어 충·효를 강조하였다.
③ (나) – 의무 교육이 실시되면서 소학교가 설립되었다.
④ (나) – 난학 교습소가 설립되어 서양 의학의 보급에 기여하였다.
⑤ (가) – (나)의 근대적 학제 개편에 영향을 주었다.

활용 문제

06 (나)와 같은 교육 정책이 펼쳐지던 시기 일본 사회에 대한 설명으로 옳은 것은?

① 여성에게 참정권이 부여되었다.
② 난학 강습소가 각 지역에 세워졌다.
③ 정부의 규제 정책으로 신문이 발간되지 못했다.
④ 천황에 대한 충성심과 애국심을 강조하는 교육이 펼쳐졌다.
⑤ 거품 경제가 붕괴되면서 여러 가지 사회 문제가 발생하였다.

주제 12

제국주의 침략 전쟁과 민족 운동

주제 흐름 읽기

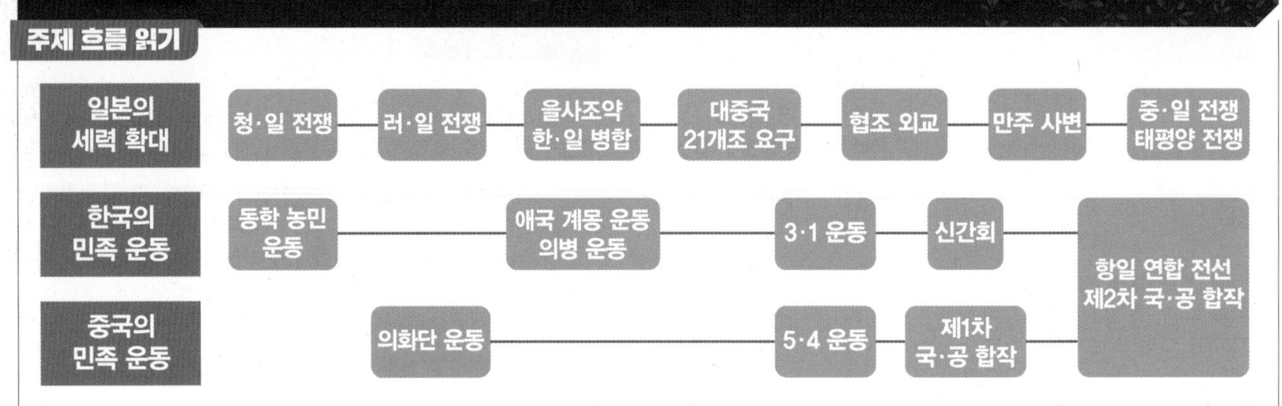

1 제국주의 침략과 민족 운동

1. 주권선과 동양 평화론

일본의 제국주의적 침략을 정당화하기 위해 만들어진 논리에는 어떤 것들이 있을까요?

(1) **일본의 주권선과 이익선** 이익선 방어를 명목으로 제국주의적 침략 자료 1

(2) **일본의 동양 평화론** 러·일 전쟁 때 등장, 일본의 동아시아 침략을 정당화

어떻게? 일본은 백인종 러시아에 대항하여 황인종인 동아시아 국가들이 일본을 중심으로 연대해야 한다고 주장했지.

2. 동학 농민 운동과 청·일 전쟁

동학 농민 운동과 청·일 전쟁은 어떤 의미를 가지고 있었을까요?

(1) 동학 농민 운동(1894)

배경	• 정부의 수탈과 외세의 침략
전개 과정	• 동학 농민군의 1차 봉기 → 조선 정부, 청에 원군을 요청 → 청군, 일본군이 조선에 파병 → 전주 화약❶ → 일본군, 청·일 전쟁을 일으키고 조선 내정에 간섭 → 동학 농민군 2차 봉기 → 일본군과 정부군에 의해 진압

(2) 청·일 전쟁(1894~1895)

전개 과정 및 결과	• 조선을 둘러싼 청·일의 경쟁 격화 → 청·일 전쟁 → 일본의 승리, 시모노세키 조약❷ 체결
영향	• 중국 중심의 전통적인 동아시아 질서(조공 체제) 붕괴 • 일본과 러시아와의 갈등이 격화됨(삼국 간섭❸)

3. 러·일 전쟁과 을사조약

러·일 전쟁이 일본의 대한 제국 침략 정책에 미친 영향은 무엇이었을까요?

(1) 러·일 전쟁(1904~1905)

배경	• 한반도와 만주를 놓고 일본과 러시아의 경쟁 심화
전개 과정	• 일본의 뤼순 기습으로 전쟁 시작 • 일본은 한반도를 군사 기지로 삼음(한·일 의정서) • 영국과 미국은 일본을 지원 ― 왜? 러시아의 만주 독점을 경계했기 때문이야.
결과	• 미국의 중재로 포츠머스 조약이 체결되며 전쟁 종결 자료 2 • 일본은 러시아로부터 한국·남만주에 대한 권익을 양도 받음 • 한국에 대한 우월한 지위 확보: 가쓰라·태프트 밀약, 제2차 영·일 동맹, 포츠머스 조약(1905) ― 무엇을? 모두 일본의 한국 지배를 승인하는 내용을 담고 있었지.

❶ **전주 화약**
동학 농민군이 전주성을 함락시키자 정부는 진압을 위해 청에게 원군을 요청하였다. 그런데 제물포 조약을 구실로 일본도 파병을 하자, 예기치 못한 상황에 직면한 정부와 농민군은 폐정 개혁에 합의하는 전주 화약을 체결하였다. 전주 화약이 체결되고 농민군은 전주성에서 철수하였다.

❷ **시모노세키 조약**
청·일 전쟁에서 일본이 승리하면서 청과 맺은 조약. "청국은 조선이 완전무결한 독립자주국임을 인정한다.", "청국은 랴오둥반도와 타이완, 펑후 제도를 일본에 할양한다.", "청국은 배상금 2억냥을 지불한다."는 내용 등이 포함되어 있었다.

❸ **삼국 간섭**
청·일 전쟁으로 일본이 랴오둥반도를 차지하자 랴오둥반도에 관심 가지고 있었던 러시아가 프랑스, 독일을 끌어들여 압력을 넣었다. 결국 일본은 랴오둥반도를 다시 청에 반환하고 말았다.

자료 1 일본의 주권선과 이익선

> 주권선이란 영토를 말하며, 이익선이란 우리와 맞닿아 있는 이웃나라, 즉 우리 주권선의 안전과 긴밀한 관계가 있는 지역이다. …… 국가의 독립을 유지하려고 한다면 주권선만 수호하는 것으로는 충분하지 않다. 반드시 이익선을 방어하여 항상 유리한 위치에 서지 않으면 안 된다. …… 우리나라 이익선의 초점은 바로 조선이다. 시베리아 철도가 중앙아시아까지 와 있고, 몇 년 안 가서 준공될 것이다. 그렇게 되면 …… 십여 일이면 헤이룽강에 도착할 것이다. 우리는 시베리아 철도가 완공되는 날이 조선에서 일이 벌어질 날임을 잊어서는 안 된다.
>
> –「제1회 제국 의회 중의원 속기록」, 1890. 11. –

왜 일본은 이익선의 초점을 조선으로 설정했을까?

당시 러시아는 만주를 장악하려고 했어. 일본은 이런 상황에서 러시아가 조선마저 식민지로 만든다면 자신들에게 큰 위협이 될 거라 생각했지. 그래서 조선을 일본의 이익선으로 삼아 러시아의 남하를 막을 필요가 있다고 주장했어. 그러면서 일본은 러시아의 위협을 방어하기 위해서는 조선을 차지할 수 밖에 없다는 논리로 조선에 대한 침략을 정당화했지. 일본의 이익선은 나중에는 만주, 그 이후에는 중국 본토로 계속 확장되었어. 결국 일본의 이익선이란 자신들의 제국주의적 침략 행위를 정당화하기 위한 논리에 불과했다는 것을 알 수 있단다.

뜯어보기 포인트

일본의 이익선 주장은 자신들의 제국주의적 침략을 정당화하기 위한 것이었다는 점을 기억하자.

Q1 일본이 설정한 이익선으로 옳은 것을 모두 선택해 보자.

㉠ 조선
㉡ 만주
㉢ 진주만
㉣ 연해주
㉤ 중국 본토

자료 2 포츠머스 조약(1905. 9.)

> **제2조** 러시아는 한국에 대한 일본의 지도, 보호, 감리를 승인한다.
> **제5조** 뤼순·다롄의 조차권, 창춘 이남의 철도와 그 부속의 이권을 일본에 양도한다.
> **제9조** 북위 50° 이남의 사할린섬과 부속 섬들을 일본에 양도한다.
> **제11조** 연해주의 캄차카 어업권을 일본 국민에게 양도한다.

제2조의 내용을 통해서 알 수 있는 것은 무엇일까?

포츠머스 조약은 러·일 전쟁 직후 체결된 조약이야. 러·일 전쟁 이전까지 러시아와 일본은 대한 제국을 놓고 치열하게 경쟁을 펼치고 있었지. 그런데 일본이 러·일 전쟁에서 승리하면서 대한 제국에 대한 우월한 지위를 차지하게 되었고, 제2조는 그것을 확인하고 있는 조항이야.

제5조의 내용을 통해서 알 수 있는 것은 무엇일까?

뤼순과 다롄은 랴오둥반도에 위치하고 있어. 랴오둥반도는 청·일 전쟁으로 일본이 차지했다가 러시아가 주도한 삼국 간섭으로 다시 청에게 반환해야 했던 곳이지. 한편 일본은 러시아로부터 창춘 이남의 철도와 이권도 양도받게 되었어. 랴오둥반도와 창춘 이남 지역은 모두 남만주에 속한 지역이었지. 즉 러·일 전쟁의 승리를 통해 일본이 남만주의 이권도 차지하게 되었다는 것을 알 수 있어.

뜯어보기 포인트

포츠머스 조약은 러·일 전쟁에서 일본이 승리한 결과 체결되었다는 점을 기억하자.

Q2 포츠머스 조약에 대한 설명으로 옳은 것을 모두 선택해 보자.

㉠ 미국의 중재로 체결된 것이다.
㉡ 일본은 남만주에 대한 이권을 차지하였다.
㉢ 일본은 러시아로부터 막대한 배상금을 획득하였다.
㉣ 청 중심의 동아시아 질서가 무너지는 계기가 되었다.
㉤ 러시아는 한국에 대한 일본의 우월한 지위를 인정하였다.

답 Q1 ㉠, ㉡, ㉤ / Q2 ㉠, ㉡, ㉤

(2) 을사조약(1905)

배경	• 러·일 전쟁 직후 열강이 대한 제국에 대한 일본의 우월한 지위 인정
내용	• 대한 제국의 외교권 박탈, 통감부 설치
한국인의 대응	• 애국 계몽 운동❶, 의병 운동 등 → 통감부의 탄압

(3) 일본에 의한 국권 강탈(1910. 8.)

2 제1차 세계 대전과 동아시아

1. 제1차 세계 대전과 일본 제국주의

제1차 세계 대전은 일본의 동아시아 정책에 어떤 영향을 미쳤을까요?

(1) 제1차 세계 대전과 일본

경제적 이익	• 중국 시장 장악, 연합국으로부터 군수 물자 주문이 많아 수출이 수입을 초과
대외 활동	• 독일에 선전 포고, 조차지 산둥반도 점령 → 중국에 21개조 요구 강요(1915) 자료 3 • 러시아 사회주의 혁명 확대를 막기 위해 시베리아 출병

(2) 워싱턴 체제

성격	• 중국에서 일본의 영향력 증대 견제 및 열강들 간의 세력 균형
영향	• 중국: 치외 법권 철폐 및 관세 자주권 회복 등을 주장 → 산둥반도의 이권만 회수 • 일본: 중국에서 군사 팽창 대신, 협조 외교 원칙에 따라 경제 진출 확대

2. 3·1 운동과 5·4 운동

3·1 운동과 5·4 운동의 배경과 의미는 무엇이었을까요?

(1) 3·1 운동(1919)

무엇을? 일제가 한국을 식민지로 만들고 나서 한국인들을 통치하기 위해 만든 기관이야.

배경	• 조선 총독부와 헌병 경찰을 통한 강압적인 식민 통치 • 민족 자결주의❷의 흐름과 고종의 죽음
성격	• 대중의 자발적 참여 — 누가? 지식인, 학생 뿐만 아니라 노동자, 농민들이 적극적으로 참여했지.
영향	• 3·1 운동 이후 다양한 사회 운동의 밑거름이 됨 • 상하이 임시 정부❸가 수립되고 대한민국을 국호로 정함 • 해외 무장 독립 투쟁 본격화(봉오동 전투, 청산리 전투 등)

(2) 신문화 운동과 5·4 운동

① 신문화 운동

어떻게? 유교 사상을 노예적, 보수적, 퇴행적이라 비판했어.

등장 배경	• 신해혁명 이후 대총통 위안스카이의 독재로 공화제 유명무실
내용	• 유교 사상 비판, 민주주의와 과학 옹호(『신청년』 발간)
의의	• 5·4 운동에 영향을 미침

② 5·4 운동(1919) 자료 4

무엇을? 제1차 세계 대전의 뒤처리를 위해 개최된 회의야.

원인	• 파리 강화 회의에서 일본의 21개조 요구가 무효라는 중국 정부의 주장이 거부됨
내용	• 베이징 대학생들의 시위 → 전국적인 지지 → 중국 대표단 강화 조약 조인 거부
의의	• 대중이 정부에 주권자의 권리를 요구하여 관철시킴 • 국민 의식이 형성되어 국민 국가 수립의 열망이 커짐

❶ 애국 계몽 운동
을사조약을 전후로 펼쳐진 국권 수호 운동. 무력 투쟁을 통해 당장 일본을 몰아내자는 의병 운동과 다르게, 일정 부분 사회 진화론의 영향을 받아 민중을 계몽하여 독립을 지킬 수 있는 실력부터 키워야 한다고 주장하였다. 대표적인 단체로는 보안회, 헌정 연구회, 신민회 등이 있다.

❷ 민족 자결주의
제1차 세계 대전 직후 미국의 윌슨 대통령을 중심으로 천명된 원칙. 피지배 민족에게 자유롭고 공평하고 동등하게 자신들의 정치적 미래를 결정할 수 있는 자결권을 인정해야 한다는 내용으로, 한국의 3·1 운동을 비롯한 약소민족들의 민족 해방 투쟁에 큰 영향을 주었다. 하지만 현실적으로 민족 자결주의는 제1차 세계 대전 패전국의 식민지에만 적용되었다.

❸ 상하이 임시 정부
3·1 운동이 벌어지면서 보다 체계적이고 조직적으로 독립운동을 지도할 임시 정부의 필요성이 제기되었다. 그러면서 연해주의 대한 독립 의회, 한성의 한성 정부, 상하이 임시 정부가 각각 세워졌는데, 이것이 하나로 통합되어 상하이에서 이승만을 대통령으로 하는 대한민국 임시 정부가 세워졌다. 임시 정부는 모든 국민이 주권을 가지는 민주 공화국을 지향한다는 것을 분명히 하였다.

자료 3 **일본의 대중국 21개조 요구**

> **제1호** 산둥성에서 독일이 누려 온 모든 권익의 양도와 철도 부설권 요구 등 4개조
> **제5호** 중국 중앙 정부의 정치·재정·군사 분야에 반드시 유력한 일본인 고문을 초빙하며, 경찰의 공동 관리, 무기 구매와 철도 부설에 관한 요구 등 7개조

뜯어보기 포인트
일본의 대중국 21개조 요구는 중국의 내정을 간섭하고 산둥성의 이권을 확보하는 것이 목적이었다는 점을 기억하자.

◎ 제1호의 내용에서 일본은 왜 독일이 산둥성에서 누려오던 권리를 요구했을까?
산둥반도는 원래 독일이 조차하고 있었어. 그러다 제1차 세계 대전이 발발했는데 일본은 독일과 싸우고 있던 영국, 미국 등의 연합군에 포함되어 있었지. 이 지역의 이권을 노리고 있던 일본은 이것을 명분으로 독일에 선전포고하고 산둥반도를 점령해 버린 거야. 그리고 위안스카이 정부에게 산둥반도에 대한 이권을 넘기라는 요구를 했지.

◎ 제5호가 의미하는 것은 무엇일까?
고문은 전문적인 능력을 가지고 조언을 해주는 역할을 뜻한단다. 그런데 일본이 중국 정부에 고문을 파견하려 했던 실제 목적은 중국의 정치, 재정, 군사 분야에 대해 간섭을 하려는 것이었지. 게다가 경찰은 치안을 유지하는 기구인데, 경찰을 공동 관리를 하자고 요구한 것은 중국의 주권을 크게 침해하는 것이었어. 비록 위안스카이 정부는 제5호를 받아들이지는 않았지만 다른 요구는 대부분 받아들여 국민들의 분노를 불러 일으켰지.

Q3 **일본의 대중국 21개조 요구에 대한 설명으로 옳은 것을 모두 선택해 보자.**
㉠ 양무운동의 계기가 되었다.
㉡ 산둥성에 대한 권리를 요구하였다.
㉢ 제1차 세계 대전 중에 나온 것이다.
㉣ 위안스카이 정부가 강력 반발하였다.
㉤ 서양 열강은 즉각 일본을 규탄하였다.

자료 4 **중국의 5·4 운동**

> 지금 ① 일본은 국제 평화 회의에서 칭다오를 삼키고 산둥에서의 모든 권리를 관리하는 데 성공하기 일보 직전에 와 있다. 산둥을 잃은 것은 중국이 망하는 것이다. ② 조선은 독립을 꾀해 '독립하지 못하면 죽겠다.'고 하였다. 생각건대, ③ 전국 각계의 백성이 일제히 일어나 모든 수단을 다해 국민 대회를 열어 밖으로는 주권 수호를 위해 싸우고 안으로는 국가의 적을 제거하자. 중국이 살아남느냐 망하느냐 하는 것은 오직 이번 일에 달려 있다.
>
> –「전체 학생 톈안먼 선언」, 1919. –

뜯어보기 포인트
5·4 운동은 대중들이 적극적으로 참여하여 주권을 행사하려 했던 사건이라는 점을 기억하자.

◎ 이 선언문을 통해서 짐작할 수 있는 당시 동아시아 지역의 정세는 무엇일까?
제시된 자료는 중국 5·4 운동과 관련된 자료야. ①은 일본의 21개조 요구가 무효라는 중국 정부의 요구가 파리 강화 회의에서 받아들여지지 않았다는 것을 뜻하는 내용이지. 이 소식이 중국에 전해지면서 분노한 학생들과 대중들에 의해 5·4 운동이 펼쳐졌어. ②에서 언급하고 있는 것은 한국의 3·1 운동이야. 3·1 운동은 5·4 운동에도 어느 정도 영향을 주었다고 할 수 있지.

◎ 이 선언문을 통해 알 수 있는 5·4 운동의 의미는 무엇일까?
③은 전국민이 일어나서 일본의 요구를 물리치고, 매국노들을 처단해야 한다는 내용이야. 5·4 운동은 이처럼 대중들이 중심이 되어 펼쳐졌고, 이는 이후 대중 운동이 활발하게 펼쳐지는 계기가 되었지.

Q4 **5·4 운동에 대한 설명으로 옳은 것을 모두 선택해 보자.**
㉠ 쑨원의 주도로 일어났다.
㉡ 3·1 운동에 영향을 주었다.
㉢ 대중들의 참여가 활발하였다.
㉣ 일본의 21개조 요구에 대한 반발로 일어났다.
㉤ 중국 정부가 베르사유 조약에 대한 조인을 거부하는 원인이 되었다.

답 Q3 ㉡, ㉢ / Q4 ㉢, ㉣, ㉤

3. 제1차 국·공 합작과 국민 혁명

제1차 국·공 합작은 어떻게 전개되었을까요?

(1) 중국 국민당과 중국 공산당[1]의 결성

(2) 제1차 국·공 합작(1924)

목적	• 제국주의 및 군벌 타도
내용	• 쑨원이 소련과 연합하고 공산당원을 국민당에 수용한다는 방침 선포 → 광둥 국민 정부 수립

왜? 소련이 제정 러시아가 중국에서 받았던 권리를 포기하고 중국을 돕겠다고 했거든.

(3) 국민 혁명의 전개

① 북벌 시작: 장제스[2]가 지휘 → 9개월만에 창장강 일대 장악

② 상하이 쿠데타: 장제스가 국·공 합작을 파기하고 중국 공산당 탄압

왜? 중국 공산당 세력의 성장을 경계했거든.

③ 북벌의 재개와 중국 통일: 일본의 지원을 받던 베이징 군벌 장쭤린을 만주로 쫓아냄 → 장쉐량이 국민당 정부 지지 → 중국 통일 달성

누가? 장쭤린의 아들이야.

4. 1920년대 일본과 한국의 사회 운동

1920년대 일본과 한국에서는 어떤 사회 운동이 전개되었을까요?

(1) 1920년대 일본의 사회 운동

배경	• 일본의 도시화, 공업화 발전
내용	• 노동조합 결성, 노동쟁의 발생 → 사회주의 세력 확산 • 보통 선거권 요구 운동
일본 정부의 대응	• 보통 선거법 제정(25세 이상 일본인 남성에게 선거권 부여) • 치안 유지법 제정(사회주의 세력 탄압)

(2) 1920년대 한국의 사회 운동

왜? 러시아의 식민지 독립운동 지원 선언, 일제의 '문화 통치' 시기 식민지 한국에서도 사회주의 세력이 등장했지.

신간회	• 배경: 사회주의 세력과 민족주의 세력의 갈등과 일제의 탄압 • 결성: 비타협적 민족주의자와 사회주의자가 합작 • 활동: 광주 학생 항일 운동(1929)이 일어나자 진상 보고를 위한 민중 대회 계획 → 간부들이 구속 당하면서 큰 타격
의열단	• 결성: 3·1 운동 이후 김원봉, 윤세주 등이 주도 • 목표: 민중의 직접 혁명을 통한 독립 쟁취(신채호, 「조선 혁명 선언」) 자료 5

무엇일까? 일제의 식민 지배와 차별 교육에 맞서 광주 학생들을 중심으로 펼쳐진 독립운동이야.

3 침략 전쟁의 확대

1. 만주 사변과 한·중 연대

일본의 만주 침략은 어떤 저항을 가져왔을까요?

(1) 만주 사변(1931)

배경	• 경제 대공황의 여파로 경제 위기 • 장쉐량이 일본의 남만주 철도 위협 • 만주 지역 조선인들의 항일 운동
전개 과정	• 일본군이 남만주 철도 일부를 폭파하고 중국군의 소행으로 몰아 만주 침략 → 만주 점령지에 만주국[3] 수립
결과	• 리튼 보고서 채택 → 일본, 국제 연맹[4] 탈퇴 자료 6 • 워싱턴 체제 붕괴

[1] **중국 국민당과 중국 공산당**
신해혁명을 이끌었던 쑨원은 비밀 결사였던 중화 혁명당을 공개 정당인 중국 국민당으로 개편하였다. 한편 중국 공산당은 천두슈, 리다자오 등 신문화 운동을 주도했던 인물들에 의해 창당되었다.

[2] **장제스**
쑨원의 후계자로서 쑨원이 죽은 후 국민 혁명을 성공으로 이끌며 중국을 장악하였다. 이 과정에서 중국 공산당의 세력 확장을 경계하며 상하이 쿠데타를 일으켜 중국 공산당을 탄압했다. 1949년 중국 공산당과의 내전에서 패한 후 타이완으로 정부를 옮겼다.

[3] **만주국**
일본이 만주를 침략하고 나서 세운 국가. 청의 마지막 황제인 푸이를 만주국 황제로 세웠지만 실제로는 일본 관동군이 통치한 일본의 식민지였다.

[4] **국제 연맹**
제1차 세계 대전에서 승리한 연합국들이 주도하여 국제 협력을 위해 세운 기구. 규약을 지키지 않는 회원국을 제재할 수 있는 강제성이 없었기 때문에 국제 분쟁 해결에 큰 기여를 하지 못했다. 일본이 만주 사변을 일으키자 국제 연맹은 리튼 조사단을 통해 일본의 행위를 침략으로 규정하였고, 일본은 국제 연맹을 탈퇴하였다.

자료 5 「조선 혁명 선언」(1923)

> 강도 일본을 쫓아내려면 오직 혁명으로만 가능하며, 혁명이 아니고는 강도 일본을 쫓아낼 방법이 없는 바이다. ……
> 민중은 우리 혁명의 대본영(大本營)이다.
> 폭력은 우리 혁명의 유일한 무기이다.
> 우리는 민중 속으로 가서 민중과 손을 맞잡아 끊임없는 폭력-암살, 파괴, 폭동-으로써 강도 일본의 통치를 타도하고, 우리 생활에 불합리한 일체의 제도를 개조하여, 인류로써 인류를 압박하지 못하며, 사회로써 사회를 박탈하지 못하는 이상적 조선을 건설할지니라.
> – 신채호 –

◎ 「조선 혁명 선언」에서는 어떤 것을 독립의 방안으로 제시했을까?

「조선 혁명 선언」은 김원봉의 요청에 따라 신채호가 작성한 의열단의 행동 강령이야. 여기에는 민중들의 직접적인 혁명을 통해서만 일제를 몰아낼 수 있으며, 이를 위해서는 암살, 파괴, 폭동과 같은 폭력적인 투쟁이 필요하다는 내용이 담겨 있어.

◎ 의열단의 투쟁 방식은 어떻게 변했을까?

「조선 혁명 선언」의 강령에 따라 의열단은 1920년대에는 주로 일제 고위 관리나 친일파를 처단하고 식민 통치, 착취 기관을 파괴하는 활동을 펼쳤어. 하지만 1920년대 후반부터 개인 폭력 투쟁에 한계를 느끼고 조직적인 무장 투쟁 노선으로 전환하게 되지. 그러다 1930년대 들어서는 중국 관내에서 활동하는 여러 독립 운동 단체들을 통합한 민족 혁명당 결성을 주도하게 되었어.

뜯어보기 포인트

의열단의 초기 투쟁 방식은 개인 폭력 투쟁이었다는 것을 기억하자.

Q5 「조선 혁명 선언」에 대한 설명으로 옳은 것을 모두 선택해 보자.

㉠ 김원봉이 작성한 것이다.
㉡ 신간회의 영향을 받았다.
㉢ 의열단의 행동 강령이었다.
㉣ 민중의 직접 혁명을 내세우고 있다.
㉤ 민족 혁명당의 결성에 영향을 주었다.

자료 6 리튼 조사단 보고서

> 1. 동북 지역은 원래부터 중국의 일부이다.
> 2. 일본군의 행위는 합법적인 자위 수단으로 볼 수 없다.
> 3. (만주국) 정부의 수반은 명목상 만주인이지만, 실권은 일본 관리와 그 고문들의 손에 놓여 있다. 현지의 중국인들이 보기에 만주국은 완전히 일본인을 위한 도구이다.

◎ 리튼 조사단 보고서는 왜 작성되었을까?

1931년 일본이 만주 사변을 일으키고 점령지에 만주국을 세우자, 중국이 이를 침략 행위라며 국제 연맹에 제소했어. 그러자 국제 연맹은 영국의 리튼을 단장으로 하는 조사단을 파견한 거야. 보고서의 내용을 보면 알 수 있듯이 리튼 조사단은 중국군의 공격을 방어하기 위해 어쩔 수 없이 만주를 점령할 수 밖에 없었다는 일본의 주장을 받아들이지 않았어. 또한 만주국이 만주족이 스스로 세운 독립 국가라는 주장 역시 받아들이지 않았지. 즉 리튼 조사단은 일본의 만주 점령은 일본의 주장과는 다르게 침략 행위에 불과하다는 결론을 내린 거야.

◎ 리튼 조사단 보고서는 어떤 결과를 낳았을까?

리튼 조사단 보고서를 토대로 국제 연맹은 만주에 대한 중국의 주권을 인정하고 일본군의 철수를 요구했어. 하지만 일본은 이를 거부하고 국제 연맹을 탈퇴했지. 이로써 협조 외교 체제인 워싱턴 체제가 무너지게 되었어.

뜯어보기 포인트

리튼 조사단 보고서는 만주 사변과 만주국 수립을 일제의 침략 행위로 규정했다는 것을 기억하자.

Q6 리튼 조사단 보고서에 대한 설명으로 옳은 것을 모두 선택해 보자.

㉠ 만주국을 승인하지 않았다.
㉡ 한국의 독립을 결의하였다.
㉢ 중국 정부의 반발을 불러왔다.
㉣ 민족 자결주의를 처음 내세웠다.
㉤ 일본의 국제 연맹 탈퇴를 가져왔다.

답 Q5 ㉢, ㉣ / Q6 ㉠, ㉤

(2) 일제의 만주 침략에 맞선 한·중 연대

한국 독립군[1] 조선 혁명군[2]	• 중국군과 연합하여 항일 전선을 펼침 → 중국 관내로 이동하여 대한민국 임시 정부에 합류
동북 인민 혁명군 동북 항일 연군	• 중국 공산당 중심의 한·중 연대

2. 중·일 전쟁과 태평양 전쟁 일본의 침략 전쟁은 어떻게 확대되었을까요?

(1) **중·일 전쟁(1937)** 일본 중국 본토 침략, 난징 대학살 자행 → 국민 정부 수도를 충칭으로 옮겨 저항 → 일본, 국가 총동원법[3] 제정(1938)

무엇을? 일본군이 난징을 점령한 후 30만 명의 포로와 민간인을 학살한 사건이야.

(2) **삼국 동맹(1940)** 독일, 이탈리아, 일본의 추축국 동맹 체결

(3) **태평양 전쟁(1941)**

전개 과정	• 일본의 동남아시아 침략 → 미국과 영국, 일본에 대한 경제 봉쇄 단행 → 일본의 미국 진주만 기습
결과	• 미국의 원자 폭탄 투하와 소련의 참전으로 일본의 항복(1945)

4 항일 전쟁과 국제 연대

1. 제2차 국·공 합작(1937)과 항일 전쟁 제2차 국·공 합작의 배경은 무엇이었을까요?

배경	• 장제스의 소극적 대응으로 만주 사변 이후 일본군이 중국 북부까지 진출
결성 과정	• 중국 공산당, 항일 전쟁을 위한 민족 연합 제안 → 시안 사건[4] → 제2차 국·공 합작 결성

2. 항일 연합 전선의 결성 항일 연합 전선을 위해 결성된 조선인 군사 조직으로는 무엇이 있었을까요?

무엇을? 의열단의 김원봉이 대중적 군사 활동을 펼치기 위해 만든 조직이야.

조선 의용대 자료 7	• 민족 혁명당이 창설 • 일본군에 대한 정보 수집, 포로 심문, 후방 교란 활동
조선 의용대 화북 지대	• 조선 의용대원의 일부가 화베이로 이동하여 결성
한국광복군	• 대한민국 임시 정부가 창설 • 조선 의용대 일부가 합류 • 영국군의 요청에 따라 인도·미얀마 전선에 일부 대원 파견 • 국내 진공 작전[5] 계획

왜? 국민당의 후방만 지원하는 것이 아니라 일본군과 직접 싸우고 싶었거든.

3. 반제·반전을 위한 연대 일본의 침략 전쟁에 대해 아시아인들은 어떻게 연대했을까요?

(1) **무정부주의와 반제·반전 운동** 무정부주의자들의 적극적 참여

왜? 무정부주의자들은 국가가 국민을 억압해서 강제로 전쟁에 동원한다고 주장했어.

(2) **반제·반전 활동** 자료 8

요사노 아키코	• 러·일 전쟁을 비판하는 반전시를 지음
아주화친회	• 반제국주의 투쟁을 목표로 한 아시아 민족 국제 연대 단체
일본군 반전 동맹	• 중·일 전쟁에서 포로가 된 일본군의 일부가 조직, 「바꿔 쓴 전진훈」 작성
일본 반제 동맹	• 한국인과 일본인이 조직, 일본 제국주의 타도를 목표로 반제 신문 발간

❶ 한국 독립군
지청천이 이끌었던 한국 독립군은 북만주에서 활동했으며, 중국군과 연합하여 쌍성보, 대전자령 전투에서 승리를 거두었다. 이후 중국 관내로 이동하여 대한민국 임시 정부에 합류하였다.

❷ 조선 혁명군
양세봉이 이끄는 조선 혁명군은 남만주에서 활동했으며, 중국군과 연합하여 흥경성, 영릉가 전투에서 승리를 거두었으나, 양세봉이 암살당하면서 세력이 크게 약해졌다.

❸ 국가 총동원법
중·일 전쟁이 장기화되자 일본이 공포한 법으로, 의회 승인 없이 모든 인적·물적 자원 동원이 가능하다는 내용을 담고 있었다. 이 법이 시행되면서 일본 국민들의 생활이 극도로 궁핍해졌으며, 식민지 한국과 타이완에 대한 수탈과 전쟁 강제 동원도 더욱 가혹하게 진행되었다.

❹ 시안 사건
중국 국민당의 장제스는 일본이 만주를 점령하고 중국 북부까지 침략하고 있는 상황에서도 오히려 중국 공산당을 토벌하는 데 적극적이었다. 국민당군의 공세를 피해 마오쩌둥이 이끄는 중국 공산당과 홍군은 12,000킬로미터를 이동하는 '대장정'을 펼쳐야 했다. 이런 상황에서 장제스는 중국 공산당에 대해 포위 공격을 하고 있는 장쉐량을 독려하기 위해 시안을 방문했다. 그런데 장쉐량은 중국 국민당과 중국 공산당이 함께 항일 전쟁에 나설 것을 요구하며 장제스를 감금하였다. 이 사건을 시안 사건이라 부른다.

❺ 국내 진공 작전
한국광복군이 미군 전략 정보처(OSS)의 훈련을 받아 국내로 진입하여 일본군과 싸우고자 했던 작전이다. 국내 진입 직전에 일본이 항복을 하면서 실현되지 못했다.

자료 7 「조선 의용대 성립 선언」

> 루거우차오 사건으로 마침내 중화 민족은 강렬한 저항을 만났다. …… 천백만 조선 겨레들을 불러일으켜 조선 의용대의 기치 밑에 모이게 함으로써 …… 우리의 진정한 적인 일본을 타도하여 영구적인 평화를 실현해야 한다. …… 용감한 중국의 형제들과 손을 잡고 …… 항일 전선을 향해 용감히 전진하자!

◎ 조선 의용대가 성립된 배경은 무엇일까?

루거우차오 사건은 1937년 중국 북평 루거우차오 부근에서 일어난 중국군과 일본군의 충돌 사건인데 중·일 전쟁의 계기가 되었지. 따라서 조선 의용대는 중·일 전쟁이 벌어지고 일본의 중국 침략이 확대되고 있는 상황에서 만들어졌다는 것을 알 수 있어.

◎ 조선 의용대는 어떤 활동을 펼쳤을까?

의열단의 김원봉은 개인적 폭력 투쟁의 한계를 느끼고 대중적인 군사 활동을 펼치기 위해 민족 혁명당을 조직했어. 그리고 중국 관내에서 활동하는 중도 좌파 정당을 통합해서 조선 민족 전선 연맹을 만들었지. 이 조선 민족 전선 연맹 산하의 군대가 바로 조선 의용대야. 그런데 조선 의용대는 '용감한 중국의 형제들과 손을 잡고' 라는 내용을 통해서도 알 수 있듯이 독자적으로 일본군과 싸운 것이 아니라 중국 국민당의 지원을 받아서 주로 후방에서 활동을 했어. 여기에 불만을 가진 일부 대원들이 일본군과 직접 싸우기 위해 화베이(화북)으로 이동하여 조선 의용대 화북 지대를 결성했지.

뜯어보기 포인트

조선 의용대는 중·일 전쟁이라는 맥락에서 결성되었다는 점을 기억하자.

Q7 조선 의용대에 대한 설명으로 옳은 것을 모두 선택해 보자.

㉠ 중국의 지원을 받았다.
㉡ 만주 사변 직후 결성되었다.
㉢ 일부가 화베이로 이동하였다.
㉣ 임시 정부의 군사 조직이었다.
㉤ 지청천을 총사령관으로 하였다.

자료 8 일본의 반제·반전 활동

> • 아, 동생이여. 너 때문에 우는구나. 죽지 말기를 ……
> 부모님이 네 손에 칼을 쥐어 주고 타인을 죽이라고 가르치더냐
> 타인을 죽이고 자신도 죽으라고 너를 스물네 살까지 키웠겠느냐
> ……
> 뤼순성이 함락되든 말든 무슨 상관이 있겠는가 ……
> 천황 폐하 자신은 전쟁에 출격하지도 않는데 ……
>
> – 요사노 아키코의 시 –
>
> • 일본은 천황의 나라이다. 그것은 만세일계의 천황을 연막으로 삼아 실권을 재벌과 지주의 앞잡이인 군부 관료들이 장악하고 국민 위에 영원히 군림하는 것이다.
>
> – 「바꿔 쓴 전진훈」 –

◎ 두 자료는 어떤 내용을 담고 있을까?

요사노 아키코의 시는 국가가 일으킨 전쟁에 무고한 국민의 희생되는 것을 안타까워하고 있어. 「바꿔 쓴 전진훈」은 일본이 치르고 있는 전쟁은 천황을 위한 정의로운 전쟁이 아니라 천황을 비롯해서 재벌, 지주, 군부의 이익을 위한 침략 전쟁에 불과하다는 것을 비판하고 있지. 두 자료 모두 일본이 일으킨 침략 전쟁을 비판하고 반대하는 내용을 담고 있다는 것을 알 수 있어. 이처럼 국가와 민족을 넘어서 제국주의와 침략 전쟁에 반대하는 운동은 동아시아 각지에서 펼쳐졌단다.

뜯어보기 포인트

일본의 침략 전쟁에 대해 아시아인들의 광범위한 저항이 있었다는 점을 기억하자.

Q8 동아시아의 반제·반전 활동으로 옳은 것을 모두 선택해 보자.

㉠ 아주화친회가 조직되었다.
㉡ 일본이 한국을 보호국으로 삼았다.
㉢ 장제스가 상하이 쿠데타를 일으켰다.
㉣ 일본은 주권선과 이익선을 강조하였다.
㉤ 일본군 반전 동맹은 「바꿔 쓴 전진훈」을 작성하였다.

답 Q7 ㉠, ㉢ / Q8 ㉠, ㉤

정답과 해설 ▸ 61쪽

01 서로 관련 있는 내용끼리 연결해 보자.

a. 시모노세키 조약 •
b. 포츠머스 조약 •
c. 을사조약 •

• ㄱ. 러·일 전쟁의 결과 맺어진 조약
• ㄴ. 일본이 대한 제국을 보호국으로 만든 조약
• ㄷ. 청·일 전쟁의 결과 맺어진 조약

02 아래 설명이 맞으면 ○표, 틀리면 ×표를 해 보자.

(1) 청·일 전쟁으로 중국 중심의 전통적인 동아시아 질서가 회복되었다. ( )
(2) 위안스카이 정부는 일본의 21개조 요구를 일부 내용을 제외하고 수용하였다. ( )
(3) 5·4 운동 결과 파리 강화 회의 중국 대표단은 강화 조약의 조인을 거부하였다. ( )
(4) 쑨원은 중국 공산당 토벌을 위해 상하이 쿠데타를 일으켰다. ( )
(5) 러·일 전쟁 이후 도쿄에서는 반제국주의 투쟁을 목표로 한 아주화친회가 조직되었다. ( )

03 빈칸에 알맞은 말을 채워 보자.

(1) 러·일 전쟁 당시 일본은 백인종 러시아에 대항하여 황인종인 동아시아 국가들이 일본을 중심으로 연대해야 한다는 ( )을/를 주장하였다.
(2) 파리 강화 회의에서 열강들은 중국의 주권은 인정하였으나 산둥반도에 대한 일본의 이권도 인정하였다. 이에 반발하여 중국에서는 ( ) 운동이 일어났다.
(3) 3·1 운동 이후 김원봉, 윤세주 등은 ( )을/를 조직하고, 신채호는 ( )을/를 작성하였다.
(4) 일본이 ( )을/를 일으키자 ( )은/는 리튼 보고서를 근거로 일본의 철수를 결의하였다.
(5) ( )은/는 만주 지역 한국인과 중국인들을 중심으로 동북 인민 혁명군과 동북 항일 연군을 조직하였다.

04 |보기|의 사건을 일어난 순서대로 적어 보자.

보기
ㄱ. 5·4 운동
ㄴ. 만주 사변
ㄷ. 시안 사건
ㄹ. 제1차 국·공 합작
ㅁ. 장제스의 상하이 쿠데타

05 다음 보고서의 이름을 적어 보자.

1. 동북 지역은 원래부터 중국 일부이다.
2. 일본군의 행위는 합법적인 자위 수단으로 볼 수 없다.
3. (만주국) 정부의 수반은 명목상 만주인이지만, 실권은 일본 관리와 그 고문들의 손에 놓여 있다. 현지의 중국인들이 보기에 만주국은 완전히 일본인을 위한 도구이다.

06 아래 표를 완성해 보자.

( )	양세봉이 중심이 되어 중국군과 연합하여 항일 전선을 펼침
( )	민족 혁명당이 중심이 된 조선 민족 전선 연맹 산하 군사 조직
( )	대한민국 임시 정부가 창설한 군사 조직

총 문항수 12	처음 푼 날 월 일
정답과 해설 61쪽	오답 푼 날 월 일

01 |보기|의 사건을 일어난 순서대로 나열한 것은?

보기
ㄱ. 일본군의 경복궁 점령 ㄴ. 동학 농민군의 전주성 점령 ㄷ. 청군과 일본군의 조선 파병 ㄹ. 조선 정부와 동학 농민군의 전주 화약

① ㄱ－ㄴ－ㄷ－ㄹ
② ㄱ－ㄷ－ㄹ－ㄴ
③ ㄴ－ㄷ－ㄹ－ㄱ
④ ㄷ－ㄴ－ㄱ－ㄹ
⑤ ㄹ－ㄷ－ㄱ－ㄴ

02 빈출 다음 지도에 나타난 전쟁의 결과로 옳은 것을 |보기|에서 고른 것은?

보기
ㄱ. 류큐가 일본에 병합되었다. ㄴ. 일본이 사할린과 남만주의 이권을 획득하였다. ㄷ. 중국 중심의 전통적인 동아시아 질서가 붕괴되었다. ㄹ. 랴오둥반도를 둘러싸고 러시아와 일본이 갈등하였다.

① ㄱ, ㄴ　② ㄱ, ㄷ　③ ㄱ, ㄹ
④ ㄴ, ㄷ　⑤ ㄷ, ㄹ

03 다음 자료와 유사한 결과를 가져온 사건을 |보기|에서 고른 것은?

> **제3조** 일본국은 한국에서 정치상, 군사상 및 경제상의 탁월한 이익을 옹호 증진하기 위하여 정당하고 필요하다고 인정하는 지도 감리 및 보호 조치를 한국에서 집행할 권리를 갖는다.
> **제4조** 대영 제국은 인도 국경의 안전에 관계되는 모든 사항에 관하여 특수 이익을 가지고 있으므로, 일본국은 위의 국경 부근에서 대영 제국이 인도 영지를 옹호하기 위하여 필요하다고 인정하는 조치를 취할 권리를 승인한다.

보기
ㄱ. 포츠머스 조약 ㄴ. 샌프란시스코 조약 ㄷ. 가쓰라·태프트 밀약 ㄹ. 미·일 수호 통상 조약

① ㄱ, ㄴ　② ㄱ, ㄷ　③ ㄱ, ㄹ
④ ㄴ, ㄷ　⑤ ㄷ, ㄹ

04 |보기|의 조약을 체결된 순서대로 나열한 것은?

보기
ㄱ. 을사조약 ㄴ. 포츠머스 조약 ㄷ. 베르사유 조약 ㄹ. 시모노세키 조약

① ㄱ－ㄴ－ㄷ－ㄹ
② ㄱ－ㄹ－ㄴ－ㄷ
③ ㄴ－ㄱ－ㄷ－ㄹ
④ ㄷ－ㄹ－ㄴ－ㄱ
⑤ ㄹ－ㄴ－ㄱ－ㄷ

05 (가), (나)에 대한 설명으로 옳지 않은 것은?

빈출

> 한국인들은 제1차 세계 대전 이후에 등장한 민족 자결주의 흐름과 고종의 장례식을 계기로 (가) 을/를 일으켰다. 한편 중국에서는 파리 강화 회의 결과에 대한 반발로 (나) 이/가 펼쳐졌다.

① (가) – 대중들이 자발적으로 참여하였다.
② (가) – 대한민국 임시 정부 수립에 영향을 주었다.
③ (나) – 중국 정부의 베르사유 조약 조인 거부로 이어졌다.
④ (나) – 신문화 운동의 영향을 받았으며 일본의 21개조 요구 문제 등으로 인해 일어났다.
⑤ (가) – (나)의 영향을 받았다.

06 (가), (나)에 대한 설명으로 옳은 것은?

> 3·1 운동 이후 김원봉, 윤세주 등은 (가) 을/를 조직하였고, 국내에서는 비타협적 민족주의자들과 사회주의자들이 좌우 합작 단체인 (나) 을/를 조직하였다.

① (가) – 이봉창을 통해 천황을 암살하려 하였다.
② (가) – 중국 국민당 정부가 대한민국 임시 정부를 승인하는 데 영향을 미쳤다.
③ (나) – 민중 직접 혁명을 주장하였다.
④ (나) – 광주 학생 항일 운동이 일어나자 민중 대회를 계획하였다.
⑤ (가), (나) – 즉각적인 독립 대신 자치론을 내세웠다.

07 만주 사변의 원인을 |보기|에서 고른 것은?

빈출

> **보기**
> ㄱ. 중국에서 5·4 운동이 일어났다.
> ㄴ. 국제 연맹이 리튼 조사단을 파견하였다.
> ㄷ. 대공황의 여파로 일본 경제가 큰 타격을 받았다.
> ㄹ. 장쉐량이 항일 연합 전선에 합류하여 일본의 남만주 철도를 위협하였다.

① ㄱ, ㄴ ② ㄱ, ㄷ ③ ㄱ, ㄹ
④ ㄴ, ㄷ ⑤ ㄷ, ㄹ

08 중·일 전쟁과 태평양 전쟁에 대한 모둠 토론이 진행 중이다. 학생들의 주장 중 옳지 않은 것은?

① 갑: 일본은 독일, 이탈리아와 3국 동맹을 맺었어.
② 을: 중·일 전쟁이 장기화되자 국가 총동원법을 공포했어.
③ 병: 일본은 난징을 점령하고 수많은 중국인들을 학살했어.
④ 정: 일본이 동남아시아를 침략하자 소련은 일본에 대한 경제 봉쇄를 단행했지.
⑤ 무: 미국이 원자 폭탄을 투하하고 소련이 참전하자 일본은 무조건 항복을 선언했어.

09 (가)에 들어갈 조직으로 옳은 것은?

> 김원봉의 민족 혁명당을 중심으로 통합된 조선 민족 전선 연맹은 [(가)]을/를 만들었다. [(가)]은/는 일본군에 대한 정보 수집, 포로 심문, 후방 교란과 같은 활동을 펼쳤다.

① 한국광복군
② 조선 의용대
③ 조선 의용군
④ 조선 혁명군
⑤ 북로 군정서

10 (가)에 대한 옳은 설명을 |보기|에서 고른 것은?

빈출

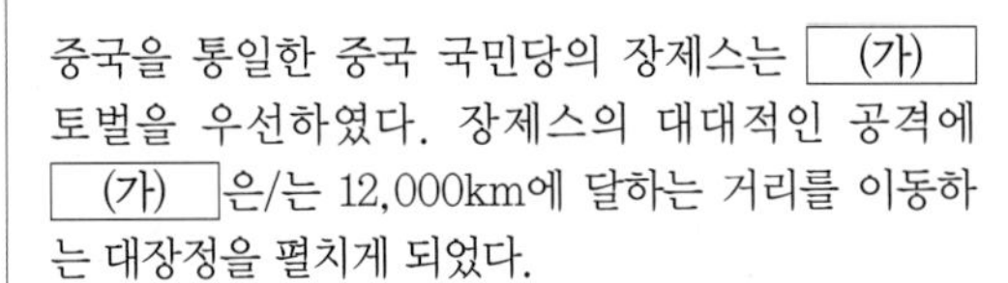
중국을 통일한 중국 국민당의 장제스는 [(가)] 토벌을 우선하였다. 장제스의 대대적인 공격에 [(가)]은/는 12,000km에 달하는 거리를 이동하는 대장정을 펼치게 되었다.

보기

ㄱ. 만주를 침략하여 만주국을 세웠다.
ㄴ. 국민당군이 철수한 농촌 지역에 들어가 일본군과 싸웠다.
ㄷ. 통일된 국방 정부와 항일 연군을 조직하자고 제안하였다.
ㄹ. 시안을 방문한 장제스를 감금하며 국·공 합작을 요구하였다.

① ㄱ, ㄴ ② ㄱ, ㄷ ③ ㄱ, ㄹ
④ ㄴ, ㄷ ⑤ ㄷ, ㄹ

서술형 문제

11 다음 자료를 보고 물음에 답해 보자.

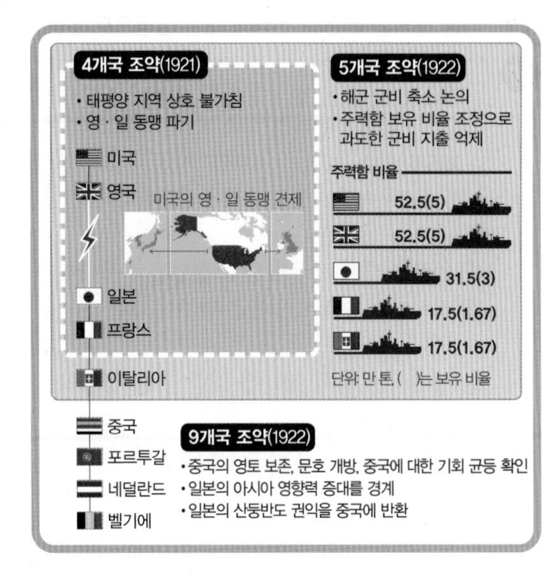

(1) 자료와 관련된 체제의 이름을 적어 보자.

____

(2) 위 체제가 중국에 대한 일본의 정책에 미친 영향과 결과를 설명해 보자.

____

____

서술형 문제

12 다음 자료에 대해 물음에 답해 보자.

> 일본은 러·일 전쟁 직후 미국과 [(가)], 영국과 [(나)], 러시아와 [(다)]을/를 차례로 체결하였다.

(1) (가), (나), (다)의 이름을 적어 보자.
(가): ______________________________
(나): ______________________________
(다): ______________________________

(2) (가), (나), (다)가 일본의 대한 제국 정책에 미친 영향을 구체적으로 설명해 보자.

____

____

01 다음 조약과 관련된 전쟁에 대한 설명으로 옳은 것은?

중요

> **제2조** 러시아는 한국에 대한 일본의 지도, 보호, 감리를 승인한다.
> **제5조** 뤼순·다롄의 조차권, 창춘 이남의 철도와 그 부속의 이권을 일본에 양도한다.

① 일본은 대한 제국의 중립 선언을 수용하였다.
② 러시아의 승리로 일본은 만주에 대한 권익을 상실하였다.
③ 청에서는 전제 정치에 대한 입헌 정치의 승리라는 시각도 있었다.
④ 러시아는 일본의 만주 침략을 우려한 영국과 미국의 지원을 받았다.
⑤ 이후 미국, 영국, 러시아 등은 일본을 비판하며 을사조약의 무효를 요구하였다.

02 다음 지도를 통해 알 수 있는 사건에 대한 옳은 설명을 |보기|에서 고른 것은?

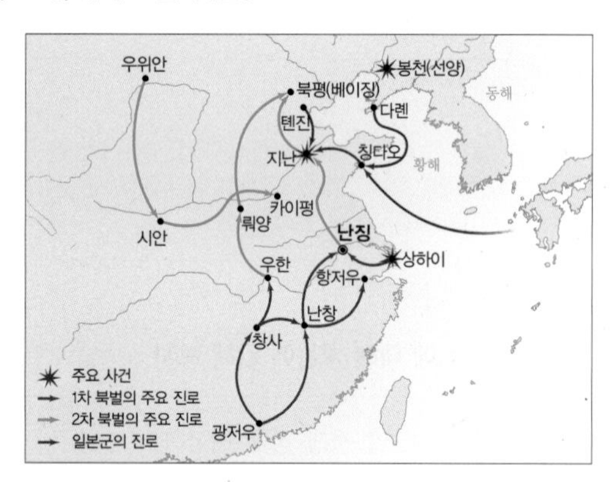

| 보기 |

ㄱ. 쑨원은 공산당원을 받아들이고 국·공 합작을 추진하였다.
ㄴ. 장제스는 상하이 쿠데타를 일으켜 국·공 합작을 파기하였다.
ㄷ. 군벌 장쭤린은 국민당 정부에 협조하여 만주를 장악하였다.
ㄹ. 소련은 과거 중국에 받은 권리를 주장하며 중국에 군대를 파병하였다.

① ㄱ, ㄴ ② ㄱ, ㄷ ③ ㄴ, ㄷ
④ ㄴ, ㄹ ⑤ ㄷ, ㄹ

03 다음 요구에 대한 옳은 설명을 |보기|에서 고른 것은?

중요

> **제1호** 산둥성에서 독일이 누려 온 모든 권익의 양도와 철도 부설권 요구 등 4개조
> **제5호** 중국 중앙 정부의 정치·재정·군사 분야에 반드시 유력한 일본인 고문을 초빙하며, 경찰의 공동 관리, 무기 구매와 철도 부설에 관한 요구 등 7개조

| 보기 |

ㄱ. 중국에서 5·4 운동이 일어나는 배경이 되었다.
ㄴ. 파리 강화 회의에서 열강은 일본의 요구를 모두 무효라 선언하였다.
ㄷ. 위안스카이 정부는 일본의 무력에 굴복하여 대부분의 요구를 받아들였다.
ㄹ. 워싱턴 체제가 수립된 후 독일의 영향력이 약해지자 일본이 요구한 것이다.

① ㄱ, ㄴ ② ㄱ, ㄷ ③ ㄱ, ㄹ
④ ㄴ, ㄷ ⑤ ㄷ, ㄹ

04 다음 그래프에서 다루고 있는 시기 일본에 대한 옳은 설명은?

〈제1차 세계 대전 전후 일본의 무역액〉

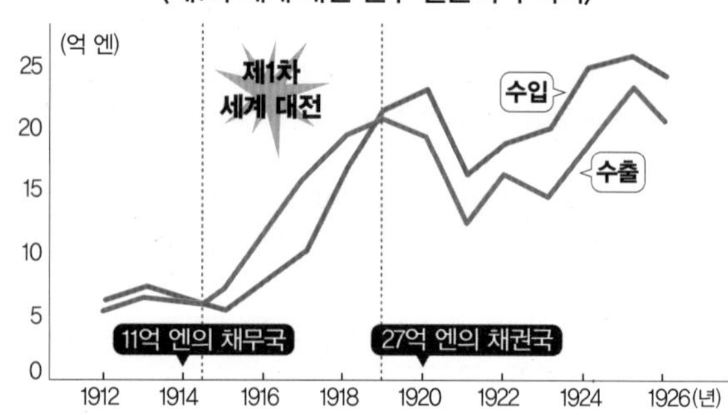

① 정부의 탄압으로 노동조합이 불법화되었다.
② 제1차 세계 대전으로 일본의 공업은 침체되었다.
③ 25세 이상의 일본인 남녀에게 선거권을 부여하였다.
④ 치안 유지법을 제정하여 천황제에 반대하는 세력을 탄압하였다.
⑤ 한국에 대해 헌병 경찰 통치를 유지하며 집회, 결사의 자유를 금지하였다.

05 다음 보고서의 원인이 된 사건이 미친 영향으로 적절하지 않은 것은? (중요)

> 1. 동북 지역은 원래부터 중국 일부이다.
> 2. 일본군의 행위는 합법적인 자위 수단으로 볼 수 없다.
> 3. (만주국) 정부의 수반은 명목상 만주인이지만, 실권은 일본 관리와 그 고문들의 손에 놓여 있다. 현지의 중국인들이 보기에 만주국은 완전히 일본인을 위한 도구이다.

① 일본이 국제 연맹을 탈퇴하였다.
② 중국 공산당은 동북 항일 연군을 결성하였다.
③ 일본에서는 군부가 정권을 장악하여 침략 정책을 강화하였다.
④ 만주 한인 무장 세력은 중국군과 연합하여 항일 전선을 펼쳤다.
⑤ 장제스는 대일 타협 정책을 폐기하고 일본에 적극적으로 맞서 싸웠다.

06 다음 선언이 나오게 된 배경을 |보기|에서 고른 것은? (중요)

> 1. 쑨원 선생의 삼민주의를 중국 금일의 필수로 삼으며, 본당은 그 철저한 실현을 위해 분투한다.
> 2. 국민당 정권을 무너뜨리기 위한 모든 폭동 정책과 공산화 운동을 취소하고, 폭력으로 지주의 토지를 몰수하는 정책을 취소한다.
> 4. 홍군의 명칭 및 번호를 취소하고 국민 혁명군으로 개편하여 국민 정부의 지시를 받고, 아울러 지시를 기다려 출동하여 항일 전선의 직책을 떠맡는다.

보기

ㄱ. 장제스가 북벌을 시작하여 중국을 통일하였다.
ㄴ. 일본군이 만주를 넘어 중국 북부까지 침략하였다.
ㄷ. 장쉐량이 장제스를 감금하는 시안 사건이 일어났다.
ㄹ. 중국 공산당이 지주의 토지를 몰수하는 토지 개혁을 실시하였다

① ㄱ, ㄴ ② ㄱ, ㄷ ③ ㄱ, ㄹ
④ ㄴ, ㄷ ⑤ ㄷ, ㄹ

07 다음 자료와 관련된 사건이 일어난 시기를 연표에서 고른 것은?

▲ 진주만 기습으로 침몰되는 미군의 애리조나호

	1937	1940	1941	1942(년)
(가)	(나)	(다)	(라)	(마)
	중·일 전쟁	일·독·이 3국 동맹 결성	미·영의 대일본 경제 봉쇄	미드웨이 해전

① (가) ② (나) ③ (다) ④ (라) ⑤ (마)

08 다음 시의 주장과 비슷한 목적의 활동을 |보기|에서 고른 것은?

> 아 동생이여. 너 때문에 우는구나.
> 죽지 말기를 ……
> 부모님이 네 손에 칼을 쥐여 주고 타인을 죽이라고 가르치더냐 ……
> 뤼순이 함락되든 말든 무슨 상관이 있겠는가 ……
> 천황 폐하 자신은 전쟁에 출격하지도 않는데 ……
> – 요사노 아키코 –

보기

ㄱ. 아주화친회가 조직되었다.
ㄴ. 이토 히로부미가 동양 평화론을 내세웠다.
ㄷ. 일본은 서양 열강에 맞선 대동아 공영권을 내세웠다.
ㄹ. 일본군 반전 동맹이 「바꿔 쓴 전진훈」 소책자를 만들었다.

① ㄱ, ㄴ ② ㄱ, ㄷ ③ ㄱ, ㄹ
④ ㄴ, ㄷ ⑤ ㄷ, ㄹ

심화 **수능 유형 익히기**

총 문항수 2 | 처음 푼 날 월 일
정답과 해설 63쪽 | 오답 푼 날 월 일

01 (가), (나)에 대한 옳은 설명을 |보기|에서 고른 것은?

(가) **제2조** 청국은 랴오둥반도와 타이완, 펑후 제도를 일본에 할양한다.
제4조 청국은 배상금 2억 냥을 지불하는 데 동의한다.

(나) **제1호** 산둥성에서 독일이 누려 온 모든 권익의 양도와 철도 부설권 요구 등 4개조
제5호 중국 중앙 정부의 정치 · 재정 · 군사 분야에 반드시 유력한 일본인 고문을 초빙하며, 경찰의 공동 관리, 무기 구매와 철도 부설에 관한 요구 등 7개조

보기

ㄱ. (가)는 청 · 일 전쟁 결과 체결된 것이다.
ㄴ. (가)는 조선에 대한 청의 내정 간섭을 강화하는 결과를 가져왔다.
ㄷ. (나)는 파리 강화 회의에 의해 파기되었다.
ㄹ. (나)는 제1차 세계 대전 중 일본이 중국에 요구한 것이다.

① ㄱ, ㄴ ② ㄱ, ㄷ ③ ㄱ, ㄹ ④ ㄴ, ㄷ ⑤ ㄷ, ㄹ

유형 분석
여러 개의 조약, 협정을 제시하고 각각에 대한 역사적 사실을 묻는 문제야.

해결 비법
동아시아사의 근현대 단원에는 조약들이 많이 나와. 이 중에서 중요한 사건과 관련된 조약의 핵심 내용은 충분히 공부를 해두는 것이 좋아.

02 다음 선언문이 발표되던 당시 동아시아 각 지역의 상황으로 옳은 것은?

1. 쑨원 선생의 삼민주의를 현재 중국의 지침으로 삼아 그 실현을 위해 분투한다.
4. 홍군을 국민 혁명군으로 개편하고, 국민 정부 군사위원회의 지시에 따라 항일 전선의 직책을 맡는다.

① 한국 – 3 · 1 운동이 일어났다.
② 베트남 – 동유 운동이 펼쳐졌다.
③ 타이완 – 2 · 28 사건이 일어났다.
④ 중국 – 일본에 의해 중국 북부까지 침략당했다.
⑤ 일본 – 삼국 간섭으로 랴오둥반도를 반환하였다.

유형 분석
자료와 직접적으로 관련있는 내용이 아니라 자료와 동일한 시기의 역사적 사실을 묻는 문제야.

해결 비법
이런 문항에 대비하기 위해서는 중요한 역사적 사건의 경우, 그 사건의 내용뿐만 아니라 시기와 핵심 인물까지 공부를 해야 해. 어려운 문항의 경우 어떤 역사적 사건과 관련된 시대나 인물에 대해서 묻기도 하거든.

심화 기출 지문 활용하기

총 문항수 6 | 처음 푼 날 월 일
정답과 해설 63쪽 | 오답 푼 날 월 일

2016학년도 수능

(가) **제1조** 중국 정부는 독일이 산둥성에서 가지고 있는 모든 권리, 이익 등의 처분에 대해 일본 정부가 독일 정부와 협정하는 모든 사항을 승인할 것을 약속한다.

(나) 일본과 중국은 산둥성에 관한 현안을 해결하기 위해 조약을 체결하기로 한다.
제1조 일본은 구(舊) 독일의 자오저우 조차지를 중국에 반환한다.

서술형 문제

01 (가)가 원인이 되어 일어난 민족운동의 명칭과 역사적 의미를 서술해 보자.

수능 문제

02 (가), (나) 사이의 시기에 있었던 사실로 옳은 것은?

① 5·4 운동이 일어났다.
② 중화민국이 건국되었다.
③ 변법자강 운동이 추진되었다.
④ 제1차 세계 대전이 발발하였다.
⑤ 시모노세키 조약이 체결되었다.

활용 문제

03 (나)가 체결되었던 시기의 역사적 사실에 대한 옳은 설명을 |보기|에서 고른 것은?

| 보기 |
ㄱ. 가쓰라-태프트 밀약이 체결되었다.
ㄴ. 리튼 보고서 문제로 일본은 국제 연맹에서 탈퇴하였다.
ㄷ. 일본은 협조 외교의 원칙에 따라 중국에 대한 경제 진출을 확대했다.
ㄹ. 중국이 요구했던 치외 법권 철폐 및 관세 자주권 회복은 수용되지 않았다.

① ㄱ, ㄴ ② ㄱ, ㄷ ③ ㄱ, ㄹ
④ ㄴ, ㄷ ⑤ ㄷ, ㄹ

2017학년도 수능

제1조 본 법의 국가 총동원이란 전시에 국방 목적 달성을 위해 나라의 전력을 가장 유효하게 발효시키도록 인적 및 물적 자원을 통제 운용하는 것을 말한다.
제4조 정부는 전시에 국가 총동원상 필요할 때에는 칙령이 정하는 것에 의해 제국 신민을 징용하여 총동원 업무에 종사시킬 수 있다.

서술형 문제

04 위 법이 시행되었던 배경과 핵심 내용을 서술해 보자.

수능 문제

05 위 법이 시행된 시기의 옳은 사실을 |보기|에서 고른 것은?

| 보기 |
ㄱ. 한·중 민족 항일 대동맹이 결성되었다.
ㄴ. 한국광복군이 연합군의 일원으로 대일 항전을 벌였다.
ㄷ. 중국 공산당의 지원을 받는 조선 의용군이 조직되었다.
ㄹ. 국민 혁명군이 군벌 타도를 목표로 북벌을 개시하였다.

① ㄱ, ㄴ ② ㄱ, ㄷ ③ ㄴ, ㄷ
④ ㄴ, ㄹ ⑤ ㄷ, ㄹ

활용 문제

06 위 법이 제정된 시기를 연표에서 고른 것은?

(가)	1915	(나)	1931	(다)	1933	(라)	1937(년)	(마)
	일본의 산둥반도 점령		만주 사변 발발		일본의 국제 연맹 탈퇴		중·일 전쟁	

① (가) ② (나) ③ (다) ④ (라) ⑤ (마)

대주제 4 마무리하기

난이도 / 상●●● / 중●●○ / 하●○○
정답률 / 50% 미만 / 50~70% / 70%이상

01 (가)~(다)에 대한 설명으로 옳은 것은?

> (가) 홍콩을 영국에 할양한다. 광저우, 아모이(샤먼), 푸저우, 닝보, 상하이 등 다섯 항구를 개항한다.
> (나) 조선국은 일본국의 항해자가 자유로이 해안을 측량하도록 허용한다.
> (다) 시모다, 하코다테 항구 외에 다음 장소를 개항할 것. 가나가와, 나가사키, 니가타, 효고.

① (가) – 의화단 운동의 결과로 체결되었다.
② (가) – 청 중심의 조공 체제를 무너뜨렸다.
③ (나) – 최혜국 대우를 포함하고 있었다.
④ (다) – 운요호 사건을 계기로 체결되었다.
⑤ (가), (나), (다) – 불평등 조약이었다.

02 다음 자료와 관련 있는 근대화 운동에 대한 설명으로 옳은 것은?

> 짐은 이전에 여러 번의 판적봉환의 제의를 받아들여, 새로 지번사를 임명하여 각자의 직무에 종사하게 하였다. 그러나 수백 년에 걸친 낡은 관습 때문에 그 중에는 명목뿐으로 실질을 동반하지 않는 번이 있었다. 따라서 지금 번을 폐지하고 현으로 한다.

① 산킨코타이 제도를 실시하였다.
② 중체서용을 개혁의 원칙으로 삼았다.
③ 청·일 전쟁 패배로 한계를 드러냈다.
④ 신분제를 폐지하고 징병제를 실시하였다.
⑤ 중앙 정부의 체계적인 지원을 얻지 못했다.

03 (가)와 (나) 사이에 일어났던 사건에 대한 옳은 설명을 |보기|에서 고른 것은?

> (가) 조선은 오랫동안 제후국으로 있었으므로 …… 수륙 무역 규정은 중국이 속국을 우대한 것이고, 우호 관계를 맺은 각 나라가 다 이득을 보도록 하는 것은 아니다.
> (나) 단발령이 내리자, 통곡 소리가 진동하고 사람마다 분노가 치밀어 억장이 무너졌으며 형세가 금방 반란이라도 일어날 것 같았다. 왜인들은 군대를 엄히 단속하며 대기하고 있었다. 경무사 허진은 순검들을 거느리고 칼을 차고서 길을 막고 있다가 만나는 사람마다 단발을 시행하였다.
>
> – 황현, 『매천야록』 –

| 보기 |
ㄱ. 동학 농민 운동이 일어났다.
ㄴ. 급진 개화파가 갑신정변을 일으켰다.
ㄷ. 구식 군인들이 임오군란을 일으켰다.
ㄹ. 대한 제국이 수립되고 광무 개혁을 실시하였다.

① ㄱ, ㄴ ② ㄱ, ㄷ ③ ㄱ, ㄹ
④ ㄴ, ㄷ ⑤ ㄷ, ㄹ

04 (가)에 대한 설명으로 옳은 것은?

▲ (가) 의 탄생을 알리는 포스터

① 양무운동을 추진하였다.
② 변법자강 운동을 탄압하였다.
③ 조선에 대한 내정 간섭을 강화하였다.
④ 민영 철도 국유화 반대 투쟁이 계기가 되어 수립되었다.
⑤ 의회 개설, 과거제 폐지 등을 수용한 신정을 단행하였다.

05 (가)~(다)에 대한 설명으로 옳은 것은?

> (가) **제1조** 대일본 제국은 만세일계의 천황이 이를 통치한다.
> **제2조** 천황은 신성하여 누구라도 침범할 수 없다.
>
> (나) **제1조** 대한국은 세계 만국이 공인한 자주독립 제국이다.
> **제3조** 대한국의 정치는 만세불변의 전제 정치이다.
>
> (다) **제1조** 청 황제는 청 제국을 통치하며, 만세일계로 영원히 존중하고 떠받들어야 한다.
> **제3조** 황제는 법률을 공포하고 의안을 제안할 수 있는 권한을 가진다. 법률은 의회에서 의결하지만, 황제의 비준 명령을 받아 공포된 것이 아니면 시행할 수 없다.

① (가) – 자유 민권 운동이 일어나는 계기가 되었다.
② (나) – 독립 협회의 요구로 제정되었다.
③ (다) – 양무운동 세력이 제정하였다.
④ (다) – (가)에 영향을 받았다.
⑤ (가), (나), (다) – 의회 설립을 규정하였다.

06 (가), (나)의 공통점으로 옳은 것은?

> (가) 국가를 다스리는 일상의 권리를 일러 주권이라 하는데, 이 주권은 안에서 행해지기도 하고 밖에서 행해지기도 한다. 주권이 안에서 행해지는 것은 각국의 법노에 따르며, 그것은 백성에게 맡겨지기도 하고 군주에 귀속되기도 한다. …… 주권이 밖에서 행해지는 데는 반드시 타국의 승인이 필요하며 …… 각국은 그 승인 여부를 모두 자주적으로 결정하며 그에 따른 책임을 진다.
> (나) 세계에 있는 것은 강자의 권리뿐이다. 강자가 늘 약자를 다스릴 뿐 다른 힘이라는 게 따로 없다. 그것이 진화의 가장 보편적인 원칙이다. 자유권을 얻고자 한다면 먼저 강자가 되는 방법밖에 별도리가 없다.

① 태평천국 운동에 영향을 주었다.
② 일본에서는 널리 수용되지 못했다.
③ 중국 중심의 조공 체제를 긍정하였다.
④ 동아시아 3국의 평화 협력 관계를 강조하였다.
⑤ 국가 간의 불평등한 국제 질서를 정당화하였다.

07 다음 자료를 반포한 정부에 대한 옳은 설명을 |보기|에서 고른 것은?

> 나의 신민이 충과 효로써 많은 사람의 마음을 하나로 만들어 대대손손 그 아름다움을 다하게 하는 것이 우리 국체의 정화이며 교육의 연원 또한 실로 여기에 있다. –「교육 칙어」, 1890. –

|보기|
ㄱ. 신문 발간에 대해 규제 정책을 펼쳤다.
ㄴ. 여성을 의무 교육 대상에서 배제하였다.
ㄷ. 소학교에서부터 의무 교육을 확대하였다.
ㄹ. 경사대학당을 설립하여 국자감을 대체하였다.

① ㄱ, ㄴ ② ㄱ, ㄷ ③ ㄱ, ㄹ
④ ㄴ, ㄷ ⑤ ㄷ, ㄹ

08 (가), (나) 조약에 대한 옳은 설명을 |보기|에서 고른 것은?

> (가) **제2조** 청국은 랴오둥반도와 타이완 펑후 제도를 일본에 할양한다.
> (나) 러시아는 한국에 대한 일본의 지도, 보호, 감리를 승인한다.

|보기|
ㄱ. (가) – 러시아와 일본의 갈등을 불러왔다.
ㄴ. (가) – 가쓰라 · 태프트 밀약과 유사한 내용이다.
ㄷ. (나) – 동학 농민 운동의 배경이 되었다.
ㄹ. (나) – 일본의 을사조약 강요로 이어졌다.

① ㄱ, ㄴ ② ㄱ, ㄷ ③ ㄱ, ㄹ
④ ㄴ, ㄷ ⑤ ㄷ, ㄹ

정답과 해설 ▸ 64쪽

09 다음 자료와 관련 있는 운동에 대한 설명으로 옳은 것은?

> (1) 자주적이어야 하며, 노예적이지 않아야 한다.
> (2) 진보적이어야 하며, 보수적이지 않아야 한다.
> (3) 진취적이어야 하며, 퇴행적이지 않아야 한다.
> (4) 세계적이어야 하며, 쇄국적이지 않아야 한다.
> (5) 실리적이어야 하며, 허식적이지 않아야 한다.
> (6) 과학적이어야 하며, 공상적이지 않아야 한다.
>
> – 천두슈, 『청년 잡지』, 1915. 9. –

① 소련의 지원을 받았다.
② 동북 항일 연군 결성에 영향을 주었다.
③ 일본의 만주 침략에 반발하여 일어났다.
④ 대한민국 임시 정부 수립에 영향을 주었다.
⑤ 중국 정부의 베르사유 조약 조인 거부로 이어졌다.

10 다음 협정과 관련 있는 전쟁에 대한 옳은 설명을 |보기|에서 고른 것은?

> 일본국 및 만주국은 체약국 일방의 영토 및 치안에 대한 모든 위협은 동시에 체약국 타방의 안녕 및 존립에 대한 위협이라는 사실을 확인하고 양국 공동으로 국가의 방위를 담당할 것을 약속한다. 이를 위해 필요한 일본국 군대를 만주국 내에 주둔하는 것으로 한다.

| 보기 |

ㄱ. 일본이 국가 총동원법을 제정하는 계기가 되었다.
ㄴ. 일본에 대한 미국과 영국의 경제 봉쇄가 원인이었다.
ㄷ. 국제 연맹은 일본이 만주에서 철수할 것을 결의하였다.
ㄹ. 한국 독립군, 조선 혁명군은 중국군과 연합하여 항일 전선을 펼쳤다.

① ㄱ, ㄴ ② ㄱ, ㄷ ③ ㄱ, ㄹ
④ ㄴ, ㄷ ⑤ ㄷ, ㄹ

11 다음 선언과 관련된 운동에 대한 설명으로 옳은 것은?

> 중국 공산당 중앙 위원회는 최대한의 열정을 가지고 …… 선언합니다. 지금은 국난이 극단적으로 엄중하고 민족의 생명과 존망이 경각에 달려있는 시기입니다. 우리는 조국의 위망을 구하기 위해 평화적 통일과 단결 저항의 기초 위에서 중국 국민당과 양해를 이루어 향후 함께 국난에 대응하기로 했습니다.…… 루거우차오에서 중·일 양군의 충돌이 발생한 현 상황에서 우리 민족 내부의 단결만이 일본 제국주의의 침략을 이겨낼 수 있게 해줄 것입니다.
>
> –『저우언라이 선집』–

① 쑨원이 주도하였다.
② 상하이 쿠데타로 파기되었다.
③ 신문화 운동의 영향을 받았다.
④ 시안 사건을 계기로 성립되었다.
⑤ 군벌 타도와 중국 통일을 목적으로 하였다.

12 (가), (나)에 대한 설명으로 옳은 것은?

(가)	(나)
• 1938년 조직 • 조선 민족 전선 연맹 산하	• 1940년 조직 • 대한민국 임시 정부 산하

① (가) – 일부는 화베이로 이동하였다.
② (가) – 국내 진공 작전을 계획하였다.
③ (나) – 김원봉이 주도하여 조직하였다.
④ (나) – 양세봉을 총사령관으로 하였다.
⑤ (가) – (나)의 일부가 합류하였다.

정답과 해설 ▸ 65쪽

❖ 다음을 읽고 물음에 답해 보자.

(가) 「교육 칙어」(1890. 10.)

짐(메이지 천황)이 생각하건데 나의 선조인 아마테라스 오오가미와 그 자손인 역대 천황이 나라를 건설하기 시작한 것은 먼 옛날의 일로 그 은덕은 깊고 두터운 것이었다. 나의 신민도 열심히 충효에 힘써 마음을 하나로 하여 대대로 그 미덕을 배워 온 것은 우리나라의 뛰어난 점이며 교육의 근본 정신도 또한 여기에 있다. 너희들 신민도 부모에게 효도를 다하고, 형제는 사이좋게, 부부는 화목하게, 친구는 서로 믿으며, 자신을 깊이 삼가고 널리 사람들을 사랑하며, 학업을 수득하고 지능을 높여 도덕심을 기르며, 자발적으로 공공의 이익을 확장하여 일생의 직무에 힘써, 항상 헌법을 중시하고 법률에 따라 한 차례 나라의 비상시가 되면 의용을 가지고 나라를 위해 일하며, 천지와 같이 끝없는 황실의 운명을 지키고 도와줘야 한다. 이것은 짐에게 충실하며 선량한 신민이여야 하는 것에 그치지 않고 선조가 남긴 미풍을 현세에 전하는 것이기도 하다.

(나) 「국민 교육 헌장」(1968. 12.)

우리는 민족중흥의 역사적 사명을 띠고 이 땅에 태어났다. 조상의 빛난 얼을 오늘에 되살려, 안으로 자주독립의 자세를 확립하고, 밖으로 인류 공영에 이바지할 때다. 이에, 우리의 나아갈 바를 밝혀 교육의 지표로 삼는다. 성실한 마음과 튼튼한 몸으로, 학문과 기술을 배우고 익히며, 타고난 저마다의 소질을 계발하고, 우리의 처지를 약진의 발판으로 삼아, 창조의 힘과 개척의 정신을 기른다. 공익과 질서를 앞세우며 능률과 실질을 숭상하고, 경애와 신의에 뿌리박은 상부상조의 전통을 이어받아, 명랑하고 따뜻한 협동 정신을 북돋운다. 우리의 창의와 협력을 바탕으로 나라가 발전하며, 나라의 융성이 나의 발전의 근본임을 깨달아, 자유와 권리에 따르는 책임과 의무를 다하며, 스스로 국가 건설에 참여하고 봉사하는 국민정신을 드높인다. 반공 민주 정신에 투철한 애국 애족이 우리의 삶의 길이며, 자유세계의 이상을 실현하는 기반이다. 길이 후손에 물려줄 영광된 통일 조국의 앞날을 내다보며, 신념과 긍지를 지닌 근면한 국민으로서, 민족의 슬기를 모아 줄기찬 노력으로, 새 역사를 창조하자.

더 알아보기

「교육 칙어」는 『대일본 제국 헌법』 반포 다음 해인 1890년 공표되었는데, 제국 의회 개설 직전에 자유 민권 운동이 다시 대두하는 분위기에서 사상 통제의 수단으로 강행되었다. 「국민 교육 헌장」은 1968년 반공 정신 형성과 대한민국 교육의 방향 설정을 명목으로 제정되었다.

논술 갈라잡이

(가)와 (나)에 담겨있는 공통적인 교육관을 분석하고 그것이 오늘날 민주주의 사회가 지향하고자 하는 가치와 어떻게 상충되는지 생각해 보자.

01 (가), (나)에서 드러난 교육 목표와 공통점을 서술해 보자.

02 (가), (나)에 담겨있는 교육에 대한 관점을 비판해 보자.

대주제 5

오늘날의 동아시아

학습 계획표

・자신의 일정에 맞게 계획을 세우고, 실제 학습일을 적어 봅시다.
・학습을 마무리한 후 스스로가 얼마나 학습 목표를 달성하였는지 점검해 봅시다.

주제 13 제2차 세계 대전의 전후 처리와 냉전 체제	쪽수	계획일	완료일	목표 달성도
Day 38 개념 정리, 자료 뜯어보기	198 ~ 203쪽	월 일	월 일	☆☆☆☆☆
Day 39 개념 익히기, 내신 유형 익히기	204 ~ 207쪽	월 일	월 일	☆☆☆☆☆
Day 40 내신 만점 도전하기, 수능 유형 익히기, 기출 지문 활용하기	208 ~ 211쪽	월 일	월 일	☆☆☆☆☆

주제 14 경제 성장과 정치 · 사회의 발전 15 갈등과 화해	쪽수	계획일	완료일	목표 달성도
Day 41 개념 정리, 자료 뜯어보기	212 ~ 219쪽	월 일	월 일	☆☆☆☆☆
Day 42 개념 익히기, 내신 유형 익히기	220 ~ 223쪽	월 일	월 일	☆☆☆☆☆
Day 43 내신 만점 도전하기, 수능 유형 익히기, 기출 지문 활용하기	224 ~ 227쪽	월 일	월 일	☆☆☆☆☆
Day 44 대주제 마무리하기, 비판적 사고 기르기	228 ~ 231쪽	월 일	월 일	☆☆☆☆☆

주제 13

제2차 세계 대전의 전후 처리와 냉전 체제

주제 흐름 읽기

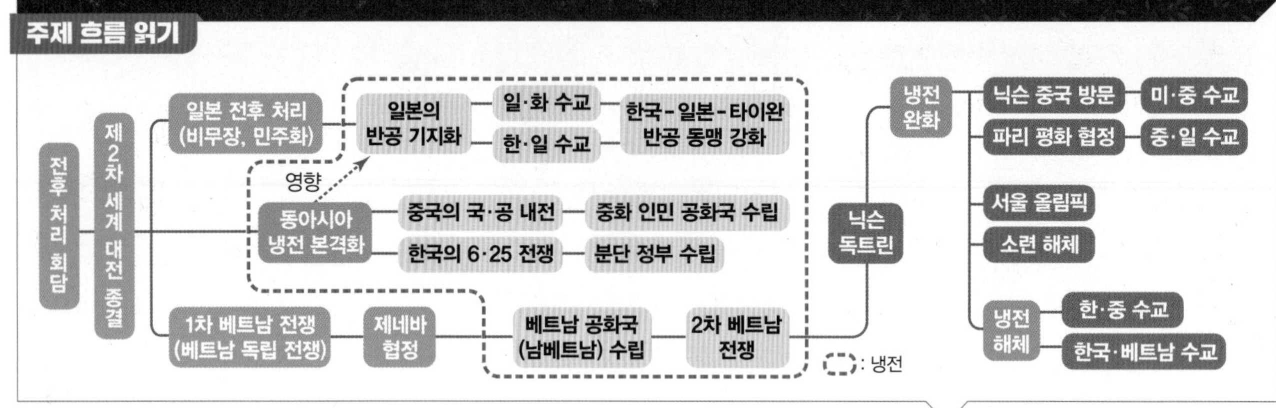

1 제2차 세계 대전의 전후 처리와 냉전

1. 동아시아의 전후 처리와 냉전의 형성

제2차 세계 대전 이후 전후 처리는 어떻게 진행되었을까요?

(1) **전후 처리** — 언제? 세 번의 회담은 모두 전쟁 중에 이루어졌음을 기억해.

회담	내용
카이로 회담❶(1943. 11.)	• 한국의 독립을 최초로 약속
얄타 회담(1945. 2.)	• 소련의 대일전 참전 약속
포츠담 회담(1945. 7.)	• 일본의 무조건 항복, 무장 해제, 민주주의 이행 요구

누가? 영국의 처칠, 미국의 루스벨트, 중국의 장제스가 참석했어.

누가? 영국의 처칠, 미국의 루스벨트, 소련의 스탈린이 참석했어.

(2) **일본의 항복** 미국의 원자폭탄 투하(히로시마, 나가사키)❷ 자료 1

(3) **미국이 구상한 전후 일본**

신헌법 자료 2	비무장	• 전쟁 포기와 군사력 보유 금지
	민주화	• 여성의 참정권 부여 • 노동조합 결성 • 교육의 자유화·민주화 • 압제적인 제도의 폐지 • 재벌 개혁과 농지 개혁 등을 추진

(4) **냉전❸의 형성** 트루먼 독트린❹

한반도	남한	• UN 감시 하의 총선거로 제헌 국회 구성 • 이승만을 대통령으로 하는 대한민국 정부 수립	남과 북으로 분단
	북한	• 김일성을 수상으로 하는 정권 수립	
베트남	남	• 베트남국 → 베트남 공화국	
	북	• 호치민 중심의 베트남 민주 공화국(사회주의)	
중국		• 제2차 국·공 내전 발발	
일본		• 비무장과 민주화보다 경제 자립 및 부흥을 우선시 • 공산주의에 대항할 방어 기지화	

왜? 중국의 국·공 내전과 한반도 분단으로 동아시아 냉전이 본격화됐거든.

❶ **카이로 회담**
카이로 회담에서 연합국은 한국의 독립을 최초로 약속하였다. 그러나 '적당한 절차를 거쳐' 독립시킨다는 조건을 붙였기 때문에 즉각적인 독립을 의미하지는 않았다.

❷ **히로시마, 나가사키 원폭**
인류 최초로 핵무기가 쓰였던 사례로, 일본 상륙 시 막대한 피해를 입을 가능성을 염려한 미국은 리틀 보이, 팻 보이라는 이름의 원자 폭탄을 히로시마와 나가사키에 투하하였다. 이는 일본의 전쟁 의지를 꺾는 계기가 되었다.

❸ **냉전(Cold War)**
경제·외교 등을 수단으로 전개된 국제 대립 체제이다. 직접적인 무력 사용을 뜻하는 열전(Hot War)과 대립하는 개념으로 사용된다.

❹ **트루먼 독트린**
공산주의 확산을 막기 위해 비공산권 국가를 경제적으로 지원하고, 군사 고문단을 파견하겠다는 것을 약속한 냉전 시기 미국 외교 정책의 원칙이다.

자료 1 히로시마 원폭 돔*

1945년 8월 6일 원자 폭탄 투하로 건물의 뼈대만 남아 있다. 10년 뒤 평화 기념관이 건립되었다. '원자 폭탄의 피해 실상을 여러 국가 사람들에게 전하고 핵무기 폐지와 항구적인 세계 평화의 실현을 염원해서 세웠다.'라는 문구가 기념관 안내판에 적혀있다.

*원폭 돔 본래 1915년에 건설된 히로시마시 산업 장려관의 일부였다. 현재 유네스코 세계문화유산이다.

뜯어보기 포인트
일본이 항복을 결심하게 된 계기가 무엇인지 유추해 보자.

일본이 항복을 결심하게 된 계기는 무엇이었을까?
연합국 수뇌는 독일 포츠담에 모여 일본의 무조건 항복을 촉구하였지만, 일본은 이를 묵살했어. 미국은 8월 6일 히로시마, 9일 나가사키에 각각 원자폭탄을 투하했고 곧이어 소련이 8월 15일 이전에 한반도까지 진주하였다고 해. 결국 일왕은 종전 조서를 통해 항복을 선언하게 되었지.

일본이 항복하면서도 가장 지키고자 했던 것은 무엇이었을까?
바로 일왕이었어. 항복 당시 많은 일본인들이 일왕을 군부 세력에 이용당한 피해자로 생각했다고 해. 이를 감안하여 연합국도 일왕제를 존속시켜서 점령 정책에 더 유리하게 활용하고자 하였지.

Q1 일본의 항복과 관련하여 옳은 것을 모두 선택해 보자.

㉠ 일본은 1945년 8월 15일에 항복을 선언하였다.
㉡ 포츠담 회담에 참여한 국가는 미국, 영국, 소련이다.
㉢ 소련은 일본의 항복 선언 이전에 이미 한반도에 진주해 있었다.
㉣ 독일, 이탈리아, 일본 중 일본이 가장 마지막에 항복하였다.
㉤ 미국은 막대한 인명 피해를 염려하여 일본 본토에 진주하지 않았다.

자료 2 신헌법*(「평화헌법」)

제1조 천황은 일본국의 상징이자 일본 국민 통합의 상징으로서 그 지위는 '주권'을 지닌 일본 국민의 뜻에 기반을 둔다.
제9조 ① 일본 국민은 정의와 질서를 기조로 하는 국제 평화를 성실히 희망하고, 국권의 발동인 전쟁과 무력에 의한 위협 또는 무력행사는 국제 분쟁을 해결하는 수단으로서는 영구히 포기한다.
② 전항의 목적을 성취하기 위하여 육해공군 및 그 밖의 전력은 보유하지 않는다. 국가의 교전권은 인정하지 않는다.

*신헌법 「대일본 제국 헌법」과 비교하여 신헌법이라고 표현하거나, 전쟁을 포기했기 때문에 「평화헌법」이라 불린다.

뜯어보기 포인트
신헌법(「평화헌법」)은 일본의 비무장과 민주화를 위한 것임을 기억하자.

천황을 일본국의 상징이자 일본 국민 통합의 상징으로 둔다는 것은 어떤 의미일까?
「대일본 제국 헌법」에서 주권을 갖는 것은 천황이었지만, 신헌법에서는 천황의 권력을 무력화시키기 위해 천황을 상징적인 존재로 규정하였어.

패전 후 주권을 국민에게 돌려 준 천황은 어떻게 되었을까?
당시 연합국 최고 사령부 사령관 맥아더는 쇼와 천황을 불러 사진을 찍고 이를 일본 신문에 보도하도록 지시하였다고 해. 왜소한 키에 단정한 양복을 입고 반듯한 자세로 서 있는 천황의 모습과 함께 큰 키에 정복도 입지 않고 양 손을 뒷주머니에 넣은 맥아더의 모습이 사진으로 공개되자 일본에서는 큰 충격이 일었지.

Q2 신헌법(「평화헌법」)과 관련하여 옳은 것을 모두 선택해 보자.

㉠ 국가의 교전권이 인정되지 않았다.
㉡ 천황을 상징적인 존재로 규정하였다.
㉢ 냉전 체제가 심화되면서 개정되었다.
㉣ 이 헌법 개정으로 미국과 갈등이 있었다.
㉤ 국제 사회의 동의가 있으면 군대를 소유할 수 있다.

답 Q1 ㉠, ㉢, ㉣ / Q2 ㉠, ㉡

2. 냉전의 전개와 샌프란시스코 강화 조약

일본이 국제 사회에 복귀하는 과정은 어떻게 진행되었을까요?

(1) 도쿄 재판(극동 국제 군사 재판)

① 군국주의자들을 공직에서 추방하고, 전쟁 책임자 처벌을 위해 개최

② 뉘른베르크 재판❶과 달리 다음과 같은 한계를 보임

한계	• 일본의 전략적 역할 강조로 미국의 정책 전환 • 일본의 전쟁 책임을 철저히 추궁하지 않음 • 주요 일본 왕족과 일부 핵심 관료들은 처벌을 면함 • 일본군 '위안부' 문제 등 전쟁 중 성폭력 사건이 다루어지지 않음 • 생체 실험 및 화학전 책임자도 면책 • 전쟁 중 일본이 입은 피해와 상처를 강조하는 태도를 보임

무엇을? 생체 실험 대상자를 일본어로 통나무라는 의미의 마루타로 불렀어.

(2) 샌프란시스코 강화 조약 체결(1951) 자료 3

① 일본의 조속한 재건을 위해 미국이 주도

② 일본이 주권을 회복하고 국제 사회에 복귀

왜? 맥아더가 이끄는 연합국 최고 사령부가 일본을 통치하는 군정이 종료되었지.

③ 미국과 일본이 미 · 일 안보 조약(1951)을 체결하여 일본 영토에 미군 주둔

어디에? 주일 미군 시설의 70%가 일본 영토의 0.6%에 불과한 오키나와에 집중되어 있어.

(3) 샌프란시스코 강화 조약의 한계

① 한국과 중국 등 피해 당사국이 참여하지 못함

② 전쟁에 대한 반성, 식민지 지배에 대한 사과, 배상이 제대로 이루어지지 않음

③ 점령에 따른 직접적인 군사적 비용에 관한 연합국의 청구권을 포기하였음

2 냉전 체제의 확립과 변화

1. 냉전 체제의 고착화와 안보 동맹의 강화

냉전 시기 동아시아에서 왜 열전이 일어났을까요?

(1) 중국(국 · 공 내전)

왜? 국민당이 친일파 처벌, 관료 부패, 물가 폭등, 경제 문제 등으로 국민의 지지를 잃었어.

공산당	• 국민의 지지와 소련의 지원으로 전세 역전 • 중화 인민 공화국 수립	양안 관계❷ 성립
국민당	• 타이완으로 이동하여 정부를 수립	

(2) 한반도(6 · 25 전쟁)

배경	• 애치슨 라인❸으로 한반도를 미국의 동북아시아 방위선에서 제외 • 북한은 소련과 중국의 동의와 지원을 얻어 남침
과정	• 초기에 북한군 우세, 이후 인천 상륙 작전으로 전세 역전 • 중국군의 개입으로 종전이 아닌 휴전으로 마무리
영향	• 미국 · 한국 · 일본❹ · 타이완을 각각 연결한 반공 동맹 강화 • 냉전 체제 고착화

2. 베트남 전쟁과 냉전의 완화

동아시아에서 냉전은 어떤 과정을 거쳐 해체되었을까요?

(1) 베트남 전쟁

1차	• 프랑스를 상대로 독립 전쟁에서 승리(제네바 합의) 자료 4
2차	• 내전으로 시작해 통킹만 사건❺을 빌미로 미국이 개입

❶ 뉘른베르크 재판
독일의 전범 재판 과정으로 고위급 전범은 예외 없이 수배 및 재판에 회부, '나치 전범에 관한 특별법' 제정으로 전범에 대한 공소 시효가 없음을 선포하였다. 나치 인체 실험의 충격으로 국제적인 실험 연구 윤리인 '뉘른베르크 강령' 제정 등의 성과를 거두었다.

❷ 양안 관계
중화 인민 공화국과 타이완으로 망명한 중화민국 사이의 관계. 양안이란 타이완 해협을 두고 서안(대륙)과 동안(타이완)으로 마주 보는 관계라 하여 붙여진 이름이다. '두 국가의 외교'가 아닌 '특수한 관계'이므로, 양안 관계라는 표현을 흔히 사용한다.

❸ 애치슨 라인
1950년 미국 국무장관 애치슨이 발표한 미국의 극동 방위선. 한국과 타이완을 방위선에서 제외하여 6 · 25 전쟁의 발발을 묵인하는 결과를 가져왔다는 비판을 받았다.

❹ 6 · 25 전쟁과 일본
「평화헌법」 체제 아래 비무장 국가인 일본은 국내 폭동 진압 등 경찰을 보조하기 위해 경찰 예비대를 창설하였다. 경찰 예비대는 6 · 25 전쟁 등 동아시아 정세 변화 속에서 1954년 자위대로 확대 개편되었다.

❺ 통킹만 사건
북베트남 어뢰정이 미 해군 함정에 대해 두 차례에 걸쳐 선제 공격을 가했다는 사건이다. 이에 미국은 북베트남에 대한 보복 폭격을 가하였다. 하지만 이후 미국이 전쟁 개입 명분을 만들기 위해 조작했다는 사실이 밝혀졌다.

자료 3 **샌프란시스코 강화 조약**

제1조 연합국*은 일본 및 그 영해에 대한 일본 국민의 완전한 주권을 승인한다.
제14조 연합국은 본 조약에 특별한 규정이 있는 경우를 제외하고, 연합국의 모든 배상 청구권, 전쟁 수행 과정에서 일본 및 그 국민이 자행한 어떤 행동으로부터 발생한 연합국 및 그 국민의 다른 청구권, 그리고 점령에 따른 직접적인 군사적 비용에 관한 연합국의 청구권을 포기한다.

*연합국 미국, 소련, 영국, 프랑스 뿐 아니라 네덜란드, 폴란드 등 유럽, 베트남 등 아시아, 멕시코, 쿠바 등 중남 아메리카, 오스트레일리아, 뉴질랜드 등 오세아니아, 남아프리카 공화국 등 아프리카의 여러 국가들도 초대를 받아 참석하였다.

제14조로 인하여 나타난 샌프란시스코 강화 조약의 문제점은 무엇일까?
한국과 중국 등 피해 당사국이 초대조차 받지 못하여 참여하지 못한 채로 조약이 체결되었다는 점을 들 수 있어. 일본은 전쟁에 대한 반성도, 식민 지배에 대한 사과도, 제대로 된 배상도 없이 주권을 회복하고 국제 사회에 복귀하였지.

샌프란시스코 강화 조약에 초대받지 못한 우리나라는 어떤 불이익을 받게 되었을까?
샌프란시스코 강화 조약에 의하면 제주도, 거문도, 울릉도를 포함한 한반도와 그 부속 도서에 대한 모든 권리, 자격, 영유권을 포기한다는 내용이 있는데, 독도는 명시되어 있지 않았어. 이를 빌미로 일본이 독도에 대한 영유권을 주장하고 있지.

뜯어보기 포인트
미국이 「평화헌법」을 통해 구현하고자 했던 일본과, 샌프란시스코 강화 조약을 통해 국제 사회에 복귀한 일본이 다르다는 것을 구분하자.

Q3 「평화헌법」 제정으로부터 자위대 창설까지와 관련한 설명으로 적절한 것을 모두 선택해 보자.

㉠ 자위대 창설 이후 6·25 전쟁이 발발하였다.
㉡ 「평화헌법」은 민주화를 위한 규정들을 포함하였다.
㉢ 동아시아의 냉전 강화로 「평화헌법」이 제정되었다.
㉣ 제2차 세계 대전 이후 미국은 일본을 비무장시키려 하였다.
㉤ 군대와 경찰이 없어진 일본에 경찰을 만들기 위하여 경찰 예비대를 창설하였다.

자료 4 **제네바 합의***

- 북위 17도선을 경계로 300일 이내에 호찌민 정부군은 그 이북으로, 프랑스군은 그 이남으로 이동한다.
- 민간인도 자유의사에 따라 북위 17도 이남과 이북으로 거주 이전할 수 있다.
- 군사 경계선은 잠정적이며, 정치적 통일 문제는 1956년 총선거를 시행하여 결정한다.
- 이후 일체의 외국 군대는 증원될 수 없으며, 프랑스군은 총선거까지 주둔할 수 있다.
- 캐나다, 폴란드, 인도 3개국으로 구성된 국제 감시 위원단을 두어 협정의 이행을 감시한다.

*제네바 합의 베트남은 제2차 세계 대전 이후 프랑스를 상대로 독립 전쟁을 벌였다. 북베트남군이 디엔비엔푸 전투에서 승리하자 제네바 회담이 종료되고 위와 같은 합의가 발표되었다.

제네바 합의 이후 베트남 내부에서 어떤 상황이 전개되었을까?
프랑스가 철수하고 남북 간 총선거를 앞두고 미국이 지원한 남베트남(베트남 공화국) 정부가 선거 시행을 거부했어. 이에 반발한 세력은 남베트남 민족 해방 전선을 결성하여 정부에 저항하였어.

베트남은 독립 후 통일을 전후하여 몇 번의 전쟁을 더 겪었을까?
베트남이 프랑스에 맞서 싸운 독립 전쟁을 1차 베트남 전쟁이라 해, 한편 통킹만 사건 이후 미국과 싸운 전쟁을 2차 베트남 전쟁이라 하지. 공산화 이후, 베트남이 캄보디아를 침공하는 과정에서 중국이 베트남을 침공하여 전쟁이 일어나기도 했어. 이 전쟁을 3차 인도차이나 전쟁이라고 부르지.

뜯어보기 포인트
제네바 합의는 1차 베트남 전쟁의 결과라는 점을 기억하자.

Q4 베트남 전쟁에 대한 설명으로 적절한 것을 모두 선택해 보자.

㉠ 호치민은 남베트남 민족 해방 전선을 결성하여 정부에 저항하였다.
㉡ 1차 베트남 전쟁 이후, 남북 베트남은 북위 17도 이남과 이북으로 분단되었다.
㉢ 디엔비엔푸 전투에서 호치민 정부군은 1차 베트남 전쟁의 승기를 잡게 되었다.
㉣ 1차 베트남 전쟁은 미국을, 2차 베트남 전쟁은 프랑스를 상대로 벌인 전쟁이다.
㉤ 소련과 중국은 중·소 분쟁으로 인하여 북베트남을 적극적으로 도울 수 없었다.

답 Q3 ㉡, ㉣ / Q4 ㉡, ㉢

(2) 영향

① 제2차 세계 대전 때보다 많은 전쟁 비용을 들였으나 전세는 불리해짐

② 반전 운동, 재정 문제, 인명 피해로 궁지에 몰리게 됨

③ 닉슨 독트린(1969)[1]

왜? 베트남의 구정 대공세 이후 미국 내에서 반전 여론이 확산되어 전쟁에서 빠질 계기를 마련하고자 하였어.

④ 파리 평화 협정[2]을 체결하여 미군이 베트남에서 철수(1973)

(3) 미 · 일과 중국의 수교

① 미국

㉠ 닉슨의 중국 방문(핑퐁 외교[3]) 자료 5

㉡ 중 · 소 분쟁[4]을 이용하여 중국과 새로운 관계 모색(중국도 미국을 통해 소련을 견제하고자 함)

㉢ 타이완과 외교 관계 단절 → 중국과 정식으로 국교 수립(1979)

② 일본

㉠ 중 · 일 공동 성명을 통해 중국과 국교를 정상화(1972)

㉡ 중국은 개혁 · 개방 정책 및 경제 개발을 성공적으로 진행

㉢ 일본은 중국이라는 큰 시장에 진출하는 징검다리 마련

3. 냉전 체제의 해체와 동아시아

냉전 체제가 해체되고 동아시아에 어떤 변화가 생겼을까요?

(1) 소련의 해체와 동유럽 공산주의권 몰락

① 고르바초프의 개혁 · 개방 노선 – 시장 경제 체제 도입, 정치 민주화

무엇을? 페레스트로이카(개혁), 글라스노스트(개방) 정책이라고 해.

② 중국 덩샤오핑의 개혁 · 개방 정책 가속화

③ 베트남의 개혁 · 개방 노선(도이머이 정책) 자료 6

무엇을? '도이'는 '바꾼다', '머이'는 '새롭다'는 의미야.

왜? 마오쩌둥의 대약진 운동의 실패와 문화 대혁명으로 피폐해진 중국 경제를 재건할 수단으로 개혁 개방을 선택했지.

(2) 냉전 해체가 동아시아에 미친 영향

① 소련의 해체와 동유럽 공산주의권의 몰락 · 냉전 체제의 해체

② 동아시아 국가들의 정치 · 경제 · 문화 교류와 상호 의존도 상승

(3) 냉전 해체가 한반도에 미친 영향

① 동유럽 사회주의 국가는 물론 베트남 · 중국과 국교 수립

② 남북한 동시 국제 연합(UN) 가입[5]

언제? 1949년 유엔 총회는 대한민국이 한반도 내 유일한 합법 정부임을 결의했으나, 1991년 이것을 번복하고 남북한이 유엔에 함께 가입했어.

③ 남북 정상 회담과 6 · 15 남북 공동 선언

(4) 냉전이 끝나지 않은 한반도

① 북한이 세습 독재 체제, 핵무기와 미사일 개발로 국제 사회로부터 고립

② 북 · 일 정상 회담[6]은 핵 문제와 일본인 납치 문제로 지지부진

③ 남 · 북은 북핵 문제의 대두로 개성 공업 지구 폐쇄 등 어려움 겪음

④ 한반도는 정전 협정 체제가 지속되어 여전히 긴장 상태 유지

❶ 닉슨 독트린
닉슨이 발표한 아시아 안보에 관한 외교 전략이다. 베트남 전쟁과 같은 미국의 개입을 피하고 내란이나 침략에 대해 아시아 각국이 스스로 대처하는 것을 원칙으로 하고 있다.

❷ 파리 평화 협정
2차 베트남 전쟁의 결과 체결된 것으로, 미국은 남베트남의 내부 문제에 앞으로도 계속하여 군사 개입을 하지 않을 것을 명시하였다.

❸ 핑퐁 외교
1971년 4월, 일본에서 열린 세계 탁구 선수권 대회에 출전한 미국 선수단 15명과 기자 4명이 중국을 방문하여 저우언라이 총리와 만났다. 이 사건은 중국 건국 이후 29년 이상 막혔던 미 · 중 관계 개선의 계기가 되었다.

❹ 중 · 소 분쟁
소련에서 스탈린이 죽고 후루시초프가 집권하면서 스탈린에 대한 비판을 시작하자 그동안 쌓여왔던 묵은 갈등이 불거졌다. 공산권이 친소파와 친중파로 나뉘게 되었으며, 중국과 소련은 1969년에 국경선 문제로 전쟁을 벌이기도 하였다.

❺ 남북한 동시 국제 연합(UN) 가입
탈냉전 시대가 도래하자, 남북한은 동시 국제 연합(UN) 가입을 이루어낸 데 이어 통일 지향적인 남북 기본 합의서를 채택하는 데 성공하였다.

❻ 북 · 일 정상 회담
국교 수립을 위한 정상 회담이 2차례에 걸쳐 열렸으나, 김정일이 납치자 문제를 시인하고, 여러 차례 상호 신뢰에 반하는 일이 벌어지자 일본 국내 여론이 급격히 악화되어 성과를 거두지 못하였다.

자료 5 닉슨 미국 대통령의 중국 방문

> 우리가 비밀리에 중국을 방문하고 7개월이 지난 2월 21일, 몹시 추운 날씨 속에 닉슨이 베이징에 도착하였다. 그가 대통령 전용기에서 내렸을 때 제복을 입은 저우언라이*가 활주로 위에 서 있었고 군악대는 미국 국가를 연주하였다. …… 저우언라이의 안내로 우리는 자동차를 타고 마오쩌둥의 관저로 향했다. 우리는 서재로 안내되었고 의자에서 몸을 일으킨 마오쩌둥은 두 손으로 닉슨의 손을 잡고 더할 나위 없이 자비로운 미소를 띠었다.
>
> *저우언라이 중화 인민 공화국의 정치가이다. 중국 · 공산당의 주요 인물이며 중화 인민 공화국의 총리와 외교부장을 역임했다.

◎ 닉슨의 중국 방문은 동아시아 정세에 어떤 영향을 미쳤을까?

동아시아에서 냉전의 대립 구도가 완화되었어. 이후 미국과 중국이 수교하였고, 일본이 중국과 수교할 수 있게 되었지. 하지만 타이완은 많은 국가들과 외교 관계가 끊어지게 되었어. 뿐만 아니라, 중화민국이라는 국호를 쓸 수 없게 되었으며, 국제 사회에서 독립국의 지위를 상실하고 중국의 일부로서 취급받게 되었지.

뜯어보기 포인트

닉슨 대통령의 중국 방문으로 인하여 냉전이 완화되기 시작하였음을 기억하자.

Q5 냉전 종식의 과정과 관련하여 적절한 것을 모두 선택해 보자.

㉠ 베트남 민주 공화국이 수립되었다.
㉡ 중국과 일본의 국교 정상화가 이루어졌다.
㉢ 북한군이 38도선 전역에서 남침을 개시하였다.
㉣ 중국이 타이완을 대신하여 국제 연합 상임 이사국이 되었다.
㉤ 샌프란시스코 강화 조약을 통하여 일본이 국제 사회에 복귀하였다.

자료 6 도이머이 정책

> 우리말로는 흔히 '쇄신'(刷新)이라고 한다. 이는 1986년 12월 개최된 제6차 베트남 공산당 전국 대회에서 채택된 것으로, 사회주의적 시장 경제 체제의 도입에 붙여진 명칭이다. 통일 이후 베트남은 극심한 경제적 침체를 겪게 된다. 이에 따라 계급 간 불평등을 해소하고 공동번영의 사회를 목표로 하던 사회주의 체제는 '궁핍의 경제'를 만들어 내고 말았다. 이리하여 1980년대 초부터 경제 개혁을 서서히 추진하다가 1986년 12월 대대적인 개혁을 선언했던 것이다.

◎ 베트남이 극심한 경제적 침체를 겪게 된 원인은 무엇일까?

베트남은 남베트남 지역의 급속한 사회주의화에 대한 불만, 북부 사회주의 자체의 취약성 등으로 경제적 침체를 겪었어. 대외적으로는 자본주의 국가들에 의한 금수 조치 및 금융 통제가 베트남 경제를 더욱 어렵게 만들었지.

◎ 다른 사회주의 국가의 개혁 · 개방 노력은 어떻게 진행되었을까?

도이머이 정책과 유사한 사회주의 국가의 정책으로는 소련 고르바초프의 페레스트로이카, 중국 덩샤오핑의 개혁 · 개방 정책, 북한의 합영법 등이 있어. 소련의 고르바초프는 개혁 · 개방 노선으로 시장 경제 체제를 도입하고 정치를 민주화하였는데, 소련의 변화는 다른 사회주의 국가에도 영향을 끼쳤어. 중국의 덩샤오핑은 개혁 · 개방 정책에 더욱 속도를 높였고 급속한 경제 성장을 이루게 되었지. 한편 북한은 1980년대 중반에 합영법을 제정하고 경제특구를 지정하는 등 외자 유치를 위해 노력하였으나, 소련과 동유럽 사회주의권의 몰락과 과도한 군사비 지출로 성과를 거두지 못하였어. 2000년대 들어서 남한과의 경제 교류를 확대하여 개성 공단, 금강산 개발과 같은 사업을 추진하였지만, 결국 세습 독재 체재와 핵개발로 국제 사회로부터의 고립을 자초하고 있어.

뜯어보기 포인트

베트남은 극심한 경제 침체 문제를 해결하기 위해 도이머이 정책을 추진하였음을 기억하자.

Q6 베트남과 관련하여 적절한 것을 모두 선택해 보자.

㉠ 호찌민은 남베트남 민족 해방 전선을 결성하였다.
㉡ 파리 평화 협정을 통해 미국이 군대를 철수하였다.
㉢ 베트남 전쟁은 종전이 아닌 휴전으로 마무리되었다.
㉣ 도이머이 정책을 통해 쌀과 커피의 수출국으로 자리잡았다.
㉤ 미국은 베트남과의 핑퐁 외교를 관계 개선의 계기로 삼았다.

답 Q5 ㉡, ㉣ / Q6 ㉡, ㉣

정답과 해설 ▸ 66쪽

01 서로 관련 있는 내용끼리 연결해 보자.

a. 도쿄 재판(극동 국제 군사 재판) •
b. 샌프란시스코 강화 회의 •
c. 미·일 안보 조약 •

• ㄱ. 일본 영토에 미군 주둔
• ㄴ. 일본의 국제 사회 복귀
• ㄷ. 주요 일본 왕족과 일부 핵심 관료들은 처벌을 면함

02 아래 설명이 맞으면 ○표, 틀리면 ×표를 해 보자.

(1) 카이로 회담에서 한국의 독립을 최초로 약속받았다. ( )
(2) 미국이 트루먼 독트린을 발표하자 냉전이 완화되기 시작하였다. ( )
(3) 샌프란시스코 강화 회의에 피해 당사국 대표로 중국이 참여하였다. ( )
(4) 미국이 애치슨 라인을 발표하자 북한은 한반도에 전쟁이 일어나더라도 미국의 참전 가능성이 작다고 판단하였다. ( )
(5) 중국 건국 이후 20년 이상 막혔던 미·중 관계 개선의 계기가 된 것은 탁구를 매개로 한 외교였다. ( )

03 빈칸에 알맞은 말을 채워 보자.

(1) 미국 주도하에 비무장, 민주화의 원칙으로 만들어진 헌법을 ( )(이)라 한다.
(2) 1948년 남한에서는 국제 연합의 감시 아래 진행된 총선거로 ( )이/가 구성되었다.
(3) 일본은 미국의 전략적 판단에 따라 아시아 ( )(으)로 자리매김하였다.
(4) ( )은/는 제2차 세계 대전 이후 프랑스를 상대로 독립 전쟁을 벌여 승리하였다.
(5) 냉전 체제의 해체로 중국은 ( )이/가 추진한 개혁·개방 정책의 속도를 더욱 높였다.

04 전쟁 중 국제 회담과 관련된 내용을 |보기|에서 골라 보자.

|보기|
소련의 대일전 참전 확정, 일본의 영토를 본토와 작은 섬으로 국한함, 한국의 독립을 최초로 약속함

(1) 카이로 회담 ________
(2) 얄타 회담 ________
(3) 포츠담 회담 ________

05 |보기|의 사건들을 순서대로 나열해 보자.

|보기|
ㄱ. 제네바 합의
ㄴ. 한·일 기본 조약
ㄷ. 중·일 공동 성명
ㄹ. 샌프란시스코 강화 조약

____

06 빈칸에 들어갈 알맞은 용어를 써 보자.

[ ]은/는 중화 인민 공화국과 타이완으로 망명한 중화민국 사이의 관계를 말한다. 타이완 해협을 두고 대륙과 타이완이 마주 보는 관계라 하여 붙여진 이름이다. '두 국가의 외교'가 아닌 '특수한 관계'라는 의미로 흔히 사용한다.

____

07 아래 표를 완성해 보자.

국·공 내전	• ( )의 필요성 소멸 • 중화 인민 공화국의 수립
6·25 전쟁	• 북한이 소련과 중국의 동의를 얻어 ( )을/를 감행 • 종전이 아닌 휴전으로 마무리
( )	미국 군함이 통킹만에서 북베트남의 공격을 받은 사건
( )	베트남에서 미군 철수

2단계 내신 유형 익히기

총 문항수 12	처음 푼 날 월 일
정답과 해설 66쪽	오답 푼 날 월 일

01 빈출 다음 자료에 대한 설명으로 적절한 것은?

> 1. 일본 국민은 정의와 질서를 기초로 하는 국제 평화를 성실히 희망하고, 국권의 발동인 전쟁과 무력에 의한 위협 또는 무력행사는 국제 분쟁을 해결하는 수단으로서는 영구히 포기한다.
> 2. 전항의 목적을 성취하기 위하여 육해공군 및 그 밖의 전력은 보유하지 않는다. 국가의 교전권은 인정하지 않는다.

① 한국의 6·25 전쟁 이후에 공포되었다.
② 천황제를 폐지하고 민주 공화국을 지향하고자 하였다.
③ 냉전 체제에서 미국을 지원하기 위하여 군사력을 강화하였다.
④ 사회주의의 영향을 배제하기 위하여 노동조합 결성을 허락하지 않았다.
⑤ 전쟁 포기와 군사력 보유 금지가 명시되어 있어서 「평화헌법」이라고 불린다.

02 다음 국제 회담에 대한 설명으로 적절한 것은?

1945년 2월에 미국, 영국, 소련의 수뇌부가 개최한 회담으로, 유럽과 동아시아에서의 전쟁 수행 및 전후 처리에 관한 주요 사항들을 논의하였다.

① 일본의 무조건 항복을 요구하였다.
② 소련의 대일전 참전을 확정하였다.
③ 제2차 세계 대전이 끝난 후 열렸다.
④ 인도차이나에 대한 신탁 통치를 논의하였다.
⑤ 일본의 무장 해제와 민주주의 이행 등을 결정하였다.

03 샌프란시스코 강화 조약에 대한 적절한 설명을 |보기|에서 고른 것은?

| 보기 |

ㄱ. 한국과 중국 등 피해 당사국이 참여하지 못한 채 체결되었다.
ㄴ. 전쟁 중 일본이 입은 피해와 상처를 강조하는 태도를 보였다.
ㄷ. 점령에 따른 직접적인 군사적 비용에 관한 연합국의 청구권을 포기하였다.
ㄹ. 생체 실험과 화학전 책임자도 연구 자료를 미국에 넘겨주는 조건으로 면책되었다.

① ㄱ, ㄴ ② ㄱ, ㄷ ③ ㄴ, ㄷ
④ ㄴ, ㄹ ⑤ ㄷ, ㄹ

04 빈출 냉전 시기 동아시아에서 벌어진 열전과 관련된 적절한 내용을 |보기|에서 고른 것은?

| 보기 |

ㄱ. 6·25 전쟁 중 일본과 한국이 국교를 회복하였다.
ㄴ. 북한은 소련과 중국의 동의를 얻어 남침을 강행하였다.
ㄷ. 베트남 전쟁으로 미국·한국·일본·타이완을 각각 연결한 반공 동맹 강화가 이루어졌다.
ㄹ. 6·25 전쟁에서 미국의 주도로 조직된 국제 연합군(유엔군)이 인천 상륙 작전으로 전세를 역전시켰다.

① ㄱ, ㄴ ② ㄱ, ㄷ ③ ㄴ, ㄷ
④ ㄴ, ㄹ ⑤ ㄷ, ㄹ

05 다음 합의가 이루어진 이후 베트남의 정세로 옳은 것은?

> • 북위 17도선을 경계로 300일 이내에 호찌민 정부군은 그 이북으로, 프랑스군은 그 이남으로 이동한다.
> • 민간인도 자유의사에 따라 북위 17도 이남과 이북으로 거주 이전할 수 있다.
> • 군사 경계선은 상징적이며, 정치적 통일 문제는 1956년 총선거를 시행하여 결정한다.
> • 이후 일체의 외국 군대는 증원될 수 없으며, 프랑스군은 총선거까지 주둔할 수 있다.

① 미국은 통킹만 사건을 빌미로 베트남 전쟁에 직접 개입하였다.
② 호찌민이 이끄는 북베트남 사회주의 정권은 선거 시행을 거부하였다.
③ 사회주의 세력에 저항하는 세력인 남베트남 민족 해방 전선이 결성되었다.
④ 닉슨 미국 대통령은 제네바 합의를 발표하고 미군을 베트남에서 철수하였다.
⑤ 중국은 미국과 정식으로 국교를 수립하기 위하여 북베트남에 대한 지원에 나서지 않았다.

06 도쿄 재판(극동 국제 군사 재판)의 적절한 내용을 |보기|에서 고른 것은?

| 보기 |
ㄱ. 재판의 대상 – 천황 등 고위급 전범 대부분 면책
ㄴ. 공소 시효 – 전범에 대한 공소 시효가 없음을 선포
ㄷ. 인체 실험 처벌 – 사법 거래로 인해 실험 자료를 미국에 건네고 감형 및 면제
ㄹ. 과거사 반성 – 국가 차원에서 사과와 반성 지속

① ㄱ, ㄴ ② ㄱ, ㄷ ③ ㄴ, ㄷ
④ ㄴ, ㄹ ⑤ ㄷ, ㄹ

07 빈출 (가)와 (나) 협정 사이의 시기에 있었던 사실로 옳은 것은?

> (가) **제1조** 잠정적인 군사 분계선을 설정하고 베트남 민주 공화국 군대와 프랑스 연합군은 북위 17도선 남북으로 물러난다.
> (나) **제4조** 미국은 남베트남의 내부 문제에 앞으로도 계속하여 군사 개입을 하지 않는다.
> **제15조** 북위 17도선에 의한 두 지역 사이의 군사 분계선은 잠정적일 뿐이며 정치적이거나 영토상의 경계는 아니다.

① 닉슨 독트린이 발표되었다.
② 도이머이 정책이 추진되었다.
③ 디엔비엔푸 전투가 벌어졌다.
④ 베트남에서 미군이 철수하였다.
⑤ 남베트남에서 농업의 집단 농장화가 단행되었다.

08 밑줄 친 '전쟁'에 대한 설명으로 옳은 것은?

> 전쟁에 참가한 미군 크리스는 전쟁 고아 킴을 만나 사랑에 빠지고 결혼식을 올린다. 하지만 호찌민 정부가 들어서고 미군이 급히 철수하게 되면서 크리스는 미국으로 돌아가게 되고 킴은 베트남에 홀로 남겨진 채 아들 탐을 낳게 된다. 한편, 킴의 약혼자였던 투이는 호찌민 정부 위원이 되어 반역자로 몰린 킴을 찾아와 결혼을 강요하지만, 킴은 아들의 존재를 밝히며 청혼을 거절하고, 이에 화가 난 투이는 킴의 아들을 죽이려 하는데 ……
> – 뮤지컬 「미스 사이공」 –

① 베트남 민주 공화국은 미국의 지원을 받았다.
② 베트남 공화국은 중국과 소련의 지원을 받았다.
③ 전쟁 반대를 구호로 내건 집회가 일본 도쿄에서 열리기도 하였다.
④ 민주주의 수호와 반공이 명분이기 때문에 미국 내에서 반전 운동이 벌어지기 어려웠다.
⑤ 미국은 제2차 세계 대전 때보다 더 많은 전쟁 비용을 사용할 것을 염려하여 철수를 결정하였다.

09 냉전 체제 붕괴 이후 동아시아 국가들의 변화로 옳은 것은?

① 냉전 체제의 해체에도 불구하고 한반도는 긴장 상태가 유지되고 있다.
② 한국은 베트남 전쟁 참전으로 인하여 베트남과 외교 관계를 수립하지 못하고 있다.
③ 남북한은 미국과 소련의 견해차로 인하여 시차를 두고 각각 국제 연합에 가입하였다.
④ 지리적, 문화적 이유로 동아시아 국가들의 교류와 상호 의존도가 점차 낮아지고 있다.
⑤ 덩샤오핑이 추진한 개혁 · 개방 정책으로 소련이 해체되고 동유럽 공산주의권 국가들이 몰락하였다.

10 다음 정책에 대한 탐구 주제로 가장 적절한 것은?

• 정부는 광동, 푸젠 등에 재정과 대외 무역에 관한 자주권을 주었다. 또한 선전 등을 경제특구로 지정하여 수출 전진 기지로 삼았다.
• '도이머이'라 불리는 정책이 실시되었다. 정부 계획으로 결정되던 자원 배분과 가격 결정을 시장에 맡기는 원칙이 적용되었다.

① 독일과 일본의 엇갈린 길
② 냉전 체제의 형성과 붕괴
③ 제2차 세계 대전의 전후 처리
④ 중국 공산당의 적극적으로 개입
⑤ 사회주의 국가들의 개혁 · 개방 정책

서술형 문제

11 (가), (나) 헌법을 보고 물음에 답해 보자.

(가) **제1조** 대일본 제국은 만세일계의 천황이 통치한다.
제4조 천황은 국가의 원수로서 통치권을 총람하며, 이 헌법 조항에 따라 시행한다.
(나) **제1조** 천황은 일본국의 상징이자 일본 국민 통합의 상징으로서 그 지위는 주권을 지닌 일본 국민의 뜻에 기반한다.
제9조 일본 국민은 …… 전쟁과 무력을 통한 위협과 무력의 행사를 …… 영구히 포기한다. 전항의 목적을 달성하기 위해 육 · 해 · 공군 및 기타의 전력을 보유하지 않는다.

(1) (나) 헌법의 명칭을 써 보자.

(2) (가) 헌법과 비교하여 (나) 헌법에서 나타난 두 가지 변화를 설명하되, 구체적인 예를 각각 한 가지씩 제시해 보자.

서술형 문제

12 다음을 보고 물음에 답해 보자.

〈베트남 전쟁에 대한 각국의 대응〉

• 한국 : 비판적인 여론이 많았지만 미국에 대한 보답, 자유 민주주의 수호, 브라운 각서 등을 명분으로 파병함
• 일본 : 사회당과 여러 단체가 베트남 전쟁 반대와 평화 운동을 전개함

(1) 베트남 전쟁의 결과로 세워진 국가의 이름을 써 보자.

(2) 한국에 미친 영향 두 가지를 서술해 보자.

01 (가)와 (나) 법령이 제정된 시기 사이에 있었던 사실로 옳은 것은?

> (가) **제9조** ① 일본 국민은 전쟁과 무력을 통한 위협과 무력의 행사를 국제 분쟁을 해결하는 수단으로서는 영구히 이를 포기한다.
> ② 전항의 목적을 달성하기 위해 육해공군 및 기타의 전력을 보유하지 않는다.
> (나) **제1조** 이 정령은 일본의 평화와 질서를 유지하여 공공의 복지를 보장하는 데 필요한 한도 내에서 국가지방 경찰 및 자치제 경찰의 경찰력을 보충하기 위해 경찰 예비대를 설치하여 그 조직 등에 관련해 규정할 것을 목적으로 한다.

① 6·25 전쟁이 발발하였다.
② 한·일 기본 조약이 체결되었다.
③ 미국이 통킹만 사건을 빌미로 전쟁을 일으켰다.
④ 북베트남이 베트남 사회주의 공화국을 수립하였다.
⑤ 미국 대통령이 중국을 방문하여 수교를 요구하였다.

02 중요 다음 전쟁의 원인과 결과에 대한 설명으로 옳은 것은?

> 북한군이 남한과의 경계선인 38도선을 넘어 공격을 시작한 것은 일요일 새벽이었다. 북한군은 서울로 계속 진격하였고 남한의 군사적 상황은 더욱 악화되었다. 미국의 요청에 따라 긴급 소집된 유엔 안전 보장 이사회는 북한에 즉시 전쟁을 중지할 것을 촉구하였다.

① 중국과 일본의 수교에 영향을 끼쳤다.
② 애치슨 선언이 발발 요인 중 하나였다.
③ 한국과 일본의 경제 성장에 영향을 끼쳤다.
④ 한·일 기본 조약이 체결되는 데 직접적인 영향을 미쳤다.
⑤ 미국의 주도하에 일본이 「평화헌법」을 제정하는 계기가 되었다.

03 (가), (나) 발표 사이의 시기에 있었던 적절한 사실을 |보기|에서 고른 것은?

> (가) 전쟁 상황은 호전되지 않고 세계의 대세도 우리에게 불리하다. 게다가 미국의 새로운 폭탄으로 많은 백성들이 피해를 입었으니, 짐이 무슨 수로 백성을 보호할 수 있겠는가. 이것이 제국 정부로 하여금 공동 선언에 응하도록 한 까닭이다.
> (나) 국제 연합국 총사령관과 조선 인민군 최고 사령관 및 중국 인민 지원군 사령관은 쌍방에 막대한 고통과 유혈을 초래한 충돌을 정지시키기 위하여 다음과 같이 합의하기로 한다.

보기
ㄱ. 「평화헌법」이 제정되었다.
ㄴ. 중화 인민 공화국이 수립되었다.
ㄷ. 베트남 사회주의 공화국이 수립되었다.
ㄹ. 참전 군인들에게 고엽제 피해를 남겼다.

① ㄱ, ㄴ ② ㄱ, ㄷ ③ ㄴ, ㄷ
④ ㄴ, ㄹ ⑤ ㄷ, ㄹ

04 (가), (나)와 관련된 조약에 대한 옳은 설명을 |보기|에서 고른 것은?

> (가) 일본은 일본국이 과거 전쟁으로 인해 중국 인민에게 입힌 중대한 손해와 책임을 통감하며 심각한 반성을 표한다.
> (나) 양 체약국은 양 체약국 및 그 국민(법인을 포함함)의 재산, 권리 및 이익과 양 체약국 및 그 국민 간의 청구권에 관한 문제가 …… 완전히 그리고 최종적으로 해결된 것이 된다는 것을 확인한다.

보기
ㄱ. (가) – 한국과 중국의 수교에 영향을 끼쳤다.
ㄴ. (가) – 일본과 타이완의 국교가 단절되는 원인이 되었다.
ㄷ. (나) – 영토 분쟁을 해결하기 위하여 체결되었다.
ㄹ. (나) – 지난날의 문제를 말끔히 청산하지 못했다.

① ㄱ, ㄴ ② ㄱ, ㄷ ③ ㄴ, ㄷ
④ ㄴ, ㄹ ⑤ ㄷ, ㄹ

05 밑줄 친 '전쟁'과 관련한 설명으로 옳은 것은?

중요

미국은 공산주의 세력의 확산을 막기 위해 통킹만 사건을 조작하고 남베트남에 전투 부대를 파견함으로써 전쟁에 직접 개입하였다. 한국도 1965년부터 전투 부대를 파병하였다. …… 북베트남군이 사이공을 점령하였다. 남베트남의 대통령이 방송을 통해 항복을 선언함으로써 길었던 전쟁은 마침내 종지부를 찍었다.

① 한국에서 징병제가 시행되었다.
② 일본에서 자유민주당이 창당되었다.
③ 샌프란시스코 강화 조약이 체결되었다.
④ 제네바 협정이 체결되는 결과를 가져왔다.
⑤ 미국은 닉슨 독트린을 발표하여 전쟁 종결을 시도하였다.

06 밑줄 친 변화의 배경이 되는 사실을 |보기|에서 고른 것은?

제2차 세계 대전에서 패망한 일본은 연합국의 지배 하에 놓이게 되었다. 그런데 중국은 내전에 휘말리게 되었고, 일본은 단독으로 점령한 미국의 주도로 전후 처리가 이루어졌다. 미국은 일본에 대해 민주주의와 군사적 비무장을 위한 전반적인 개혁을 실시하였다. 그러나 샌프란시스코 강화 조약 체결을 전후하여 미국의 대일본 정책은 반공 기지를 구축하는 방향으로 바뀌었다.

|보기|
ㄱ. 도쿄 재판이 마무리되었다.
ㄴ. 북한이 남침을 감행하였다.
ㄷ. 파리 평화 협정이 체결되었다.
ㄹ. 중화 인민 공화국이 수립되었다.

① ㄱ, ㄴ ② ㄱ, ㄷ ③ ㄴ, ㄷ
④ ㄴ, ㄹ ⑤ ㄷ, ㄹ

07 (가)~(라) 시기에 일어난 사실을 |보기|에서 고른 것은?

1945		1950		1965		1969		1972(년)
	(가)		(나)		(다)		(라)	
제2차 세계 대전 종식		6·25 전쟁 발발		베트남 전쟁 미국 참전		닉슨 독트린 발표		중·일 국교 수립

|보기|
ㄱ. (가) – 한국에 제헌 국회가 구성되었다.
ㄴ. (나) – 일본이 연합국과 샌프란시스코 강화 조약을 체결하였다.
ㄷ. (다) – 트루먼 독트린이 선포되었다.
ㄹ. (라) – 중국과 타이완 사이에 양안 관계가 정립되었다.

① ㄱ, ㄴ ② ㄱ, ㄷ ③ ㄴ, ㄷ
④ ㄴ, ㄹ ⑤ ㄷ, ㄹ

08 (가) 조약에 대한 옳은 설명을 |보기|에서 고른 것은?

〈 (가) 이후 배상 실태〉

참가국	연합국 중 45개국	배상 청구권 포기
	필리핀, 인도네시아, 남베트남	배상(경제 협력)
	소련, 폴란드, 체코슬로바키아	서명 거부 일·소 공동 선언으로 포기

|보기|
ㄱ. 6·25 전쟁 중에 체결되었다.
ㄴ. 「평화헌법」 제정으로 이어졌다.
ㄷ. 일본에 대한 미국의 군정이 종식되었다.
ㄹ. 중국은 회의에 참여하여 일본과 외교 관계를 맺었다.

① ㄱ, ㄴ ② ㄱ, ㄷ ③ ㄴ, ㄷ
④ ㄴ, ㄹ ⑤ ㄷ, ㄹ

총 문항수 2 | 처음 푼 날 월 일
정답과 해설 68쪽 | 오답 푼 날 월 일

01 밑줄 친 '강화 조약'에 대한 설명으로 적절하지 않은 것은?

> 제2차 세계 대전에서 항복한 일본은 미 군정의 지배를 받았다. 미국은 일본의 민주화와 비무장 조치에 중점을 두었다. 그러나 한반도에서 6·25 전쟁이 발발하자 미·일 간에 새로운 협력 체제가 형성되었다. 1951년 9월, 일본은 미국에서 연합국과 강화 조약을 체결하였다.

① 한국, 중국 등 피해 당사국이 제외된 채 체결되었다.
② 동아시아의 반공망을 강화하려는 미국의 의도가 반영되었다.
③ 일본의 주권을 회복시키고 국제 사회로의 복귀를 가능하게 하였다.
④ 미군의 일본 주둔을 허용한 미·일 안전 보장 조약과 함께 체결되었다.
⑤ 남양(태평양) 군도에 대한 일본의 권익을 인정하는 대신 영·일 동맹을 해체시켰다.

유형 분석
제시된 자료를 통해 사건을 파악하고 그에 대한 답지들을 가려내는 유형이야.

해결 비법
샌프란시스코 강화 조약은 동아시아의 반공망을 강화하려는 미국의 의도가 반영되었어. 따라서 일본에게 관대한 전후 처리가 이루어졌지. 샌프란시스코 강화 조약에 대한 문제는 수능과 모의 평가에서 자주 출제되고 있으니 자세히 알아두는 게 좋아.

02 밑줄 친 '이번 전쟁' 중에 있었던 옳은 사실을 |보기|에서 고른 것은?

> 미국, 영국, 중국 등 3개국은 일본의 침략을 제지하고 이를 처벌하기 위하여 이번 전쟁을 수행하고 있다. …… 우리는 한국민의 노예 상태에 유의하여 적절한 시기에 한국을 자주 독립시킬 것을 결의한다. 우리는 일본의 무조건적인 항복을 촉진하는 데 필요한 중대하고도 장기적인 행동을 속행할 것을 선언한다.

|보기|
ㄱ. 영·일 동맹이 해체되고 일본의 군비가 제한되었다.
ㄴ. 베트남 광복회가 결성되어 무장 투쟁을 전개하였다.
ㄷ. 미드웨이 해전을 계기로 태평양 지역의 전세가 역전되었다.
ㄹ. 얄타 회담에서 연합국의 요청으로 소련이 대일 참전을 결정하였다.

① ㄱ, ㄴ ② ㄱ, ㄷ ③ ㄴ, ㄷ ④ ㄴ, ㄹ ⑤ ㄷ, ㄹ

유형 분석
제시된 자료를 통해 알 수 있는 사건을 유추하는 유형이야.

해결 비법
자료에서 말하는 사건이 무엇인지는 쉽게 파악할 수 있지만, 전쟁 중 열린 각 회담의 특징은 반드시 알아두자.

심화 기출 지문 활용하기

총 문항수 6 | 처음 푼 날 월 일
정답과 해설 68쪽 | 오답 푼 날 월 일

2015학년도 수능

(가)

• 양국 간에 외교 및 영사 관계를 수립한다.

• 1910년 8월 22일 및 그 이전에 대한 제국과 일본 간에 체결된 모든 조약 및 협정이 이미 무효임을 확인한다.

(나)

• 일본은 과거 일본국이 전쟁으로 중국 국민에게 중대한 손해를 입힌 것에 책임을 통감하고 깊이 반성한다.

• 이 성명이 공포된 날로부터 일본국과 중화 인민 공화국 사이의 지금까지의 비정상적 상태가 종식되었음을 선포한다.

서술형 문제

01 (가)와 (나)가 발표될 수 있었던 배경을 각각 한 가지씩 쓰시오.

수능 문제

02 (가), (나) 문서에 대한 옳은 설명을 |보기|에서 고른 것은?

| 보기 |

ㄱ. (가) – 일·화 평화 조약의 체결로 이어졌다.
ㄴ. (가) – 양국의 군사적 동맹 관계를 확정하였다.
ㄷ. (나) – 미국 대통령 닉슨이 중국을 방문한 후 발표되었다.
ㄹ. (나) – 중화 인민 공화국 정부를 중국의 유일한 합법 정부로 인정하였다.

① ㄱ, ㄴ ② ㄱ, ㄷ ③ ㄴ, ㄷ
④ ㄴ, ㄹ ⑤ ㄷ, ㄹ

활용 문제

03 (가)에 대한 설명으로 적절한 것은?

① 한국의 이승만 정부 때 체결되었다.
② 일본이 주권 회복을 앞당기는 데 영향을 끼쳤다.
③ 동아시아의 냉전 체제가 완화되는 결과를 낳았다.
④ 대한민국을 한반도의 유일한 합법 정부로 인정하였다.
⑤ 한국에서 반대 운동이 있었던 반면, 일본에서는 반대 운동이 나타나지 않았다.

2017학년도 수능

(가) **제1조** 이 성명이 공포된 날부터 중화 인민 공화국과 일본 사이에 지금까지의 비정상적 상태가 종식되었음을 선포한다.
제2조 일본 정부는 중화 인민 공화국 정부가 중국의 유일한 합법 정부임을 승인한다.

(나) **제5조** 협정이 조인된 날부터 60일 이내에 미국과 그 외 동맹국들의 군인, 군사 고문단, 군 기술자 및 여러 군무원은 남베트남에서 완전히 철수한다.
제6조 남베트남에 있는 미국과 그 외 동맹국들의 군사 기지는 협정이 조인된 날부터 60일 이내에 철거한다.

서술형 문제

04 (가)가 체결된 이후, 두 국가에 미친 영향을 각각 한 가지씩 쓰시오.

수능 문제

05 (가), (나) 합의에 대한 설명으로 옳은 것은?

① (가)는 한·일 국교 정상화에 영향을 끼쳤다.
② (가)는 일본에 대한 전쟁 배상 요구 포기를 명시하였다.
③ (나)는 통킹 만 사건이 일어나는 배경이 되었다.
④ (나)는 베트남 사회주의 공화국과 미국 사이에 체결되었다.
⑤ (가)와 (나) 사이의 시기에 미국 대통령이 중국을 방문하였다.

활용 문제

06 (가), (나) 조약에 대한 설명으로 적절한 것은?

① (가) – 소련 해체 후 발표되었다.
② (가) – 일본과 타이완의 국교가 단절되었다.
③ (나) – 미·일 안보 조약을 맺는 계기가 되었다.
④ (나) – 일본이 아시아 반공 기지로 자리매김하였다.
⑤ (가), (나) – 동아시아의 냉전 체제가 강화되었다.

주제 14

경제 성장과 정치 · 사회의 발전

주제 흐름 읽기

경제 성장
- 일본: 제2차 세계 대전 패망 → 1980년대 세계 제2의 경제 대국화 → 거품 경제, 장기 불황 → 양적 완화, 아베노믹스
- 한국: 분단, 6·25 전쟁 → 경제 개발 5개년 계획 → 고성장, 3저 호황 → 외환 위기 → 외자 유치와 구조 조정으로 극복
- 중국: 대약진 운동, 문화 대혁명 → 덩샤오핑의 개혁 정책 → 고도성장, 2010년 세계 제2위의 경제 대국화 → 도농 격차 심화, 양극화

정치 사회의 발전
- 일본: '55년 체제' 성립 → 부정부패 → '55년 체제' 붕괴, 민주당 정권 교체 → 정책 실패와 보수화 → 아베 내각 성립
- 한국: 4·19 혁명 → 5·16 군사 정변 → 신군부 등장 → 5·18 민주화 운동 → 6월 민주 항쟁 → 최초의 평화적 정권 교체
- 타이완: 국민당 1당 지배 체제 → 천수이볜의 집권
- 중국: 문화 대혁명 → 톈안먼 사건

1 동아시아 각국의 경제 성장

1. 일본 · 한국 · 타이완의 경제 성장

동아시아 여러 국가는 어떻게 경제를 발전시켰을까요?

(1) 동아시아 경제 성장의 선두 주자 일본

① 냉전 시작 후 미국이 경제 · 군사적 지원, 6 · 25 전쟁으로 증가한 군수품 수요

② 1950년대 후반~1970년대 초반까지 고도성장으로 세계 제2의 경제 대국화

③ 플라자 합의: 달러화와 엔화 사이 환율 조절, 금리 인하 단행 자료 1

④ 거품 경제 형성 → 부동산과 주식 폭락 → 장기 불황

왜? 금리가 인하되면, 유동자금이 증가하고 수익을 찾아 부동산과 주식으로 몰리게 되지.

(2) 한국 경제의 성장과 위기

① 경제 개발 5개년 계획(수출 주도형 경제 정책) 추진, 3저 호황❶

② 두 차례 석유 파동, 외환 위기

무엇을? 외환에 대한 부적절한 관리로 한 때 1달러가 2,000원대까지 치솟자 IMF에 구제 금융을 요청하게 되었어.

(3) 타이완의 경제 발전

① 중소기업을 중심으로 경제 성장, 베트남 전쟁 특수

② 미 · 중 수교로 인한 외교적 고립, 양안 관계 갈등

(4) 일본 · 한국 · 타이완 경제 성장의 공통점

① 국가가 주도한 수출 중심 정책으로 빠른 경제 성장

② 베트남 전쟁 특수가 세 국가 경제 성장의 밑거름 자료 2

③ 반공 동맹을 강화하려는 미국의 경제 군사적 지원

2. 중국의 개혁 · 개방과 경제 발전

중국은 어떻게 세계 2위의 경제 대국이 되었을까요?

(1) 개혁 · 개방 이전의 사회주의 경제

① 대약진 운동❷ → 농민 저항, 소련의 경제 원조 중단, 자연 재해 등으로 실패

② 사회주의 경제 정책 일부 수정 시도 → 문화 대혁명❸으로 마오쩌둥 재집권

(2) 개혁 · 개방과 경제 발전

무엇을? 천여 호에서 수천 호를 하나로 묶어 집단 노동, 공동 분배하도록 한 사회 조직이야.

① 덩샤오핑 · 인민공사 해체, 국영 기업의 자율 경영 허용

② 경제특구를 설치하여 외국 자본과 기술을 유치하는 개방 정책

③ 고도성장을 지속하여 '세계의 공장'이라 불리며, 세계 2위의 경제 대국화

---

❶ 3저 호황
유가, 금리, 외환 시세가 모두 낮았기 때문에 물가가 안정되었다. 노동자에게도 충분한 일자리가 있고, 임금도 상대적으로 높았다.

❷ 대약진 운동
마오쩌둥은 중국이 직면한 공업과 농업의 문제를 한꺼번에 해결하고자 '대약진 운동'을 제창하였다. 이에 따라 공업 부문에서는 각지에 소형 용광로를 만들어 철강 증산을 꾀하였고, 농업 부문에서는 농민을 인민공사로 조직화하여 농업 집단화를 통한 생산력 증대를 도모하였다. 하지만 철강의 품질이 좋지 않아 쓸모가 없었고, 자연 재해가 겹쳐 농업 생산력도 급감하여 실패로 끝났다.

❸ 문화 대혁명
대약진 운동의 실패로 정치적 위기로 몰리게 된 마오쩌둥이 자본주의의 길을 가려는 수정주의 세력을 숙청하고자 벌인 정치 · 권력 투쟁이다. 이에 호응한 학생 · 노동자들이 홍위병을 조직하면서 대중 운동으로 퍼졌다.

자료 1 플라자 합의

뉴욕 맨해튼의 센트럴파크 옆에는 플라자 호텔이 있다. 고풍스런 건물 외벽도 아름답지만 1985년 플라자 합의가 열린 곳으로 유명세를 타면서 지금은 뉴욕을 대표하는 관광 명소가 되었다.
1985년 9월 22일, 미국과 영국, 프랑스, 독일, 일본 등 선진 5개국 중앙은행 총재가 미국의 무역수지 개선을 위해 플라자 호텔에 모였다. 미국의 무역수지를 개선시키기 위해서 일본 엔화와 독일 마르크화의 통화 가치를 절상*한다는 것이 주요 내용이었으며, 이 같은 노력이 성과를 거두지 못할 때에는 각국 정부가 인위적으로 시장에 개입하기로 합의했다. – 서정명, 『달러의 몰락과 신화폐 전쟁』 –

*통화 가치 절상 흔히 1달러가 1,000원에서 800원으로 환율이 내렸다고 할 때, 이는 미 달러화에 대해 자국 통화의 가치가 상승되었다는 뜻이다. 이를 평가 절상이라고 한다.

플라자 합의가 나오게 된 배경은 무엇일까?
미국은 1978년 2차 석유 파동을 겪은 후 고금리 정책으로 전환했으나 달러 가치가 높아지면서 무역 수지 적자는 심각한 양상을 띠게 되었어. 이러한 난국을 헤쳐 나가기 위해 플라자 합의가 성사된 것이지.

플라자 합의 이후 일본 경제에 미친 영향은 무엇일까?
엔화 가치가 상승하면 일본의 수출 경쟁력은 떨어지게 돼. 수출 중심의 일본 경제가 1990년대 10년 동안 혹독한 경기침체를 겪어야 했던 것도 플라자 합의에 동의했기 때문이라는 지적이 나오고 있지.

뜰어보기 포인트
일본이 장기 침체에 빠지게 된 계기가 무엇인지 살펴보자.

Q1 플라자 합의에 대한 설명으로 적절한 것을 모두 선택해 보자.

㉠ 유럽이 유로라는 단일 화폐를 만들게 되는 계기가 되었다.
㉡ 미국의 무역 수지를 개선하기 위하여 개최한 회의의 결과물이다.
㉢ 일본 엔화와 독일 마르크화의 통화가치를 절하한다는 것이 주요 내용이었다.
㉣ 일본이 '잃어버린 10년'이라 부르는 장기 침체의 계기가 되었다고 보기도 한다.
㉤ 일본의 수출 경쟁력이 떨어지게 되어 한국 상품이 미국 시장에서 많이 팔리게 되었다.

자료 2 브라운 각서

<군사 원조>

1. 한국에 있는 한국군의 현대화 계획을 위해 앞으로 수년 동안에 걸쳐 상당량의 장비를 제공한다.
2. 월남에 파견되는 추가 증파 병력에 필요한 장비를 제공하는 한편, 증파에 따른 모든 추가적 원화 경비를 부담한다.

<경제 원조>

5. 1965년 5월에 한국에 대해 약속했던 1억 5천만 달러 규모의 차관에 덧붙여 미국 정부는 적절한 사업이 개발됨에 따라 1억 5천만 달러 제공 약속에 적용되는 같은 정신과 고려 밑에 한국의 경제 발전을 돕기 위한 추가 AID 차관*을 제공한다.

*AID 차관 미국의 케네디 정부는 경제 원조와 군사 원조를 구분하되 경제 원조에 더 중점을 두는 새로운 정책을 만들었다. 이에 따라 AID 원조는 무상 증여 대신에 차관 형식으로 이루어졌다.

브라운 각서가 한미 관계에 어떤 영향을 미쳤을까?
한국에 대한 지원을 축소하려는 케네디 행정부 이래 미국 정부의 정책 방향이 바뀌었어. 이전까지의 한미 관계에서 한국 정부가 일방적으로 원조와 관련하여 미국의 정책에 끌려 다녔다면 베트남 파병 카드를 통해 상황을 역전하는 데 성공하였지.

뜰어보기 포인트
베트남 전쟁에 참여한 한국이 얻은 것과 잃은 것에 대해 알아보자.

Q2 브라운 각서에 대한 설명으로 적절한 것을 모두 선택해 보자.

㉠ 한 · 미 연합군 사령부를 개편하였다.
㉡ 전쟁에 필요한 물자 일부를 한국에서 구매하였다.
㉢ 한국의 경제 발전을 돕기 위한 추가 AID 차관을 제공하였다.
㉣ 베트남 전쟁 당시 한국군 병력 증파의 조건으로 체결되었다.
㉤ 1966년 한국과 미국 사이에 주둔군 지위 협정(SOFA)를 체결하였다.

답 Q1 ㉡, ㉣, ㉤ / Q2 ㉡, ㉢, ㉣

(3) **북한과 베트남의 개혁 · 개방과 경제 발전**

① 북한

1950년대	• 협동 농장과 국영 기업 중심의 사회주의 경제 체제 건설
1970년대	• 소련의 원조 중단, 막대한 군사비 지출로 경제 침체
1980년대	• 합영법 제정과 경제특구 지정으로 외국 자본 유치 노력 • 소련과 동유럽 사회주의권 몰락, 과도한 군사비로 성과 미미
2000년대	• 개성 공업 지구 사업, 금강산 개발 추진 • 권력 세습, 북핵 문제 등으로 남북 관계 악화 • 중국과의 협력 강화(북한의 지하자원 독점적 개발)

왜? 개성 공업 지구 사업은 핵개발로, 금강산 관광은 관광객 피살 사건으로 중단됐어.

② 베트남

베트남 전쟁 이후	• 토지 개혁과 농업 집단화 등 사회주의 정책 단행
1980년대	• 도이머이[1]라는 개혁 · 개방 정책 추진 • 시장 경제 도입과 대외 개방 정책 표방 • 국가 소유에서 국가 협동조합 개인의 소유로 경제 주체가 다양화
현재	• 쌀과 커피의 세계 주요 수출국으로 변모 • 높은 경제 성장

2 동아시아 경제의 과제

1. 동아시아 경제 성장의 빛과 그림자

세계 경제에서 동아시아 지역이 차지하는 비중은 어느 정도일까요?

(1) **동아시아 경제 성장의 영향**

① 일본, 한국, 중국이 20년 정도 시차로 차례로 올림픽 개최[2]

② 중국과 베트남이 적극적 개혁 · 개방 정책으로 빠른 경제 성장 자료 3

③ 한국 · 중국 · 일본이 세계 경제에서 차지하는 비중이 20% 초과

(2) **경제 성장의 그림자**

중국	• 도농 간의 소득 격차로 인한 농민공[3] 급증과 양극화가 사회 문제화
일본	• 거품 경제 붕괴 이후 각종 경기 부양책으로 인한 국가채무 급증
한국	• 소득 양극화, 고용 불안, 청년 실업, 인구 노령화로 인한 성장률 하락

2. 동아시아 교역의 변화와 과제

세계 경제 속에서 동아시아 지역은 어떻게 나아가야 할까요?

(1) **냉전 시기**

① 미국을 중심으로 한국 · 일본 · 타이완이 연결된 형태

② 동아시아 국가들의 최대 수출 시장은 미국, 중국은 폐쇄적 죽의 장막[4]

(2) **냉전 해체**

① 미국 중심에서 동아시아 역내로 중심 변화

② 중국의 세계 무역 기구(WTO)[5] 가입으로 교류 활성화 자료 4

(3) **경제 공동체 형성을 위한 노력**

① 한 · 중 자유 무역 협정 체결

언제? 2015년에 발효되었어.

② 선행 과제 산적(국가 간 무역 수지 불균형, 역사 및 영토 갈등 극복 등)

---

[1] 도이머이
시장 경제의 도입과 대외 개방 정책을 표방하였으며, 1986년 개최된 제6차 베트남 공산당 전국 대회에서 채택되었다. 베트남은 이 정책을 통해 사회주의 계획 경제로부터 국가 관리하에 시장 경제 체제로 경제 운영 방식을 변화시키고, 대외 개방과 외국 자본 유치를 적극적으로 추진하였다.

[2] 아시아의 올림픽 개최 도시

도쿄 올림픽(1964년)	경제 기반 마련 선언
서울 올림픽(1988년)	
베이징 올림픽(2008년)	

[3] 농민공
중국은 도시와 농촌의 호적을 달리하는데, 호적상으로는 농민의 신분이지만 실제로는 도시에 와서 노동자의 역할을 하는 농촌 출신 일용직 노동자를 말한다.

[4] 죽의 장막
1949년 이래 중국이 공산 국가가 아닌 국가에 펼친 폐쇄 정책을 뜻하는 용어로, 소련의 폐쇄 정책을 가리키는 '철의 장막'에 빗댄 표현이다.

[5] 세계 무역 기구(WTO)
국제 무역 확대, 회원국 간의 통상 분쟁 해결, 세계 교역 및 새로운 통상 논점에 관한 연구를 위하여 설립된 국제 기구이다.

자료 3 **흑묘백묘론**

덩샤오핑은 1962년 7월 7일 공산주의 청년단 총회에서 행한 연설에서 "황색 고양이든 검은 색 고양이든 간에, 쥐를 잡아주는 동안은 좋은 고양이다."라는 리우 보쳉의 말을 인용하면서 '농가생산청부제' 채택을 지지했다. 이것은 훗날 문화 대혁명 기간 중 덩샤오핑이 '백묘흑묘론'으로 비판받게 되는 계기가 된 연설이다. 하지만 당시 덩샤오핑은 마오쩌둥의 노선에 정면으로 대항하지는 않았다. 1962년 7월 7일 위에서 언급한 연설이 끝난 직후 마오쩌둥은 계급 투쟁과 집단 경제의 강화 필요성을 강조했다. – 박정동, 『21세기 중국』 –

◎ 덩샤오핑이 끝까지 견지한 정책의 방향은 무엇일까?

남순 강화를 통해 덩샤오핑은 사회주의 경제 체제를 건립하고 생산력의 발전을 촉진하는 것을 개혁이라고 밝혔어. 사회주의를 견지하는 상태로 개혁·개방과 경제 발전, 인민 생활 개선을 추구하였지.

◎ 개혁·개방 정책의 구체적인 사례에는 무엇이 있을까?

인민공사를 해체하고 국영 기업의 자율 경영을 허용하는 등 개혁 정책을 추구하였어. 또한 경제특구를 설치하여 외국 자본과 기술을 유치하는 개방 정책을 펼쳤지.

자료 4 **세계 무역 기구(WTO)**

우루과이 라운드 다자간 무역 협상 결과를 구현하는 최종 의정서

1. 무역 협상 위원회 회원국인 정부 및 구주공동체의 대표들은 우루과이 라운드 다자간 무역 협상을 종결짓기 위해 회합하여 이 최종 의정서의 부속서에 첨부된 세계 무역 기구 설립을 위한 협정(이하 "세계 무역 기구 협정"), 각료 선언 및 결정과 금융 서비스 약속에 관한 양해가 그들의 협상 결과를 구현하며 이 최종 의정서의 불가분의 일부를 구성한다는 데 동의한다.
5. 관세 및 무역에 관한 일반 협정(이하 "GATT")의 체약 당사자가 아닌 참가국들은 세계 무역 기구 협정을 수락하기 이전에 먼저 동 협정 가입을 위한 협상을 종결하고 동 협정의 체약 당사자가 되어야 한다. 이 최종 의정서의 일자 당시 GATT의 체약 당사자가 아닌 참가국의 경우 양허표는 확정적인 것이 아니며 GATT 가입 및 세계 무역 기구 협정 수락 목적을 위하여 추후 완성되어야 한다. – 세계 무역 기구 최종 의정서 중 –

◎ 세계 무역 기구(WTO)와 GATT는 어떤 차이점을 갖고 있을까?

GATT도 다면적이고 다각적인 교섭으로 세계의 자유 무역 확대에 기여해 왔어. 하지만 1980년대 미국의 무역 적자가 심화되자 이를 타개하기 위하여 미국이 상대적으로 우위에 있는 지적 재산권, 농업 분야에 대한 자유 무역의 정도를 강화하려 하였지. 세계 무역 기구는 이에 대한 규범을 새롭게 마련한 점에서 의의가 있어.

◎ 세계 무역 기구(WTO)는 동아시아 사회에 어떠한 영향을 미쳤을까?

동아시아 국가들은 노동 집약적 농업을 하기 때문에 농산물의 가격 경쟁력이 매우 떨어지거든. 또한 쌀 수입 문제는 식량 안보와도 직결되어 있지. 무분별한 쌀 수입으로 각국의 농업 기반이 송두리째 붕괴될지도 모른다는 불안감을 느끼고 있어.

뜯어보기 포인트

흑묘백묘론은 덩샤오핑의 실용주의 노선을 잘 나타내는 표현임을 기억하자.

Q3 덩샤오핑의 흑묘백묘론과 유사한 경제 정책을 선택해 보자.

㉠ 한국의 토지 개혁
㉡ 중국의 인민공사 설립
㉢ 중국의 주요 산업 국유화
㉣ 베트남의 도이머이 정책 추진
㉤ 북한의 개인 농지의 협동 농장화

뜯어보기 포인트

세계 무역 확대에 기여했던 GATT 체제가 우루과이 라운드를 통해 세계 무역 기구 체제로 확대되었음을 기억하자.

Q4 세계 무역 기구에 대한 설명으로 옳은 것을 모두 선택해 보자.

㉠ 보호 무역을 증대시키기 위한 것이다.
㉡ 중국 등 동아시아 국가들이 중심이 되어 형성되었다.
㉢ 중국은 2001년 16년간의 협상 끝에 143번째 회원국으로 가입하였다.
㉣ 타이완은 하나의 중국이라는 중국의 강경한 반대로 인하여 가입하지 못하였다.
㉤ 우루과이 라운드로 인하여 비롯되었으며, GATT 체제에 비해 지적 재산권 보호 등을 강화하였다.

답 Q3 ㉣ / Q4 ㉢, ㉤

3 정치 · 사회의 발전

1. 일본의 정치 발전
일본의 민주 정치는 어떤 과정을 거쳐 발달했을까요?

(1) 자민당❶ 장기 집권

① '55년 체제' – 「평화헌법」 개정을 주장하는 보수적인 자민당과 「평화헌법」 개정에 반대하는 진보적인 사회당의 양당 체제 탄생

② 신안보 조약 – 미 · 일 안보 조약 개정으로 미국과 군사 유대 강화, 군비 확장 추진 → 야당과 시민들의 안보 투쟁

③ 경제 우선 정책으로 40여 년 동안 정권 유지

(2) 정권 교체와 자민당 재집권

① 경제 성장 둔화와 부정부패로 지지 기반 동요, 탈당한 자민당 의원 수십 명이 야당과 공조하여 비자민당 연립 정권 수립으로 '55년 체제' 붕괴

왜? 7개 군소정당이 정권을 잡지만, 원래 자민당 출신이 많아서 정권 교체라는 표현 대신 '55년 체제의 붕괴'로 표현한다고 해.

② 2009년 민주당이 과반수 의석을 차지하여 정권 교체가 이루어짐

③ 2012년 민주당의 정책 실패와 보수화로 자민당 소속 아베 내각 성립

2. 한국과 타이완의 정치 발전
한국의 김대중 정부와 타이완 민진당 집권은 어떤 공통점이 있을까요?

(1) 한국의 민주화 과정

① 이승만 정부의 반공 정책, 개헌과 부정 선거 → 4 · 19 혁명

누가? 당시 고등학생이던 김주열의 시신이 발견되어 촉발되었어.

② 5 · 16 군사 정변과 10월 유신 → 국민의 저항, 10 · 26 사태

③ 5 · 18 민주화 운동, 6월 민주 항쟁으로 직선제 개헌 자료 5

④ 선거를 통한 최초의 평화적 정권 교체(1997년)와 여야 간 정권 교체(2007년)

무엇을? 6월 민주 항쟁으로 정권 교체가 된 것이 아니라 직선제 개헌이 이루어졌음을 유의해.

(2) 타이완의 민주화 과정

① 국민당 일당 지배 체제가 40년 가까이 지속

누가? 본토에서 밀려난 장제스 이후에도 그의 아들인 장징궈, 그리고 그 후계자인 리덩후이가 총통직을 이어받았지.

② 총통 직선제 개헌 등 민주화 정책 추진

③ 천수이볜이 '타이완 독립'을 주장하며 선출되어 최초로 정권 교체

④ 이후 국민당과 민진당이 번갈아 재집권

3. 사회주의 체제의 변화
사회주의 국가에서는 어떤 변화가 나타났을까요?

국가	내용
중국	• 정치 개혁과 민주화를 요구하는 대규모 시위를 무력으로 진압(톈안먼 사건) 자료 6 • 후야오방❷의 정치 개혁 시도, 류샤오보❸의 08헌장❹
베트남	• 경제 성장과 함께 공직사회 부정부패 추방 운동, 빈부격차 해소 노력
북한	• 1970년대 주체사상은 김일성 절대 권력을 정당화하는 기반 • 사회주의권 붕괴와 함께 부분적인 개방 정책 추진 • 3대 권력 세습과 핵무기 개발로 국제 고립 자초

왜? 중소 분쟁과 미 · 중 수교에 충격을 받은 김일성은 독자 노선을 천명해.

누가? 김일성–김정일–김정은으로 이어졌어.

4. 각국의 시민운동과 사회 발전
동아시아 각국의 시민운동이 활발해진 배경은 무엇일까요?

① 민주화가 진전되면서 경제 성장 과정에서 지나쳤던 여러 사회 문제에 주목

② 노동, 도시, 환경 오염, 여성 차별, 다문화와 같은 다양한 사회 운동 전개

③ 환경 오염, 이주 노동자 문제 등을 공동으로 해결하려는 국가 간 연대 모색

---

❶ 자민당
1955년에 자유당과 일본 민주당이 합쳐져 창당된 일본의 보수주의 정당이다.

❷ 후야오방
1982년 공산당 총서기에 취임한 그는 사상 해방, 언론 자유, 개인 자유의 신장, 법치주의, 당내 민주화 등과 관련된 과감한 정치 개혁을 추진하였다.

❸ 류샤오보
1989년 톈안먼 시위에 참여했다가 시위가 진압된 뒤 반혁명 혐의로 투옥되었다. 2008년에는 '08헌장' 성명의 작성을 주도하여 국가 권력 전복 선동 혐의로 11년 형을 선고받았다. 중국의 인권을 위한 그의 노력은 국제 사회로부터 인정받아 2010년 옥중에서 노벨 평화상을 받았다. 2017년 7월에 사망하였다.

❹ 08헌장
체코의 77헌장을 본뜬 것으로, 2008년에 일당 독재 폐지, 언론의 자유 보장, 직접 선거제 도입 등을 요구하였다.

자료 5 한국의 민주화 운동

> 우리는 4·13 특별 조치*를 국민의 이름으로 무효임을 선언한다. 이 나라는 전제 군주 국가가 아니다. 국민이 국가 권력의 주체이다. 따라서 전 국민적 여망인 민주 헌법 쟁취를 통한 민주 정부의 수립 의지를 정면으로 거부한 이 폭거는 결코 인정될 수 없다.
>
> –「6·10 국민대회 선언문」–
>
> *4·13 특별 조치 전두환 대통령은 "평화적인 정부 이양과 서울 올림픽이라는 국가대사를 성공적으로 치르기 위해 국력을 낭비하는 소모적인 개헌 논의를 지양한다."고 선언했다.

6월 항쟁이 벌어진 원인은 무엇일까?

1987년 2월, 서울대생 박종철이 경찰서에서 조사를 받다가 물고문으로 사망하는 사건이 일어났어. 또한 전두환 정권은 4·13 특별 조치 즉, 호헌을 통하여 직선제 개헌을 요구하는 국민을 무시하는 태도를 보였지. 이에 시민들은 호헌 철폐를 요구하며 당시 집권당이던 민주정의당의 대통령 후보가 지명되는 날인 6월 10일에 맞춰 전국적인 시위를 벌이기로 계획하였어.

6월 항쟁이 한국 사회에 미친 영향은 무엇일까?

대통령 직선제와 5년 단임제의 이른바 '87년' 체제 헌법을 만들게 되었고, 현재까지 이어지고 있어. 또한 우리 사회의 여러 분야에서 민주주의의 이념과 제도가 뿌리내리게 하는 계기가 되었지.

뜰어보기 포인트

6월 항쟁이 오늘날 한국 사회의 민주화에 크게 기여한 사건임을 기억하자.

Q5 한국의 6월 항쟁과 관련된 것을 모두 선택해 보자.

㉠ 직선제 개헌이 이루어졌다.
㉡ 3선 개헌이 배경이 되었다.
㉢ 부정 선거가 배경이 되었다.
㉣ 학생이 희생되어 국민들이 분노하였다.
㉤ 군대가 출동하여 무력으로 진압하였다.

자료 6 톈안먼 사건

> 톈안먼 사건은 1989년 6월 4일 톈안먼 광장에서 발생한 학생과 시민의 민주화 시위를 중국 정부가 무력으로 진압한 사건이다. …… 후야오방 사망 후 베이징 대학에는 그를 찬양하고 보수파를 비난하는 대자보가 붙기 시작했다. 4월 22일 후야오방의 장례식에 수십만 명의 학생과 시민이 참석했고, 여기서 후야오방이 추구하려다 실패했던 정치 개혁과 민주화에 대한 요구가 봇물처럼 터져 나왔다. …… 결국 6월 4일 '피의 일요일'로 불리는 군의 대학살이 이어졌다.
>
> – 김태만 외,『쉽게 이해하는 중국 문화』–

톈안먼 사건이 일어난 이유는 무엇일까?

개혁·개방이 중국인의 생활 수준을 향상시켰지만, 정치·경제적 부작용도 양산함에 따라 정부에 대한 불만 또한 심화되었어. 특히 경제 과열로 인한 인플레와 소득 격차에서 오는 불만감 등이 상승 효과를 내어 급기야는 정치 개혁을 요구하는 민주화 시위로 발전했던 것이지.

톈안먼 사건이 중국에 끼친 영향은 무엇일까?

중국은 국제 사회에서 고립되었고, 소비에트 연방은 붕괴되었어. 이 두 가지 사건은 덩샤오핑이 제창한 개혁·개방 정책을 좌절의 위기로 빠져 들게 하였지. 이에 덩샤오핑은 우한, 선전, 주하이, 상하이 등을 시찰하면서 중요한 담화를 발표하였는데 이를 남순 강화라고 해.

뜰어보기 포인트

중국의 정치 변혁을 위한 움직임이 있었다는 것을 기억하자.

Q6 톈안먼 사건과 관련하여 옳은 것을 모두 선택해 보자.

㉠ 시위가 중국 전역으로 확산되었다.
㉡ 문화 대혁명에 대한 반발로 일어났다.
㉢ 군대가 출동하여 무력으로 진압하였다.
㉣ 덩샤오핑의 남방 순시의 계기가 되었다.
㉤ 마오쩌둥을 추종하는 홍위병이 동원되었다.

답 Q5 ㉠, ㉣ / Q6 ㉢, ㉣

주제 15 갈등과 화해

주제 흐름 읽기

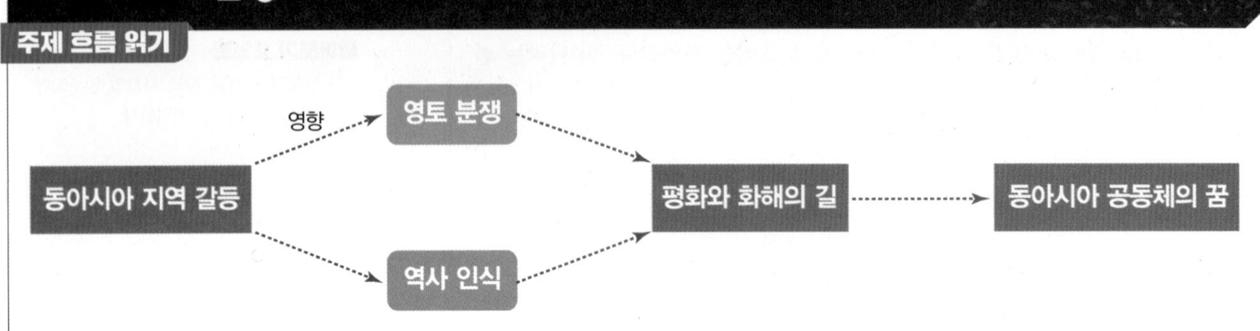

1 동아시아의 지역 갈등

1. 동아시아 영토 분쟁 { 동아시아의 영토 갈등에는 어떤 것이 있을까요?

분쟁 지역	• 센카쿠 열도(댜오위다오 및 부속 도서): 중국과 일본이 분쟁 • 쿠릴 열도(북방 4개 섬): 러시아와 일본이 분쟁 • 파라셀 군도(시사 군도): 중국과 베트남이 분쟁 • 스프래틀리 군도(난사 군도): 중국과 동남아시아 국가 간 분쟁
분쟁 배경	• 동중국해와 남중국해는 중요 무역로이자 자원 매장지

2. 한국 고유의 영토, 독도 { 독도가 우리땅인 이유는 무엇일까요?

① 일본이 러·일 전쟁 중 시마네현 고시에 따라 무주지라며 독도 편입 주장

② 한국이 실효 지배 중이며, 대한 제국 칙령 41호 등으로 증명 가능

2 역사 인식을 둘러싼 갈등

1. 야스쿠니 신사 참배와 일본군 '위안부' 문제 { 일본이 저지른 전쟁 범죄에는 무엇이 있나요?

왜? 야스쿠니 신사에 A급 전범이 합사되어 있어.

(1) **총리를 비롯한 일본 정치인들의 야스쿠니 신사 참배 문제**

(2) **일본군 '위안부' 문제** 고노 담화[1], 유엔 인권 위원회 결의안 자료 1

왜? 여성에 대한 전쟁 범죄가 다시 일어나서는 안된다는 전세계인의 의지를 담은 것이지.

왜? '위안부'라는 표현은 올바른 표현이 아니지만 일반화되어 있기 때문에 반드시 ' '을 붙여서 사용해야 해.

2. 일본과 중국의 역사 왜곡 문제 { 역사 왜곡에 맞설 수 있는 방법은 무엇이 있을까요?

(1) **일본 우익의 역사 교과서 왜곡**

① 과거사에 대한 반성없이 침략 행위 부정, 축소, 미화

② 유엔 인권 위원회, 각국 및 유럽 연합 의회 결의안으로 일본 정부 압박

(2) **동북공정[2]의 목적** 중국이 국경 지역의 안정을 꾀하고, 북한의 정세 변화에 대비

3 평화와 화해의 길

1. 공동의 역사 인식을 위한 역사 대화 { 동아시아의 역사 갈등을 치유하고 평화를 정착하는 방법은 무엇이 있을까요?

① 한·일 역사 공동 연구 위원회[3] 등 국가 주도의 공동 연구는 중단

② 삼국 공동 역사 교재 발간, 동아시아 청소년 역사 체험 캠프 등 민간 차원은 활발

2. 동아시아 공동체의 꿈 { 화해와 협력의 동아시아 공동체를 만드는 방법에는 어떤 것이 있을까요?

– 다자간 협력체, 문화 공유, 민간 차원의 국제 연대 활동 자료 2

무엇을? 아세안(ASEAN)+3(한·중·일), 동아시아 정상회의(EAS)가 대표적이지.

---

❶ 고노 담화
고노 요헤이 당시 관방 장관이 일본군이 위안소 설치, 관리 및 일본군 '위안부'의 이송에 직·간접적으로 관여하였고, 본인의 의사에 반하는 강압적인 사례가 많았음을 인정하고 사과한 담화이다.

❷ 동북 공정
중국 사회 과학원이 진행한 연구 프로젝트로, 한국 고대사에 해당하는 고조선, 부여, 고구려, 발해가 고대 중국 왕조의 지방 정권이므로 중국 역사에 포함되어야 한다는 주장이다.

❸ 한·일 역사 공동 연구 위원회
임나일본부설을 공동으로 부정하는 성과를 냈다. 임나일본부는 고대 일본이 한반도의 남부 일부를 지배했다는 주장으로, 일본 우익의 대표적인 역사왜곡 사례였다.

자료 1 일본군 '위안부' 문제 해결을 위한 수요 집회와 국제 연대 활동

장마가 주춤하는 사이 폭염주의보가 내려진 19일 서울 종로구 주한 일본대사관 앞에서 한국 정신대 문제 대책 협의회 주최로 일본군 성노예제* 해결을 위한 정기 수요 시위가 열렸다.
1292회째인 이날 수요 시위에는 인도, 방글라데시, 탄자니아 등 아시아·아프리카 지역 20개국 출신 여성 활동가 22명이 동참했다. …… 또한 일본의 시민 단체 회원들도 참가해 과거 군국주의자들이 저지른 잘못을 반성했다.

– 폭염에도 일본 대사관 앞 수요 집회, 『중앙일보』 –

*'위안부'와 일본군 성노예제 정신대 문제 대책 협의회는 1268차 수요 시위부터 피해자 할머니들을 지칭하는 용어로 '위안부'에서 '성노예'로 재규정하고 선포하였다.

뜯어보기 포인트
수요 집회가 왜 25년간 지속되었으며 어떤 성과를 거두었는지 기억하자.

◎ 제2차 세계 대전 당시 일본의 전쟁 범죄에 대해서 좀 더 알아볼까?
일본의 제2차 세계 대전 당시 범죄는 많은 동아시아 국가들을 고통스럽게 만들었기 때문에 피해국들은 공통의 기억을 갖고 있어. '위안부' 피해 여성은 한국뿐 아니라 동아시아 전역에 있으며, 야스쿠니 신사에 합사된 전범 중 마쓰이 이와네, 무토 아키라는 중국에서 수십 만 명을 학살한 난징 대학살의 원흉이지. 또한 이시이 고로의 731부대에서 희생당한 '마루타'라는 희생자 역시 동아시아 전역에서 발생하였어.

◎ 민간 차원에서 국제 연대 활동이 이루어지는 이유는 무엇일까?
인류가 공동으로 맞닥뜨린 인권, 여성, 환경, 평화 등의 문제를 공유하고 함께 해결책을 찾는 활동을 모색하고 있어. 이를 통해 동아시아가 21세기에는 갈등과 대립을 넘어 평화와 협력의 길로 나아가기를 바라고 있기 때문이지.

Q1 일본군 '위안부' 문제에 대한 설명으로 적절한 것을 모두 선택해 보자.

㉠ 고노 담화는 일본 총리가 사과한 담화이다.
㉡ 일본 정부는 '위안부' 문제에 대해서 공식적으로 사과한 적이 없다.
㉢ 김학순 할머니가 자신이 일본군 '위안부'였음을 공개 기자 회견에서 밝혔다.
㉣ 한국과 일본의 외교 장관과 시민 단체는 피해자 문제 해결 방안에 합의하였다.
㉤ 유엔 여성 차별 위원회는 '위안부' 문제가 해결되었다고 볼 수 없다는 입장이다.

자료 2 동아시아 공동체를 향한 문화의 교류

한류*는 한국 대중문화의 열기를 표현하기 위한 용어로써 중국의 언론이 '한류'라는 용어를 사용하면서 일반화되었다. …… 한국 대중문화의 열풍은 곧 대만, 베트남, 홍콩 등을 비롯한 동남아시아 전역으로 확대되면서, 곧 한국의 대중문화 뿐만 아니라 한국과 관련한 모든 제품이 선호받게 되었는데 이러한 모든 현상을 가르켜 한류라고 부르기도 한다.

*한류(韓流) '한국 유행 문화'를 축약한 말로써, 중국에서 처음으로 사용된 용어이다. 한류는 한풍, 한조라는 용어로도 사용되기도 한다(한국 관광 공사, 2002).

뜯어보기 포인트
대중 매체의 발달과 교통·통신의 발달로 인해 나타난 문화 교류의 사례들을 기억하자.

◎ 동아시아인들은 어떤 배경과 과정에서 서로 문화를 공유하며 이해를 넓혀가게 되었을까?
교통과 통신의 발달로 교류가 확대되었고, 최근에는 각국의 다양한 드라마, 영화, 음악 등이 전해지고 있어. 이로 인해 한류 뿐 아니라 일류, 화류와 같은 문화 현상이 나타나고 있지.

◎ 대중 매체가 동아시아 공동체 형성에 끼친 영향을 보여주는 사례를 찾아볼까?
일본의 게임 회사는 중국의 고전 소설인 『삼국지연의』를 주제로 한 게임을 출시하였어. 일본의 게임이 중국의 고전 문학에 생명력을 불어넣은 것이지. 또한 한국 회사의 지원으로 일본에서 만들어진 한 메신저는 아기자기한 디자인과 다채로운 기능으로 오늘날 동아시아인들의 기호에 꼭 맞는다고 해.

Q2 대중 매체가 동아시아 공동체에 미친 영향을 모두 선택해 보자.

㉠ 베세토 연극제의 베세토는 3국의 수도인 베이징, 서울, 도쿄를 뜻한다.
㉡ 대중 매체 상품은 저작권 문제 때문에 자국 실정에 맞게 재구성하기 어렵다.
㉢ 동아시아 전체를 아우르는 대중 매체 상품으로 대표적인 것은 삼국지가 있다.
㉣ 대중 매체를 통해 서구 문화가 들어오면서 동아시아문화권이 해체되어 가고 있다.
㉤ 동아시아인들이 동아시아 작품보다 유럽이나 미국의 대중 매체 상품을 선호하는 경향이 심화되었다.

답 Q1 ㉢, ㉤ / Q2 ㉠, ㉢

개념 익히기

정답과 해설 ▸ 69쪽

01 서로 관련 있는 내용끼리 연결해 보자.

a. 남순 강화 •　　　• ㄱ. 단일 주제로 세계 최장 기간 집회 기록을 경신하였으며, 지금도 매주 경신하고 있다.

b. 55년 체제 •　　　• ㄴ. 보수적인 자민당과 진보적인 사회당의 양당 체제

c. 수요 시위 •　　　• ㄷ. 덩샤오핑은 광둥성의 선전 등을 찾아 개혁·개방을 강조하면서 본격적인 시장 경제 체제를 도입하였다.

02 아래 설명이 맞으면 ○표, 틀리면 ×표를 해 보자.

(1) 1980년대 중반 일본 정부가 금리를 인하하자 부동산 가격이 폭등하는 거품 경제가 형성되었다. (　　)

(2) 석유 파동으로 어려워진 일본과 한국 경제가 회복되었던 것은 급성장하기 시작한 중국 시장 때문이다. (　　)

(3) 베트남은 쌀과 커피의 세계 주요 수출국으로 변모하였고 높은 경제 성장을 이루어가고 있다. (　　)

(4) 1960년 일본이 체결한 신안보 조약은 미·일 공동 방위를 위한 쌍무적 조약으로 변모하였다. (　　)

(5) '아세안+3'은 중국의 세계 무역 기구(WTO) 가입을 계기로 만들어졌다. (　　)

03 빈칸에 알맞은 말을 채워 보자.

(1) 중국은 사회주의 계획 경제의 기반을 닦은 후, (　　　　)을/를 펼쳐 급진적 공산주의화를 추진하였다.

(2) 덩샤오핑은 (　　　　)을/를 설치하여 외국 자본과 기술을 유치하는 개방 정책을 폈습니다.

(3) 타이완에서 국민당과 맞서고 있는 정당은 (　　　　)이다.

(4) 중국에서는 1989년에 정치 개혁과 민주화를 요구하는 대규모 시위가 (　　　　)에서 일어났지만 무력 진압되었다.

(5) 중국 반체제 운동의 상징, (　　　　)

04 |보기|에서 한국, 일본, 타이완에 해당하는 내용을 골라 보자.

| 보기 |

ㄱ. 1950년대 후반부터 1970년대 초반까지 연평균 10% 이상의 고도성장을 꾸준히 지속하였다.

ㄴ. 1980년대 3저 호황(저유가, 저달러, 저금리)에 힘입어 사상 첫 무역 흑자를 기록하였다.

ㄷ. 미·중 수교로 외교적 고립에 빠지는 위기를 맞았다.

05 |보기|의 사건들을 순서대로 나열해 보자.

| 보기 |

ㄱ. 대약진 운동　　ㄴ. 문화 대혁명

ㄷ. 경제특구 설치　　ㄹ. 세계 2위의 경제 대국화

06 다음 체제의 이름을 써 보자.

보수 정당들이 「평화헌법」 개정을 주장하자, 분열되어 있던 사회당의 좌·우파가 재군비 반대와 「평화헌법」 유지를 내걸고 통합하였습니다. 이에 보수 정당인 민주당과 자유당도 자유민주당(자민당)으로 통합하여 양당 체제를 이루었습니다.

07 아래 표를 완성해 보자.

평화적 정권 교체	• 한국의 (　　　　) 정부 출범 • 타이완의 (　　　　) 정부 출범
동아시아 영토 분쟁	• 일본과 중국의 (　　　　) • 중국과 베트남의 (　　　　)
(　　　　)	• 당시 일본의 관방 장관이 발표 • 일본군이 '위안소'의 설치, 관리 및 일본군 성노예의 이송에 직간접적으로 관여하였다는 것을 인정하고 사과한 담화
(　　　　)	• 중국 사회 과학원이 진행한 연구 프로젝트 • 중국 국경 지역의 안정을 꾀하고, 북한의 정세 변화에 대비하려는 목적

내신 유형 익히기

총 문항수 12	처음 푼 날 월 일
정답과 해설 69쪽	오답 푼 날 월 일

01 밑줄 친 '이 국가'에 해당하는 국가로 옳은 것은?

> 이 국가는 1950~1960년대 중소기업을 중심으로 경제 성장을 이룩하였고, 베트남 전쟁 특수에 힘입어 신흥 경제국으로 떠올랐습니다. 정치적인 이유로 외교적 고립에 빠지자, 이를 극복하기 위해 적극적으로 외자를 유치하였고, 제조업 중심의 산업 육성으로 2000년대 전까지 두 자릿수 성장을 유지할 수 있었습니다.

① 일본 ② 한국
③ 중국 ④ 타이완
⑤ 베트남

02 (가)에 해당하는 사건으로 옳은 것은?

> (가) 은/는 대약진 운동의 실패로 정치적 위기에 몰리게 된 마오쩌둥이 자본주의의 길을 가려는 수정주의 세력을 숙청하고자 벌인 정치·권력 투쟁이다. 이에 호응한 학생·노동자들이 홍위병을 조직하면서 대중 운동으로 퍼졌다.

① 남순 강화 ② 55년 체제
③ 문화 대혁명 ④ 톈안먼 사건
⑤ 도이머이 정책

03 빈출 동아시아 경제 성장의 의의와 한계에 대한 적절한 설명을 |보기|에서 고른 것은?

| 보기 |
ㄱ. 일본은 인구 고령화에 따른 복지 예산의 증가로 국가 채무가 급격히 늘어나고 있다.
ㄴ. 중국에서는 도시와 농촌 간 소득 격차가 3배 이상 벌어져 농민들의 박탈감이 커졌다.
ㄷ. 일본, 한국, 타이완의 경제적 성장은 동아시아 사회주의 국가를 더욱 궁핍하게 만들었다.
ㄹ. 중국은 시장 개방 조치와 관세율 인하 등에서 미국과의 견해차로 세계 무역 기구(WTO)에 가입하지 못하고 있다.

① ㄱ, ㄴ ② ㄱ, ㄷ ③ ㄴ, ㄷ
④ ㄴ, ㄹ ⑤ ㄷ, ㄹ

04 빈출 (가)와 (나)에 대한 옳은 설명을 |보기|에서 고른 것은?

> (가) 샌프란시스코 강화 조약과 함께 맺어졌는데 이 조약에 따라 연합국 소속 미군은 '주일 미군'이 되어 계속 일본에 주둔하였다.
> (나) 미국에 기지를 제공하던 조약에서 미·일 공동 방위를 위한 쌍무적 조약으로 변모하였다.

| 보기 |
ㄱ. 집권 자민당은 단독으로 (가)를 통과시켰다.
ㄴ. 미·일 간 공동 방위 체제 강화가 필요하다는 주장에 의해 (가)가 체결되었다.
ㄷ. 일본 정부는 (나)를 맺어 군비 확장을 추진하였다.
ㄹ. (나)를 둘러싸고 미국의 핵전략 속에서 전쟁에 휘말릴 위험이 있다는 반대 여론이 있었다.

① ㄱ, ㄴ ② ㄱ, ㄷ ③ ㄴ, ㄷ
④ ㄴ, ㄹ ⑤ ㄷ, ㄹ

05 다음에서 밑줄 친 '그'에 해당하는 인물로 옳은 것은?

> 그는 1993년 '55년 체제' 이후 비자민당 출신으로는 처음으로 총리가 되었다. 과거사 문제와 관련하여 일본의 침략, 전쟁 행위를 시인하는 등 사과와 반성을 표명하였다.

① 아베 신조 ② 도조 히데키
③ 이시이 시로 ④ 이에나가 사부로
⑤ 호소카와 모리히로

06 다음 운동들의 성격으로 적절하지 않은 것은?

> • 호주제가 민주적이고 개방된 가족 문화 형성을 가로막는다는 인식 아래 폐지 운동을 적극적으로 펼쳐나가기 위해 결성되었다.
> • 안전하고 평화로운 동아시아를 만들기 위해 시민들과 함께 탈원전 시민 행동과 자연 에너지 확대 운동에 앞장설 것이라고 밝혔다.
> • 여성들이 결혼 직후 서양인들처럼 자신의 성을 버리고 남편의 성을 따라왔다. 이것을 바꾸기 위해 일본 여성들은 '부부 별성제' 도입 운동을 전개하고 있다.

① 민주주의가 발전하면서 활발해졌다.
② 정치, 문화적인 이유로 국가 간의 연대가 이루어지기 어렵다.
③ 노동, 도시, 환경 오염, 여성 차별, 다문화 같은 문제들에 대처하고자 한다.
④ 한국과 일본을 중심으로 이주 노동자의 문제를 공동으로 해결하는 연대 활동이 모색되고 있다.
⑤ 동아시아의 시민 단체들은 다양한 형태로 협의 기구를 구성하여 여러 사회 문제를 해결하고 있다.

07 (가)~(다) 국가의 정치 변화를 |보기|에서 고른 것은?

빈출

> (가) 정치 개혁과 민주화를 요구하는 대규모 시위가 톈안먼에서 일어났지만 무력 진압되었다.
> (나) 도이머이 정책을 도입한 후 경제적으로 크게 성장하였다.
> (다) 일당 지배 체제를 유지하면서 최근 3대 세습과 함께 핵무기 개발을 추진하고 있다.

|보기|

ㄱ. (가) – 총통 직선제 개헌, 대륙으로부터 독립을 주장하였다.
ㄴ. (가) – 경제 성장을 통한 국민 생활 향상으로 정치 안정을 꾀하고 있다.
ㄷ. (나) – 부정부패 추방 운동, 빈부 격차 해소를 위한 노력 등 정치·사회적 변화를 꾀하고 있다.
ㄹ. (다) – 적극적인 개혁·개방 정책을 통해 경제 성장을 추진하고 있다.

① ㄱ, ㄴ ② ㄱ, ㄷ ③ ㄴ, ㄷ
④ ㄴ, ㄹ ⑤ ㄷ, ㄹ

08 다음과 같은 변화가 나타난 국가로 옳은 것은?

> 대륙과 군사적인 대치 상황을 이용하여 일당 독재 체제가 40년 가까이 지속되었다. 이후 국민의 민주화 요구로 총통 직선제 개헌 등의 민주화 정책이 추진되었다.
> 당시 야당 후보가 '독립'을 주장하며 총통으로 선출되어 최초로 여야 간 정권 교체가 이루어졌다.

① 중국 ② 일본 ③ 한국
④ 타이완 ⑤ 베트남

09 빈출 다음 도표와 관련된 국가의 정치·경제적 발전에 대한 설명으로 적절한 것은?

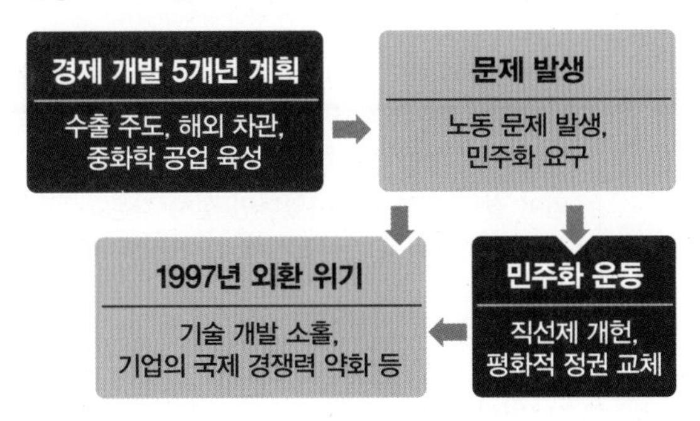

① 국영 기업 매각, 시장 경제 체제가 도입되었다.
② 경제 위기 극복을 위하여 대약진 운동을 전개하였다.
③ 6·25 전쟁 특수를 누린 후, 55년 체제가 성립되었다.
④ 문화 대혁명으로 인하여 정치·문화·사회적으로 후퇴하였다.
⑤ 구조 조정, 금 모으기 운동 등을 통하여 경제 위기를 극복하였다.

10 한국 사회에서 다문화 사회와 관련한 설명으로 적절한 것은?

① 역사적으로 한국인은 단일 혈통의 민족을 이루어 왔다.
② 한국사에서 외국 귀화자는 임진왜란 당시 항왜인으로부터 비롯되었다.
③ 오늘날 한국에 체류하는 외국인의 숫자는 여러 가지 이유로 점차 증가하고 있다.
④ 인도나 중국에서 들어온 불교와 유교는 외래문화이므로 한국의 고유문화로 분류하지 않는다.
⑤ 이주 아동 권리 보장 기본법은 아동 인권 보장을 지원하기 위한 것으로 국민의 전폭적인 지지를 받았다.

서술형 문제

11 다음을 보고 물음에 답해 보자.

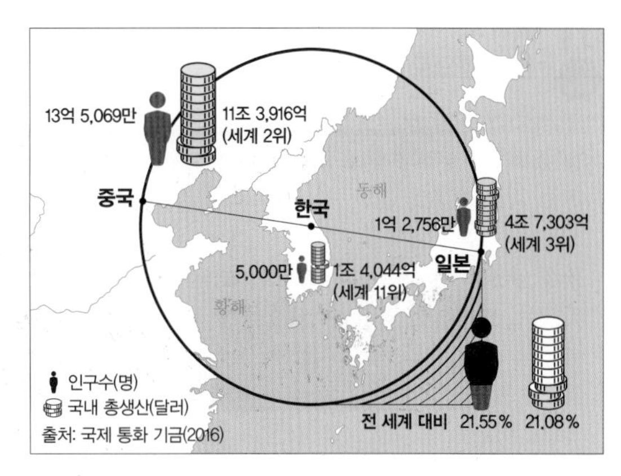

(1) 한국과 일본이 경제 성장을 이룰 때 보인 공통점 세 가지를 서술해 보자.

(2) 냉전 해체 후 동아시아 역내 교역의 변화에 대해서 구체적으로 서술해 보자.

서술형 문제

12 한국과 일본이 중국의 경제 발전에 끼친 영향 두 가지를 예를 들어 서술해 보자.

3단계 내신 만점 도전하기

01 밑줄 친 '기본 노선'에 따라 추진된 사회 경제 정책에 대한 설명으로 가장 적절한 것은? (중요)

설치물에는 "당의 기본 노선을 유지하며 백 년 동안 흔들리지 말자."라고 적혀 있다.

① 문화 대혁명이 일어나는 배경이 되었다.
② 1차 경제 개발 5개년 계획을 추진하였다.
③ 인민공사가 해체되고, 가족 농업으로 전환되었다.
④ 결과적으로 수천만 명이 굶어 죽는 비극을 낳았다.
⑤ 산업의 국유화로 사회주의 계획 경제의 기반을 닦았다.

02 다음과 같은 의견이 제출된 시기로 가장 적절한 것은?

> 자원과 인력을 낭비하고, 혼란을 가중시켰다. 경험과 교훈으로 삼기에는 희생이 너무 가혹하다. 허장성세가 보편화되고 믿을 수 없는 기적들이 연일 지면을 메우다 보니 언론이 기능을 상실했다. 당의 체면이 말이 아니다. 개인의 책임을 추구할 문제가 아니다. 우리 모두의 책임이다. – 펑더화이 –

국·공 내전 발발	(가)	중화 인민 공화국 수립	(나)	문화 대혁명 시작	(다)	미·중 관계 개선	(라)	개혁·개방 정책	(마)	톈안먼 사건

① (가) ② (나) ③ (다) ④ (라) ⑤ (마)

03 (가) 정책의 방향과 유사한 사례를 |보기|에서 고른 것은?

> 덩샤오핑은 적극적인 (가) 정책을 추진하면서 흑묘백묘론을 주장하였다. 이는 '검은 고양이든 흰 고양이든 쥐만 잘 잡으면 된다.'라는 주장으로, 중국 인민이 잘 살게만 할 수 있다면 설사 자본주의적 시장 경제라 하더라도 받아들여야 한다는 의미를 담고 있었다.

보기

ㄱ. 천리마 운동 실시
ㄴ. 개인 농지의 협동 농장화
ㄷ. 식량 배급제의 폐지와 농업세 경감
ㄹ. 자원 배분과 가격 결정을 시장에 맡기는 원칙 적용

① ㄱ, ㄴ ② ㄱ, ㄷ ③ ㄴ, ㄷ
④ ㄴ, ㄹ ⑤ ㄷ, ㄹ

04 동중국해와 남중국해에서의 영유권 분쟁과 관련된 설명으로 옳지 않은 것은?

① 동아시아가 다시 냉전 시대로 돌아가고 있다는 우려를 낳고 있다.
② 중국은 미국 주도의 세계 질서에 불만을 가진 러시아를 끌어들였다.
③ 미국은 G2로 부상한 중국을 견제하기 위하여 일본과 동맹을 강화하였다.
④ 미국은 필리핀, 베트남과 같은 동남아시아 국가들의 견해를 지지하고 있다.
⑤ 동중국해와 남중국해는 매장된 자원 자체의 중요성보다 원유 수송로로서 중요성이 더 크다.

총 문항수 8	처음 푼 날 월 일
정답과 해설 70쪽	오답 푼 날 월 일

05 영토 분쟁 지역인 (가)~(라)에 대한 옳은 설명을 |보기|에서 고른 것은?

중요

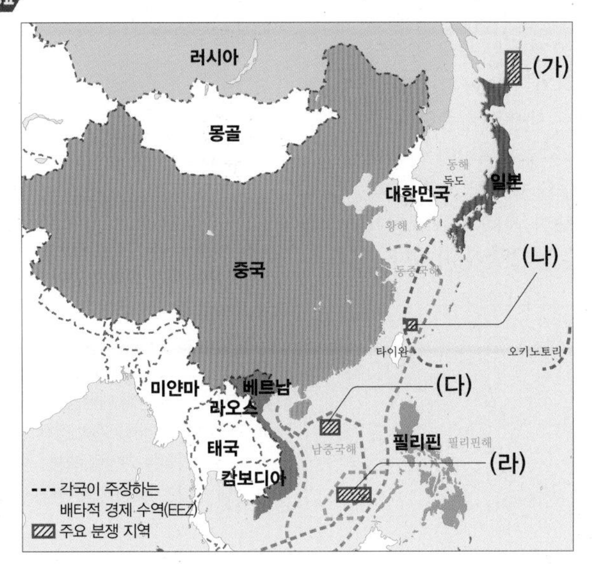

|보기|

ㄱ. (가) – 쿠릴 열도의 섬들로, 일본이 고유 영토라고 주장하며 반환을 요구하고 있다.
ㄴ. (나) – 일본이 러·일 전쟁 당시 독도를 강제 편입한 것과 유사한 방식으로 강제 편입하였다.
ㄷ. (다) – 동남아시아 여러 국가와 중국이 서로 영유권을 주장하고 있다.
ㄹ. (라) – 중국과 베트남 사이에 영유권을 둘러싸고 갈등이 일어나고 있다.

① ㄱ, ㄴ ② ㄱ, ㄷ ③ ㄴ, ㄷ
④ ㄴ, ㄹ ⑤ ㄷ, ㄹ

06 독도 영유권을 주장하는 일본의 주장을 반박할 근거로 적절하지 않은 것은?

① 신라 지증왕 때 신라 영토로 편입되었다.
② 오늘날까지 한국이 실효 지배하는 고유 영토이다.
③ 안용복이 일본으로 건너가 조선 영토임을 확인받았다.
④ 「삼국접양지도」에는 독도가 조선의 영역으로 표시되었다.
⑤ 대한 제국은 러·일 전쟁 중 독도를 우리 영토로 편입했다.

07 다음 제시문의 취지와 가장 부합하는 것은?

> 최근 일본에서는 집단적 자위권 행사의 해석에 대한 논란이 일어나고 있다. 일본국 헌법의 제9조에서는 군사력을 보유하지 않을 것과 전쟁 포기를 규정하고 있다. 따라서 이 조항을 확대 해석하여 다른 국가를 지키기 위해 집단적 자위권을 행사할 수 있다고 하는 것은 헌법의 정신을 위배하는 위험한 발상이다.

① 「평화헌법」에 반대한 자주 헌법 제정론이 제기되었다.
② 침략 전쟁의 상징인 히노마루와 기미가요가 부활하였다.
③ 일본군 '위안부'의 강제 동원 사실을 인정한 고노 담화를 발표하였다.
④ 평화 안전 법제의 제정으로 전 세계 분쟁에 개입하는 것이 가능해졌다.
⑤ 미·일 방위 협력 지침 개정으로 미·일 동맹의 행동 반경을 확대하였다.

08 다음 글과 관련된 탐구 활동으로 가장 적절한 것은?

> 『독일 프랑스 공동 역사 교과서』는 단순한 교과서를 넘어 앙숙인 양국의 관계를 개선하고 역사 인식을 공유한 계기가 되었다. 그동안 양국의 역사 교과서에는 상대국에 대해 '증오', '배신', '숙적' 등 부정적 표현이 자주 등장하였다. 이를 해결하기 위한 노력으로 공동 역사 교과서 논의가 이루어졌다.

① 이주 아동 권리 보장 기본법에 대하여 알아본다.
② 유엔 여성 차별 위원회의 권고 사항을 알아본다.
③ 동아시아 청소년 역사 체험 캠프에 대해 알아본다.
④ 국경을 넘어선 국제 연대 활동의 현황에 대해 알아본다.
⑤ 일본이 오키노토리를 섬으로 인정받기 위해 쏟는 노력에 대해 알아본다.

총 문항수 2	처음 푼 날 월 일
정답과 해설 70쪽	오답 푼 날 월 일

01 (가) 시기 동아시아의 정치 상황으로 옳은 것은? [3점]

대약진 운동이 실패하면서 마오쩌둥에 대한 비판이 고조되었다. 마오쩌둥은 중국 공산당 내부의 반대파를 제거하기 위하여 (가) 을/를 전개하였다. 그는 자신을 추종하는 홍위병을 동원하였다. 그러나 홍위병이 사회를 혼란스럽게 만들자 이들을 해산하고 전국 각지의 농촌으로 내려 보냈다. 이후 마오쩌둥이 사망하면서 (가) 은/는 결국 끝이 났다.

① 한국 – 부정 선거에 반발해 4 · 19 혁명이 일어났다.
② 중국 – 덩샤오핑이 개혁 · 개방 정책을 추진하였다.
③ 베트남 – 파리 평화 협정의 결과 미군이 철수하였다.
④ 타이완 – 계엄령이 해제되고 총통 직선제 개헌이 이루어졌다.
⑤ 일본 – '55년 체제'가 붕괴하고 비자민당 연립 정권이 수립되었다.

유형 분석
글상자와 사진을 통해 이 시기를 파악하고, 그 당시 동아시아 상황을 인지해야 하는 유형이야.

해결 비법
제2차 세계 대전 이후 있었던 일들을 10년 단위로 정리해 보자.
50년대 – 중국 대약진 운동 시작, 일본 샌프란시스코 강화 회의
60년대 – 중국 문화 대혁명 시작.
70년대 – 중국 개혁 · 개방 정책 시작
80년대 – 타이완 계엄령 해제
90년대 – 일본 '55년 체제' 붕괴

02 밑줄 친 '이 운동'에 대한 설명으로 적절한 것은?

① 인민공사를 통해 개혁을 추진하였다.
② 닉슨 독트린의 영향을 받아 진행되었다.
③ 동남 연안 지역에 경제특구를 설치하였다.
④ 사회주의 이념을 강화하려는 홍위병이 주도하였다.
⑤ 코민포름을 결성하여 동유럽과의 협력을 추구하였다.

유형 분석
두 사람의 가상 대화 속 키워드를 통해 문제의 사건을 유추하는 유형이야.

해결 비법
자연 재해, 무리한 추진 등에 주목해 보자.
대약진 운동 ↔ 덩샤오핑 등장 ↔ 문화 대혁명 ↔ 덩샤오핑 재등장이라는 뼈대는 꼭 알아두어야 해. 실패 혹은 부정적 서술이면 대약진 운동, 성공 혹은 긍정적 서술이면 개혁 · 개방 정책이라고 보면 틀림없어.

총 문항수 6 | 처음 푼 날 월 일
정답과 해설 71쪽 | 오답 푼 날 월 일

2015학년도 수능

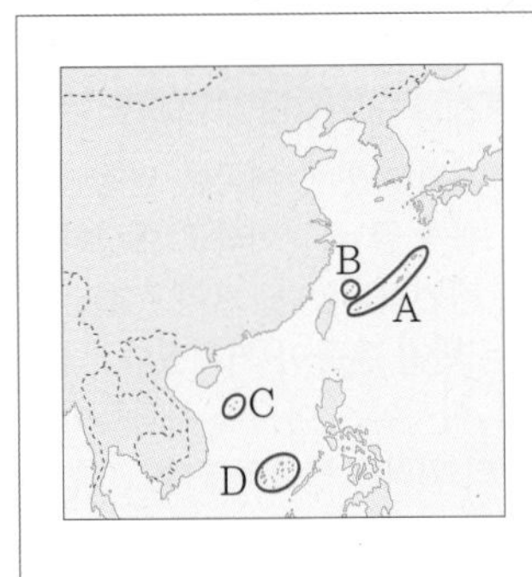

- (가) 은/는 중계 무역으로 번영을 누렸다. 1609년 사쓰마번에 복속되었다가 1879년 일본 영토로 편입되었다.
- (나) 은/는 1950년대 이후 중국과 필리핀을 비롯한 6개국이 영유권 분쟁을 벌이고 있는 지역이다.

서술형 문제

01 A의 옛 이름을 쓰고, 1990년대 초반에 지역 사회에서 나타난 정치적 움직임에 대해 서술해 보자.

수능 문제

02 (가), (나)에 해당하는 지역을 지도의 A~D에서 고른 것으로 옳은 것은?

	(가)	(나)		(가)	(나)
①	A	C	②	A	D
③	B	C	④	B	D
⑤	C	D			

활용 문제

03 (가), (나)에 대한 탐구 활동으로 옳은 것은?

① (가) – 반청 운동의 적감루에 대해서 알아본다.
② (가) – 청·일 전쟁 중 일본이 자국 영토로 강제 편입하였다.
③ (나) – 중국과 인도 간에 국경 분쟁에 대해서 알아본다.
④ (나) – 상설 중재 재판소(PCA)의 남중국해 영유권에 관한 판결 내용을 알아본다.
⑤ (가), (나) – 주둔하고 있는 미군에 의한 범죄에 대해서 어떻게 대처하고 있는지 알아본다.

2017학년도 수능

(가)

정부가 국민의 대통령 직선제 개헌 요구를 거부하자 시민들은 서울 시청 앞에 모여 대규모 시위를 전개하였다.

(나)

톈안먼 광장에 모인 홍위병들은 자본주의 사상과 문화를 비판하였고, 이에 호응하여 각지에서도 궐기가 잇따랐다.

서술형 문제

04 (가), (나) 사건의 결과에 대하여 각각 한 문장씩 서술해 보자.

수능 문제

05 (가), (나) 사건에 대한 설명으로 옳은 것은?

① (가) – 이승만 정부의 퇴진을 이끌어 내었다.
② (가) – '55년 체제'가 붕괴되는 계기가 되었다.
③ (나) – 대약진 운동을 추진하는 배경이 되었다.
④ (나) – 마오쩌둥이 반대파를 제거하는 데 이용되었다.
⑤ (가), (나) – 독재 타도와 민주화를 요구하였다.

활용 문제

06 (가), (나)에 대한 설명 중 적절하지 <u>않은</u> 것은?

① (가) – 당시 제정된 헌법을 현재까지 사용하고 있다.
② (가) – 정부에 의하여 학생이 사망한 사건이 원인이 되었다.
③ (나) – 마오쩌둥이 사망하면서 끝이 났다.
④ (나) – 덩샤오핑, 류사오치 등이 수정주의자로 숙청되었다.
⑤ (가), (나) – 동아시아의 민주화 요구가 표출된 공통적 사례이다.

대주제 5 마무리하기

난이도 / 상●●● / 중●●○ / 하●○○
정답률 / 50% 미만 / 50~70% / 70%이상

01 다음 조약에 대한 설명으로 옳은 것은?

- 일본은 한국의 독립을 승인하고 제주도, 거문도 및 울릉도를 포함한 한국에 대한 모든 권리·권원 및 청구권을 포기한다.
- 일본은 타이완 및 평후 제도에 대한 모든 권리·권원 및 청구권을 포기한다.
- 일본은 쿠릴 열도 및 일본이 1905년 9월 5일의 포츠머스 조약의 결과로써 주권을 획득한 사할린의 일부 및 이에 근접하는 여러 섬에 대한 모든 권리·권원 및 청구권을 포기한다.

① 6·25 전쟁 발발의 원인이 되었다.
② 일본 국민의 주권을 인정하지 않았다.
③ 한국과 중국이 조약 체결에 참가하였다.
④ 미국과 일본의 군사 동맹 관계가 해체되었다.
⑤ 대다수 연합국이 배상 청구권을 사실상 포기하였다.

02 밑줄 친 '현행 헌법'에 대한 설명으로 옳은 것은?

2014년 7월 1일 일본의 아베 신조 내각은 임시 내각 회의를 열어 전쟁 포기와 군사력 보유 금지를 규정한 현행 헌법에 대한 해석을 변경하여 집단적 자위권을 행사하기로 결정하였다.

① 극동 군사 재판 종료와 동시에 공포되었다.
② 우선 경제 자립과 부흥을 지원하기 위해 제정하였다.
③ 아베 내각이 처음으로 개정을 위한 움직임을 보였다.
④ 여성 참정권 부여, 압제적 제도의 폐지 등이 포함되었다.
⑤ 천황을 국가 원수로서 통치권을 갖는 존재로 규정하였다.

03 밑줄 친 '사건' 이후 동아시아 적절한 상황을 |보기|에서 고른 것은?

이 사건을 빌미로 전투 부대를 파견하면서 미국은 베트남 전쟁에 본격적으로 개입하였다. 미국은 엄청난 병력과 화력을 투입하면 쉽게 끝날 것이라고 예상하였지만 오히려 이 전쟁은 장기화되었다. 그리고 설날(구정) 공세로 미국에서는 반전 운동이 거세졌다. 닉슨은 대통령에 취임한 후 아시아는 아시아 사람들이 지켜야 한다는 대외 정책의 원칙을 발표하였다.

보기
ㄱ. 일·화 평화 조약이 체결되었다.
ㄴ. 오키나와가 일본으로 반환되었다.
ㄷ. 미국 대통령 닉슨이 중국을 방문하였다.
ㄹ. 인민공사를 통해 개혁을 추진하기 시작하였다.

① ㄱ, ㄴ ② ㄱ, ㄷ ③ ㄴ, ㄷ
④ ㄴ, ㄹ ⑤ ㄷ, ㄹ

04 (가), (나) 전쟁에 대한 설명으로 적절한 것은?

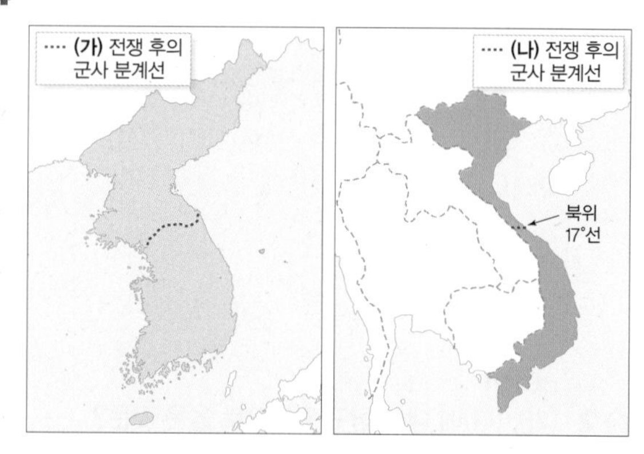

① (가) – 냉전 체제를 고착화하는 결과를 낳았다.
② (가) – 일본과 중국이 국교를 회복하는 계기가 되었다.
③ (나) – 통킹만 사건을 빌미로 미국이 전쟁에 참여하였다.
④ (나) – 미국이 제2차 세계 대전보다 더 많은 전쟁 비용을 썼다.
⑤ (가), (나) – 모두 제네바에서 평화 협정을 맺고 전쟁을 종결하였다.

05 다음 그래프를 통해 알 수 있는 국가의 경제 성장에 대한 설명으로 적절하지 않은 것은?

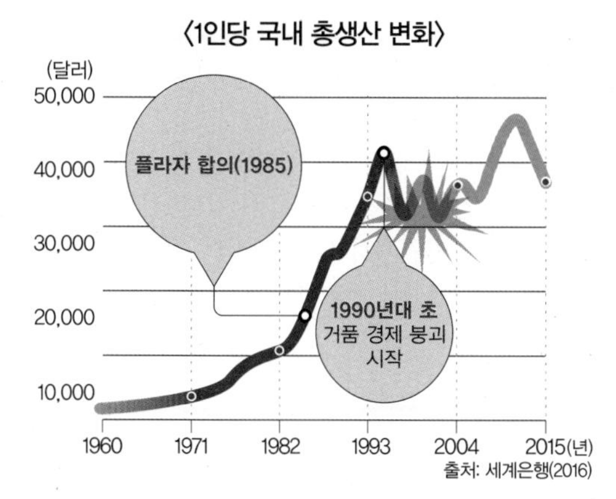

① 6·25 전쟁으로 증가한 군수품 수요가 경제 회복에 큰 도움이 되었다.
② 1950년대 후반부터 1970년대 초반까지 연평균 10% 이상의 고도 성장을 꾸준히 지속하였다.
③ 1950~60년대 중소 기업을 중심으로 경제 성장을 이룩하였다.
④ 1980년대 중반 자국 통화가 평가 절상되자 정부가 금리 인하를 단행하였다.
⑤ 1990년대 초 거품 경제가 붕괴되면서 장기 불황의 늪에 빠져들었다.

06 일본·한국·타이완 경제 성장의 공통점을 |보기|에서 고른 것은?

| 보기 |
ㄱ. 모두 중국과 자유 무역 협정을 체결한 상태이다.
ㄴ. 베트남 전쟁 특수가 세 국가 경제 성장의 밑거름이 되었다.
ㄷ. 해안가 도시를 경제특구로 지정하여 외국 자본을 받아들였다.
ㄹ. 국가가 주도한 수출 중심 정책으로 빠른 경제 성장을 이루었다.

① ㄱ, ㄴ ② ㄱ, ㄷ ③ ㄴ, ㄷ
④ ㄴ, ㄹ ⑤ ㄷ, ㄹ

07 지도에 표시된 경제특구에 대한 설명으로 적절한 것은?

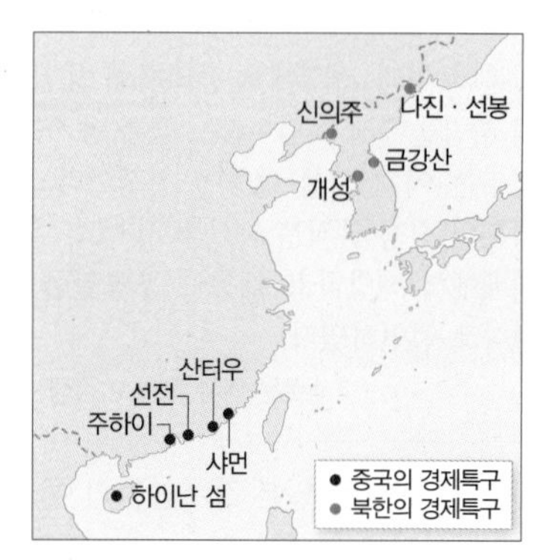

① 중국의 경제특구는 한시적인 것으로 현재는 소멸하였다.
② 중국의 경제특구는 덩샤오핑이 인민공사를 설립하면서 설치하였다.
③ 중국과 북한 모두 외국 자본을 유치하여 국민 생활을 향상시키고자 설치하였다.
④ 북한은 3대 세습으로 경제 사정이 나빠지자 부분적으로 개방 정책에 나서기 시작하였다.
⑤ 북한은 중국, 러시아와의 접경 지역에 경제특구를 설치하여 핵무기 개발 사실을 감추려 하였다.

08 한국의 5·18 민주화 운동과 중국의 톈안먼 사건에 대한 적절한 설명을 |보기|에서 고른 것은?

| 보기 |
ㄱ. 5·18 민주화 운동 – 계엄군이 시위대에 발포하였다.
ㄴ. 5·18 민주화 운동 – 부정 선거에 반대하여 일어났다.
ㄷ. 톈안먼 사건 – 후야오방 전 총서기 사망이 계기이다.
ㄹ. 톈안먼 사건 – 시위대가 자진 해산하여 무력 충돌은 없었다.

① ㄱ, ㄴ ② ㄱ, ㄷ ③ ㄴ, ㄷ
④ ㄴ, ㄹ ⑤ ㄷ, ㄹ

09 다음을 통해 알 수 있는 한일 간의 현안에 대한 설명으로 가장 적절한 것은?

> 일본이 여러 전쟁에서 승리하여 동남아시아와 인도의 사람들에게 독립이라는 꿈과 용기를 주었다. 일본 정부는 이 전쟁을 대동아 전쟁이라고 이름 붙였다. 일본의 전쟁 목적은 자신을 지키고, 아시아를 서양의 지배에서 해방하고 '대동아 공영권'을 건설하는 것에 있다고 선언하였다.
>
> –『새로운 역사 교과서 검정 신청본』, 후소사 –

① 총리를 비롯해 일본 정치인들의 야스쿠니 신사 참배가 이어지고 있다.
② 일본 정부는 고노 담화를 발표하여 공식적으로 사과한 적이 있다.
③ 한국과 일본의 시민 단체가 연대하여 저지 운동을 전개하고 있다.
④ 시마네현 고시보다 5년 먼저 대한 제국의 고유 영토임을 분명히 하였다.
⑤ 한국 시민 단체의 반발에도 불구하고 유엔 여성 차별 위원회는 두 국가의 해결 방안 합의를 환영하였다.

10 (가), (나) 운동에 대한 설명으로 옳은 것은?

> (가) 우리는 6·10 대회를 통해 이 땅에 대통령 직선제가 실시되고 민주 정부가 확고히 수립될 때까지 투쟁해 나갈 것임을 온 국민의 이름으로 결의한다. – 1987년 ○○월 ○○일 –
>
> (나) 우리는 톈안먼 광장에서 단식 투쟁을 진행하기로 결정하였습니다. 우리는 정부가 베이징의 대학 대표단 활동을 애국 민주의 학생 운동으로 인정할 것을 요구합니다. – 1989년 ○○월 ○○일 –

① (가) – 다당제 도입을 주장하였다.
② (가) – 집권 정당이 권력에서 물러났다.
③ (나) – 부정 선거에서 비롯되었다.
④ (나) – 최고 통치자의 퇴진을 이끌어 내었다.
⑤ (가), (나) – 시위를 전후하여 사망자가 발생하였다.

11 동아시아의 역사 갈등을 치유하고 평화를 정착시키기 위한 노력으로 적절하지 <u>않은</u> 것은?

① 국가 간 공통된 역사 인식이 갖추어져야 한다.
② 민간 차원에서의 노력이 꾸준하게 진행되고 있다.
③ 국가 주도의 공동 연구는 꾸준한 지원으로 내실 있는 성과를 내고 있다.
④ 최초의 역사 대화 기구로서 한·일 역사 공동 연구 위원회가 만들어졌다.
⑤ 정부 차원에서 역사 인식의 차이를 극복하기 위한 공동 연구를 진행하였다.

12 다음 자료에 대한 설명으로 옳지 <u>않은</u> 것은?

> (가) (㉠)은/는 동남아시아 국가 연합(ASEAN)과 3개 국가(한·중·일)를 포함한 협동 포럼이다. 첫 정상 회담이 1997년에 열렸다.
>
> (나) ㉡ <u>베세토</u> 연극제는 한·중·일 3국의 연극인들이 '상호 교류를 통해 무대 예술의 창조 정신을 고무하는 만남'을 목표로 하여 1994년 처음 개최한 이래 해마다 3개국이 돌아가며 열고 있다.
>
> (다) 봉사단이 몽골에서 추진 중인 임·농업 교육 기관 설립과 '숲 조성 사업'은 사막화 방지, 농업 발전, 일자리 창출에 기여하는 글로벌 사회 공헌 사업이다.

① ㉠과 동아시아 정상회의(EAS)의 주도권 경쟁이 최근에 나타나고 있다.
② ㉡은 3국의 수도인 베이징, 서울, 도쿄를 뜻한다.
③ (나)와 같은 문화 활동을 비롯하여 동아시아 전체를 아우르는 대중 매체 상품이 탄생하고 있다.
④ (다)를 통해 황사 발생량을 감소시켜 대기 환경을 개선하는 효과가 있다.
⑤ (가)~(다)와 같은 문화 교류는 영토 분쟁과 역사 문제로 인하여 침체기를 맞이하였다.

정답과 해설 ▸ 72쪽

❖ 다음을 읽고 물음에 답해 보자.

(가) 한·중 역사 문제의 시작

‘동북공정’에 대한 전 국민의 관심과 우려가 고조되자, 당시 정부에서도 장기적인 대응책을 마련하고 중국 정부에 공식적으로 문제를 제기하였다. 2004년 8월 한·중 구두 양해 사업 합의로 중국의 고구려사 왜곡에 대해 시정을 요구할 수 있는 근거가 마련되었다.
그러나 한·중 양국의 합의에도 불구하고 ‘동북공정’의 결과물이 발간되어 ‘동북공정’의 논리가 확산되고 있음이 드러났다. …… 그리고 2007년 2월, 5년 계획으로 추진된 ‘동북공정’은 외견상 종료되었다.

(나) 한·중 구두 양해 사항

다음의 5개 사항에 대해 합의하였다.
① 중국 정부는 고구려사 문제가 양국 간 중대 현안으로 대두된 데 유념
② 역사 문제로 한·중 우호 협력 관계의 손상 방지와 전면적 협력 동반자 관계 발전에 노력
③ 고구려사 문제의 공정한 해결을 도모하고 필요한 조치를 취해 정치 문제화하는 것을 방지
④ 중국 측은 중앙 및 지방 정부 차원에서의 고구려사 관련 기술에 대한 한국 측의 관심에 이해를 표명하고 필요한 조치를 취해 나감으로써 문제가 복잡해지는 것을 방지
⑤ 학술 교류의 조속한 개최를 통해 해결

더 알아보기

‘동북공정’은 고조선의 뿌리, 만리장성의 축조 범위, 부여족의 원류, 고구려의 기원, 고구려사에서의 조공과 책봉의 의미, 고구려와 수·당 전쟁의 성격, 고려의 고구려 계승 논란, 발해의 뿌리, 발해의 멸망과 부흥 운동 등에 대하여 중국사의 일부로 주장하고 있다.

논술 갈라잡이

‘동북공정’이 고구려 역사 왜곡으로부터 시작하였지만 더 깊은 의도를 갖고 있음을 파악한다. 또한 한·중 구두 양해 사항을 활용해 ‘동북공정’에 대응할 수 있는 방안을 생각해 보자.

01 (가)의 밑줄 친 부분으로 알려지기 시작한 ‘동북공정’의 실제 의도 두 가지를 서술해 보자.

02 (나)를 바탕으로 ‘동북공정’에 대처하는 바람직한 우리의 자세에 대하여 세 가지를 서술해 보자.

MEMO

이 책의 정답은 QR코드로 확인할 수 있어요~!

2015
개정 교육과정

핵심 유형 문제로 실력을 확실히 높인다

자습서

고등학교 동아시아사

교과서 활동 풀이
및 정답과 해설

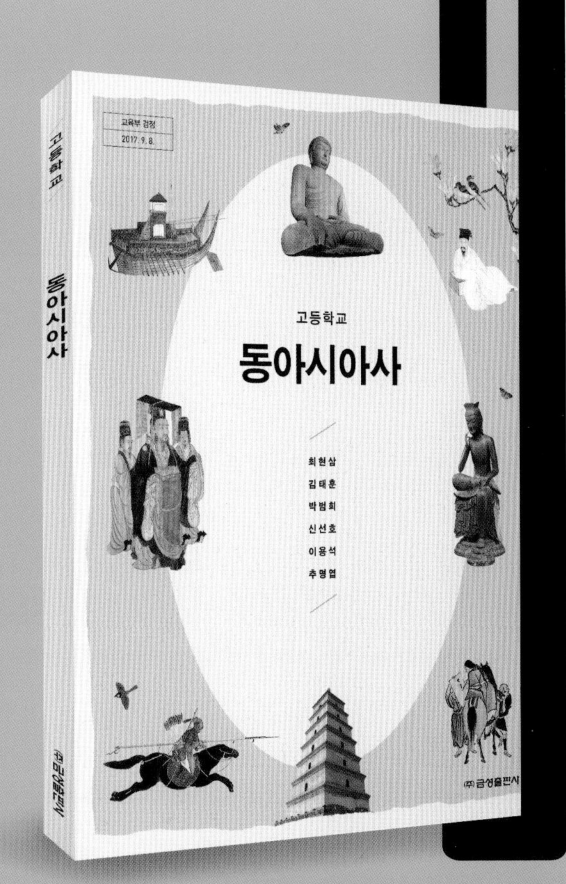

최현삼
김병윤
조영걸
이민동
길진봉
이충모

금성출판사

고등 동아시아사
자습서

교과서 활동 풀이

금성출판사

교과서 활동 풀이

대주제 ① 동아시아 역사의 시작

주제 1 자연환경과 생업

역량 기르기 교과서 021쪽

1 자료 분석 | 〈자료 1〉과 〈본문 20쪽〉을 참고하여 아래 표를 완성해 봅시다.

구분	내용	재배 지역의 특징
밭농사	조 · 기장 · 밀 · 보리	벼농사 지역보다 강수량이 적고, 기온이 낮음
벼농사	벼	따뜻하고 습지가 많으며 강수량이 풍부함

2 자료 분석 및 의사소통 | 〈자료 1〉을 참고하여 벼농사가 어떤 경로로 한반도와 일본으로 전파되었을지 친구들과 토의해 봅시다.

- **한반도:** 산둥반도와 랴오둥반도를 거쳐 육로로 한반도에 전파되었거나, 해로를 통해 산둥반도에서 한반도 서해안 지역으로 전파되었을 것이다. 또는 창장강 유역에서 해로를 통해 한반도 서해안 지역으로 전파되었을 것이다.
- **일본:** 한반도를 거쳐 규슈 지역으로 전파되었거나, 창장강 유역에서 곧바로 규슈 지역으로 전파되었을 것이다.

역량 기르기 교과서 023쪽

1 자료 분석 | 〈자료 3〉과 〈본문 22쪽〉을 참고하여 유목민의 생활 모습 중 농경민과 다른 점을 서술해 봅시다.

- **농경민과 다른 점:** 주로 가축의 고기와 유제품을 먹고, 가축의 가죽과 털로 옷을 만든다. 그리고 계절에 따라 일정한 지역을 다니는 이동 생활을 하며 이동하기 편하게 게르와 같은 이동식 가옥에서 생활한다. 부족 단위로 생활하기 때문에 부족장이 상당히 강력한 권한을 가지며 부족장을 다스리는 군주는 농경 사회보다 권한이 약하다.

2 사실 이해 | 〈본문 22쪽〉을 보고 유목민에게 가축이란 어떤 의미인지를 그림, 만화, 표어 등 자유로운 형식으로 표현해 봅시다.

역량 강화하기 교과서 024쪽

1 자료 분석 | 제시된 자료를 보고 농경민과 유목민이 서로를 어떻게 생각하였는지 이야기해 봅시다.

- **유목민에 대한 농경민의 생각:** 노인을 공경할 줄 모르고, 아버지나 형제가 죽으면 아버지의 첩이나 형제의 아내를 자기 아내로 삼는 야만인이라고 생각했을 것이다.
- **농경민에 대한 유목민의 생각:** 유목민이 부리는 농사꾼으로, 자신들이 원하면 농민들은 곡식을 바쳐야 한다고 생각했을 것이다.

2 정보 활용 및 의사소통 | 유목민의 관점에서 농경민의 생각을 어떻게 반박할 수 있을지 친구들과 의논하여 발표해 봅시다.

- **예시 답안 ①:** 아버지의 첩이나 형제의 아내를 자기 아내로 삼는 것은 대가 끊어지지 않도록 하여 종족을 보존하기 위한 것이다. 또한 죽은 사람의 부인과 남은 자녀를 돌보기 위한 방편으로 이해될 수 있다.
- **예시 답안 ②:** 젊은 사람에게 좋은 음식을 먹이는 것은 유목민들이 부족 사이에 다투는 경우가 많은데 젊은이가 주로 전투에 나가기 때문이다. 부족끼리 싸움에서 젊은이가 잘 싸워야 노인도 타 부족의 침략 위협에서 벗어날 수 있었다.

스스로 확인 학습 교과서 025쪽

2 유목 사회와 농경 사회의 특징을 마인드맵으로 나타내 봅시다.

(1) **사실 이해** 유목 사회의 마인드맵에 있는 빈칸에 알맞은 말을 넣어 봅시다.

- **의생활:** 가축의 (털과 가죽)
- **식생활:** 가축의 (고기와 젖)
- **주생활:** 가축의 (배설물), 이동식 가옥 (게르)

(2) **사실 이해** 유목 사회의 마인드맵을 참고하여 농경 사회를 마인드맵으로 표현해 봅시다.

3 제시된 글을 읽고, 물음에 답해 봅시다.

(1) **자료 분석** 위 글의 빈칸에 공통으로 들어갈 말은 무엇일까요?

• **정답:** 유목

(2) **자료 해석** 밑줄 친 부분에 어떠한 내용이 들어가면 좋을까요? 자신의 생각을 정리하여 서술해 봅시다.

• **나의 생각:** 자연환경에 따라 삶의 모습이 변화하였을 뿐이다.

주제 2 선사 문화

역량 기르기 교과서 027쪽

1 자료 해석 | 〈자료 3〉의 탄화미를 통해 어떤 사실을 추론할 수 있을까요?

• **추론 내용:** 허무두 문화에서 벼농사를 지었음을 알 수 있다.

| 해설 | 1973년~1978년에 이루어진 발굴 작업을 통해 허무두 문화 지역에서 다양한 농구와 함께 재배 볍씨의 껍질이 두텁게 퇴적된 유적이 대량으로 발견되었다. 인공적으로 대규모 벼를 재배한 것으로 밝혀져, 발견된 볍씨는 세계에서 가장 오래된 벼 재배의 예라고 추정한다.

2 사실 이해 | 농경과 목축의 시작이 인류의 삶에 어떤 변화를 일으켰는지 〈본문 27쪽〉을 참고하여 서술해 봅시다.

• **변화:** 자연이 주는 그대로 식량을 얻는 수렵·채집 단계에서 식량을 생산하는 단계로 발전하였다. 또한 식량의 생산으로 안정적인 정착 생활이 가능해졌다. 이후 생산력이 향상되고 인구가 늘어나자 토기나 옷감 제작 등에서 분업이 발생하였다.

역량 기르기 교과서 029쪽

1 자료 분석 | 동아시아 각 지역 신석기 문화의 특징을 정리해 봅시다.

지역		문화	
황허강	중류 지역	양사오 문화: 밭농사, 채도	룽산 문화로 발전: (흑도, 분업화 진행)
	하류 지역	다원커우 문화: 밭농사, 홍도, 흑도·백도	
창장강 하류 지역		허무두 문화: 벼농사, 흑도·회도·홍도(벼 이삭·돼지 무늬)	(량주) 문화로 발전: 옥기, 신전
랴오허강 유역		훙산 문화: 채도, 옥기, 탄화된 기장, 여신상, 제사용품, 신전	
만주·한반도 지역		이른 민무늬 토기, 덧무늬 토기 → 빗살무늬 토기 농경과 목축 시작, 사냥·어로 활동 비중 큼	
일본 열도		조몬 문화: 조몬 토기, 여성 모양 토우, 농경 안 함, 채집·어로로 정착 생활	

2 자료 해석 | 〈자료 1〉의 허무두 문화 토기에는 돼지가 그려져 있습니다. 이를 통해 어떤 사실을 알 수 있을까요?

• **추론 내용:** 허무두 문화에서는 돼지가 중요한 가축으로 길러졌음을 추측할 수 있다.

역량 강화하기 교과서 030쪽

1 자료 해석 | 토기를 만들 때 테쌓기법보다는 녹로법이 더 전문적인 기술을 필요로 합니다. 이러한 토기 제작 기술의 발달은 사회 변화의 어떤 측면과 관련이 깊은지 설명해 봅시다.

• **알 수 있는 사실:** 전문적인 기술이 필요한 녹로법으로 토기를 생산하기 위해서는 토기 생산을 전문으로 하는 기술자가 필요할 것이다. 그러므로 토기 제작 기술의 발달은 사회의 분업화로 전문적인 수공업자가 등장하였음을 의미한다.

2 자료 분석 | 양사오 토기에 물고기 무늬가 그려져 있는 까닭과 허무두 토기에 벼 이삭 무늬가 그려져 있는 까닭을 당시 사회 모습과 관련지어 설명해 봅시다.

• **사회 모습:** 양사오 문화에서는 어로 활동이 중요하였거나 물고기를 토템으로 삼은 신앙이 발전하여 물고기 무늬를 새겼을 것으로 추측된다. 허무두 문화에서는 벼농사가 중요한 생산 활동이었기에 벼 이삭을 토기에 그려 넣은 것으로 보인다.

스스로 확인 학습 교과서 031쪽

2 아래의 유물을 보고, ㉠, ㉡과 (가)~(다)를 완성해 봅시다.

• **㉠:** 조몬 문화　• **㉡:** 룽산 문화
• **(가):** 용모양 옥기, 채도, 여신상, 제사 용품, 신전 발굴
• **(나):** 흑도, 회도, 홍도, 벼농사, 가축 사육
• **(다):** 빗살무늬 토기, 사냥·어로 비중 큼

3 아래 두 유물에 대하여 조사한 후, 다음 활동을 해 봅시다.

(1) **정보 활용 및 의사소통** 두 유물은 가운데가 원형이고 위와 아래가 모두 뚫려 있습니다. 이렇게 만든 까닭을 짝과 이야기해 봅시다.

- **이유:** 토기의 위쪽에 덮개가 없고 아래쪽에 바닥이 없는 것은 천지가 하나로 통한다는 의미를 지닌다. 제단의 주변에 원통형 토기를 둘러 세워 하늘과 통하는 소통로를 만들었을 것이다.

(2) **정보 활용 및 의사소통** 두 유물은 어떤 용도로 쓰였는지 모둠원과 의논하여 발표해 봅시다.

- **용도:** 신전에서 제사를 지낼 때 제사용품으로 사용되거나 제사장의 무덤에 부장품으로 묻혔을 것이다.

주제 3 국가의 성립과 발전

역량 기르기 교과서 033쪽

1 사실 이해 | 청동기 문화의 특징을 지역별로 정리해 봅시다.

중원	유라시아 초원	만주·한반도	일본 열도
대규모 건물, 도로망, 성벽, 중국식 동검, 크고 정교한 제기	청동 단검, 마구(재갈), 생활 도구(솥), 돌무지 제사 유적, 판석묘	비파형 동검, 화살촉 등의 무기, 청동 의기(거울, 방울, 방패), 고인돌	청동기와 철기 기술이 비슷한 시기에 전해짐, 동탁 등의 제기

2 자료 분석 | 〈자료 2〉와 〈본문 33쪽〉을 참고하여 고인돌이 일본의 규슈 지역에서 발견되는 까닭을 서술해 봅시다.

- **까닭:** 한반도로부터 벼농사와 청동기·철기 기술이 전해질 때, 무덤 양식도 같이 전파되었기 때문이다.

| 해설 | 일본 규슈의 북서부 지역에 한반도의 남방식 고인돌이 분포되어 있다. 최근에 탁자 형태인 북방식 고인돌도 규슈 지역에서 발견되어 이에 대한 연구가 진행되고 있다.

역량 기르기 교과서 035쪽

1 자료 분석 | 〈자료 2〉와 〈본문 34쪽〉을 참고하여 상의 왕이 청동으로 거대한 제기를 만든 까닭을 상의 통치 체제와 연관 지어 서술해 봅시다.

- **까닭:** 상의 왕은 제사장이라는 종교적 권위를 기반으로 왕권을 강화하였다. 그러므로 신에게 바치는 제사를 매우 중요하게 여겼으며, 거대한 청동 제기를 만들어 왕의 권위를 나타내고자 하였다.

2 자료 해석 | 〈자료 4〉와 〈본문 35쪽〉을 참고하여 혈연관계에 기초한 주의 봉건제가 시간이 지나면서 약화된 까닭을 추론해 봅시다.

- **까닭:** 시간이 흐르면서 왕과 제후 사이의 혈연관계가 점점 멀어져, 왕을 정점으로 하나의 혈연조직을 이룬다는 의식이 옅어지게 되었기 때문이다.

역량 기르기 교과서 036쪽

1 사실 이해 | 〈본문 36쪽〉에서 춘추 전국 시대의 부국강병책들을 찾아 밑줄을 쳐 봅시다.

- **부국강병책:** 전쟁에 대비하여 유목민의 기마술을 받아들였고, 철제 무기를 제작하는 등 군사력을 강화하였습니다. / 전국 시대에는 각국이 철제 농기구와 우경의 보급, 관개 시설의 건설, 개간 사업의 전개 등 농업을 중시하는 정책을 폈습니다. / 제후들은 관료제를 시행하여 신분을 따지지 않고 능력이 뛰어난 사람을 관리로 뽑았습니다. / 그리고 군주의 지방 지배를 강화하기 위해 군·현을 설치하고 관리를 파견하는 군현제를 시행하였습니다.

2 자료 분석 | 〈자료 6〉과 같은 전쟁 양상의 변화로 병사의 구성이 어떻게 달라졌을지 적어 보고, 이러한 변화가 통치 체제에 어떤 영향을 미쳤을지 서술해 봅시다.

- **변화:** 주 대에는 지배층만이 전투에 참여하였으므로 왕은 일반 농민들의 상황까지 파악할 필요성을 느끼지 못했다. 그렇지만 춘추 전국 시대를 거치며 전쟁의 규모가 커지자 일반 농민도 전투에 참여하게 되었다.
- **영향:** 전국 시대에는 농민들을 파악하여 전투에 동원하기 위한 중앙 집권적인 통치 체제가 발전하였고 지방 지배를 강화하기 위해 군현제를 시행하였다.

역량 기르기 교과서 037쪽

1 자료 분석 | 〈자료 2〉를 보고 시황제의 중앙 집권 정책을 서술해 봅시다.

- **중앙 집권 정책:** 시황제는 법가 이외의 사상을 탄압하였으며, 사상, 도량형, 문자를 통일하고 군현제를 시행하였다.

2 사실 이해 | 〈본문 35쪽〉과 〈본문 37쪽〉을 참고하여 주와 진의 국가 통치 방식을 비교해 봅시다.

구분	통치 제도	통치 방식의 성격
주	봉건제	지방 분권적
진	군현제	중앙 집권적

교과서 038쪽

1 사실 이해 | 한이 초기에 군국제를 시행한 까닭을 〈본문 38쪽〉에서 찾아 표시해 봅시다.

- **까닭:** 이는 막강한 세력을 지닌 공신들을 제후로 봉하여 왕조를 빨리 안정시키려는 조치였습니다.

2 자료 분석 | 〈자료 2〉, 〈본문 37쪽〉, 〈본문 38쪽〉을 보고 진 시황제와 한 무제의 정책을 비교하여 서술해 봅시다.

- **진 시황제:** 진 시황제는 법가를 바탕으로 사상을 통일하였으며, 군현제를 확대 실시하여 중앙 집권 체제를 정비하였다. 밖으로는 흉노를 견제하기 위하여 만리장성을 쌓았으며, 베트남 북부 지역을 공격하였다.
- **한 무제:** 한 무제는 유교를 통치 이념으로 채택하였으며, 군현제를 전국으로 확대하여 중앙 집권 체제를 확립하였다. 또한 흉노를 북쪽으로 몰아내고, 남비엣과 고조선을 멸망시키는 등 영토를 확장했다.

역량 기르기

교과서 040쪽

1 자료 분석 | 〈자료 6〉에서 고조선을 흉노의 왼팔이라고 하는 까닭을 〈자료 4〉를 보고 설명해 봅시다.

- **까닭:** 흉노의 시선으로 중원 지역을 바라보았을 때 고조선은 흉노의 왼쪽에 있었는데, 흉노와 고조선이 손을 잡으면 한에게는 큰 위협이 될 수 있었으므로 고조선을 흉노의 왼팔이라고 표현하였다.

| 해설 | 한 무제의 고조선 침략 이유로는 고조선이 한반도 남쪽의 진국과 한 사이의 직접 교역을 가로막고 중계 무역으로 많은 이익을 취한 것을 많이 거론한다. 그런데 동아시아사의 관점에서 보면, 한의 고조선 침략도 한–흉노 전쟁과 연관되어 발생한 것임을 알 수 있다. 한은 흉노와 고조선이 동맹을 맺어 한을 협공하는 상황이 벌어지지 않도록 하기 위해 고조선을 침략했던 것으로 보인다.

2 자료 분석 | 흉노의 무덤에서 한의 비단과 칠기가 발견되는 까닭을 〈본문 40쪽〉에서 찾아 적어 봅시다.

- **까닭:** 한이 흉노에 매년 비단 등을 예물로 보내고 국경 지역에 교역 시장을 설치하는 등 흉노와 한 사이에 교역이 이루어졌기 때문이다.

스스로 확인 학습

교과서 041쪽

2 아래 도표를 보고, 물음에 답해 봅시다.

(1) **사실 이해** 도표와 같은 관계가 성립된 주의 통치 제도를 무엇이라고 하나요?

- **정답:** 봉건제

(2) **자료 분석** 이 도표에 농민을 넣는다면 어떻게 표시할 수 있을까요?

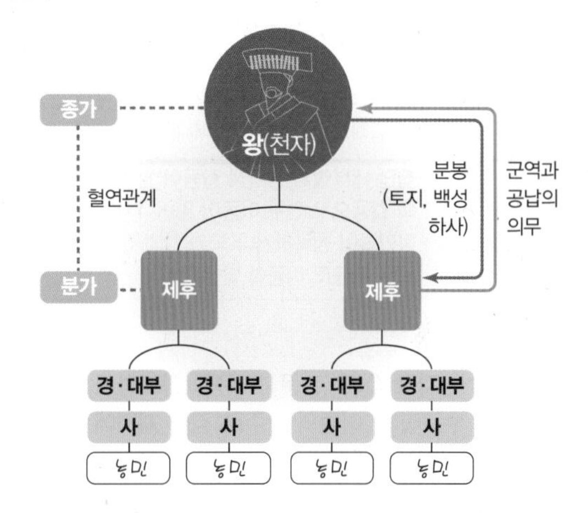

(3) **자료 해석 및 의사소통** 도표와 같은 관계를 지속하기 위해서는 무엇을 강조해야 하는지 짝과 이야기해 봅시다.

- **강조할 점:** 엄격한 신분 질서를 형성하고 혈연관계를 강조하여 정기적으로 충성을 다짐받아야 한다.

(4) **자료 분석** 도표와 유사한 구조로 군현제를 표현해 봅시다.

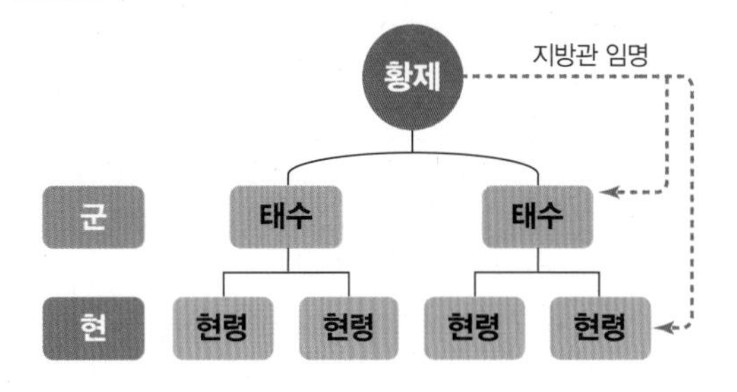

3 아래 두 자료를 보고, 물음에 알맞은 답을 적어 봅시다.

(1) **자료 분석** (가)의 빈칸에 들어갈 말은 무엇일까요?

- **정답:** 천명

(2) **자료 해석** 밑줄 친 하늘에 유의하여, 두 자료에서 통치를 정당화 하는 방안으로 비슷하게 나타나는 점을 적어 봅시다.

- **비슷한 점:** 하늘의 권위에 의지하여 통치를 정당화하고자 함.

대주제 ② 동아시아 세계의 성립과 변화

인구 이동과 정치 · 사회 변동

역량 기르기 교과서 047쪽

1 사실 이해 | 동아시아 인구 이동의 원인을 아래 표에 정리해 봅시다.

환경적 요인	• 연평균 기온 하강과 같은 기후 변동과 자연 재해가 원인 중 하나로 작용하였다. • 인구 증가로 식량이 부족해지자 개간지를 확보하기 위해 인구 이동이 일어나기도 하였다.
정치적 요인	• 집단 내부에서 정치적 갈등이 발생하거나, 집단 간의 갈등으로 인구 이동이 일어나기도 하였다. • 이민족이 침략하거나 국가 간의 전쟁, 국가의 멸망으로 대규모 이동이 발생하였다.

2 자료 분석 | 〈자료 4〉와 〈본문 47쪽〉을 참고하여 동진을 건국한 세력은 누구이며, 이들의 이주로 강남 지역에 일어난 변화는 무엇인지 서술해 봅시다.

- **건국 세력:** 5호의 남하로 화이허강 이북 지역을 빼앗겨 이동해 온 한족이다. 이들은 대규모로 창장강 유역으로 이동하였다.
- **변화:** 한족들은 토착 세력과 타협하며 남조 정권을 수립하는 중심 세력으로 활약하였다. 또한 토목 기술을 이용하여 관개 시설을 확충하고 논농사를 발전시켜 강남 개발에 큰 영향을 미쳤다.

역량 강화하기 교과서 049쪽

1 자료 분석 | 전국 시대 전한 시기의 감귤 북방 한계를 지도의 예시에서 선택해 보고 전국 시대에서 한 대로 가면서 기후가 어떻게 변하였는지 서술해 봅시다.

- **기후 변화:** 감귤의 북방 한계가 화이이허강에서 창장강으로 내려갔다는 것은 전국 시대에서 한 대로 가면서 기온이 전체적으로 하강하였음을 보여준다.

2 역사적 판단력과 의사소통 | 현재 기후 변화가 난민 문제 발생 등 전 지구적으로 초래할 사태를 짝과 함께 조사한 후 발표해 봅시다.

- **초래할 사태:** 소말리아 내전은 1991년에 시작되어 현재까지도 진행되고 있다. 2011년 극심한 가뭄을 겪은 뒤 400만 명이 기아 상태에 처하였으며 내전은 더욱 격화되었다. 지금까지 사망자 약 20만 명과 이재민 발생 약 146만 명으로 추산된다.

역량 기르기 교과서 051쪽

1 사실 이해 | 〈본문 50쪽〉을 참고하여 북위가 강성해진 배경을 서술해 봅시다.

- **배경:** 북위에서 문화를 앞세우는 정치, 이민족 사이의 혼인 및 능력 중심 인재 채용 등을 배경으로 유목 민족의 군사력과 한족의 제도 문물 융합이 이루어졌기 때문이다.

2 자료 분석 | 왜는 6세기 초부터 크게 발전하기 시작하였는데 〈본문 51쪽〉과 〈자료 4〉를 바탕으로 하여 그 까닭을 서술해 봅시다.

- **까닭:** 도왜인이 가지고 온 한반도의 앞선 문화인 제철 기술과 불교 등을 수용하였기 때문이다. 일본 열도는 본래 가야로부터 철을 수입하였지만, 받아들인 제철 기술을 발전시켜 6세기 이후부터는 자체적으로 철광석을 채굴하여 철을 생산하였다. 불교는 아스카 문화와 야마토 정권의 정신적 기반으로 역할하였다.

역량 기르기 교과서 053쪽

1 사실 이해 | 7세기 동아시아 국제 전쟁이 한반도와 일본 열도에 미친 영향을 정리하여 서술해 봅시다.

한반도	고구려를 멸망시킨 신라는 당을 대동강 이북으로 몰아내는 데 성공하면서 통일 국가로 성장하였다. 고구려 유민 중 일부는 말갈족과 함께 발해를 건국하였다.
일본	고구려 · 백제 유민이 일본 열도로 많이 이주하였는데, 이들은 야마토 정권의 율령 체제 완비에 영향을 미쳤다. 이후 다이카 개신으로 국가가 토지와 백성을 직접 지배하고자 하였으며, 백강 전투 이후에는 덴지 천황이 호적을 만드는 등 지배 체제를 강화하였다.

2 자료 해석 및 정보 활용 | 6세기 말 이후 동아시아 국제 전쟁에 각국이 동원한 군인 수를 검색해 봅시다. 그리고 〈자료 2〉와 〈본문 52, 53쪽〉을 참고하여 인구 당 군인의 비례를 구하고, 이를 통해 전쟁의 성격을 추론해 봅시다.

- **성격:** 수 양제 시기 인구는 890만여 호였다. 동일한 호구 수를 가졌던 755년 당의 인구가 5,291만 명이므로 수 양제 시기 인구를 5,200만 명 정도로 추론할 수 있다. 수 양제가 고구려를 공격할 때 113만 명을 동원하였기에 대략 인구 46명당 1명씩 군인으로 동원하였음을 알 수 있다. 자료의 신뢰성 등 여러 변수가 있지만 6세기말 이후 동아시아 국제 전쟁은 각국이 최대 국력을 동원한 총력전의 성격을 띠고 있다.

스스로 확인 학습 교과서 055쪽

2 그림은 기원 전후부터 동아시아 세계 확립까지의 민족 이동을 이해하기 위해 당시 민족들의 행동 방식을 상상하며 만든 순서도입니다. 순서도 예시를 참고하여 아래 물음에 답해 봅시다.

(1) **자료 분석 및 의사소통** 순서도의 예시인 서진은 5호에 패해 (A)의 결과에 도착하였습니다. 서진의 경우 (A)의 내용이 무엇인지 써 보고, 친구들과 비교해 봅시다.

- **예시 답안:** 유요, 왕미, 석륵 등이 서진의 수도 뤄양 부근을 노략질하였던 것으로 보아 서진 황제가 항복하여 뤄양으로 들어갔을 때 수도 뤄양을 본격적으로 약탈하고 파괴하였을 것이고 황제는 포로가 되었을 것이다.

(2) **자료 분석 및 의사소통** (가), (나) 자료에 해당하는 민족들의 역사를 각각 다른 색으로 순서도 위에 나타내고, 친구와 비교해 봅시다.

- **(가):** 여기서 살 수 없는가? → 예 → 다른 곳으로 이동한다. → 토착 세력이 협력적인가? → 예 → 정착한다.
- **(나):** 여기서 살 수 없는가? → 예 → 다른 곳으로 이동한다. → 토착 세력이 협력적인가? → 예 → 정착한다.

주제 5 동아시아문화권의 형성과 발전

역량 기르기 교과서 058쪽

1 자료 해석 | 〈자료 2〉에서 '보고를 반드시 문서로 하기' 위해서 필요한 조건과 물품 등이 무엇인지 추론해 봅시다.

- **조건:** 한자, 한자를 익힌 사람, 문서 전달 체계와 조직 등
- **물품:** 문서용 재료(비단, 목간, 죽간, 종이 등), 필기구 등

2 자료 분석 | 〈자료 4〉와 〈본문 58쪽〉을 참고하여 동아시아 각국이 중국의 율령을 받아들인 까닭을 서술해 봅시다.

- **까닭:** 주변 소국들을 통합하고 구성원들을 효과적으로 통치하기 위한 제도가 필요하였기 때문이다. 이를 위해 각국들은 자신들의 현실에 맞게 율령을 적용하여 중앙 집권 체제를 마련하였다.

역량 강화하기 교과서 059쪽

1 자료 분석 | 〈본문 58쪽〉 등을 참고하여 당, 발해, 고려, 일본의 중앙 관제에서 나타나는 공통점과 차이점을 서술해 봅시다.

- **공통점:** 당의 율령 체계를 발해, 고려, 일본에서 받아들여 활용하였다.
- **차이점:** 당의 율령 체계를 받아들여 자국의 정치 환경에 맞게 적용하였다. 발해에서는 3성 6부의 명칭을 모두 달리하였고, 6부도 이원적으로 나누어 운영하였다. 고려에서는 2성 6부로 운영하였고, 일본에서는 명칭과 체계를 다르게 운영하였다.

2 자료 해석 및 의사소통 | 과거와 현재의 정치 제도에서 공통점이 무엇인지 서술하고, 그렇게 된 까닭을 토의해 봅시다.

- **공통점:** 과거와 현재의 정치 제도는 모두 권력의 상호 견제와 균형을 추구하는 경향을 가지고 있다.
- **까닭:** 국가가 오래 지속되기 위해서는 권력의 상호 견제가 필요하다는 역사적 경험이 과거와 현재에 모두 영향을 끼쳤기 때문이다.

역량 기르기 교과서 061쪽

1 사실 이해 | 동아시아 국가들이 불교를 수용한 까닭이 무엇인지 서술해 봅시다.

- **까닭:** 왕실을 중심으로 중앙 집권 체제를 확립하고 각 지역의 전통 신앙을 불교로 통일하기 위해 불교를 수용하였다.

2 자료 분석 및 의사소통 | 〈자료 2〉와 〈본문 61쪽〉을 참고하여 한반도와 일본 열도에서 불교를 수용할 때 갈등이 발생한 까닭을 짝과 이야기해 봅시다.

- **까닭:** 불교는 외래 종교였기 때문에 토착 세력의 전통 신앙과 충돌할 수밖에 없었다.

역량 기르기 교과서 063쪽

1 사실 이해 | 〈본문 62쪽〉을 참고하여 각국의 승려들이 어떤 교류 활동을 펼쳤는지 정리해 봅시다.

- **교류 활동:** 쿠마라지바와 같은 승려들이 불교 경전을 한자로 번역하여 불교를 동아시아에 전파하였다. 법현, 현장, 혜초, 감진 등은 유학 또는 순례와 같은 구법 활동을 하였으며, 의상, 사이초, 구카이는 유학 후 귀국하여 각각 종파를 열었다. 또한 혜자가 쇼토쿠 태자의 정치 자문 역할을 한 것처럼 승려들은 정치·예술 분야의 교류에도 적극적으로 참여하였다.

2 사실 이해 및 의사소통 | 불교가 동아시아문화권 형성에 기여한 것이 무엇인지 구체적인 사례를 들어 짝과 이야기해 봅시다.

- **사례:** 한문으로 번역된 불교 경전을 통해 문화를 교류하고, 이를 바탕으로 사원, 탑, 불상과 같은 불교 예술을 발전시켰다. 그리고 대장경이 각국에서 제작되면서 인쇄술과 제지술이 발전하였다.

역량 기르기 교과서 065쪽

1 자료 분석 | 〈자료 1〉에서 나타난 사대부의 이상을 서술해 봅시다.

• **이상:** 사대부의 관료로써 정치에 대한 책임 의식을 보여준다.

2 사실 이해 | 각국에서 성리학이 등장하고 수용된 까닭을 정리해 봅시다.

송	훈고학 중심의 유학에 대한 비판, 유교적 교양을 갖춘 사대부들의 관료 진출, 북방 민족의 군사적 압박, 불교와 도교의 영향을 받은 사상가들이 등장하며 성리학이 집대성되었다.
고려, 조선	불교의 폐단, 권문세족의 횡포에 대항하는 사회 개혁 논리로 수용되었다. 16세기 이후에는 사회규범으로 자리 잡았다.
에도 막부	다이묘와 무사 계층의 신분 질서 강화 및 통치 논리로 활용되었다.

교과서 067쪽

1 사실 이해 | 〈본문 67쪽〉을 참고하여 동아시아문화권 속 국제인들의 활동을 정리해 봅시다.

장보고	청해진을 통해 당과 일본을 잇는 무역과 해상 질서를 주도하였다. 일본 승려 엔닌의 당 유학 생활과 귀국을 도왔다.
아베노 나카마로	당의 과거에 합격하여 안남 도호부의 도호로 관리 생활을 하였다.
엔닌	구법 활동을 펼쳤고, 견당사의 경험을 바탕으로 『입당구법순례행기』를 저술하였다.

교과서 068쪽

1 자료 분석 | 〈자료 3〉을 참고하여 조선 초기에 활자가 만들어진 목적이 무엇인지 서술해 봅시다.

• **목적:** 활자를 만들어 많은 서적을 인쇄하고 이를 통해 많은 사람이 글과 문화를 배워 세상의 도리가 크게 융성해질 수 있다는 낙관적 인식을 잘 보여준다. 여기에는 지배 계층으로 자리 잡은 사대부들을 조선의 통치 이념을 체화한 독서인층으로 성장시키고자 하는 목적도 담겨 있다.

스스로 확인 학습 교과서 069쪽

2 배운 내용을 떠올리며 동아시아 문화 교류에 앞장섰던 인물과 내용을 완성해 봅시다.

• ㉠: 불경을 한자로 번역 • ㉡: 현장
• ㉢: 혜자 • ㉣: 담징
• ㉤: 견당사로 당에 유학 후 돌아와 '입당구법순례행기'를 저술
• ㉥: 감진
• ㉦: 송으로 건너가 구법 활동을 하고 불경 등을 구해와 간행
• ㉧: 원의 유학자로서 이제현 등과 교류하여 성리학 이해에 도움을 줌.
• ㉨: 안향
• ㉩: 원의 유학자들과 교류하며 성리학에 대한 이해를 심화시킴.
• ㉪: 강항
• ㉫: 완도에 청해진을 세워 당과 일본을 잇는 무역과 해상 질서를 주도

3 아래 예시와 같이 제시된 핵심어로 당시 시대적인 특징을 종합하여 서술해 봅시다.

• **특징:** 동아시아 국가들은 한자와 종이를 바탕으로 유교 경전, 불교 경전 등을 받아들이고 적극 활용하면서 동아시아문화권을 형성하였다. 특히 한자의 사용은 동아시아 각국에 율령 체제가 마련되는 데에 중요한 요인으로 작용하였다.

주제 6 동아시아 세계의 변화와 국제 관계의 다원화

교과서 071쪽

1 자료 분석 | 〈자료 1〉을 참고하여 한과 흉노의 관계가 어떤 성격인지 서술해 봅시다.

• **성격:** 〈자료 1〉은 한과 흉노가 화친을 맺은 후의 모습이다. 흉노의 선우는 스스로를 '하늘과 땅이 낳으시고 해와 달이 세우신'이라고 표현하며 물자를 요구하고 있는 반면, 한의 황제는 흉노에게 매년 제공할 물품을 알려주고 있다. 이처럼 한과 흉노는 표면적으로 대등한 관계였지만, 실질적으로 한이 물자를 제공하여 맺은 우호 관계에 가까웠다.

2 사실 이해 | 〈본문 71쪽〉에서 남북조와 주변 나라들이 다양한 외교 관계를 맺은 까닭을 찾아 정리해 봅시다.

• **까닭:** 중원 왕조의 분열과 각 지역에 새롭게 등장한 국가들로 인해 국제 질서의 중심이라 할 수 있는 세력이 사라졌기 때문이다. 이 시기 국가들은 상호 견제, 문물 교류 등 각자의 목적을 이루기 위해 조공·책봉과 같은 국제 관계를 활용하였다.

역량 기르기 교과서 073쪽

1 사실 이해 | 거란에서 남면관·북면관제를 시행한 까닭을 〈본문 72쪽〉에서 찾아 서술해 봅시다.

- **까닭:** 농경민과 유목민을 분리하여 통치하기 위해 이중 지배 체제를 시행하였다.

2 자료 분석 | 〈자료 2〉와 같이 동아시아 여러 나라가 황제 칭호와 연호를 사용하게 된 까닭을 〈본문 72, 73쪽〉에서 찾아 서술해 봅시다.

- **까닭:** 황제를 칭하면서 지배를 전면 거부하고 독립국을 세웠으며, 대등함의 표현을 통해 민족의식을 드러내고자 자주 의식을 가지고 연호를 사용하였다.

역량 기르기 교과서 075쪽

1 자료 분석 | 〈자료 5〉와 〈본문 75쪽〉을 참고하여 고려와 여진의 관계가 어떻게 달라지는지 서술해 봅시다.

금 건국 이전	여진은 고려에 정기적으로 조공하고 물자를 교역하는 관계였다.
금 건국 이후	금이 고려에 사대를 요구하여 고려가 금에게 조공하는 관계로 변화하였다.

2 자료 해석 및 의사소통 | 수·당 대의 북방 민족에 대한 국제 관계와 북송과 거란, 남송과 금의 국제 관계는 어떤 차이점이 있는지 추론하여 짝과 이야기해 봅시다.

- **차이점:** 수·당 대에 있었던 북방 민족과의 국제 관계는 수·당의 우위 속에 형식적인 조공·책봉 관계를 맺었다. 반면 북송은 거란의 우위를 인정하며 맹약 관계를 맺었기에 관계의 역전이 이루어졌다. 이러한 경향은 남송 대에 더 심해지는데 금의 완전한 우위 속에 남송이 금에 조공하는 조공·책봉 관계를 맺어 수·당 대와는 완전히 반대되는 양상이 나타났다.

역량 기르기 교과서 077쪽

1 사실 이해 | 몽골의 정복 전쟁 결과로 나타난 동서 교역망의 특징을 정리하여 써 봅시다.

- **특징:** 몽골의 군사력을 바탕으로 역참 제도가 운영되었고, 패자와 같은 증빙이 발급되면서 대몽골 울루스를 중심으로 동서 교역망이 통합되었다. 이에 동서 교역이 더욱 활발해졌고, 마르코 폴로와 이븐 바투타 같은 인물들이 활동하였다.

2 역사적 판단력 및 의사소통 | 몽골 제국의 동서 교역로와 현재 중국의 일대일로 정책의 공통점과 차이점을 짝과 이야기해 봅시다.

- **공통점:** 동서 육상 교역로와 해상 교역로가 대략적으로 비슷하다는 점, 무역으로 거대한 경제권을 추구한다는 점 등이 있다.
- **차이점:** 몽골 제국 시기에는 큰 경쟁 국가가 없었던 것에 비해 현재는 미국과 주도권을 경쟁하고 있다는 점 등을 말할 수 있다.

역량 기르기 교과서 078쪽

1 자료 분석 | 〈자료 3〉을 참고하여 몽골의 동아시아 원정을 순서대로 정리해 봅시다.

일본 방면	만주 → 고려 → 일본
대월 방면	대월 → 참파

| 해설 | 4대 칸 뭉케는 훌레구를 서아시아, 쿠빌라이를 남중국 방면으로 보냈다. 쿠빌라이군은 티베트 일대를 정복한 후 북상하여 남송을 압박하였다. 뭉케 칸의 사망 이후 즉위한 쿠빌라이는 고려, 남송, 일본, 대월, 참파, 자바를 침공하여 해상 교통로 장악에 힘썼다.

스스로 확인 학습 교과서 081쪽

2 배운 내용을 떠올리며 동아시아 국제 관계의 도표를 완성해 봅시다.

- ㉠: 황제에게 조공을 바치는 행위 • ㉡: 책봉
- ㉢: 전쟁을 하다가 평화적인 우호 관계를 맺는 것
- ㉣: 책봉은 명분의 관점에서 중국 중심의 국제 질서를 확립하기 위해 수립하고자 하였고, 조공은 실리적 관점에서 경제적 이득, 통치의 정당성, 국제 사회에서의 위신 확보 등을 위해 실시함.
- ㉤: 당과 신라, 명과 조선이 대표적인 형태임.

3 아래 제시된 자료를 읽고, 물음에 답해 봅시다.

(1) **자료 분석** (가)에서 조선의 세조가 명나라 사신에게 말한 후문의 야인은 어느 민족을 가리키는 것인가요?

- **민족:** 여진족

(2) **자료 해석** (나)를 바탕으로 (가)에서 명나라 사신 진가유가 말한 '대국도 섬길 수가 있고, 소국도 섬길 수 있다.'라는 말이 무엇을 뜻하는지 해석해 봅시다.

- **예시 답안:** 사대는 소국이 대국을 섬긴다는 뜻이며, 사소는 대국이 소국을 정성으로 보살펴준다는 뜻이다.

대주제 ③ 동아시아의 사회 변동과 문화 교류

17세기 전후 동아시아 전쟁

역량 기르기 교과서 089쪽

1 자료 분석 | 〈자료 1〉과 〈본문 88쪽〉을 참고하여 왜구가 주로 공격한 지역과 그 까닭을 서술해 봅시다.

- **공격 지역:** 닝보를 포함한 명의 남부 지역
- **까닭:** 명과 일본의 무역은 감합 무역이라 불리는 조공 무역의 형태로 이루어졌다. 그러나 1523년에 일어난 닝보의 난으로 명과 일본의 감함 무역이 중단되자 이에 반발하는 세력이 무역의 확대를 요구하며 왜구가 되었다.

| 해설 | 명은 무로마치 막부에게 왜구를 단속하면 조공 무역을 허락하겠다고 제안하였다. 이에 무로마치 막부는 조공 무역의 막대한 이익을 위해 왜구를 소탕하였다(전기 왜구). 그러나 감합 무역의 이익을 두고 다투었던 세력들이 명의 관리를 죽이는 닝보의 난을 일으키자, 명은 감합 무역을 중단하였다. 감합 무역이 중단되자 일본·중국 상인들은 각자가 필요로 하는 물품을 얻기 어려웠다. 이에 일본인뿐만 아니라 중국인도 왜구로 가장하여 밀무역이나 약탈에 나섰고, 16세기 중반에 이르러 명의 동남부 연해 지방에는 왜구가 창궐하였다(후기 왜구).

2 사실 이해 | 〈본문 89쪽〉을 참고하여 조총이 일본의 센고쿠 시대에 끼친 영향을 서술해 봅시다.

- **조총의 영향:** 일본에 조총이 전래되면서 기존의 활을 사용하는 기마 부대 전법에서 조총을 사용하는 보병 전법으로 전술이 변화하였다. 오다 노부나가는 조총 부대를 활용하여 통일의 기초를 마련하였고, 이를 토대로 도요토미 히데요시가 센고쿠 시대를 통일하였다.

역량 기르기 교과서 091쪽

1 자료 분석 | 〈자료 1〉과 〈본문 91쪽〉을 참고하여 일본이 임진왜란을 일으킨 목적과 명이 임진왜란에 참전한 까닭을 정리해 보자.

- **일본:** 도요토미 히데요시가 일본을 통일하였지만, 다이묘들은 여전히 강력한 군사력을 보유하고 있었다. 이러한 군사력을 대외 정벌에 사용하여 국내 정치를 안정시킴과 동시에 영토 확장과 무역 확대를 추구하였다. 특히 조선은 중국으로 진출하는 교두보였기에 일본 입장에서는 무력으로 먼저 정복할 필요가 있었다.
- **명:** 일본의 조선 점령이 성공하면 수도인 베이징이 위험하기 때문에 참전하였다. 또한 명에게 있어 조선은 랴오둥 방면의 왜구 침입을 막는 방파제와 같은 존재였다. 그러므로 조선을 보호해야 왜구로부터의 피해를 줄일 수 있었다. 명은 명의 본토가 아닌 조선에서 전쟁을 치르는 것이 유리하다고 판단하였으며, 랴오둥을 보호함과 동시에 베이징을 지키려는 실리적인 목적이 강하였다.

2 역사적 판단력과 문제 해결력 | 〈역사와 토론〉을 읽고, '임진왜란' 대신 각국에서 함께 수용할 수 있는 대체 용어로 무엇이 좋을지 말해 봅시다.

- **예시 답안:** '임진왜란'은 일본을 오랑캐로 비하하는 표현을 담고 있으며, '분로쿠의 역'과 '게이초의 역'은 일본을 기준으로 전쟁을 바라보는 표현이며, '항왜원조' 역시 전쟁에서 중국의 역할을 강조한 표현이다. 동아시아 3국이 함께 수용할 수 있는 용어로는 전쟁 당사국의 국명을 넣어 만든 '조·일 전쟁', 또는 한·중·일에서 공통으로 사용하는 육십갑자에 따른 '임진전쟁'이라는 용어가 가장 객관적인 표현이라 할 수 있다.

역량 기르기 교과서 093쪽

1 자료 분석 | 〈자료 3〉에서 경작지 면적이 가장 많이 줄어든 지역 두 곳을 찾고, 그 까닭을 말해 봅시다.

- **지역:** 전라도와 경상도의 경작지 면적이 가장 많이 줄었다.
- **까닭:** 임진왜란 당시 일본이 집중적으로 공격하고 약탈한 지역이다. 특히 경상도는 일본군이 상륙한 지역이었기 때문에 가장 많은 피해를 입었고, 전라도는 정유재란 때 일본군에 점령을 당하면서 황폐해졌다.

2 정보 활용 | 교토에 귀 무덤이 세워진 까닭을 검색해 봅시다.

- **까닭:** 일본 막부는 장수들의 전공을 확인하기 위해 조선인들의 목 대신 귀 또는 코를 베어오도록 하였다. 베어진 귀와 코는 소금에 절인 채 일본으로 옮겨져 교토에 매장되었다.

역량 기르기 교과서 094쪽

1 사실 이해 | 관우 사당이 동대문 등지에 자리 잡은 까닭을 적어 봅시다.

- **까닭:** 조선에 들어온 명군들이 중국의 관우 숭배 사상을 들여왔다. 명군은 군신으로 추앙되던 관우를 기념하는 사당을 세웠는데, 이는 큰 전투에서 관우가 자신들을 도왔다는 종교적 경험에 의한 것이었다. 이렇게 세워진 관우 사당은 관우의 충의를 높이 기린 숙종 대에 이르러 본격적으로 정비되었다.

| 해설 | 관우 신앙은 명군의 강요로 수용되었으나 성리학과 맞지 않아 조선 정부로부터 환영받지 못하였다. 그러나 명의 신종이 사당 건립 비용을 보낼 정도로 관심을 가졌기 때문에 조선은 마지못

해 관왕묘를 지어 관리하였다. 그러나 숙종 이후 왕들은 관왕묘에 들러 개인적인 비정기 의례를 행하였으며, 동묘뿐만 아니라 다른 관왕묘들에 대한 정비가 본격적으로 이루어졌다. 이에 대해 충(忠)으로 대표되는 관우를 통해 왕권을 강화하려는 의도라는 주장이 있다.

2 자료 분석 | 〈자료 7〉을 보고, 강항이 일본에 가서 전한 학문이 무엇인지 말해 봅시다.

- **전한 학문:** 강항은 당시 승려들의 학문 연구 대상에 불과하였던 성리학의 주요 내용과 여러 의례들을 전파하였고, 이를 토대로 일본 유학자들이 성장하였다.

| 해설 | 후지와라 세이카는 강항과의 교유로 신유학 전반을 깊게 이해할 수 있었다. 강항의 도움을 받은 후지와라 세이카는 도쿠가와 이에야스 앞에서 일본 최초로 유교의 학문적 독립을 선언하면서 일본 주자학의 개조가 되었다.

역량 강화하기 교과서 095쪽

1 정체성과 상호 존중 | 김충선 처지에서 전쟁에 참여한 일본인을 설득하는 편지를 작성해 봅시다.

- **예시 답안:** 이번 전쟁은 명분이 없는 전쟁이다. 우리가 이 전쟁으로 얻을 수 있는 것이 무엇인가? 전쟁으로 대부분 죄 없는 백성이 죽어가고 있다. 나는 조선 백성과 왜군의 억울한 죽음을 막고자 이렇게 투항하였다. 군인들은 당장 전쟁을 멈추고 일본으로 돌아가 예전처럼 양국이 서로를 돕는 좋은 이웃 국가의 관계를 회복하길 빈다.

2 정보 활용 및 의사소통 | 이삼평을 비롯한 조선 도공은 일본에서 어떤 삶을 살았는지 알아보고, 이를 근거로 일본인은 조선 도공을 어떻게 생각하였을지 짝과 토의해 봅시다.

- **예시 답안:** 조선인 도공들이 만든 도자기는 일본 내에서 뿐만 아니라 교역품으로도 인기가 많았다. 이에 실력이 좋은 조선인 도공들은 좋은 여건에서 일할 수 있는 환경을 제공 받았고, 도자기 기술자로서 장인 대접을 받았다. 이는 조선인 도공들이 활약한 지역이 오늘날까지 주요한 도자기 산지라는 점, 후손들이 가업을 물려받아 현재까지 활동하고 있다는 점에서 알 수 있다.

| 해설 | 임진왜란은 도자기 전쟁이라 불릴 정도로 일본의 도자기사에 있어서 획기적인 기점이었다. 당시 최고의 도자기 기술을 가진 국가는 중국과 조선뿐이었는데, 이 기술이 일본으로 도입되었기 때문이다. 당시 조선인 도공들은 자신들이 끌려간 지역을 근거지로 도자기 가마를 열었고, 대대로 그 기술을 전수하며 발전시켰다. 현재 일본 도자기 산업으로 유명한 규슈의 많은 지역에는 조선인 도공의 후손 혹은 그 기술의 명맥이 이어져 오고 있다.

역량 기르기 교과서 097쪽

1 자료 분석 | 〈자료 3〉을 바탕으로 막부와 다이묘의 관계를 정리해 봅시다.

- **관계:** 막부는 막번 체제를 통해 권력을 집중시켰고, 무가제법도를 개정하여 산킨코타이 제도를 의무화하였다. 정치적 불모를 잡아둠과 동시에 각 번의 다이묘를 정기적으로 에도를 오고 가게 함으로써 재정적 부담을 가하게 하였다.

2 자료 분석 및 의사소통 | 〈자료 4〉를 보고 만주족이 재해석한 '중화인'과 '오랑캐'의 차이를 짝과 함께 토론해 봅시다.

- **차이:** 만주족이라 하더라도 중화의 인의를 안다면 '중화인'이 될 수 있다고 재해석하였다. 반면 인의와 윤리를 모른다면 중원에서 태어났다 하더라도 '오랑캐'라고 보았다.

역량 기르기 교과서 099쪽

1 자료 분석 | 〈자료 5〉를 보고, 병자호란 직후 연행사 파견 횟수가 많아진 까닭을 적어 봅시다.

- **까닭:** 병자호란 직후인 1637~1656년에 파견 횟수가 가장 많다. 이는 청이 전쟁으로 조선을 굴복시킨 후 감시 목적으로 사절단 파견을 자주 요구하였기 때문이다.

2 정보 활용 및 의사소통 | 〈자료 6〉을 참고하여 해외여행 중 중국이나 일본 친구를 만난다면 어떻게 의사소통을 할 것인지 짝과 이야기해 봅시다.

- **예시 답안:** 스마트폰의 사전앱이나 번역앱 등을 활용하여 의사소통을 할 것이다. 한류에 대한 이야기뿐만 아니라 평소에 관심 있었던 중국과 일본 문화 또는 서로 관심 있는 스포츠 분야에 대한 이야기를 나누면서 공감대를 형성할 것이다.

역량 강화하기 교과서 100쪽

1 자료 해석 및 정보 활용 | 박지원은 청의 지식인을 만나 무엇을 물어보고 싶었을지 상상하여 질문 목록을 만들어 봅시다.

질문 목록	• 지구가 돈다는 사실을 어떻게 확인할 수 있는가? • 서양의 과학 문물에는 어떤 것이 있으며, 이는 우리에게 유용한가? • 청이 경제적으로 부유하게 된 배경은 무엇인가? • 조선에서 활용하면 좋을 경제 정책을 추천한다면?

2 자료 분석과 의사소통 | 박지원이 가지고 있던 만주족에 대한 인식이 여행 이후 어떻게 바뀌었나요? 짝과 함께 토의해 봅시다.

- **예시 답안:** 박지원은 책문의 부유함, 수레의 사용과 같은 청의 발전상을 직접 목격하였다. 이에 오랑캐라 하더라도 보다 나은 백성들의 삶을 위해서 청을 배우자는 북학 운동의 필요성을 절감하였다.

| 해설 | 조선의 지배층에게 청은 오랑캐가 세운 야만국이었다. 그러나 박지원이 활동한 18세기 중후반 청은 세계 제일의 경제력과 군사력은 물론 선진 문명과 과학 기술까지 보유한 초강대국이었다. 박지원을 중심으로 한 북학파는 조선을 부국강병한 국가로 만들 수만 있다면 오랑캐라 하더라도 배워야 한다고 생각하였다.

스스로 확인 학습

교과서 101쪽

2 17세기 전후 동아시아의 전쟁 내용을 떠올리며 빈칸을 완성해 봅시다.

- ㉠: 일본
- ㉡: 후금
- ㉢: 친명배금
- ㉣: 명
- ㉤: 형제 관계
- ㉥: 삼전도
- ㉦: 군신 관계
- ㉧: 물적 · 인적 피해, 명 숭상 분위기 고조
- ㉨: 재정 적자, 지방 반란 심화
- ㉩: 부족 통합, 후금 건국
- ㉪: 에도 막부 수립, 문화 발전
- ㉫: 북벌 운동

3 아래 제시된 자료를 읽고, 물음에 답해 봅시다.

(1) **사실 이해** 빈칸에 공통으로 들어갈 말을 넣어 봅시다.

- **정답:** 요동(랴오둥)

(2) **사실 이해 및 자료 분석** 명의 참전이 임진왜란에 가져온 결과는 무엇인가요? 이러한 사실은 전후 조선의 집권층에게 어떤 영향을 끼쳤을까요?

- **결과:** 명의 참전으로 조 · 명 연합군이 결성되어 일본을 몰아내는 등 전세가 역전되었다.
- **영향:** 전후 명이 쇠퇴하고 있음에도 불구하고 지배층에서는 원군을 파견하였던 명을 '재조지은'으로 숭상하는 분위기가 고조되었다. 이러한 분위기는 인조반정 이후 친명배금 정책으로 이어졌고, 정묘호란과 병자호란을 일으킨 요인으로 작용하였다. 병자호란 이후에도 명에 대한 의리는 중요시되어 북벌 운동으로 나타났으며, 중화인 명이 멸망한 후 남은 중화는 조선 밖에 없다는 조선 중화 의식이 강화되었다.

주제 8 교역망의 발달과 은 유통

교과서 103쪽

1 사실 이해 | 명과 일본이 감합 무역을 시행한 배경을 〈본문 102쪽〉에서 찾아 서술해 봅시다.

- **배경:** 명은 당시 연해 지역에서 활개를 치던 왜구 소탕을 무로마치 막부에게 요구하였다. 조공 무역을 통해 부족한 재원을 마련하고자 하였던 무로마치 막부는 이를 수용하여 명에게 책봉을 받았다. 이렇게 명과 일본의 국교가 수립되어 양국 간 감합 무역이 이루어졌다.

| 해설 | 감합 무역은 전통적인 중화 중심의 관념에 따라 주변국들이 중국의 황제에게 종속의 표시로 공물을 바치고 이에 회사품을 받는 조공 무역의 형태로 이루어졌다. 주로 주변 민족들을 효율적으로 통제하려는 외교적 목적에서 행해졌다.

2 자료 분석 | 〈본문 103쪽〉과 〈자료 2〉, 〈자료 3〉을 참고하여 밀무역이 활발해진 배경을 서술해 봅시다.

- **배경:** 당시 동아시아 무역은 명을 중심으로 전개되었다. 그러나 해금 정책을 폈던 명은 사무역을 철저히 통제하며 조공 무역만을 허용하였다. 이로 인해 동아시아에는 밀무역이 활발해졌으며, 동아시아 상인들뿐만 아니라 동남아시아와 유럽 상인들까지 참여하여 국제적인 규모로 확대되었다.

| 해설 | 명의 해금 정책으로 교역이 자유롭게 이루어지지 않자 동아시아 각지에 밀무역이 성행하였다. 특히 중국 상인들은 중국산 상품들을 해외에 팔기 위해 스스로 왜구가 되어 활동하기도 하였다.

교과서 105쪽

1 사실 이해 및 의사소통 | 〈본문 103쪽〉을 참고하여 중국과 일본 상인들이 동남아시아 항구 도시에서 교역한 까닭을 두 나라의 대외 정책과 연결 지어 말해 봅시다.

- **교역한 까닭:** 명이 16세기 중반 이후 해금령을 완화하고 사무역을 허용하였지만, 왜구 문제로 일본 상인과의 교역은 여전히 금지되었다. 이에 일본 상인은 규슈 또는 동남아시아 등지에서 중국 상인과 교역하였다.

| 해설 | 정화의 원정을 계기로 중국과 동남아시아의 교류가 활발해졌고, 이는 다른 동아시아, 동남아시아 국가 간의 교역 증진으로 이어졌다. 특히 명의 해금 정책으로 동남아시아는 주요 무역 거점으로 각광받았고, 핵심 교역품인 중국산 상품을 거래하기 위해 중국과 일본 상인들이 동남아시아 항구를 이용하였다.

2 정보 활용 및 의사소통 | 17, 18세기에 네덜란드가 포르투갈을 물리치고 동남아시아와 일본에서 무역을 독점할 수 있었던 요인을 검색해 보고 짝과 말해 봅시다.

- **요인:** 네덜란드는 동인도 회사를 통해 경제적으로는 향신료 무역을 독점하였고, 군사적으로 포르투갈 세력을 동남아시아 주요 거점에서 몰아냈다. 한편 17세기 에도 막부는 크리스트교 확산에 위협을 느껴 크리스트교 금지령을 내렸고 포르투갈 상인들이 추방되었다. 반면 이 시기에 네덜란드는 일본과의 교류에 있어 포교가 아닌 무역을 주목적으로 하여 서양의 지식을 전달하는 역할을 하였다. 그 결과 일본에서 무역을 독점할 수 있었다.

역량 기르기 교과서 107쪽

1 자료 분석 | 〈자료 1〉과 같이 아메리카산·일본산 은이 중국으로 유입된 까닭을 교역품과 은의 가치로 정리해 봅시다.

- **유입된 까닭:** 비단, 도자기와 같은 중국산 제품들은 유럽과 일본에서 인기가 많았다. 또한 명의 경제 발전으로 중국 내에서 은 수요가 급증하였고, 이에 중국의 은값이 유럽보다 두 배 정도 비쌌다. 이처럼 중국산 제품을 구매하려면 은으로 거래하는 것이 가장 이윤을 남기는 것이었으므로 아메리카산·일본산 은이 중국으로 대거 유입되었다.

2 자료 분석 | 〈자료 2〉와 〈본문 107쪽〉을 참고하여 임진왜란이 조선의 은 유통에 끼친 영향을 서술해 봅시다.

- **영향:** 임진왜란 때 명군의 봉급과 군수 물자 구매 비용 등으로 명의 은이 대량으로 조선에 유입되었다. 이때 조선의 농민과 소상인들이 명군과 접촉하면서 은을 화폐로 사용하는 데에 익숙해졌다. 또한 명이 은을 공물로 요구하자, 조선은 은광을 개발하고 일본과의 무역을 통해 은을 확보하려고 하였다. 이처럼 임진왜란 이후 조선에서는 은의 사용과 유통이 확대되었다.

역량 기르기 교과서 109쪽

1 자료 분석 | 〈자료 4〉와 〈자료 5〉, 〈본문 108, 109쪽〉을 참고하여 동서양의 문물 교류가 양측에 어떤 영향을 주었는지 정리해 봅시다.

- **영향:** 교역망의 확대로 많은 작물들이 동아시아에 전파되었고, 이는 동아시아 각국의 인구 증가에 영향을 주었다. 서양 문물은 선교사들에 의해 전해졌는데, 중국에서는 이를 바탕으로 실용 학문이 발달하였으며, 미술 분야에서는 서양화 기법이 소개되었다. 중국을 통해 서양 문물을 접한 조선 지식인들은 중국 중심의 세계관에서 벗어날 수 있었다. 네덜란드를 통해 서양 문물을 수용한 일본에는 이를 연구하는 난학이 발달하였다. 유럽에는 중국의 차, 도자기 등이 수출되어 차 문화가 유행하고 도자기 기술이 발달하였다. 또한 일본의 우키요에가 유럽에 전해져 고흐와 같은 인상파 화가들에게 영향을 주었다.

2 자료 해석 | 「곤여만국전도」를 보고 당시 동아시아인이 놀랐다면 무엇 때문일지 적어 봅시다.

- **동아시아인이 놀란 이유:** 중국이 세계의 여러 국가 중 하나일 뿐이며 주변에 보던 국가들 외에 다양한 국가가 지구상에 존재한다는 사실에 놀랐을 것이다. 이러한 지리 정보는 결국 중국 중심의 세계관에서 벗어나는 데에 영향을 주었을 것이다.

스스로 확인 학습 교과서 111쪽

2 배운 내용을 떠올리며 빈칸에 들어갈 말을 완성해 봅시다.

- ㉠: 도자기
- ㉡: 은
- ㉢: 인삼
- ㉣: 이와미 은광

3 아래 자료를 읽고, 물음에 답해 봅시다.

(1) **사실 이해** 빈칸에 공통으로 들어갈 나라를 써 봅시다.

- **정답:** 류큐

(2) **자료 해석** 빈칸에 들어갈 나라가 15, 16세기 중반까지 중계 무역으로 번성할 수 있었던 배경을 명의 대외 정책과 연결하여 서술해 봅시다.

- **배경:** 명이 해금 정책을 펴 대외 무역을 제한하자 류큐는 명과의 조공 무역으로 얻은 물품을 일본, 조선, 동남아시아에 판매하는 중계 무역으로 번성하였다.

주제 9 사회 변동과 서민 문화

교과서 113쪽

1 자료 분석 | 〈본문 112쪽〉을 참고하여 〈자료 1〉에 나타난 동아시아 3국의 공통된 인구 증가 요인을 두 가지만 써 봅시다.

- **증가 요인:** 동아시아 3국은 공통적으로 농업 기술의 발전으로 인한 생산력 증대, 의학의 발달로 인한 사망률 감소로 17세기 이후 인구가 빠르게 증가하였다.

| 해설 | 전쟁 없이 평화로운 200여 년을 맞이하여 인구가 급격히 감소할 상황이 발생하지 않았다. 또한 농서 보급과 수리 관개 기술의 확대로 경지 면적이 증가하였고, 노동량과 비료 사용량의 증가로 단위 면적당 생산량이 늘어 농업 생산력이 증대하였다. 조생

종과 같은 다양한 개량 품종과 아메리카산 구황 작물의 유입으로 식량 증산도 이루어져 인구 증가에 영향을 미쳤다. 마지막으로 의료 기술의 발달로 질병으로 인한 사망자 수가 줄어 인구 손실을 막을 수 있었다.

2 자료 해석 | 〈자료 2〉의 홍양길을 '중국의 맬서스'라고 부르는 까닭을 아래의 글을 참고하여 서술해 봅시다.

- **까닭:** 홍양길은 주거 공간과 생산력의 향상이 인구 증가 속도보다 느린 것을 걱정하였고, 맬서스 역시 인구가 기하급수적으로 증가하는 반면, 식량 공급은 산술급수적으로 증가한다는 점을 지적하며 인구 문제를 경고하고 있다. 이처럼 두 인물 모두 의식주와 같이 인류에게 필요한 자원들이 너무 빠른 인구 증가 속도를 감당하지 못할 것이라 판단하고 있다.

교과서 115쪽

1 사실 이해 | 쑤저우와 같은 강남 지방의 도시와 수도 베이징의 도시 성격을 찾아 정리해 봅시다.

강남 도시	전국적인 유통망을 토대로 업종별로 전문화된 상공업 도시로 발전
베이징	정치와 행정의 중심지이자 최대 소비 도시로 발전

| 해설 | 강남 도시들은 시진을 중심으로 발전하였다. 청의 수도인 베이징은 정치·행정 도시로 발전하였기에 도시 자체에서 생산하는 것은 없었다. 그러나 대운하를 통해 조운선을 비롯한 다양한 선박들이 왕래하여 모든 물자들이 보급되었다.

2 자료 해석 | 〈본문 106쪽〉에서 배운 은 유통의 활성화와 은을 바탕으로 한 세제가 상공업과 도시 발달에 어떤 영향을 끼쳤을지 추론해 봅시다.

- **영향:** 외국과의 교역으로 많은 은이 중국으로 유입되었고, 도시를 중심으로 유통되었다. 은 경제의 발달로 일조편법과 지정은제가 시행되었으며, 농민들이 은으로 세금을 납부하려면 상인에게 의지할 수밖에 없었다. 민간에서 은 거래가 활발해지면서 중소 규모의 시장들이 점차 도시로 성장하여 규모가 커져갔다.

교과서 117쪽

1 자료 분석 | 〈자료 4〉를 참고하여 에도 시대 때 도시에 거주하였던 신분과 신분별 인구 분포를 정리해 봅시다.

- **도시에 거주한 신분:** 조카마치에는 무사와 상공업자들이 거주하였다. 에도 시대 전체 인구 중 대략 84%가 농민이었는데, 농민들은 병농 분리와 농상 분리 정책에 따라 도시에 거주하지 못하였다. 즉 에도 시대의 도시에는 전체 인구의 약 15%가 거주하였다고 볼 수 있다(귀족 및 승려 2%, 무사 7%, 조닌층 6%).

2 자료 해석 | 〈자료 3〉과 〈자료 4〉를 참고하여 19세기 초 중국과 조선보다 일본의 도시 거주 인구 비율이 2.5~3배 높았던 까닭을 조카마치와 산킨코타이 제도와 관련지어 추론해 봅시다.

- **까닭:** 조닌층이 정치·군사의 중심지인 조카마치에 살면서 도시화를 주도하였고, 산킨코타이 제도로 유통과 교통이 다른 국가들보다 활성화되어 도시화가 더욱 촉진되었다.

교과서 119쪽

1 사실 이해 | 동아시아 3국의 서민 문화를 분야별로 정리해 봅시다.

구분	명·청 대	조선 시대	에도 시대
문학	『삼국지연의』 등 대중 문학	『홍길동전』 등 한글 소설	『일본영대장』 등 대중 문학
공연	곡예, 경극 등	판소리, 탈춤 등	분라쿠, 가부키
미술 (예술)	연화	민화	우키요에

2 정보 활용 및 의사소통 | 17~19세기 동아시아 3국의 공연문화와 미술 작품을 소개하는 광고 문구를 짝과 비교해 봅시다.

- **예시 답안 ①:** 별별 귀신 다 쫓는 산대놀이 구경 갑시다!
- **예시 답안 ②:** 모두가 탐낸 조선의 럭셔리 책가도

교과서 121쪽

1 자료 분석 | 〈자료 1〉의 학자들은 연구 방법론에서 어떤 공통점이 있는지 〈본문 120쪽〉을 참고하여 말해 봅시다.

- **공통점:** 청의 고증학과 조선의 실학, 일본의 국학은 각각의 학문이 추구하는 목표는 다르지만 실증적인 연구 방법론을 추구하였다는 점에서 공통점을 보인다.

2 사실 이해 및 의사소통 | 박제가와 정약용의 제안처럼 조선 정부가 서학을 적극적으로 받아들였다면 이후 조선의 운명은 어떻게 바뀌었을지 짝과 함께 토론해 봅시다.

- **예시 답안:** 서학을 통해 서양 제국주의의 실상과 과학 기술 등에 대한 정확한 정보가 있었다면 자주적인 근대화도 성공했을 것이다.

역량 강화하기  교과서 122쪽

1 역사적 판단력 | 아편 전쟁 이전까지 유럽이 동아시아보다 발전되었다고 볼 수 있을지 생각해 보고, 자기 생각을 친구들과 이야기해 봅시다.

- **예시 답안:** 아편 전쟁 이전까지 아시아는 세계 제조업 생산량의 57%를 차지하여 유럽의 32%를 크게 앞섰다. 유럽이 아시아의 생산량을 넘어선 것은 아편 전쟁에서 승리한 이후의 일이라는 것을 알 수 있다.

2 정보 활용과 의사소통 | 아편 전쟁 이전까지 동아시아가 유럽보다 앞섰다면, 청의 아편 전쟁 패배는 왜 일어났을까요? 자기 생각을 대화창에 써 봅시다.

- **예시 답안:** 당시 중국 정부와 지배층이 자신들의 기득권 유지에 몰두하고 중화사상에 빠져 영국의 군사력과 경제력을 정확하게 파악하지 못하였기 때문에 패배하였다.

스스로 확인 학습 교과서 123쪽

2 배운 내용을 떠올리며 빈칸에 들어갈 말을 완성해 봅시다.

- ㉠: 고증학 • ㉡: 실학 • ㉢: 국학

3 스스로를 조선 시대 도서 대여점의 주인이라고 가정하고, 대여점 입구에 붙일 소설 『홍루몽』의 홍보 문구를 작성해 봅시다.

- **낭독:** 등장 인물 700명, 귀족 가문의 흥망성쇠 속에 흥미롭고 다채로운 사랑 이야기를 매일 밤 달빛 아래에서 들려줍니다.
- **세책:** '만리장성과도 바꿀 수 없는 중국인의 자존심'인 소설 『홍루몽』을 싼값에 빌려볼 수 있습니다.
- **방각본 출판:** 가장 중국적인 것부터 가장 보편적인 인간 내면까지 폭넓게 그려낸 대작 『홍루몽』을 소장하고 싶지 않으십니까?

대주제 4 동아시아의 근대화 운동과 반제국주의 민족 운동

주제 10 새로운 국제 질서와 근대화 운동

역량 기르기 교과서 131쪽

1 사실 이해 | 〈본문 130, 131쪽〉의 조약들에 나타난 불평등 요소들을 정리해 봅시다.

구분	내용
영사 재판권	자국 내 외국인의 범죄를 자국의 법에 따라 재판하지 못하는 제도임.
최혜국 대우	특정 국가와 조약을 체결할 때 각종 특권을 조약을 맺는 다른 국가들에도 똑같이 주는 조치임.

2 자료 해석 및 의사소통 | 〈자료 2〉의 아편 전쟁에 대한 정보가 조선과 일본에 전달된 방식이 어떻게 다른지 짝과 함께 이야기해 봅시다.

- **전달 방식의 차이:** 일본은 네덜란드 상인과 청 상인 등 여러 정보를 비교하여 보다 정확한 사실을 파악할 수 있었다. 그러나 조선은 주로 연행사를 통해 정보를 얻었다. 연행사는 청의 패배를 중화 의식에 맞추어 왜곡하는 중국 관보에 정보를 의존하였기 때문에 편향적일 수밖에 없었다.

역량 기르기  교과서 133쪽

1 자료 분석 | 〈자료 1〉의 주장과 가장 관계가 깊은 근대화 정책을 〈본문 132쪽〉에서 찾아봅시다.

- **정책:** 〈자료 1〉의 핵심 주장은 국가의 독립을 위해서 국민들이 국가에 대한 각자의 책임을 다해야 한다는 것이다. 이를 위해서는 국가에 대한 책임의식을 가질 수 있는 새로운 신분 제도가 필요하다. 메이지 정부는 사민평등 실현을 위해 봉건적 신분제를 폐지하였고, 징병제와 근대 국민 교육을 시행하였다.

2 자료 해석 및 의사소통 | 청과 일본의 근대화 정책이 갖는 차이점을 짝과 함께 토론해 봅시다.

- **차이점:** 개혁 주체인 양무파가 중앙의 지원을 받지 못하였고, 지방마다 개별적으로 이루어져 상승효과를 보지 못하였다. 반면 일본은 개혁 주체들이 타협을 이루어 메이지 유신을 추진하였으며, 이를 바탕으로 중앙 집권 체제를 확립하여 체계적으로 근대화 정책을 추진할 수 있었다. 또한 중체서용에 입각하여 기술만 받아들인 청과는 달리 일본은 신분제 폐지와 같은 제도를 개혁하는 데도 힘썼다.

 교과서 134쪽

1 사실 이해 | 〈본문 134쪽〉을 참고하여 아래 빈칸을 채워봅시다.

구분	중심인물	개혁 모델
온건 개화파	김윤식, 김홍집	청의 양무운동
급진 개화파	김옥균, 홍영식	일본의 메이지 유신

2 자료 해석 및 의사소통 | 〈자료 5〉에서 단발령 시행에 백성들이 크게 반발한 까닭을 추론하여 짝과 함께 이야기해 봅시다.

- **까닭:** 동의 없이 강제로 상투를 자르는 것에 대한 충격과 반발도 있었지만, 백성들은 개혁 세력을 일본의 앞잡이로 보았기 때문에 더 크게 반발하였을 것이다.

 교과서 135쪽

1 자료 분석 | 동아시아 3국의 민중들이 보인 반응에서 나타난 공통점과 차이점을 말해 봅시다.

- **공통점:** 근대화 과정에서 민중들의 삶이 어려워졌다.
- **차이점:** 조선과 청의 민중들은 외세의 이권 침탈에 대해 저항하였다.

2 자료 해석 및 의사소통 | 근대화 정책의 추진은 민중들에게 위기를 가져다주었지만, 어떤 사람들에게는 기회이기도 하였습니다. 근대화 정책이 민중들에게 제공한 긍정적인 점을 짝과 함께 이야기해 봅시다.

- **긍정적인 점:** 각국마다 시기가 다르지만, 근대화 정책으로 봉건적 신분제가 폐지되었다. 그리고 교육을 통해 계층 상승이 가능해져 과거보다 개방적인 사회로 발전하였다.

 교과서 138쪽

1 사실 이해 | 3국의 헌법을 비교한 도표입니다. 빈칸을 채워 봅시다.

구분	「대일본 제국 헌법」	「대한국 국제」	「흠정 헌법 대강」
반포 시기	(자유 민권) 운동기	대한 제국	(신정)
의회 설립	○	×	×
민권 규정	○	×	○

| 해설 | 동아시아 3국은 근대화를 추진하는 과정에서 입헌 체제를 수용하였다. 일본은 천황이 군대 통수권 등 절대 권한을 행사할 수 있도록 하였다. 대한 제국은 「대한국 국제」를 통해 황제의 무한한 군주권을 천명하였다. 청의 경우 전제 황권을 규정하는 헌법의 초안을 만들기도 하였지만 입헌 군주정으로 이어지지는 못하였다.

스스로 확인 학습 교과서 139쪽

2 아래의 자료와 본문, 인터넷 등을 활용하여 ①~⑤를 완성해 봅시다.

- ①: 일본의 타이완 침략, 류큐 병합
- ②: 청·일 수호 조규, 조·일 수호 조규
- ③: 조·청 수륙 무역 장정
- ④: 난징 조약
- ⑤: 청·일 수호 조규

| 해설 | 중국을 중심으로 한 조공·책봉 체제는 아편 전쟁의 결과 맺어진 근대적 조약 체제인 난징 조약으로 균열되기 시작하였다. 청·일 수호 조규는 동아시아 지역에서 처음으로 맺어진 근대적 조약 체제였다. 청·일 전쟁에서 청이 패배하자 청 중심의 조공 체제는 붕괴하고 조약 체제로 이행하였다.

주제 11 서양 문물의 수용

 교과서 141쪽

1 사실 이해 | 사회 진화론은 제국주의 시대에 활용되었던 인식틀이었습니다. 〈자료 2〉를 참고하여 동아시아 3국의 지식인들이 근대화(문명화)를 추구한 까닭을 서술해 봅시다.

- **까닭:** 일본은 국민 국가 확립에 목적이 있었고, 청과 조선에서는 국가의 부강을 위해 사회 진화론을 받아들였다. 동아시아 3국의 지식인들은 약육강식의 논리에 따라 근대화(문명화)를 추구해야 국제 사회에서 생존할 수 있다고 생각하였다.

2 사실 이해 | 만국 공법과 사회 진화론이 동아시아에 끼친 영향을 정리해 봅시다.

구분	영향
만국 공법	모든 나라를 문명국, 반문명국, 미개국으로 나누어 불평등한 국제 질서를 정당화하였다.
사회 진화론	세계를 강자와 약자의 싸움터라고 인식하고, 국가와 인종 간의 생존 경쟁을 통해 진보를 달성할 수 있다고 보았다.

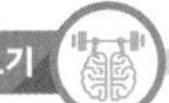

역량 기르기 교과서 143쪽

1 사실 이해 | 아래 도표의 빈칸을 채워 봅시다.

구분	근대 신문	근대 교육
청	• 『신보』: (변법자강) 운동 세력의 후원, 개항장 조계에서 발간	• 청·일 전쟁 이후 일본을 모방한 학당 설립
일본	• 『요미우리 신문』: 오락적 성격 • (『헤이민 신문』): 러·일 전쟁 반대, 평화 강조	• 메이지 유신 이후 (소)학교 의무 교육 • (『교육 칙어』): 교육 통제 강화, 충효 강조
조선	• 『한성순보』: 관보, 최초 신문 • (『독립신문』): 최초 민간 신문, 순 한글	• 갑오개혁: 근대 교육 제도 정비

2 자료 해석 및 의사소통 | 1860년대 일본 신문의 시사만평을 보고 짝과 상의해서 만평 제목을 정해 봅시다.

• **예시 답안:** 열강의 이권 침탈로 찢어지는 후지산!

| 해설 | 일본에서는 메이지 유신 이후 구미 각국이 조약 외에 특권으로 가졌던 여러 이권들을 점차 회수하였다. 또한 조약 개정에도 노력하여 1894년 7월에는 영국과 조약 개정을 실현하여 치외법권을 철폐하였다.

역량 기르기 교과서 145쪽

1 사실 이해 | 아래 도표의 빈칸을 채워 봅시다.

구분	여성 교육	여성 단체
청	여성들이 내놓은 자금으로 여학당 설립	(중화민국) 성립과 신문화 운동 이후 발전
일본	남녀 초등 (의무) 교육 시행	기독교 부인 교풍회
조선	선교사 주도로 여학교 설립	(여권) 통문, 찬양회

2 자료 해석 | 청년이 근대적 주체로 주목받게 된 까닭을 생각해 봅시다.

• **까닭:** 근대 교육을 받은 신지식인으로 독립과 근대 국가를 이끌어갈 주체이기 때문이다. 실제로 동아시아 청년들은 각국에서 근대 개혁을 위한 계몽 운동 및 민족 운동을 주도하는 집단이었다.

역량 기르기 교과서 147쪽

1 사실 이해 | 다음 도표의 빈칸을 채워 봅시다.

구분	주요 개항장	철도 개통
청	• (상하이): 영국과 미국의 공동 조계	• (1899)년
일본	• 요코하마: (차이나) 타운 형성	• 1905년 동서 관통 (철도) • 조선에 철도 건설
조선	• (인천): 수도와 철도 최초로 연결	• 일본에 의해 (철도 건설), (경인선), (경부선) 완공

2 자료 분석 | 당시 일본은 철도를 문명의 이기로 파악하여 일찍부터 부설하였습니다. 그러나 청과 조선에서는 철도를 파괴하는 등 부정적인 움직임이 많았는데, 〈자료 3〉을 참고하여 그 까닭을 서술해 봅시다.

• **까닭:** 풍수와 같이 철도 부설이 전통 문화와 충돌되는 경우가 있었다. 또한 국방 문제와 외국인의 경제 침탈 문제, 철도 주변의 토지 약탈과 같은 정치·경제적 침략을 경계하였기 때문이었다.

스스로 확인 학습 교과서 149쪽

2 아래 글과 본문 147쪽 철도 관련 내용을 참고하여 질문에 답해 봅시다.

(1) **자료 해석** 한성에 전차가 처음 등장하였을 때 주민들의 반응은 어땠을까요?

• **반응:** 성대한 환영을 받았다. 생업을 잊고 전차만 타는 사람도 있었고, 전차를 타기 위해 상경하는 계모임이 생길 정도로 인기를 끌었다.

(2) **자료 해석** 전차가 운행되면서 어떤 문제가 발생하였을까요?

• **문제점:** 개통 후 다섯 살 아이가 전차에 치여 죽자, 시민들이 합세하여 전차를 불태우는 일이 발생하였고 약 5개월간 운행을 중단하기도 하였다. 또한 비싼 차표 값에 대한 불만, 일본인 운전사에 대한 거부감도 있었다.

3 아래 자료를 참고하여 영국인들이 아시아인을 어떻게 인식하는지 알아보고, 조계의 역할이 무엇인지 서술해 봅시다.

• **역할:** 중국인과 아시아인에 대한 영국인의 인종주의적 차별 인식을 보여준다. 조계는 도시 발전의 계기가 된 한편, 서양 제국주의 세력의 식민 지배를 위한 전진 기지 역할도 하였다. 이처럼 조계는 중국인들에게는 치욕을, 당시 조계를 지배하던 외국인들에게는 우월자의 지위를 상징하였다.

주제 12 제국주의 침략 전쟁과 민족 운동

교과서 151쪽

1 자료 분석 | 〈자료 2〉의 시모노세키 조약 제1조에 조선과 관계된 내용이 나오는 까닭이 무엇인지 생각해 봅시다.

- **까닭:** 조선이 청으로부터 완전히 독립한다는 조항을 통해 조선에 대한 청의 영향력을 없애고 조선을 일본의 속국으로 만들고자 하였다.

2 자료 해석 및 정보 활용 | 다음과 같은 명분으로 일어난 사건이 조선에 끼친 영향을 찾아보고 짝과 함께 이야기해 봅시다.

- **영향:** 제시문은 러시아가 주도한 삼국 간섭의 명분이다. 이후 조선은 러시아를 이용하여 일본을 견제하려 하였고, 이를 막고자 일본은 을미사변을 일으켰다.

교과서 152쪽

1 자료 분석 | 〈자료 2〉의 시모노세키 조약 제1조와 〈자료 3〉의 포츠머스 조약 제2조를 통해 짐작할 수 있는 사실을 서술해 봅시다.

- **추론 내용:** 일본이 한반도에 대해 청과 러시아보다 우월적 지위를 가진다는 내용이다. 이는 한반도에 대한 영향력 확대가 전쟁의 목표였음을 보여 준다.

2 자료 해석 | 러·일 전쟁 때 영국과 미국이 일본을 지원한 까닭을 생각해 봅시다.

- **까닭:** 영국과 미국은 만주와 조선에 러시아 세력이 진출하는 것을 우려하여 일본을 지원하였다.

| 해설 | 러시아의 남하 정책과 1891년부터 시작된 시베리아 철도 건설은 당시 세계 최강의 해군을 가진 영국을 긴장시켰다. 영국이 러시아에 맞서기 위해서는 동아시아에서 일본과 협력할 필요가 있었다. 한편 미국은 만주에서의 '문호 개방'을 주장하면서 러시아의 만주 독점 방침에 반발하였다.

교과서 153쪽

1 자료 분석 | 안중근이 러·일 전쟁 때 일본을 지지했던 까닭은 무엇일까요?

- **까닭:** 러·일 전쟁을 백인종과 황인종의 대결로 보았기 때문에 동양의 황인종이 일치단결하여 서양 세력을 물리쳐야 한다고 생각하였다.

2 자료 분석 및 의사소통 | 이토 히로부미와 안중근의 평화론이 어떤 차이가 있는지 짝과 이야기하고 아래 빈칸을 채워봅시다.

안중근	동양 평화를 위해 필요한 평화 회의, 평화군 창설 등 구체적인 내용이 담겨 있다.
이토 히로부미	일본의 대륙 침략을 정당화하는 주장이었기 때문에 동양 평화와 관련된 구체적인 내용이 없다.

역량 기르기 교과서 155쪽

1 자료 분석 | 〈자료 2〉에서 중국을 일본의 영향력 아래 두고자 한다는 비판을 받은 조항은 어느 것일까요?

- **비판받는 조항:** 중국을 일본의 영향력 아래에 두려는 목적이 담긴 조항은 제5호로, 일본인 고문의 초빙, 경찰의 공동 관리와 같은 내정 간섭과 관련된 내용이 담겨 있다.

2 사실 이해 및 정보 활용 | 3·1 운동과 5·4 운동의 공통점을 짝과 함께 토의하고 정리해 봅시다.

- **공통점:** 대중의 자발성에 의해 일어났으며, 모두 일본 제국주의의 침략에 대한 저항이었다. 또한 두 운동 모두 국민 국가 수립을 위한 노력으로 이어졌다. 3·1 운동 이후 상하이에 대한민국 임시 정부가 수립되었고, 5·4 운동 이후 중국 대중들 사이에 형성된 국민 국가 수립의 움직임은 국민 혁명으로 이어졌다.

역량 기르기 교과서 157쪽

1 사실 이해 | 중국 국민 혁명의 두 가지 목표를 서술해 봅시다.

- **목표:** 중국에서는 5·4 운동을 거치면서 국민 의식이 형성되었다. 이는 독립적이고 근대적인 국민 국가를 세우기 위한 국민 혁명으로 이어졌다. 이를 달성하기 위해서 안으로는 군벌의 수탈을 막고 밖으로는 제국주의 간섭을 물리쳐야 했다.

2 사실 이해 및 의사소통 | 민족주의 운동과 사회주의 계열의 민족 운동은 어떠한 공통점과 차이점이 있는지 짝과 상의해서 정리해 봅시다.

- **공통점:** 두 계열 모두 일본 제국주의 타도를 추구한다는 점에 공통점이 있다.
- **차이점:** 민족주의 운동은 민족의 독립을, 사회주의 운동은 계급 해방을 목표로 하였다. 독립을 한다고 해도 노동자와 농민이 지배 계급에게 속박을 당한다면 독립의 의미가 없기 때문에 사회주의 운동은 계급 해방을 목표로 하였다.

역량 기르기 교과서 159쪽

1 사실 이해 | 만주 사변이 일어났을 때 장제스가 일본군과 싸우지 않았던 까닭을 찾아 〈본문 158쪽〉에 밑줄을 쳐 봅시다.

- **까닭:** 장제스는 중국 공산당 진압을 우선시하였기에 일본과의 전쟁에는 소극적이었으며, 오히려 내정 안정을 위해 대일 타협 정책을 지속하였다.

2 정보 활용 및 의사소통 | 난징 대학살을 둘러싸고 중국과 일본의 견해가 어떻게 다른지 찾아보고 짝과 함께 쟁점을 정리해 봅시다.

- **예시 답안:** 중국에서는 공식적으로 희생자 수를 30만 명으로 보고 있는 반면, 일본에서는 수만 명에서 최대 20만 명까지 다양한 주장이 제기되고 있다. 일본 내에서도 난징 대학살에 대해 여러 입장들이 있다. 난징 대학살을 일본의 침략 전쟁으로 발생한 비극으로 인정하는 부류, 민간인들의 희생은 인정하지만 실제 알려진 피해자 수보다는 적은 피해자가 발생하였으며 우발적인 학살이라 주장하는 부류가 있다. 마지막으로는 난징 대학살 자체가 장제스의 중화민국 정부가 지어낸 유언비어라 주장하는 부류가 있는데, 이들은 주로 일본 극우 세력들의 주장을 대변한다.

역량 기르기 교과서 161쪽

1 정보 활용 및 의사소통 | 마오쩌둥과 장제스에 관한 책을 찾아보고 짝과 함께 의견을 나누어 봅시다.

- **예시 답안:** 마오쩌둥은 대장정을 통해 중국 공산당의 이데올로기를 중국 전역으로 전파하였다. 특히 농촌 지역을 근거지로 삼아 토지 개혁 등 혁명 운동을 진행한 덕분에 농민들의 지지를 얻을 수 있었고, 이는 추후 마오쩌둥이 국·공 내전에서 승리할 수 있었던 주요 요인으로 작용하였다. 장제스는 각지에 산재해 있던 군벌 세력을 물리치고 난징 정부를 수립함으로써 중국 통일의 기반을 닦았다. 소극적인 항일 정책으로 비판을 받지만, 1927~1937년까지 시기 동안 장제스의 개혁과 근대화 정책이 적용된 지역은 경제적으로 크게 성장하였다. 그러나 두 사람 모두 확고한 중화주의자로서 군사력을 권력 쟁취의 수단으로 바라보았다.

2 정보 활용 | 조선 의용대가 화베이로 이동한 배경으로 〈본문 161쪽〉에 있는 내용 외에 무엇이 더 있는지 조사해 봅시다.

- **이동한 배경:** 조선 의용대 대다수 대원들은 선전 활동보다는 일본군과 맞서 싸워야 독립을 앞당길 수 있다고 믿었다. 또한 토지 개혁으로 중국인들의 민심을 얻고 있던 공산당과 연대하는 쪽이 낫다고 생각했다. 화베이에는 한국인들이 많이 살고 있어서 대원을 확충하거나 활동하기에 유리할 것이라는 기대도 있었다.

역량 기르기 교과서 162쪽

1 자료 분석 | 〈자료 5〉에서 신채호는 조선이 독립되면 일본·러시아· 중국에 어떤 영향을 끼친다고 하였습니까?

- **조선이 독립되면 끼치는 영향:** 일본은 탐욕을 부리는 것을 그치고, 자신의 영토를 보존할 것이다. 러시아의 과격파는 조선의 약자를 돕는다는 구실을 만들지 못해 웅크릴 것이다. 중국은 한가한 틈을 얻어 혁명으로 혼란스러운 국면을 정돈할 것이다.

2 자료 해석 및 의사소통 | 전쟁터에서 〈자료 6〉의 「바꿔 쓴 전진훈」 소책자를 받은 일본군 병사는 어떤 생각을 했을지 짝과 함께 토론해 봅시다.

- **예시 답안:** 적군이 아군을 혼란하게 하려고 만든 선전물이라고 생각하는 병사도 있었을 것이고, 전쟁의 비참함을 겪으면서 전쟁에 회의를 느끼는 병사라면 「바꿔 쓴 전진훈」 소책자를 보고 마음의 변화를 가져올 수도 있었을 것이다.

스스로 확인 학습 교과서 163쪽

2 아래 자료를 읽고, 질문에 답해 봅시다.

(1) **사실 이해** 대지진이 일어났던 당시 일본은 다이쇼 (데모크라시)라고 불리는 정치 상황이었다.

(2) **사실 이해** 사회주의자와 노동조합 지도자들이 살해당한 이유는 무엇일까요?

- **이유:** 당시 일본 노동자 계급의 성장, 쌀 소동, 사회주의 사상의 유행 등으로 일본에서도 사회주의 혁명과 같은 사회 변화가 일어날 것을 두려워하여 관동 대지진이라는 혼란을 틈타 사회주의자들을 살해하였다.

(3) **자료 해석** 많은 일본인이 '조선인이 폭동을 일으켰다.'라고 하는 유언비어에 쉽게 넘어갔던 배경은 무엇일까요?

- **배경:** 일본인들은 식민지 조선의 독립운동을 탄압하고 조선인들을 차별하면서 이들이 보복이라도 할까봐 내심 불안해하고 있었기 때문에 유언비어에 쉽게 넘어갔다.

3 동아시아 국가들은 제국주의에 저항함과 동시에 어떤 국가 체제를 만들 것인지 고민하였습니다. 아래 자료의 밑줄 친 사례를 인터넷에서 검색해 보고, 자기 생각을 짝과 함께 나눠 봅시다.

- **예시 답안:** 대한민국 임시 정부는 자본주의 국가를 추구하는 세력이 주도하였지만, 사회주의 요소도 일부 수용하였다. 삼균 제도를 골자로 한 헌법, 전국의 토지와 대생산 기관의 국유화, 고급 교육의 무상 교육과 같은 내용은 자본주의와 사회주의 요소를 적절히 배합한 결과였다.

대주제 5 오늘날의 동아시아

주제 13 제2차 세계 대전의 전후 처리와 냉전 체제

역량 기르기 교과서 171쪽

1 사실 이해 | 미국이 주도한 일본의 전후 처리 방침을 정리해 봅시다.

방침	내용
비무장	(전범)들의 재판 회부, 전쟁 포기와 (군사력 보유) 금지
민주화	(여성)의 참정권 부여, (교육)의 자유화·민주화, 노동조합 결성, (재벌) 개혁과 농지 개혁 시행

2 역사적 판단력과 문제 해결력 | 히로시마 평화 기념관의 안내 문구를 자신의 관점으로 고쳐 써 봅시다.

- **안내 문구:** 일본이 침략 전쟁을 통해 동아시아인들과 세계인들에게 고통을 준 점을 통렬히 반성하고, 원자 폭탄에 의한 피해의 실상을 여러 나라 사람들에게 전하여 핵무기 폐지와 항구적인 세계 평화의 실현을 염원해서 세웠다.

역량 기르기 교과서 172쪽

1 사실 이해 | 샌프란시스코 강화 조약이 6·25 전쟁 휴전 협상 중에 급하게 추진된 배경은 무엇일까요?

- **배경:** 중화 인민 공화국이 수립되고 6·25 전쟁이 발발하자, 일본을 아시아 반공 기지로 삼기 위한 미국의 전략적 판단이다.

2 자료 해석 | 〈자료 3〉을 읽고 샌프란시스코 강화 조약의 문제점이 무엇인지 서술해 봅시다.

- **문제점:** 일본은 전쟁 잘못에 대한 반성도, 식민지 지배에 대한 사과도, 제대로 된 배상도 없이 주권을 회복하고 국제 사회에 복귀하였다.

역량 강화하기 교과서 173쪽

1 역사적 판단력과 의사소통 | 일본 천황이 전범 재판에 기소되지 않은 까닭은 무엇일까요? 이전 주제의 학습 내용을 생각하며 그 까닭을 친구들과 토론해 봅시다.

- **까닭:** 일본 국민의 정신적 지주인 천황이 전범으로 기소될 경우에 발생할 수 있는 일본 국민의 동요와 반발을 무마하기 위해서이다. 또한 미국은 일본을 아시아의 공산주의 확산을 막는 반공 기지로 만들기 위해 일본의 협조를 얻어야 했기 때문에 천황을 기소하지 않았을 것이다.

2 정보 활용 | 제2차 세계 대전을 바라보는 일본인의 태도가 드러난 영화, 소설을 찾아 친구들에게 소개해 봅시다.

- **예시 답안:** 영화 「일본 패망 하루 전」은 소설 『일본의 가장 긴 하루』를 영화한 작품이야. 이 영화는 히로시마와 나가사키에 원폭이 투하된 이후 천황의 항복 라디오 발표까지 남은 단 24시간 동안 일본군 내부에서 종전을 서두려는 수용파와 항복 선언 발표를 막으려는 강경파의 충돌을 담았어. 이 영화에서는 제2차 세계 대전의 전범국인 일본이 전쟁을 일으킨 책임에 대한 반성이 없이 스스로를 피해자로 보는 시각이 나타나 있지. 또한 일부 강경파를 제외한 일본인 대다수가 평화를 원하였고, 많은 사람들이 강경파를 저지하여 아시아의 평화를 지켜냈다는 식으로 제2차 세계 대전에서 일본의 행동을 미화하고 있어.

역량 기르기 교과서 175쪽

1 자료 분석 | 〈자료 2〉를 참고하여 한·일 국교 수립에 한국과 일본 시민들이 반대한 까닭을 각각 서술해 봅시다.

- **한국:** 한·일 협정에는 식민지 지배의 책임과 사죄에 대한 조항이 없었고, 피해자 문제에 대한 논의를 의도적으로 피하였기에 굴욕 외교라 비판받았다.
- **일본:** 베트남 전쟁과 같이 아시아의 전쟁을 야기할 뿐만 아니라 한국의 통일과 일본의 평화를 위협하는 한·미·일 군사 동맹에 반대하였다.

| 해설 | 경제적으로 한국에서는 새로운 경제적 예속 관계가 형성될 것이라는 비판이 나왔고, 일본에서는 임금이 싼 한국에 일본 자본이 진출함으로써 일본 노동자의 생존권을 위협할 것이라는 비판이 있었다.

2 사실 이해 및 정보 활용 | 중·소 분쟁을 검색하여 전개 과정과 영향을 정리해 봅시다.

- **전개 과정:** 중·소 분쟁은 1956년 흐루시초프가 스탈린 비판을 시작한 뒤 나타났다. 이후 1962년 쿠바 위기에 대한 소련의 대응, 소련 중심의 사회주의를 강조한 브레즈네프 독트린 등으로 갈등은 심해졌고, 이는 군사적 충돌로까지 이어졌다.
- **영향:** 미국은 베트남 전쟁에서 명예롭게 철수하기 위해 중국의 협조가 필요하였고, 중국은 동아시아 국가들과의 외교적 단절 상태를 극복함과 동시에 미국을 통해 소련을 견제하고자 하였다. 이처럼 중·소 분쟁은 미·중 수교에 영향을 줌으로써 냉전이 완화되는 계기를 마련하였다.

역량 기르기 교과서 176쪽

1 사실 이해 | 냉전 체제가 붕괴된 과정을 서술해 봅시다.

- **과정:** 1985년 소련의 고르바초프는 시장 경제 체제를 도입하고 정치를 민주화 하는 개혁·개방 정책을 폈다. 이러한 소련의 변화는 다른 사회주의 국가에 영향을 끼쳤고, 냉전 체제가 급속도로 완화하는 계기가 되었다. 결국 소련의 개혁·개방 노선은 소련의 해체와 동유럽 공산주의권의 몰락으로 이어져 냉전 체제가 해체되는 도화선이 되었다.

스스로 확인 학습 교과서 177쪽

2 일제 강점기 강제 징용 피해자에 대한 한국과 일본 법원의 서로 다른 판결 결과를 보고, 다음 활동을 해 봅시다.

(1) **정보 활용** 서로 다른 판결의 배경이 된 한·일 청구권 협정이 무엇인지 조사해 봅시다.

- **조사 내용:** 1965년 체결한 한·일 청구권 협정은 국교를 정상화하고, 일본의 침략과 식민 지배로 인한 피해 보상과 배상에 관해 일본과 대한민국이 맺은 약정이다.

(2) **역사적 판단력과 의사소통** 친구들과 토론을 통해 일본 법원의 기각 판결에 대응하는 '항소문'을 작성해 봅시다.

- **항소문:** 일본 법원의 일제 강점기 강제 징용 피해자 판결에 대해 다음과 같은 이유로 항소합니다. 첫째 일본 정부는 일제 강점기에 한국 국민이 가지고 있는 개인 청구권을 한·일 청구권 협정 제2조 제1항 규정을 근거로 부정하며 한국 정부에 피해 배상 책임이 있다고 하고 있습니다. 그러나 한·일 협정이 이루어지던 1965년 일본 외무성의 '일한 협정과 개인 청구권은 별개의 문제'라는 내부 문서의 사례나 2012년 5월 24일 우리나라 대법원 판결을 볼 때 개인 청구권은 소멸되지 않았다고 생각합니다. 둘째, 앞의 대법원 판결부터 3년이 경과하는 경우 민법에 따라 시효가 소멸된다고 주장하지만, 손해 배상 책임을 회피하는 일본 전범 기업에 이를 그대로 적용하는 것은 사회 정의에 부합하지 않으며 청구권 협정 체결부터 현재까지 강제 징용 피해들은 권리를 사실상 행사할 수 없는 장애 사유가 있었기 때문에 시효가 만료되었다고 볼 수 없다고 생각합니다.

3 아래 자료를 읽고, 6·25 전쟁과 베트남 전쟁에서 중국 공산당이 적극적으로 참가한 까닭을 짝과 함께 토론해 봅시다.

- **까닭:** 북한 군대와 베트남 민주 공화국 군대가 국·공 내전 중 중국 공산당의 대장정을 함께 하였기 때문에 중화 인민 공화국 수립에 공이 있다. 때문에 그 빚을 갚기 위해서 더 적극적으로 참가한 측면이 있다.

주제 14 경제 성장과 정치·사회 변동

역량 기르기 교과서 179쪽

1 사실 이해 | 1990년대 일본이 장기 불황에 빠진 까닭을 설명해 봅시다.

- **까닭:** 1980년대 중반 엔고 현상으로 낮은 금리가 형성되자 부동산과 주식 투자가 증가하여 가격이 폭등하는 거품 경제가 형성되었다. 그러나 1990년대 들어 부동산과 주식 가격이 폭락하여 일본 경제는 장기 불황의 늪에 빠졌다.

2 자료 분석 및 의사소통 | 〈자료 3〉에서 나타나는 타이완과 중국의 경제 협력 모습이 〈본문 181쪽〉, 〈자료 6〉의 남한과 북한의 경제 협력 상황과 어떻게 다른지 토론해 봅시다.

- **차이점:** 타이완에서는 중국과의 협력으로 경제를 발전시켜야 한다는 주장과, 경제적 예속을 우려하는 입장이 대립하였으나, 양안 간의 경제 협력은 점차 강화되고 있다. 반면 남한에서는 개성 공단과 금강산 관광과 같은 북한과의 경제 교류로 남북 평화·통일의 기반을 만들어야 한다는 주장과 경제 교류는 '북한 퍼주기'에 불과하다는 주장이 맞섰다. 현재는 북한과의 경제 교류와 협력이 모두 중단된 상태이다.

역량 기르기 교과서 181쪽

1 자료 분석 | 〈자료 5〉와 〈자료 7〉처럼 사회주의 국가인 중국과 베트남이 비약적인 경제 발전을 이룩할 수 있었던 공통된 까닭이 무엇인지 써 봅시다.

- **까닭:** 중국과 베트남은 사회주의 국가임에도 불구하고 자본주의 시장 경제 체제를 도입하였으며, 대외 개방 정책을 펼쳤다.

2 정보 활용 | 남한과 북한 사이에 추진된 경제 교류와 협력의 구체적 사례와 중단된 배경을 인터넷에서 검색해 봅시다.

- **사례:** 금강산 관광특구, 개성 공업 지구
- **중단 배경:** 북핵 문제가 불거지고 남북의 군사적 긴장과 정치적 갈등이 높아지면서 남한과 북한 사이에 추진된 경제 교류와 협력이 중단되었다.

역량 기르기 교과서 183쪽

1 사실 이해 | 각국이 오늘날 당면한 주요 경제 문제를 정리해 봅시다.

구분	주요 경제 문제
한국	소득 양극화, 고용 불안, 청년 실업, 경제 활동 인구의 감소로 인한 성장률 하락
중국	빈부 격차 심화에 따른 사회 양극화
일본	비정규직 문제, 워킹 푸어(일하는 빈곤층) 계층, 고용 불안 등

2 정보 활용 | 역내 포괄적 경제 동반자 협정(RCEP)을 주도하는 나라와 참가하고 있는 나라를 조사해 봅시다.

주도국	참여국
중국	중국, 한국, 일본, 호주, 인도, 뉴질랜드, 아세안 10개국 등 총 16개국 추진 중

교과서 185쪽

1 사실 이해 | 일본의 '55년 체제'가 무너진 까닭을 써 봅시다.

- **까닭:** 1970년대 이후 경제 성장이 둔화되고 자민당의 부정부패 사건이 이어지면서 자민당의 지지 기반이 동요하기 시작하였다. 1990년대 들어 탈당한 자민당 의원 수십 명이 야당과 공조하여 비자민당 연립 정권을 수립하면서 55년 체제가 붕괴되었다. 2009년에도 민주당이 과반수 의석을 차지하여 정권 교체가 이루어졌다.

2 역사적 판단력과 문제 해결력 | 한국과 타이완이 민주화 운동에서 직선제 개헌을 끌어낸 까닭을 생각해 봅시다.

- **까닭:** 군부 또는 일당 독재 체제로 오랫동안 유지되어 온 한국과 타이완의 경우, 국민이 지도자를 직접 선출하는 직선제 개헌을 통해서 합법적으로 정권 교체를 이룰 수가 있었다. 한국에서는 6월 민주 항쟁으로 쟁취한 직선제 개헌이 밑바탕이 되어, 1997년에는 야당 후보 김대중이 대통령에 당선되어 선거를 통한 평화적 정권 교체가 이루어졌다. 타이완에서도 총통 직선제 개헌 등의 민주화 정책을 추진한 결과 2000년에는 '타이완 독립'을 주장하는 야당인 민진당 후보 천수이볜이 총통으로 선출되어 최초로 여야 간 정권 교체가 이루어졌다.

교과서 187쪽

1 사실 이해 | 중국의 대표적 민주화 시위로, 중국 반체제 운동의 상징인 류샤오보가 민주화 운동에 뛰어든 계기가 된 사건은 무엇인지 써 봅시다.

- **사건:** 민주화를 요구하는 시민들의 시위였던 톈안먼 사건이 계기가 되었다. 학생들의 단식 투쟁을 동반한 시위는 인민 해방군에게 진압되면서 종결되었다. 이 과정에서 많은 희생자가 발생하였고 다수가 해외로 망명하거나 투옥되었다.

2 정보 활용 | 〈자료 4〉와 같이 동아시아 각국의 시민 사회 단체 간 연대 사례를 찾아서 소개해 봅시다.

- **연대 사례:** 대표적인 단체로 '아시아 평화와 역사 교육 연대'가 있다. 일본을 비롯한 동아시아 각국 교과서의 역사 왜곡을 바로잡고, 20세기 침략과 저항의 역사에 대한 아시아 공동의 역사 인식을 다지기 위해 결성되었다. 각 분야의 90여개 시민, 사회, 학술 단체가 모여 결성하였으며, 국내외 여러 단체들과의 연대를 통해 과거사 청산 활동에도 힘쓰고 있다. 주된 사업은 한·중·일 공동 역사 교재 편찬, 한·중·일 청소년 역사 체험 캠프, 역사 인식과 동아시아 평화포럼 등이 있다.

역량 강화하기 교과서 188쪽

1 정체성과 상호 존중 | '한국인'과 '한국 문화'를 정의한다면 어떻게 할 수 있는지 친구들과 이야기 해 봅시다.

- **예시 답안:** 한국에서 다양한 이유를 가지고 삶을 살아가는 사람들과 한국 국적을 가지고 여러 곳에서 살고 있는 사람들을 모두 한국인으로 정의할 수 있다. 한국 문화 역시 여러 문화들이 유입된 후 이것이 우리의 상황이나 환경에 맞게 변형되어 우리만의 고유문화를 형성하거나 혹은 그 문화를 기반으로 우리의 모습이 합쳐진 것들로 정의할 수 있다.

2 정체성과 상호 존중 | 오늘날 일어나는 다문화 사회의 징후와 다문화 문제는 무엇인지 이야기해보고, 우리가 가져야 할 자세는 무엇인지 토론해 봅시다.

- **다문화 사회의 징후와 문제점:** 2015년 여성 가족부가 발표한 다문화 가정의 만 9세~24세 자녀는 82,476명으로 2012년에 비해 24% 증가하였다. 그러나 이러한 증가 모습에 비해 문화적 차이나 사회적 관계 형성의 문제는 여전히 존재하고 있다.
- **우리가 가져야 할 자세:** 다문화 학생들이 우리 사회에 함께 할 수 있도록 개방적이고 포용적인 사회 인식이 필요하며, 학교에서는 다문화 이해 교육이 보다 확산되어야 한다. 또한 학교 외의 지역 사회가 연계한 다양한 지원 프로그램이 요구된다.

스스로 확인 학습 교과서 189쪽

2 아래 정치 · 경제 발전 개념도를 참고하여 동아시아 3국이 해결해야 할 과제는 무엇인지 써 보고 친구들과 비교해 봅시다.

- ㉠: 소득 양극화, 고용 불안, 청년 실업, 노령화에 따른 경제활동

인구 감소, 성장률 하락

• ㉡: 도시와 농촌 간 소득 격차, 빈부 격차의 심화에 따른 사회 양극화 문제 등의 해결, 정치적 민주화

• ㉢: 인구 고령화에 따른 복지 예산 증가로 늘어난 국가 채무, 비정규직 문제, 워킹 푸어 계층(일하는 빈곤층), 고용 불안

갈등과 화해

역량 기르기 교과서 191쪽

1 역사적 판단력과 문제 해결력 | 〈자료 1〉의 각 영토 분쟁을 조사하고, 분쟁 당사국들의 주장이 타당한지 토론해 봅시다.

사례	논의 내용
센카쿠 열도	• **예시 답안:** 청·일 전쟁 이후 일본 영토에 강제 편입되었으므로 일본의 영유권 주장은 무효이다. 이는 일본이 독도에 대한 영유권을 주장하는 것과 유사하다.
파라셀 군도	• **예시 답안:** 베트남 전쟁 중 파라셀 군도를 무력으로 점령하였으므로 중국의 영유권 주장은 무효이다. 이는 센카쿠 열도에 대해 중국이 일본에게 주장하는 논리와 상충된다.
스프래틀리 군도	• **예시 답안:** 역사적으로 특정 국가만의 영유권을 인정하기 어려우며, 각국이 섬이라 주장하는 영토는 암초 수준에 불과하다. 그러므로 해양자원에 대한 공동 수역 논의가 필요하다.
쿠릴 열도	• **예시 답안:** 양국은 영유권 문제와 관련하여 거의 합의에 이르렀었지만, 냉전이라는 세계정세와 국내의 정치적 상황 때문에 협상이 계속 결렬되었다. 그러므로 러·일 간의 합의와 각 섬의 거주민들이 받아들일 수 있는 방안을 마련해야 한다.

2 자료 해석 | 〈자료 1〉의 오키노토리는 일본이 엄청난 예산을 사용하며 섬으로 인정받기 위해 노력하는 곳입니다. 그 까닭은 무엇일까요?

• **까닭:** 오키노토리가 섬으로 인정되면 일본은 이 섬에 대한 배타적 경제 수역을 주장할 수 있다. 이를 통해 일본은 해당 영역의 해저자원과 해로를 개발할 수 있다.

| 해설 | 일본은 오키노토리가 영토로서의 섬이며, 이 섬을 기준으로 430,000m² 이상의 배타적 경제 수역을 주장한다. 중국은 오키노토리는 암초이며, 배타적 경제 수역의 기초가 될 수 없다고 주장한다.

역량 강화하기 교과서 192쪽

1 자료 해석 및 의사소통 | 일본에서 「평화헌법」 개정 움직임이 나타나게 된 배경을 토의해 봅시다.

• **배경:** 장기적인 경기 침체로 우경화된 일본 사회와 G2로 등장한 중국을 견제하기 위해 강화된 미·일 동맹을 배경으로 볼 수 있다.

2 자료 해석 | 일본에서 진행되는 「안보법」 및 「평화헌법」 개정 움직임을 주변국이 우려하는 까닭이 무엇인지 생각해 봅시다.

• **까닭:** 「안보법」 통과와 「평화헌법」 개정 움직임은 일본이 영구적 전쟁 포기 국가에서 언제든지 전쟁을 할 수 있는 국가로 탈바꿈하는 것을 의미한다. 이는 전쟁을 미화하는 일본의 야스쿠니 신사참배와 역사 교과서 왜곡 등과 맞물려 주변국들로 하여금 군국주의 부활의 신호탄으로 여겨지고 있다. 이와 같은 일본의 우경화는 동아시아의 안정과 평화를 위협하는 요인으로 고려되고 있다.

역량 기르기 교과서 193쪽

1 자료 분석 | 일본은 "교과서는 민간의 문제로 정부가 관여할 수 없다."라는 견해를 일관되게 주장하였습니다. 〈자료 4〉에서 일본 정부의 주장에 반박할 근거는 무엇일까요?

• **근거:** 문부과학성이 교과서 수정 의견까지 내면서 독도 영유권을 왜곡한 교과서를 검정에 통과시킨 것은 민간의 문제로 정부가 관여할 수 없다던 주장과 다르게 일본 정부가 명백하게 교과서 수정에 개입한 것이다.

| 해설 | 일본 문부과학성은 2007년부터 사용되는 고등학교 저학년용 교과서(6과목)의 검정 결과 발표를 통해 지리역사와 공민 등 2종의 교과서에 실린 독도 기술과 관련해 일본 정부 견해에 따라 일본 영토임을 분명히 알 수 있도록 명확히 표현하라는 내용을 첨부해 검정을 통과시켰다.

2 역사적 판단력과 문제 해결력 | 한·일 역사 공동 연구 위원회는 공동 연구 주제를 선정하기 위해 회의를 열었습니다. 〈자료 4〉를 바탕으로 한국 측 처지에서 주장을 펼쳐봅시다.

• **주장:** 독도는 러·일 전쟁을 수행하기 위해 일본이 조선으로부터 강제로 편입한 섬이다. 독도 침탈로 시작된 한반도 침략이 결국에는 태평양 전쟁으로 이어진 것을 감안할 때, 영토의 문제임과 동시에 역사의 문제이다. 따라서 일본 측의 주장처럼 영토 문제가 아니며, 한·일 역사 공동 연구 위원회의 연구 주제가 될 수 있다고 생각한다.

교과서 195쪽

1 사실 이해 | 일본 정치인들의 야스쿠니 신사 참배를 주변국들이 반발하는 까닭은 무엇일까요?

- **까닭:** 일본의 침략을 받았던 한국과 중국은 일본 정치인들이 A급 전범들이 합사되어 있는 야스쿠니 신사의 참배를 통해 역사를 미화한다고 생각하여 거세게 항의하였다.

2 역사적 판단력과 문제 해결력 | 〈자료 3〉의 주장 중 하나를 골라 반박해 봅시다.

- **주장:** 발해는 말갈인의 나라였으므로 중국 고대 소수 민족이 세운 지방 정권이다.
- **반박:** 발해는 고구려 말갈인이 세운 나라로, 발해의 문왕이 일본에 보낸 국서에 자신을 고려 국왕이라고 밝힌 내용으로 볼 때, 고구려를 계승하여 만들어진 독립국이다.

교과서 197쪽

1 정체성과 상호 존중 | 한·중·일 역사 공동 연구 위원회가 가상으로 개최된다고 했을 때, 여러분이 위원이라면 공동 연구 주제로 어떤 것을 제시하면 좋을지 짝과 함께 이야기해 봅시다.

- **연구 주제:** 일본군 '위안부' 문제
- **선정 이유:** 우리나라와 중국 여성들을 일본군 '위안부'로 동원하였고, 많은 일본군 '위안부' 할머니들의 대응에도 사과를 하고 있지 않았기 때문에, 한·중·일 역사 공동 연구 위원회에서 함께 논의해야 한다고 생각한다.

2 정보 활용 | 〈본문 15쪽〉 지도의 아시안 하이웨이가 완성되었을 때를 생각해보고, 육로 여행 계획을 작성해 봅시다.

- **육로 여행 계획:** 한국에서 비행기로 일본 교토 도착 → 교토에서 한국의 영향을 받은 일본 문화 답사 → 신칸센으로 일본 규슈로 이동 → 규슈 지역을 여행 → 한·일 해저 터널을 이용하여 부산에 도착 → 서울 궁궐 답사 여행 → 평양 지역 고구려 고분 답사 여행 → 중국 만주 지역 고구려 유적지 답사 여행 → 인도 불교 유적지 답사 → 터키 동서양 교류 역사 유적지 답사 → 비행기로 한국에 도착

교과서 198쪽

1 정보 활용 및 의사소통 | 삼국지와 같이 동아시아 전체를 아우르는 대중 매체 상품으로 재탄생시킨 사례를 찾아보고, 친구들과 함께 이야기해 봅시다.

- **사례:** 『꽃보다 남자』는 가미오 요코가 창작한 일본의 만화 작품이 원작이다. 이 작품은 한국에서 『꽃보다 남자』, 타이완에서 『유성화원』, 중국에서는 『유성우』라는 제목의 TV 드라마로 리메이크되어 인기를 끌었다.

2 정체성과 상호 존중 | 대중문화 교류가 동아시아 공동체를 형성하는 데 미칠 영향을 추측해 보고, 친구들에게 발표해 봅시다.

- **영향:** 동아시아 국가 간 대중문화 교류가 활발해진 배경은 다른 지역의 대중문화보다 쉽게 공감할 수 있는 정서가 풍부하기 때문이다. 이는 동아시아 국가들이 동아시아 문화의 유사성을 바탕으로 하는 문화적 정체성을 공유하고 있기 때문에 가능하였다. 이러한 대중문화의 활발한 교류는 동아시아 문화의 정체성을 강화하고, 문화적 동질성을 형성하는 데 기여할 것이다. 또한 이는 동아시아 공동체를 형성하는 데 긍정적인 요인으로 작용할 것이다.

스스로 확인 학습

교과서 199쪽

2 국제 문제에 관심이 많은 정국제 학생은 야스쿠니 신사에 누가 합사되어 있는지 조사하였습니다. 아래 자료를 읽고, 일본 우익 정치인들이 야스쿠니 신사에 참배하는 것에 대한 자기 생각을 서술해 봅시다.

- **나의 생각:** 야스쿠니 신사는 메이지 유신, 한국 병합, 태평양 전쟁에서 사망한 군인들을 합사한 곳이다. 이러한 전쟁들은 모두 침략 전쟁이므로, 여기에 묻힌 이들은 주변국에 고통과 억압을 준 전범들이다. 따라서 일본 우익 정치인들의 신사 참배는 침략 전쟁에 대한 반성이 없는 행위이기에 바람직하지 않으며, 동아시아의 평화를 위협하는 행위라고 생각한다.

고등 동아시아사 자습서

정답과 해설

금성출판사

대주제 ① 동아시아 역사의 시작

주제 1 자연환경과 생업
2 선사 문화

1단계 개념 익히기 22쪽

01 a-ㄷ, b-ㄴ, c-ㄱ 02 (1) ○ (2) ○ (3) × (4) ○ (5) ○
03 (1) 게르 (2) 구석기 (3) 신석기 (4) 애니미즘 (5) 토테미즘
04 (1) 양사오 문화, 룽산 문화 (2) 허무두 문화, 량주 문화
05 (1) 용 모양의 옥기 (2) 빗살무늬 토기 (3) 조몬 토기 (4) 풍응우옌 문화 06 유목 07 채도, 홍도, 허무두 문화, 풍응우옌 문화

2단계 내신 유형 익히기 23~25쪽

01 ③ 02 ③ 03 ④ 04 ④ 05 ⑤ 06 ⑤ 07 ③
08 ① 09 ④ 10 ④ 11 (1) (가)-구석기 시대, (나)-신석기 시대 (2) 해설 참조 12 (1) 생산물을 저장, 보관, 조리하기 위함 (2) 해설 참조

01 동아시아 학습 목적 정답: ③
배타적 민족주의는 다른 민족을 배척하는 태도와 관련 있으며, 동아시아사 학습을 통해 극복해야 할 것이다.

02 동아시아의 지리적 특성 정답: ③
동아시아는 서쪽에 가장 높은 티베트고원이 자리하고 있고, 동쪽으로 갈수록 지대가 낮아진다. ③ 일본 열도의 대부분은 산지로 구성되어 있다.

03 동아시아의 벼농사 정답: ④
동아시아의 벼농사는 창장강 유역에서 시작되었고, 연 강수량 800mm 이상인 지역에서 활발하다.
| 오답 피하기 |
ㄱ, ㄷ. 밭농사와 관련된 설명이다.

04 유목민의 생활 정답: ④
농사를 짓기 어려운 유목민들의 거주 지역에서는 가축을 모든 생활의 자원으로 이용하였다. 또한 농경 사회의 물건을 교역하거나 약탈하며 생활했다. ④ 부족장의 권한이 강하고 왕의 권한이 약하였다.

05 일본의 신석기 문화 정답: ⑤
새끼줄 무늬의 조몬 토기는 일본의 신석기 문화인 조몬 문화의 대표적인 유물이다.
| 오답 피하기 |
① (가) 만주 지방의 훙산 문화, ② (나) 황허강 중류의 양사오 문화, ③ (다) 창장강 하류의 허무두 문화, ④ (라) 한반도의 신석기 문화에 해당된다.

06 만주 및 랴오허강의 신석기 문화 정답: ⑤
만주 지역에서는 용 모양의 옥기가 발견된 훙산 문화가 등장하였다.
| 오답 피하기 |
① 한반도의 신석기 문화, ② 베트남의 풍응우옌 문화, ③ 일본의 신석기 문화(조몬 문화), ④ 일본의 청동기 문화(야요이 문화)에 해당된다.

07 허무두 문화 정답: ③
(다) 창장강 하류 지역에서는 허무두 문화가 발달하였다. ③ 돼지무늬 토기는 허무두 문화의 대표적인 유물이다.
| 오답 피하기 |
① 양사오 문화의 채도, ② 일본의 조몬 토기, ④ 한반도의 빗살무늬 토기, ⑤ 만주와 한반도 일대에서 발견되는 비파형 동검이다.

08 한반도의 신석기 문화 정답: ①
한반도 지역의 신석기 시대 유물로는 빗살무늬 토기, 이른 민무늬 토기, 덧무늬 토기 등이 대표적이다.
| 오답 피하기 |
ㄷ. 창장강 하류 허무두 문화, ㄹ. 만주 훙산 문화의 유물이다.

09 신석기 시대 정답: ④
신석기 시대에는 원시적 형태의 신앙인 애니미즘, 토테미즘이 등장했다.
| 오답 피하기 |
①, ②, ③, ⑤ 구석기 시대에 대한 설명이다.

10 농경과 목축 정답: ④
농경과 목축의 시작은 인류의 삶을 획기적으로 바꾸었다. 신석기 시대에 나타난 이러한 현상을 '신석기 혁명'이라고도 부른다.

11 구석기 시대와 신석기 시대
구석기 시대와 신석기 시대를 구분하는 기준은 인간 생활 양식의 차이점이다. (가)는 구석기 시대의 뗀석기인 주먹도끼이고, (나)는 황허강 중류의 신석기 문화인 양사오 문화의 채도이다.
| 모범 답안 |
구석기 시대에는 수렵, 채집을 통해 생활하였고 이동 생활을 하였으나, 신석기 시대에는 농경과 목축이 시작되어 정착 생활을 하였다.

| 채점 기준 |

상	구석기 시대와 신석기 시대의 차이점 두 가지 모두 서술함.
중	구석기 시대와 신석기 시대의 차이점 한 가지만 서술함.
하	차이점을 두 가지 모두 서술하지 못함.

12 신석기 시대의 토기

신석기 시대 사람들은 음식물을 저장하고 조리하기 위해 토기를 만들었고 무늬를 새기기도 하였다.

| 모범 답안 |

당시 동아시아 사람들의 소망(많은 식량을 원하는)과 주식(주로 먹는 음식)을 그려 넣었다고 볼 수 있다.

| 채점 기준 |

상	토기에 새겨진 무늬의 의미를 두 가지 모두 서술함.
중	토기에 새겨진 무늬의 의미를 한 가지만 서술함.
하	토기에 새겨진 무늬의 의미를 두 가지 모두 서술하지 못함.

3단계 내신 만점 도전하기 26~27쪽

01 ①	02 ⑤	03 ②	04 ②
05 ⑤	06 ⑤	07 ④	08 ②

01 동아시아의 벼농사 정답: ①

벼농사는 창장강 중하류 지역에서 처음으로 시작되었고, 연평균 강수량 800mm 이상의 지역에서 행해진다. 집약적 노동력과 많은 농기구가 필요하다.

| 오답 피하기 |

②, ③, ④, ⑤ 밭농사에 대한 설명이다.

02 동아시아의 모습 정답: ⑤

동아시아는 히말라야산맥을 기준으로 인도와 구분된다. 한국, 중국, 일본, 몽골, 베트남이 포함되며, 오랜 시간 동안 문화적 교류와 갈등이 지속되었다. ⑤ 화산과 지진 활동이 활발한 곳은 일본 열도이다.

03 유목 사회와 농경 사회 정답: ②

유목 민족은 게르라는 이동식 가옥에서 거주하며, 말에 안장과 등자를 사용하였다.

| 오답 피하기 |

ㄴ. 농경 사회(주 왕조), ㄹ. 농경 사회에 대한 설명이다.

04 신석기 시대 정답: ②

신석기 시대에는 농경이 시작되었고, 동식물이나 자연물을 숭배하는 신앙이 등장하였다(애니미즘, 토테미즘).

| 오답 피하기 |

ㄴ, ㄹ. 청동기 사회에 대한 설명이다.

05 베트남의 신석기 문화 정답: ⑤

동아시아 각 지역마다 특색있는 토기가 제작되었다. 베트남에서는 풍응우옌 문화와 호아빈 문화가 있었는데, 돌림판으로 만든 토기가 유명하다.

| 오답 피하기 |

ㄱ, ㄴ. 중국 대륙의 신석기 문화에 대한 설명이다.

06 황허강 유역의 신석기 문화 정답: ⑤

황허강 유역에서는 양사오 문화, 룽산 문화가 발달하였고, 채도와 흑도가 발견되었다.

| 오답 피하기 |

ㄱ, ㄴ. 창장강 하류의 신석기 문화에 대한 설명이다.

07 한반도의 신석기 문화 정답: ④

신석기 시대 한반도에서는 빗살무늬 토기, 이른 민무늬 토기, 덧무늬 토기 등이 사용되었다.

| 오답 피하기 |

① 양사오 문화의 채도, ② 일본의 조몬 토기, ③ 허무두 문화의 돼지 무늬 토기, ⑤ 훙산 문화의 토기이다.

08 일본의 신석기 문화 정답: ②

일본의 신석기 문화는 조몬 문화이며, 새끼줄 무늬의 조몬 토기가 발견되었다. 농경이 발달하지 않아 채집과 어로를 통해 생활하였다.

| 오답 피하기 |

ㄴ. 일본의 청동기 문화인 야요이 문화, ㄹ. 중국 대륙의 신석기 문화에 해당한다.

심화 수능 유형 익히기 28쪽

01 ④	02 ⑤

01 동아시아의 밭농사 정답: ④

동아시아에서 밭농사는 기원전 7500년경 황허강 유역에서 시작되었다. 황허강 유역은 수백만 년에 걸쳐 비옥한 황토가 퇴적되어 있어 원시적인 농기구로도 농사를 지을 수 있었다.

| 오답 피하기 |

① (가) 티베트고원, ② (나) 몽골 내륙(초원), ③ (다) 만주, ⑤ (마) 창장강 하류 지역이다.

02 창장강 하류의 허무두 문화 정답: ⑤

신석기 시대 창장강 하류에서는 허무두 문화가 발달하였다. 허무두 문화의 유물로는 돼지 무늬 토기가 유명하다.

| 오답 피하기 |

① (가) 티베트고원, ② (나) 몽골 내륙(초원), ③ (다) 만주, ④ (라) 황허강 중류 지역이다.

심화 기출 지문 활용하기 29쪽

01 해설 참조 02 ① 03 ③ 04 해설 참조 05 ② 06 ⑤

01 만주 지역의 신석기 문화

만주 지역을 비롯한 랴오허강 유역에서는 훙산 문화가 발달했다.

| 모범 답안 |

빗금친 지역에서는 훙산 문화가 등장했고, 용 모양의 옥기가 대표적인 유물이다.

| 채점 기준 |

상	명칭과 대표적 유물을 모두 명확히 서술함.
중	명칭과 대표적 유물 중 하나만 서술함.
하	명칭과 대표적 유물을 두 가지 모두 서술하지 못함.

02 만주 지역의 신석기 문화 정답: ①

훙산 문화의 대표적인 유물은 용 모양의 옥기이다.

| 오답 피하기 |

② 상의 네발 달린 솥, ③ 일본 열도의 조몬 토기, ④ 허무두 문화의 돼지 무늬 토기, ⑤ 동선 문화의 청동북이다.

03 만주 지역의 신석기 문화 정답: ③

만주 지역을 비롯한 랴오허강 유역에서는 훙산 문화가 발달했다.

| 오답 피하기 |

ㄱ. 황허강과 창장강 유역, ㄹ. 양사오 문화에 대한 설명이다.

04 신석기 시대의 생활 모습

신석기 시대에는 농경과 목축이 시작되면서 정착 생활이 가능해졌고, 사람들의 생활 모습이 혁명적으로 바뀌었다.

| 모범 답안 |

신석기 시대 사람들은 농경을 시작하여 정착 생활을 하였고, 원시적인 형태의 종교를 믿었다.

| 채점 기준 |

상	신석기 시대의 생활 모습을 두 가지 모두 서술함.
중	신석기 시대의 생활 모습을 한 가지만 서술함.
하	신석기 시대의 생활 모습을 두 가지 모두 서술하지 못함.

05 일본의 조몬 토기 정답: ②

신석기 시대 일본 조몬 문화에서는 새끼줄 무늬의 조몬 토기가 등장했다.

| 오답 피하기 |

① 고인돌은 청동기 시대에 만들어졌다. ③ 채도와 흑도는 중국 대륙에서 발굴된다. ④ 허무두 문화는 중국 창장강 유역의 문화이다. ⑤ 베트남의 풍응우옌 문화에 대한 설명이다.

06 일본 지역(열도)의 특징 정답: ⑤

일본 열도는 환태평양 조산대에 위치하여 지진과 화산 활동이 활발하다.

| 오답 피하기 |

① 고조선(한반도 및 만주)과 남비엣(베트남) 지역, ② 몽골 내륙 지역, ③ 황허강 유역, ④ 만주와 한반도 일대이다.

주제 3 국가의 성립과 발전

1단계 개념 익히기 36쪽

01 a-ㄷ, b-ㄴ, c-ㄱ 02 (1) × (2) × (3) ○ (4) ○ (5) ○
03 (1) 선우 (2) 전매제 (3) 군국제 (4) 제자백가 (5) 법가
04 (1) 분서갱유, 만리장성 축조, 반량전 주조 (2) 태학 설립, 고조선 멸망, 비단길 개척 05 ㄱ-ㄹ-ㄷ-ㄴ 06 봉건제
07 장건, 동중서, 호족, 우경

2단계 내신 유형 익히기 37~39쪽

01 ③ 02 ③ 03 ② 04 ⑤ 05 ① 06 ④ 07 ③
08 ⑤ 09 ① 10 ④ 11 (1) (가) – 봉건제, (나) – 군현제 (2) 해설 참조 12 해설 참조

01 베트남의 청동기 문화 정답: ③

베트남 지역의 청동기 문화 유물로는 동선 문화의 청동북이 유명하다.

| 오답 피하기 |

① 상의 청동 솥으로 (다) 지역, ② 비파형 동검과 ⑤ 탁자식 고인돌은 (라) 지역 및 만주 지역, ④ 일본의 청동 종(동탁)으로 (마) 지역에서 발견된다.

02 동아시아의 청동기 시대 정답: ③

동아시아에서는 중국 황허강 유역에서 최초로 청동기를 사용하였다.

| 오답 피하기 |

① (가) 베트남 북부, ② (나) 창장강 하류, ④ (라) 한반도, ⑤ (마) 일본 열도이다.

03 상 왕조 정답: ②

(가)는 상 왕조의 영역이다. 상은 제정일치 사회였고 주변 소국들을 복종시키며 세력을 확장했다. 소국 중 하나였던 주에 멸망했다. 중심지는 황허강 유역의 은허였다.

| 오답 피하기 |

ㄴ, ㄹ. 주에 대한 설명이다.

04 주 왕조의 봉건제 정답: ⑤

주 왕조의 봉건제는 왕이 혈연관계의 제후(공신, 친척)들에게 땅을 나누어주는 제도이다. 제후는 독립적 존재였으며, 왕에게 군사적 봉사를 행하였다. 주 왕조는 천명사상과 덕치주의를 기반으로 하였다.

| 오답 피하기 |

ㄱ, ㄴ. 진에 대한 설명이다.

05 춘추 전국 시대 정답: ①

춘추 전국 시대에는 우경과 철제 농기구가 보급되었고, 화폐가 유통되고 도시가 발달하였으며, 제자백가가 등장하는 등 역동적인 모습을 보였다. ① 진에 대한 설명이다.

06 진 왕조 정답: ④

진 왕조는 엄격한 법가 사상을 적용하여 통치하였는데, 법가 사상의 대표적 인물로 상앙, 이사 등이 있다. 진은 군현제를 실시하였고, 도량형과 문자를 통일하였으며, 사상을 통제하였다.
④ 한 무제에 대한 설명이다.

07 한 무제 정답: ③

대화 속의 황제는 한 무제이다. 동중서와의 대화를 미루어 볼 때, 유학 진흥과 관련된 내용이 정답이 되어야 한다. 한 무제는 유교를 통치 이념으로 채택하고 태학을 설치하였다.

| 오답 피하기 |

① 한 고조, ② 진 왕조 또는 진 시황제, ④ 상 왕조, ⑤ 진 시황제에 대한 설명이다.

08 한 무제와 장건 정답: ⑤

장건은 무제 때 흉노에 대항할 동맹을 맺기 위해 서역으로 파견되었다. 그가 가져온 서역의 정보는 비단길 개척에 크게 기여하였다.

| 오답 피하기 |

① 노자, 장자 등이다. ② 진승, 오광의 난은 진의 멸망을 촉진하였다. ③ 위만, ④ 흉노에 대한 설명이다.

09 군현제 정답: ①

군현제는 진 왕조와 한 왕조에서 실시되었다. ㄱ. 한 무제에 대한 설명이고, ㄴ. 진 시황제에 대한 설명이다.

| 오답 피하기 |

ㄷ. 일본 열도의 야마타이 국, ㄹ. 고조선에 대한 설명이다.

10 흉노 정답: ④

흉노는 유목 민족으로, 여러 부족을 통합한 연맹체 성격의 국가이다. 최고 통치자 선우 아래 좌현왕과 우현왕이 영토를 다스렸다. 묵특 선우 때 만리장성 이북의 초원 지대를 통합했고, 한을 공격하여 고조를 굴복시켰다. 한 무제 때까지 강한 세력을 유지하다가 무제의 공격으로 쇠퇴하기 시작하여 외몽골 지역으로 밀려났다. ④ 고조선과 관련된 내용이다.

11 봉건제와 군현제

봉건제와 군현제는 동아시아에 등장했던 지방 통치 방식이다. 봉건제는 주 왕조에서 실시되었고, 군현제는 진 왕조 및 한 왕조에서 실시되어 이후 중국 왕조 지방 통치의 표준이 되었다.

| 모범 답안 |

봉건제는 왕과 혈연관계의 제후에게 땅을 나누어준 반면, 군현제는 왕과 혈연관계가 아닌 신하를 지방관으로 임명하였다. 또한 봉건제는 제후의 독립성이 강하여 지방 분권적이었던 반면, 군현제는 황제의 명령이 국가 전체를 통제하여 중앙 집권적이었다.

| 채점 기준 |

상	두 제도의 차이점을 두 가지 모두 타당하게 서술함.
중	두 제도의 차이점을 한 가지만 타당하게 서술함.
하	제도의 차이점을 두 가지 모두 서술하지 못함.

12 진 시황제

중국 대륙을 통일한 진시황제의 정책은 이후 중국 역사에 큰 영향을 미쳤다.

| 모범 답안 |

시황제는 엄격한 법을 바탕으로 황제의 명령이 국가 전역에 시행되는 중앙집권적 황제 독재 국가를 건설하려 했다. 하지만 시황제는 인간이 본질적으로 자유를 갈망하는 존재라는 사실을 간과하였다. 엄격한 법과 통제는 필연적으로 반작용을 초래하기에, 진 왕조가 농민 반란으로 금세 멸망했다고 생각한다.

| 채점 기준 |

상	시황제 정책의 목적과 그 한계점을 타당하게 서술함.
중	시황제 정책의 목적을 잘 파악했으나, 한계점 파악이 부족함
하	시황제 정책의 목적과 한계점을 두 가지 모두 찾아내지 못함.

3단계 내신 만점 도전하기 40~41쪽

01 ①	02 ③	03 ②	04 ⑤
05 ③	06 ③	07 ③	08 ②

01 동아시아의 청동기 문화 정답: ①

야요이 문화는 일본 열도에서 발달한 청동기 문화를 일컫는다. 만주 지방에서는 중국과는 다른 독자적인 청동기 문화가 발달하였고, 고인돌과 비파형 동검, 청동 거울 등이 발견되었다.

02 일본의 고대사 정답: ③

일본의 청동기 문화인 야요이 문화는 기원전 3세기 경에 시작되었고, 청동기와 쇠를 덧댄 농기구가 사용되었다. 3세기경에는 히미코 여왕의 야마타이 국을 중심으로 연맹체가 형성되었다.

| 오답 피하기 |

ㄱ, ㄹ. 고조선에 대한 설명이다.

03 흉노 정답: ②

흉노족은 최고 통치자를 선우라고 불렀고, 백등산 전투에서 한 고조를 포위하였다.

| 오답 피하기 |

① 거란족(요), ③ 몽골(칭기즈 칸), ④ 진 왕조, ⑤ 상 왕조에 대한 설명이다.

04 중국의 지방 통치 제도 정답: ⑤

(가)는 봉건제, (나)는 군국제, (다)는 군현제이다. 주 왕조의 봉건제가 가장 먼저 등장했고, 다음은 진 왕조의 군현제, 그 다음이 한 고조의 군국제이다. 군현제는 진 왕조 때 시행되었고, 한 왕조 건국 후 잠시 군국제로 바뀌었다가, 한 무제 때 군현제가 전국적으로 실시되었다.

| 오답 피하기 |

① 지방 분권적 성격을 지닌다. ② 한 고조가 시행하였다. ③ 중앙 집권적 성격을 지닌다. ④ (가)는 주 왕조 때 실시되었다.

05 한 무제 정답: ③

밑줄 친 황제는 한 무제이다. 장건은 한 무제의 명을 받고 대월지로 파견되었으며, 비단길 개척에 공을 세웠다. 한 무제는 군현제를 실시하였고, 동중서의 건의를 수용하여 유교를 통치 이념으로 채택하였으며, 상공업을 통제하고 소금과 철의 전매제를 실시하였다.

| 오답 피하기 |

①, ② 진 시황제, ④ 송 태조 조광윤, ⑤ 수 양제에 대한 설명이다.

06 일본 열도의 고대사 정답: ③

(다)는 일본 열도이다. 기원 전후 일본에서는 100여 개의 소국이 등장하였고, 이들 중에서 강력했던 히미코 여왕의 야마타이 국은 중국 및 한반도와 교류하였다.

| 오답 피하기 |

① (가) 몽골, ② (나) 한반도, ④ (라) 창장강 유역, ⑤ (마) 베트남 지역이다.

07 진 왕조 정답: ③

밑줄 친 이 시기는 전국 시대이고, 이 시기를 통일한 국가는 진이다. 진은 법가 사상을 토대로 중국을 통일하였으나, 얼마 되지 않아 진승과 오광의 난을 계기로 멸망하였다.

| 오답 피하기 |

ㄱ, ㄹ. 춘추 전국 시대에 대한 설명이다.

08 상 왕조 정답: ②

제시된 유물은 갑골문이 새겨진 거북의 배딱지이다. 상 왕조는 제정일치 사회였다.

| 오답 피하기 |

① 흉노, ③, ⑤ 주 왕조, ④ 하 왕조에 대한 설명이다.

심화 수능 유형 익히기 42쪽

01 ④	02 ⑤

01 고조선(위만 조선) 시기 동아시아 정답: ④

(가)는 위만이 고조선의 왕이 되는 장면, (나)는 위만 조선이 멸망하는 장면이다. 그러므로 위만 조선 시기의 사실을 찾으면 된다. 위만 조선은 중계 무역으로 번성하였다.

| 오답 피하기 |

①, ③ (가) 이전의 모습이다. ②, ⑤ (나) 이후의 모습이다.

02 춘추 시대 정답: ⑤

(가)는 춘추 시대의 시작이고, (나)는 전국 시대의 시작이다. 그러므로 (가)와 (나) 사이는 춘추 시대에 해당된다. 춘추 시대까지는 주 왕실의 위엄이 남아 있어서, 유력 제후가 다른 제후들과 맹약을 맺고 정국을 주도하였다.

| 오답 피하기 |

① 상 왕조, ② 주 왕조 초기, ③ 한 무제, ④ 전국 시대에 대한 설명이다.

심화 기출 지문 활용하기

43쪽

01 해설 참조 02 ③ 03 ② 04 해설 참조 05 ② 06 ④

01 유학(유교)

공자는 춘추 전국 시대를 대표하는 유가 사상가이다. 동중서는 한 무제 때 활동한 유학자이다.

| 모범 답안 |

유학은 춘추 전국 시대에 공자가 처음 주장하였고, 혼란한 시대를 극복하기 위해 예의와 의리 등을 강조하며 발전했다.

| 채점 기준 |

상	명칭과 특징을 모두 서술함.
중	명칭과 특징 중 한 가지만 서술함.
하	명칭만 쓰거나 아무것도 서술하지 못함.

02 유학(유교)의 특징 정답: ③

유교는 율령 체계의 정립에 영향을 미쳤고, 인재 양성 및 관리 선발에도 큰 영향을 미쳤다.

| 오답 피하기 |

ㄱ. 불교, ㄹ. 대승 불교에 대한 설명이다.

03 춘추 시대와 한 왕조 정답: ②

공자는 춘추 전국 시대의 사상가로 유가의 창시자이다. 동중서는 한 왕조(무제) 시기의 인물로, 공자의 유학을 공부하여 한나라의 지배 이념으로 만드는 데 기여하였다.

| 오답 피하기 |

ㄴ, ㄹ. 진 왕조에 대한 설명이다.

04 흉노와 고조선

흉노와 고조선은 중국 한 대에 성장한 주변 국가이다.

| 모범 답안 |

(가)는 흉노, (나)는 고조선이다. 한은 건국 초기 백등산에서 흉노에게 대패한 후 흉노에게 공물을 바치며 평화를 유지했다. 이후 무제 때부터 적극적인 공세를 취하여 흉노는 북쪽으로 밀려나 쇠퇴했다.

| 채점 기준 |

상	국가의 이름과 외교 관계의 변화를 시간 순서대로 잘 서술함.
중	국가의 이름을 잘 서술하였으나, 외교 관계 변화에 대한 이해가 부족함
하	국가의 이름을 잘못 썼고, 외교 관계에 대해서도 서술하지 못함.

05 흉노와 고조선 정답: ②

흉노와 고조선은 중국 한 왕조 때 성장한 주변 국가이다. 흉노는 한을 공격하여 고조를 굴복시킨 이후 한으로부터 비단 등 공물을 제공받았다.

| 오답 피하기 |

① 한 고조에 대한 설명이다. ③ 베트남 지역의 어우락 왕국, ④ 한반도의 백제에 해당한다. ⑤ 고조선은 한의 침략으로 멸망하였다.

06 고대 동아시아 정답: ④

당시 고조선(위만 조선)은 철기 문화를 수용하였고, 한 왕조와 한반도 남부의 무역을 중계하며 성장하였다.

| 오답 피하기 |

① 진 시황제 시기, ② 춘추 전국 시대, ③, ⑤ 한 왕조 말기의 사실이다.

대주제 1 마무리하기

44~46쪽

01 ⑤ 02 ③ 03 ④ 04 ③ 05 ⑤ 06 ④
07 ⑤ 08 ④ 09 ② 10 ② 11 ② 12 ④

01 농경과 유목 정답: ⑤

농경 지역과 유목 지역에 거주하는 사람들은 서로 다른 삶의 형태를 보인다. ⑤ 유목 지역에 거주하는 사람들의 생활 모습이다.

02 동아시아의 지형 분포 정답: ③

동아시아는 가장 높은 서쪽의 티베트고원을 기점으로 점차 고도가 낮아진다. 또한 황허강과 창장강과 같은 큰 강 주변에는 넓은 충적평야가 펼쳐져 있어 농경이 발달하였다. 일본 열도를 비롯한 섬 지역은 화산과 지진 활동이 활발하다. ③ 제2구역은 인구 밀집 지역이 아니다.

03 동아시아 신석기 유물 정답: ④

A는 베트남 지역, B는 황허강 중류 지역, C는 한반도 지역, D는 일본 열도이다. (가)는 황허강 중류 지역의 양사오 문화의 채도, (나)는 일본 열도에서 발견되는 조몬 문화의 새끼줄 무늬 토기이다.

04 베트남 지역의 신석기 문화 정답: ③

신석기 시대 베트남 지역에서는 풍응우옌 문화와 호아빈 문화가 발달하였다. 풍응우옌 문화에서는 돌림판을 이용하여 토기를 제작하였다.

| 오답 피하기 |

① 황허강 중류의 신석기 문화, ②, ④ 황허강 유역의 청동기 문화, ⑤ 창장강 하류 지역의 허무두 문화에 대한 설명이다.

05 유목 사회의 특징 정답: ⑤

유목민들은 척박한 환경을 개척하고 적응하며 생활했다. 이동 생활을 하였으며, 가축을 생활의 자원으로 활용하였다. ⑤ 농경 사회에 대한 설명이다.

06 한반도의 신석기 문화 정답: ④

제시된 사진은 빗살무늬 토기이다. 신석기 시대 한반도에서는 빗살무늬 토기, 이른 민무늬 토기, 덧무늬 토기가 만들어졌다.

07 황허강 중류의 신석기 문화 정답: ⑤

신석기 시대 만주 지역의 랴오허강 유역에서는 훙산 문화가 발달하였다. 훙산 문화의 유물로는 용 모양의 옥기와 채도가 대표적이다.

| 오답 피하기 |

① 한반도의 신석기 문화, ② 베트남의 풍응우옌 문화, ③ 일본의 신석기 문화(조몬 문화), ④ 양사오 문화의 채도에 대한 설명이다.

08 창장강 하류의 신석기 문화 정답: ④

창장강 하류에서는 신석기 시대에 허무두 문화와 량주 문화가 발달하였고, 허무두 문화에서는 돼지 무늬 토기가 만들어졌다.

| 오답 피하기 |

ㄱ. 황허강 유역의 신석기 문화, ㄷ. 베트남 지역의 신석기 문화이다.

09 주 왕조 정답: ②

주 왕조는 천명사상과 덕치주의를 강조하며 상 왕조의 멸망을 정당화했다.

| 오답 피하기 |

① 한 무제, ③ 상 왕조, ④ 수 양제, ⑤ 진 시황제에 대한 설명이다.

10 진 시황제 정답: ②

진 시황제는 법가 사상을 채택하여 사상을 통제하고, 자신의 정책에 반대하는 유학자들을 분서갱유로 탄압하였다.

| 오답 피하기 |

① 한 고조는 백등산 전투에서 흉노에게 패하였다. ③ 상 왕조, ④ 한 무제에 대한 설명이다. ⑤ 전한을 멸망시키고 신 왕조를 세운 왕망에 대한 설명이다.

11 한 무제 시기 동아시아 정답: ②

지도는 한 무제 시기 최대 영역이므로 한 무제 시기와 관련된 내용을 찾으면 된다. 태학은 동중서의 건의로 한 무제 때 설치되었고, 오수전은 한 무제가 주조한 동전의 이름이다.

| 오답 피하기 |

ㄴ, ㄹ. 진 시황제 시기의 모습이다.

12 고조선의 8조법 정답: ④

고조선은 한반도와 만주 지방에서 성장하였으며, 한 무제의 침입으로 멸망하였다. 고조선에는 8개 조항의 법이 있었다.

| 오답 피하기 |

① 일본 열도, ② 남비엣, ③ 상 왕조, ⑤ 흉노에 대한 설명이다.

비판적 사고 기르기

47쪽

01 | 모범 답안 |

인구가 증가하고 문명이 형성되는 결정적인 계기가 되었다. 필요한 만큼만 찾아 먹던 구석기 인류의 생활은 신석기 혁명을 거치면서 완전히 바뀌었다. 인류는 아이를 더 낳을 여력이 생겼고, 인구의 증가와 잉여 생산물의 증가는 사유 재산 및 계급의 발생으로 이어졌다. 또한 이러한 재산과 계급을 유지하기 위해 정치 조직과 통치 체제가 정비되었다.

| 채점 기준 |

상	생산 경제의 채택이 가져온 변화를 두 가지 모두 논술함.
중	생산 경제의 채택이 가져온 변화를 한가지만 논술함.
하	논점을 잘못 파악하여 서술함.

02 | 모범 답안 |

농경 민족과 유목 민족은 오래 전부터 동아시아에서 대립과 교류를 반복했습니다. '뮬란'이라는 영화에서 중국의 입장에서 쓰여진 역사서만을 토대로 유목민을 호전적인 존재로 묘사하는 것은 오류입니다. 오히려 유목민의 입장에서도 농경 민족 역시 악으로 보일 여지가 충분합니다. 왜냐하면 유목 민족과 농경 민족의 갈등의 역사에서 어느 한 편이 일방적인 탄압과 억압을 가한 적이 없기 때문입니다. 또한 농경민과 유목민의 생업 차이는 주어진 환경에 효율적으로 적응한 결과이지, 문화의 우열을 의미하는 것이 아닙니다.

| 채점 기준 |

상	(나)를 비판하는 입장과 그 근거가 잘 나타나 있음.
중	(나)를 비판하는 입장이 잘 나타나 있음.
하	(나)를 비판하는 입장이 잘 나타나 있지 않음.

대주제 ❷ 동아시아 세계의 성립과 변화

주제 4 인구 이동과 정치 · 사회 변동

1단계 개념 익히기 56쪽

01 a−ㄴ, b−ㄱ, c−ㄷ 02 (1) × (2) ○ (3) ○ (4) ○ (5) ×
03 (1) 동진 (2) 한강 (3) 고구려 (4) 백강 전투 (5) 국풍 문화
04 (가) : 북위, (나) : 송, 제, 양, 진 05 백제
06 ㄷ−ㄱ−ㄴ−ㄹ 07 다이카 개신

2단계 내신 유형 익히기 57~59쪽

01 ② 02 ④ 03 ⑤ 04 ① 05 ③ 06 ⑤ 07 ②
08 ④ 09 ② 10 ② 11 해설 참조
12 (1) 헤이안 시대 (2) 해설 참조

01 인구 이동의 배경과 특징 정답: ②

인구 이동의 주요 원인으로는 환경적 요인과 정치적 요인이 있다. ② 이민족의 침략으로 인한 토지 부족은 정치적 요인에 해당한다.

02 만주와 한반도 지역의 인구 이동 정답: ④

만주와 한반도 지역의 인구 이동으로는 전쟁과 반란으로 인한 사례, 국가의 멸망으로 인한 사례, 정치 집단 간 갈등으로 인한 사례 등이 있다. 그 중 국가의 멸망으로 인한 인구 이동의 사례는 고조선 멸망 후 남하한 고조선 유민들의 사례, 고구려에 정복된 낙랑의 유민들이 남하한 사례 등이 있다.

| 오답 피하기 |
① 위만은 전쟁으로 인한 인구 이동, ② 준왕은 반란으로 인한 인구 이동, ③ 온조와 비류, ⑤ 주몽은 정치 집단 간 갈등으로 인한 인구 이동에 해당한다.

03 5호의 남하 정답: ⑤

㉠은 5호의 남하, ㉡은 한족의 이동이다. 위 · 촉 · 오의 삼국을 통일한 진(晉) 시대 권력 다툼으로 중원이 혼란해진 틈을 타, 북방의 5호가 남하하여 화이허강 이북 지역을 장악하고 여러 나라를 세우며 5호 16국 시대를 열었다. 한족 정권인 진은 강남으로 밀려나 동진을 건국하였다.

| 오답 피하기 |
① ㉠은 5호의 이동에 해당한다. ② 중국에서 철기는 전국 시대부터 널리 사용되었다. ③ ㉡과 불교의 확산은 관련이 없다. ④ 남하한 한족들은 강남 지방의 토착 세력과 타협하였다.

04 효문제의 호한 융합 정책 정답: ①

북위의 효문제는 북방 민족인 선비족 출신으로서 한족과의 갈등을 줄여 중원을 안정시키기 위해 호한 융합 정책을 실시하였다. 주요 내용으로는 평성에서 뤄양으로 천도, 호복 금지, 조정에서 선비어 사용 금지, 한족과의 혼인 장려, 균전제 실시 등이 있다. 이 정책의 결과 유목 민족의 문화와 한족의 문화가 융합되었다. ① 과거제는 수 문제 시대에 처음으로 실시하였다.

05 북위 정답: ③

(가)는 북위로, 북방 민족인 선비족이 건국하였다. 화베이 지역을 통일하여 5호 16국 시대를 종결지었고, 한족이 세운 남조 정권과 대립하였다.

| 오답 피하기 |
ㄱ. 신라와 군사 동맹을 맺은 국가는 백제(5세기)와 당(7세기)이다. ㄹ. 수 · 당에 대한 설명이다.

06 고구려 정답: ⑤

밑줄 친 이 국가는 고구려이다. 고구려는 부여에서 남하한 주몽 세력이 압록강 유역의 토착 세력과 연합하여 건국하였다. 대동강 유역을 확보함으로써 고조선 이래 발전되어 온 문화를 흡수하였고, 장수왕 때에는 수도를 대동강 유역의 평양으로 옮겼다.

| 오답 피하기 |
① 가야를 병합한 국가는 신라이다. ② 백제는 마한의 소국들을 통합하며 발전하였다. ③ 스에키 토기는 가야 토기의 영향을 받았다. ④ 신라는 일본에 조선술과 축제술 등을 전래해 주었다.

07 야마토 정권 정답: ②

자료는 일본의 야마토 정권에서 실시했던 씨성 제도에 대한 설명이다. 야마토 정권은 가야로부터 철을 수입하다가 6세기 이후 자체 생산하였고, 백제로부터 불교를 수용하여 불교문화인 아스카 문화를 발전시켰다.

| 오답 피하기 |
ㄴ. 7세기 고구려에 대한 설명이다. ㄹ. 덕치주의와 천명사상은 주 왕조의 통치 이념이다.

08 7세기의 국제 전쟁 정답: ④

(가)는 7세기 초반에 있었던 수 양제의 고구려 침략이고, (나)는 7세기 중반의 일이다. 수는 무리한 고구려 원정과 대운하 건설 등 대규모 토목 공사로 인해 멸망하였고, 이후 등장한 당도 고구려를 침략하였지만 결국 실패하였다.

| 오답 피하기 |
① 고구려는 백제 멸망(660) 이후인 668년에 멸망하였다. ② 수는 남북조 시대를 통일한 후 고구려를 공격하였다. ③ 신라가 한강을 차지했을 무렵 중국은 남북조 시대였다. ⑤ 왜는 백제 멸망 후 지원군을 파견했으나 백강 전투에서 나 · 당 연합군에게 패배하였다.

09 「17조 헌법(규범)」 정답: ②

자료는 쇼토쿠 태자의 「17조 헌법(규범)」이다. 중국과 한반도로부터 불교와 유학을 수용하여 만들어졌다. 중앙 집권적 체제를 갖추고 불교를 숭상하는 국가를 건설하고자 하는 쇼토쿠 태자의 의지가 녹아 있으며, 이후 다이카 개신에 영향을 주었다.

| 오답 피하기 |

① 다이카 개신에 영향을 주었다. ③ 중앙 집권적 체제를 추구하였다. ④, ⑤ 다이카 개신에 대한 내용이다.

10 8세기 후반의 동아시아 정답: ②

8세기 후반에 일본은 권력 다툼이 심화되었고, 위기를 극복하기 위해 수도를 헤이조쿄에서 헤이안쿄로 천도하였다. 신라는 왕위 다툼을 둘러싼 귀족 간 갈등이 발생하며 후삼국 분열의 씨앗이 나타났다.

| 오답 피하기 |

ㄴ. 상경성은 8세기 중반부터 발해의 수도였다. ㄷ. 당은 8세기 중반 안사의 난을 겪으며 이후 점차 쇠퇴하였다.

11 한족의 남하

위·촉·오를 통일한 진(晋)이 권력 다툼으로 인해 혼란스러워진 틈을 타 5호가 대규모로 남하하였다. 이들은 세력을 모아 화베이 지방을 차지하고 여러 국가들을 건국하였는데, 이 시기를 '5호 16국 시대'라 한다. 밀려난 한족들은 화이허강 이남 지역으로 남하하였다. 이들에 의해 강남 지방이 본격적으로 개발되기 시작했고, 강남의 농업 생산량도 증가하였다.

| 모범 답안 |

강남 지방이 본격적으로 개발되며 농업 생산량이 증가하였다. 강남 지방으로 남하한 한족들이 앞선 토목 기술을 바탕으로 관개 시설을 확충하고 논농사를 발전시켰기 때문이다.

| 채점 기준 |

상	강남 지방의 경제적 변화와 그 이유를 모두 서술함.
중	강남 지방의 경제적 변화 혹은 그 이유 중 한 가지만 서술함.
하	강남 지방의 경제적 변화와 그 이유를 두 가지 모두 서술하지 못함.

12 헤이안 시대

간무 천황은 정치 혼란을 극복하고 왕권을 강화하기 위해 8세기 후반 헤이안쿄로 천도하였다. 이 시기부터 가마쿠라 막부가 출범하기 전까지를 헤이안 시대라고 한다. 이 시대에는 당의 문화에 일본 특유의 문화가 혼합된 국풍 문화가 발전하였다.

| 모범 답안 |

일본은 8세기 후반에 왕위 계승과 권력을 두고 왕실, 귀족, 승려의 대립이 심해졌다. 간무 천황은 혼란을 극복하고 율령 정치를 재건하고자 헤이안쿄로 천도하였다.

| 채점 기준 |

상	헤이안쿄 천도의 시대적 배경과 목적을 모두 서술함.
중	헤이안쿄 천도의 시대적 배경 혹은 목적 중 한 가지만 서술함.
하	헤이안쿄 천도의 시대적 배경과 목적 두 가지 모두를 서술하지 못함.

3단계 내신 만점 도전하기 60~61쪽

01 ①	02 ⑤	03 ④	04 ①
05 ⑤	06 ③	07 ④	08 ③

01 한반도와 일본의 인구 이동 정답: ①

(가)는 도왜인(도래인)들에 대한 사료이다. 도왜인들은 일본에 여러 선진 문물들을 전해 주었으며, 최초의 통일 정권인 야마토 정권의 발전에 기여하였다. (나)는 고구려에서 남하한 비류와 온조 집단에 대한 사료이다. 온조를 중심으로 한강 유역의 토착 세력과 연합하여 백제를 건국하였다.

| 오답 피하기 |

② (가)는 환경적 요인의 인구 이동에 해당하지 않는다. ③ (나)는 인구의 연쇄적 이동으로 이어지지 않았다. ④ (나)는 이주민과 토착민과 연합하여 백제를 건국하였다. ⑤ (나)는 정치 집단 간 갈등으로 인한 인구 이동에 해당한다.

02 3~4세기 동아시아의 인구 이동 정답: ⑤

3~4세기는 동아시아에서 대규모 인구 이동이 일어나던 시기이다. 당시 중국에서 삼국을 통일한 진이 내부 정치 혼란에 휩싸이자 그 틈을 타 북방 민족들은 남하하여 화베이 지방에 여러 국가를 세웠다. 한족들은 이들에게 밀려 강남 지역으로 남하하였다.

| 오답 피하기 |

① 기원전 2세기 초반, ② 기원전 1세기, ③ 기원전 2세기~기원전 1세기, ④ 기원전 2세기 초반 무렵에 해당한다.

03 효문제의 정책 정답: ④

제시된 자료는 북위 효문제가 실시한 균전제의 내용이다. 효문제는 호한 융합 정책의 일환으로 선비어 사용 금지, 호복 금지, 선비족 성의 한족화, 한족과의 혼인 장려 등을 추진하였다.

| 오답 피하기 |

① 동진에 대한 설명이다. 효문제는 뤄양으로 천도하였다. ②, ③ 한무제, ⑤ 북위 태무제에 대한 설명이다.

04 가야 정답: ①

낙동강 유역에 위치하였으며 6세기에 신라에게 통합된 국가는 가야이다. 가야에서는 벼농사가 활발하게 이루어졌으며 철이 대량 생산되었다. 일본을 비롯한 여러 지역에 철을 수출하였고 일본에 제철 기술을 전래하였으며, 가야의 토기는 일본의 스에키 토기에 영향을 주었다.

| 오답 피하기 |

② 백제, ③, ④ 고구려에 대한 설명이다. ⑤ 가야는 수·당 제국이 등장하기 전에 신라에 통합되었다.

05 수 양제 정답: ⑤

자료의 '황제'는 수 양제이다. 수 양제는 고구려와 돌궐의 연계를 경계하여 113만 대군으로 고구려를 침략했으나 패배하였다. 수 양제는 남북을 연결하는 대운하를 건설하기도 하였는데, 무리한 토목 공사와 고구려 원정 실패로 인해 반란이 일어나 결국 수가 멸망하였다.

| 오답 피하기 |

ㄱ, ㄴ. 당에 대한 설명이다.

06 백강 전투 정답: ③

제시된 자료는 백강 전투에 대한 내용이다. 일본은 백제가 나·당 연합군의 공격으로 멸망한 후 일어난 백제 부흥 운동을 지원하기 위해 군대를 파견하였다. 하지만 백강 입구에서 나·당 연합군에게 패배하였고, 백제 부흥 운동은 실패로 끝났다.

| 오답 피하기 |

① 당의 침입에 대비하여 고구려가 쌓은 성이다. ② 당이 정복지에서 실시한 간접 통치 정책이다. ④ 당에 대한 설명이다. ⑤ 나·당 전쟁 중 벌어진 전투이다.

07 다이카 개신 정답: ④

나카노오에 황자는 막강한 권력을 장악하고 있던 호족 가문인 소가 씨 일족을 몰아내고 권력을 잡았다. 그는 강력한 중앙 집권적 국가를 건설하기 위한 개혁인 다이카 개신을 추진하였다(645). 다이카 개신의 주요 내용으로는 토지와 인민의 사유화 금지, 백성에게 구분전 지급, 지방 행정 조직 정비 등이 있다.

| 오답 피하기 |

①, ②, ③ 쇼토쿠 태자에 대한 설명이다. ⑤ 일본은 과거제를 도입하지 않았다.

08 8세기 초의 동아시아 정답: ③

제시된 자료는 8세기 중반에 발생한 안사의 난에 대한 내용이다. 안사의 난이 발생하기 이전인 8세기 초의 상황으로 적절한 것은 ㄴ과 ㄷ이다.

| 오답 피하기 |

ㄱ. 일본의 국풍 문화는 견당사 파견이 중지된 9세기 후반 이후인 헤이안 시대에 발달하였다. ㄹ. 안사의 난 이후 중앙 정부가 지방 절도사를 통제할 힘을 상실하면서 지방 세력의 독립화가 이루어졌다.

심화 수능 유형 익히기 62쪽

01 ② 02 ④

01 도왜인(도래인)의 활약 정답: ②

기사 제목들은 모두 한반도에서 일본으로 건너 간 도왜인(도래인)들의 활동에 관한 내용을 담고 있다. 스에키 토기는 가야인들이 제작한 토기의 영향을 받았으며, 담징은 고구려의 승려로서 먹과 제지술을 일본에 전래하였다. 오사카에는 백제 왕조의 선조를 모시는 신사가 존재하며, 백제의 학자 왕인은 일본에 논어와 천자문을 전래하였다.

| 오답 피하기 |

① 국풍 문화는 8세기 후반 견당사 파견이 중지된 후 당의 문화와 결합하며 발전한 일본 특유의 문화를 말한다.

02 7세기의 동아시아 정답: ④

(가)는 당, (나)는 고구려, (다)는 일본이다. 당은 고구려를 공격했으나 안시성 싸움에서 패배하였고, 이후 신라와 군사 동맹을 체결하였다. 나·당 연합군은 백제를 멸망시켰고, 이후 백제 부흥 운동이 일어났다. 일본은 이를 돕기 위해 지원군을 파견했으나, 나·당 연합군에게 백강 전투에서 패배하였다.

| 오답 피하기 |

① 북위, ② 발해와 일본, ③ 가야, ⑤ 수에 대한 설명이다.

심화 기출 지문 활용하기 63쪽

01 해설 참조 02 ③ 03 ② 04 해설 참조 05 ② 06 ④

01 5호와 한족의 남하

제시된 지도는 5호와 한족의 연쇄적 이동을 보여주고 있다. 진(晉)은 북방에서 남하한 5호에게 화베이를 빼앗기고 강남의 건강으로 천도하여 동진이 되었다. 5호는 화베이에 여러 국가를 세움으로써 5호 16국 시대가 개막되었다.

| 모범 답안 |

진(서진)이 중원을 통일하였지만 권력 투쟁이 발생하여 정치가 혼란하였고, 이 틈을 타 5호가 남하하였다. 그 결과 5호는 화베이 지방에 새로운 국가들을 수립하였으며, 한족은 강남 지역으로 이동하여 동진을 세웠다.

| 채점 기준 |

상	인구 이동의 정치적 배경과 결과를 모두 명확히 서술함.
중	인구 이동의 정치적 배경과 결과 중 하나만 서술함.
하	인구 이동의 정치적 배경과 결과 두 가지 모두 서술하지 못함.

02 5호가 남하할 당시의 시대적 상황 정답: ③

5호가 대규모로 남하했던 3~4세기에는 북방 민족과 한족의 연쇄적인 인구 이동이 이루어졌다. ③ 위만이 한반도에서 집권한 시기는 기원전 2세기인 한 초기이다.

03 5호가 남하할 당시의 시대적 상황 정답: ②

화이허강 이남으로 이주한 한족들이 발달한 토목 기술을 바탕으로 농경지 개간에 착수하며 강남 개발이 진전되었다. 이는 훗날 강남 지방이 중국 제일의 곡창 지역으로 자리 잡게 되는 기반이 되었다.

| 오답 피하기 |

① 주몽 집단은 기원전 1세기 무렵에 남하하였다. ③ 대운하는 수 양제가 집권하던 7세기에 완성되었다. ④ 준왕은 기원전 2세기에 남하하였다. ⑤ 신라는 6세기 한강 장악 이후 중원 왕조와 직접 교류하였다.

04 효문제의 호한 융합 정책

북위의 효문제는 호족(胡族)과 한족과의 갈등을 줄임으로써 안정적으로 중원을 통치하기 위해 호한 융합 정책을 실시하였다. 이 정책의 결과 유목 민족의 문화와 한족의 문화가 융합되었다.

| 모범 답안 |

호족과 한족의 갈등을 해소하고 황제권을 강화하기 위해 실시하였으며, 정책의 결과 유목 민족의 군사력과 한족의 문물제도가 융합되었다.

| 채점 기준 |

상	호한 융합 정책의 목적과 결과를 모두 명확히 서술함.
중	호한 융합 정책의 목적과 결과 중 하나만 서술함.
하	호한 융합 정책의 목적과 결과 두 가지 모두 서술하지 않음.

05 남북조 시대 정답: ②

5세기에 북위가 화베이 지방을 통일하며 북조가 시작되었다. 강남 지방의 한족 정권인 남조와 북조가 대립하던 5세기부터 6세기에 수가 중국을 통일하기까지의 시대를 남북조 시대라 한다. 이 시기에는 남북조의 대립 속에 다원적인 외교가 이루어졌다.

| 오답 피하기 |

① 거란은 10~11세기에 고려를 침략하였다. ③ 베트남의 응오 왕조는 당이 멸망한 후 10세기에 독립하였다. ④ 기원전 1세기에 해당한다. ⑤ 다이카 개신은 7세기에 해당한다.

06 북위 정답: ④

북위의 효문제가 백성들에게 농사에 필요한 토지를 분배하는 균전제를 실시하였고 호한 융합 정책을 펼치며 북방 민족의 군사력과 한족의 문화가 융합되었다. 그러나 이에 대해 불만을 품은 세력이 존재하였고, 결국 내분이 발생하여 동서로 분열되었다.

| 오답 피하기 |

①, ② 수, ③, ⑤ 당에 대한 설명이다.

주제 5 동아시아문화권의 형성과 발전

1단계 개념 익히기 70쪽

01 a-ㄱ, b-ㄷ, c-ㄴ 02 (1) ○ (2) × (3) × (4) ○ (5) ×
03 (1) 법가 (2) 조용조 (3) 선종 (4) 『사서집주』 (5) 빈공과
04 ㉠-발해, ㉡-정당성, ㉢-주자감 05 ㉠ 대안탑(당), ㉡ 불국사 삼층 석탑(통일신라), ㉢ 호류사 오층 목탑(일본)
06 안향, 사림, 명, 하야시 라잔

2단계 내신 유형 익히기 71~73쪽

01 ③ 02 ⑤ 03 ① 04 ② 05 ④ 06 ③ 07 ①
08 ③ 09 ② 10 ④ 11 (1) 대승 불교 (2) 해설 참조
12 (1) 성리학적 명분론 (2) 해설 참조

01 한자의 보급 정답: ③

중국의 한자는 인구 이동과 교류, 전쟁 등을 통해 동아시아 각국에 전파되어 동아시아 문화의 공통적인 기반이 되었다. 특히 후한 대에 개량된 종이는 한자의 보급에 기여하였다. 창원 다호리 유적에서 출토된 붓을 통해서도 한자가 전해졌음을 짐작할 수 있다.

02 율령 체제 정답: ⑤

율령의 뿌리는 춘추 전국 시대 제자백가들에 의해 등장하였다. 이후 수·당 대에 들어 율령 체제가 완성되었다. 형법인 율(律), 행정법인 영(令), 보완·개정 법률인 격(格), 시행 세칙인 식(式)의 네 가지로 이루어졌다.

03 수·당의 통치 체제 정답: ①

수·당은 중앙 통치 제도로 3성 6부제를 실시하였다. 문하성은 정책을 심의하였으며, 상서성은 6부를 관할하며 정책을 집행하였다. 지방은 주현제로 정비하였으며, 균전제를 기반으로 조용조와 부병제를 실시하였다. 국립 대학으로 국자감을 설치하고 관리 선발을 위해 과거제를 실시하였다.

04 다이호 율령 정답: ②

㉠은 일본의 다이호 율령이다. 당의 율령을 참고하되 실정에 맞게 변형하였다. 정치를 담당하는 태정관과 제사를 담당하는 신기관의 2관을 설치하고, 태정관 아래 8성을 두었다.

| 오답 피하기 |

ㄴ. 통일신라의 제도이다. ㄹ. 고려의 합좌 기구이다.

05 북위의 불교 정답: ④

제시된 사진은 북위 시대에 조성된 윈강 석굴의 대불이다. 밑줄 친 이 국가는 북위이다. 북위의 불교는 왕즉불 사상을 바탕으로 중앙 집권 체제를 강화하고 왕실의 안녕을 비는 호국 불교의 성격을 띠었다.

| 오답 피하기 |

① 일본, ③, ⑤ 당의 불교에 대한 설명이다. ② 법현은 동진의 승려이다.

06 삼국과 일본의 불교 수용 정답: ③

신라는 고구려로부터 5세기에 불교를 수용하였으나 귀족들의 반대로 공인하지 못하다가, 6세기 법흥왕 때 이차돈의 순교를 계기로 공인하였다.

07 선종 정답: ①

(가)는 선종이다. 선종은 남북조 시대에 달마가 창시하였다. 일본에서는 무사의 기풍과 어울려 막부의 적극적인 보호를 받았다.

| 오답 피하기 |

② 선종은 도의선사에 의해 신라에 전해졌다. ③ 에이사이에 대한 설명이다. 사이초는 일본 천태종의 창시자이다. ④ 의상이 개창한 신라 화엄종에 대한 설명이다. ⑤ 선종을 중심으로 불교를 통합하고자 한 승려는 지눌이다. 의천은 교종을 중심으로 선종을 통합하고자 하였다.

08 동아시아의 지배층 정답: ③

(가)는 사대부, (나)는 신사이다. 사대부는 송 대 문치주의 정책의 영향으로 등장하였으며, 유교적 소양을 갖추고 과거를 통해 관료로 진출하였다. 신사는 유교 지식을 갖춘 학위소지자로서 명·청 시대 향촌 사회에서 영향력을 행사하였다.

| 오답 피하기 |

ㄱ. 귀족에 대한 설명이다. ㄹ. 봉건제에서의 제후에 해당한다.

09 성리학 정답: ②

성리학은 불교와 도교의 영향으로 인간의 본성과 우주의 원리를 철학적으로 탐구하였다. 또한 수양을 통해 선한 본성을 회복하여 성인의 경지에 이르는 것을 추구하였다. ② 유교 경전에 대한 해석 중심이었던 학문은 한~당 대에 유행하였던 훈고학이다.

10 당 대 동아시아의 문화 교류 정답: ④

장보고는 군사 및 무역 기지인 청해진을 세워 당과 일본을 잇는 무역과 해상 질서를 주도하였고, 일본인 아베노 나카마로는 당의 과거에 합격하여 안남도호부의 도호로 활동하였다.

| 오답 피하기 |

ㄱ. 발해는 무왕 때 당과 대립하였으나, 문왕 이후 친선 관계로 돌아섰다. ㄷ. 장안의 도시 구조는 발해의 상경성, 일본의 헤이조쿄 등에 영향을 주었다.

11 대승 불교

밑줄 친 새로운 불교 종파는 대승 불교이다. 대승 불교는 이타행을 강조하는 불교 운동의 영향으로 등장하였으며, 부처를 신격화하고 자비에 의한 중생의 구제를 강조하였다. 깨달음을 얻은 후에도 세상에 남아 중생을 구원하는 이상적인 존재를 보살이라 불렀다.

| 모범 답안 |

기존의 상좌부 불교와 달리 자비에 의한 중생의 구제를 강조하였으며, 붓다를 신격화하였다. 중생을 구제하는 이상적인 존재를 보살이라 불렀다.

| 채점 기준 |

상	대승 불교의 특징 두 가지를 모두 서술함.
중	대승 불교의 특징을 한 가지만 서술함.
하	대승 불교의 특징을 두 가지 모두 서술하지 못함.

12 일본의 성리학

일본의 성리학은 에도 막부 시대에 성리학적 명분론을 지배 논리로 활용하면서 주목받기 시작하였다. 그러나 중국 및 조선과 달리 일본에서는 성리학이 일상생활의 사회 규범으로까지는 확대되지 못했다. 일상적인 영역에서는 신도와 불교의 영향력이 강했기 때문이다.

| 모범 답안 |

일본의 성리학은 조선과 달리 일상생활의 사회 규범으로까지는 발전하지 못했다. 일상생활 속에서는 불교와 신도의 영향력이 너무나 컸기 때문이다.

| 채점 기준 |

상	차이점의 내용과 차이점이 나타난 이유를 모두 명확히 서술함.
중	차이점의 내용이나 차이점이 나타난 이유 중 하나만 서술함.
하	차이점의 내용과 차이점이 나타난 이유 두 가지 모두 서술하지 못함.

3단계 내신 만점 도전하기 74~75쪽

01 ④	02 ②	03 ①	04 ②
05 ①	06 ③	07 ①	08 ⑤

01 율령의 발전 정답: ④

율령의 기초는 춘추 전국 시대에 유가와 법가에 의해 마련되었다. 춘추 전국 시대를 통일한 진(秦) 대에는 법가를 중심으로 한 가혹한 통치가 이루어졌으나, 뒤를 이은 한 대에는 법가에 유교 윤리를 반영하며 율령이 한층 발전하였고, 수·당 대에 율·영·격·식의 율령 체제가 완성되었다.

02 각국의 중앙 정치 제도 정답: ②

(가)는 당, (나)는 발해, (다)는 일본의 중앙 정치 제도이다. 발해는 당의 3성 6부제를 수용하되 명칭과 운영에서 독자성을 가졌다. 발해의 정당성은 당의 상서성에 해당되며, 정책 집행을 담당하고 국정을 총괄하였다.

| 오답 피하기 |

① (가)는 당의 중앙 정치 제도이다. ③ 선조성이 조칙을 심의하였다. ④ 신기관이 제사를 담당하였다. ⑤ (가)는 (나)와 (다)에 영향을 주었다.

03 불교의 토착화 정답: ①

『부모은중경』은 불교의 토착화를 잘 보여준다. 일본의 하치만신은 본래 농업, 재물을 관장하는 신도의 신이었으나, 불교가 수용되면서 불교의 신으로 간주되었다. 불교의 토착화를 보여주는 또 다른 사례이다.

| 오답 피하기 |

② 원효는 불교 종파 간 대립을 완화시키고 민간에 불교를 널리 전파하였다. ③ 원강 석굴은 북위의 호국 불교와 관련 있다. ④ 이차돈의 순교는 신라의 불교 수용에 기여하였다. ⑤ 대승 불교의 등장 배경과 관련 있다.

04 8세기 동아시아의 불교 정답: ②

도다이사는 8세기 나라 시대에 세워진 사찰이다. 신라의 혜초는 8세기에 인도 순례를 다녀왔고, 당의 감진 역시 이 시기에 일본으로 건너와 계율을 전파하였다.

| 오답 피하기 |

ㄴ. 쿠마라지바는 위진 남북조 시대(5세기 초)에 불경을 한자로 번역하였다. ㄹ. 지눌은 고려 시대(12세기 후반~13세기 초)에 활동하였다.

05 주희와 성리학 정답: ①

밑줄 친 그는 성리학을 집대성한 남송의 주희이다. 주희는 기존에 유교 경전으로 중시되던 오경(『시경』, 『서경』, 『역경』, 『예기』, 『춘추』)보다 사서(『논어』, 『맹자』, 『대학』, 『중용』)를 더욱 강조하였다.

| 오답 피하기 |

② 훈고학에 대한 설명이다. ③, ④ 양명학을 집대성한 왕수인의 주장이다. ⑤ 고구려의 승려인 혜자에 대한 설명이다.

06 한반도와 일본의 성리학 정답: ③

성리학은 고려 시대에 유입되어 조선의 통치 이념으로 자리잡았다. 조선에서 성리학의 여러 학파는 정치 집단으로 성장하여 붕당 정치가 펼쳐졌다.

| 오답 피하기 |

① 『사서오경왜훈』은 일본 최초의 사서오경 주석서이다. ② 안향은 고려 시대에 성리학을 수용한 인물이다. ④ 조선, ⑤ 고려 후기 신진 사대부들에 해당한다.

07 당 대 동아시아의 문화 교류 정답: ①

(가)는 장보고이다. 장보고가 활동하던 9세기 초에 중원은 당이 지배하고 있었으며, 일본은 9세기 말까지 당에 견당사를 파견하였다. 당은 외국인을 대상으로 하는 과거시험인 빈공과를 실시하였다.

| 오답 피하기 |

ㄷ. 만권당은 고려의 충선왕이 원의 수도 대도에 세웠다. ㄹ. 『촉판대장경』은 10세기 송 대에 제작되었다.

08 활자 인쇄술 정답: ⑤

송 대 이후로 문치주의 정책이 추진되고 과거제가 중시되면서, 사대부와 독서인층의 수가 증가하였고 서적에 대한 수요도 늘어났다. 이에 따라 한반도에서도 다양한 책을 신속하게 간행할 수 있도록 금속 활자 기술이 발달하였다.

| 오답 피하기 |

③ 『팔만대장경』 등은 주로 목판으로 대량 인쇄되었다.

심화 수능 유형 익히기

76쪽

01 ③ 02 ①

01 당의 통치 체제 정답: ③

당은 백성들에게 토지를 분배하는 토지 제도인 균전제를 바탕으로 조세 제도인 조용조와 군사 제도인 병농일치의 부병제를 실시하였다. 이 제도들은 주변국들의 통치 체제에 큰 영향을 주었다.

| 오답 피하기 |

① 발해, ② 통일신라, ④ 한 고조 시대의 한, ⑤ 일본에 대한 설명이다.

02 주희와 성리학 정답: ①

주희는 인간의 본성이 곧 '이(理)'와 같다고 하는 '성즉리'를 강조하였다. 또한 선한 본성을 회복하기 위해 끊임없는 수양이 필요하다고 주장하였다. 그는 여러 학자들의 이론을 집대성하여 형이상학적인 성리학의 학문 체계를 완성하였다.

| 오답 피하기 |

ㄷ. 대승 불교, ㄹ. 양명학에 대한 설명이다.

심화 기출 지문 활용하기

77쪽

01 해설 참조 02 ② 03 ④ 04 해설 참조 05 ① 06 ④

01 진 · 한의 율령 체제

진은 엄격한 법을 통한 법치를 강조하는 법가 사상을 바탕으로 통치 체제를 유지하였는데, 결국 그 강압적인 면으로 인해 농민 반란이 발생하여 멸망하였다. 이후 등장한 한은 법가적 요소에 유교적 윤리를 반영하여 법치와 유가 사상을 조화시켰다.

| 모범 답안 |

(가)는 율령이다. 진 대의 율령은 법치와 강제성을 특징으로 하는 법가 중심적인 성격이 강했으나, 한 대에 유학이 관학화되면서 법치와 유가 사상이 조화를 이루었다.

| 채점 기준 |

상	진 대와 한 대 율령의 특징을 모두 명확히 서술함.
중	진 대 혹은 한 대 율령의 특징 중 한 가지만 서술함.
하	진 대와 한 대 율령의 특징을 두 가지 모두 서술하지 못함.

02 동아시아 각국의 통치 체제 정답: ②

율령은 춘추 전국 시대 제자백가에 의해 그 이론적 기초가 마련되었으며, 수·당 대에 완성되어 동아시아 각국으로 전파되었다. 주변국들은 중국의 율령 체제를 자국의 전통과 여건에 맞게 변형하여 수용하였다. ② 주의 봉건제는 율령 체제가 본격적으로 형성되기 이전의 제도이다.

03 율령 체제 정답: ④

한반도에서는 백제의 고이왕, 고구려의 소수림왕, 신라의 법흥왕 순으로 율령을 반포하였다.

04 나라 시대의 불교

왼쪽은 일본 나라에 위치한 도다이사 대불전이며, 오른쪽은 대불전 내에 있는 청동 대불이다. 8세기 나라 시대에 만들어졌다.

| 모범 답안 |

8세기 나라 시대에 일본에서는 왕실과 유력 가문의 사찰 건립이 활발하였다. 그 이유는 지배층들이 사찰 건립을 통해 권위를 과시하고자 하였기 때문이다.

| 채점 기준 |

상	나라 시대 일본 불교의 특징과 특징이 나타난 이유를 명확히 서술함.
중	나라 시대 일본 불교의 특징만 서술함.
하	나라 시대 일본 불교의 특징을 두 가지 모두 서술하지 못함.

05 8세기 동아시아의 불교 정답: ①

8세기에 활약한 승려로는 일본에 계율을 전해주기 위해 바다를 건너 온 당 출신의 감진이 있다.

| 오답 피하기 |

② 남북조 시대, ③ 4세기, ④ 5세기 북위 시대, ⑤ 3세기 삼국 시대에 해당한다.

06 동아시아의 승려 정답: ④

8세기에 활약한 동아시아의 주요 승려로는 일본에 계율을 전해 준 당의 감진과 인도 순례를 다녀 온 신라 출신의 혜초가 있다. 혜초는 인도 순례 후 기행문인 『왕오천축국전』을 저술하였다.

| 오답 피하기 |

① 7세기, ② 12세기 후반부터 13세기 초, ③ 7세기, ⑤ 4~5세기 무렵에 활동하였다.

주제 6 동아시아 세계의 변화 국제 관계의 다원화

1단계 개념 익히기 84쪽

01 a-ㄷ, b-ㄴ, c-ㄱ 02 (1) ○ (2) ○ (3) × (4) × (5) ×
03 (1) 화번공주 (2) 연운 16주 (3) 미나모토노 요리토모 (4) 쩐흥다오 (5) 정화 04 (가)-명분, (나)-실리
05 ㄱ-ㄹ-ㄴ-ㄷ 06 ㉠-몽골인, 색목인 ㉡-한인, 남인
07 야율아보기, 서하, 금, 감합 무역

2단계 내신 유형 익히기 85~87쪽

01 ② 02 ④ 03 ⑤ 04 ④ 05 ⑤ 06 ① 07 ④
08 ③ 09 ① 10 ① 11 (1) 강동 6주 (2) 해설 참조
12 (1) 아시카가 요시미쓰 (2) 해설 참조

01 한과 흉노의 관계 정답: ②

(가)는 흉노이다. 흉노는 한 고조 시대에 한의 군대를 격파한 후 한과 평화 관계를 유지하는 조건으로 매년 물자를 받았다. 그러나 한 무제의 원정 이후 세력이 약화되며 분열되었다.

| 오답 피하기 |

① 흉노의 최고 지도자는 선우라고 불렸다. ③ 거란(요), 금이 해당된다. ④ 몽골에 대한 설명이다. ⑤ 한 무제의 원정 이후 일부 세력이 한과 조공·책봉 관계를 맺었다.

02 남북조 시대의 외교 관계 정답: ④

(가)는 북조 국가인 북위, (나)는 남조 국가인 송이다. 왜는 남조와, 고구려는 남북조 모두와 조공·책봉 관계를 맺었다.

| 오답 피하기 |

ㄱ. 백제는 고구려를 견제하고자 (나)의 책봉을 받았다. ㄷ. (나)는 (가)를 견제하기 위해 유연·고구려와 친선 관계를 맺었다.

03 거란(요) 정답: ⑤

㉠은 거란(요)이다. 송은 연운 16주를 되찾기 위해 거란과 군사적으로 대립하였으나 결국 승리를 거두지 못하고 전연의 맹약을 맺었다. 이 조약을 통해 송은 거란을 동생 국가로 대할 수 있게 되었지만 연운 16주는 여전히 거란의 소유로 남았다.

04 서하 정답: ④

서하는 탕구트족의 이원호가 건국하였으며, 건국 초기 황제를 칭하고 송과 대등한 관계를 주장하였다. 송이 이를 받아들이지 않으면서 전쟁이 발생하였고, 결국 서하가 송의 신하가 되는 대신 송으로부터 매년 세폐를 받는 것으로 협상을 하였다.

| 오답 피하기 |

① 원, ② 당, ⑤ 한, 수, 당에 해당한다. ③ 2성 6부제는 고려의 중앙 정치 제도이다.

05 10~11세기의 동아시아 정답: ⑤

(가)는 송, (나)는 고려, (다)는 일본이다. 고려는 초기에 송에 조공 형식으로 친선 외교를 하였다. 일본은 헤이안 시대인 9세기 말 견당사가 폐지되며 중국과의 공식적인 외교가 단절되었으며, 귀족과 호족들의 장원이 확대되었다.

| 오답 피하기 |

ㄱ. 송은 고려와 군사적인 동맹을 체결하지는 않았다. ㄴ. 송의 동전이 일본에 대량 유입되었다.

06 금 정답: ①

제시된 사료는 금에서 실시했던 맹안 모극제에 대해 설명하고 있다. 금은 송을 공격하여 수도 카이펑을 함락시키고 황제를 포로로 잡았는데, 이 사건을 '정강의 변'이라 한다. 이후 금은 화베이 지방을 장악하였다.

| 오답 피하기 |

② 송, ③ 거란(요), ④ 당, ⑤ 일본에 대한 설명이다.

07 몽골 제국의 발전 정답: ④

몽골 제국의 초대 칸인 칭기즈 칸은 천호제를 바탕으로 호라즘을 공격하여 멸망시키고 서하도 정복하였다. 2대 칸 우구데이는 고려를 공격하는 등 주변국들에 대한 침략을 강화하였다. 5대 칸이자 원의 초대 황제인 쿠빌라이는 남송을 멸망시키고 유목 민족 최초로 중국을 통일하였다.

| 오답 피하기 |

① 우구데이 칸, ②, ⑤ 칭기즈 칸, ③ 쿠빌라이 칸에 대한 설명이다.

08 몽골 제국 시기의 대외 교류 정답: ③

(가)는 몽골 제국 시기 육로를 통한 교역을 활성화시키는데 기여한 역참이다. (나)는 정부에서 발급한 증서인 패자이며, (다)는 해상 무역을 관리 감독하던 관청인 시박사이다.

09 몽골과 고려, 일본, 대월의 관계 정답: ①

고려, 일본, 대월은 몽골과 전쟁을 치르는 과정에서 민족의식이 성장하였다. 고려에서는 단군을 시조로 여기는 역사의식이 확대되며 『삼국유사』와 『제왕운기』와 같이 단군신화를 수록한 역사책이 편찬되었고, 일본에서는 신이 일본을 지켜준다는 신국의식이 확대되었다. 대월은 몽골의 침입을 물리친 이후 민족적 자부심으로 자국의 역사를 다룬 『대월사기』를 편찬하였다.

| 오답 피하기 |

③, ④ 고려에만 해당된다.

10 영락제의 정책 정답: ①

(가)는 영락제이다. 영락제는 즉위 후 수도를 북방의 베이징으로 옮기고 자금성을 건설하였다. 북방의 몽골을 공격하고 만주의 여진과 남쪽의 대월을 복속시키는 등 활발한 대외 활동을 펼쳤으며, 정화의 함대를 파견하여 명을 널리 알렸다.

| 오답 피하기 |

ㄷ, ㄹ. 명 태조 홍무제(주원장)에 대한 설명이다.

11 고려와 거란(요)의 전쟁

거란(요)이 고려를 침입한 이유는 송과의 결전을 앞두고 후방을 안정시키기 위해서였다. 당시 고려는 송과 조공·책봉 관계를 맺는 등 우호적인 태도를 견지하였고, 거란과는 태조 이래로 교류를 단절하다시피 하였다. 고려는 거란의 1차 침입에서 서희가 거란과의 교류를 약속하며 강동 6주를 획득하였다. 그러나 약속이 제대로 지켜지지 않자 2차, 3차에 이르는 침입이 지속되었고, 3차 침입을 끝으로 고려－송－거란 사이에 세력 균형이 이루어졌다.

| 모범 답안 |

거란은 송과 전쟁하기 전 배후를 안정시키기 위해 고려를 공격하였다. 고려와 거란은 전쟁이 끝난 후 조공·책봉 관계를 맺으며 평화 체제를 구축하였다.

| 채점 기준 |

상	거란이 고려를 공격한 이유와 전쟁 이후의 양국 간 외교 관계를 명확하게 서술함.
중	거란이 고려를 공격한 이유나 전쟁 이후의 양국 간 외교 관계 중 한 가지만 서술함.
하	거란이 고려를 공격한 이유나 전쟁 이후의 양국 간 외교 관계 두 가지 모두를 서술하지 못함.

12 명과 일본의 관계

일본은 15세기 초 무로마치 막부의 3대 쇼군 아시카가 요시미쓰가 명의 영락제에게 '일본 국왕'으로 책봉을 받으면서, 조공·책봉 관계가 다시 성립되었다. 이후 명과 일본 사이에서는 조공 무역의 일환으로 감합 무역이 이루어졌다.

| 모범 답안 |

그는 명에게 '일본 국왕'으로 책봉되었고, 조공 무역선을 파견하여 감합 무역을 전개하였다.

| 채점 기준 |

상	명과 일본의 외교 관계와 감합 무역에 대해 명확히 서술함.
중	명과 일본의 외교 관계와 감합 무역 중 한 가지만 서술함.
하	명과 일본의 외교 관계와 감합 무역 두 가지 모두 명확히 서술하지 않음.

3단계 내신 만점 도전하기

88~89쪽

01 ④	02 ④	03 ①	04 ②
05 ③	06 ③	07 ④	08 ④

01 남북조 시대의 외교 관계 정답: ④

고구려는 5세기 장수왕 시대에 남북조 모두와 교류하였다. 당시 남조와 북조는 서로 대립하고 있었으며, 백제는 고구려를 견제하기 위해 남조와 교류하였다. 일본의 야마토 정권도 다섯 왕이 남조에 조공을 바치고 책봉을 받았다.

| 오답 피하기 |

① 3세기 일본, ② 7세기 당과 토번, ③ 6세기 신라, ⑤ 6세기 돌궐에 해당한다.

02 10세기 동아시아의 외교 관계 정답: ④

(가)는 거란(요), (나)는 송이다. 송은 거란과 전연의 맹약을 맺으며 거란의 '형님 국가'가 되었지만 매년 세폐를 지급하였다. 서하는 송의 책봉을 받았지만 그 대가로 송은 매년 서하에 세폐를 지급하였다. 고려와 송은 대체로 우호적인 관계를 유지했으나, 고려가 거란과 조공·책봉 관계를 맺으며 송과의 공식적인 외교 관계는 단절되었다.

| 오답 피하기 |

① 북위, ② 몽골족의 원, ③ 고려에 대한 설명이다. ⑤ 5대 10국 시대 후진의 고조 석경당이 거란에게 할양하였다.

03 헤이안 시대 정답: ①

헤이안 시대에는 천황 중심의 율령 체제가 점차 붕괴되며 귀족과 호족들의 장원이 점차 확대되었고, 견당사 파견이 중단되면서 일본 특유의 국풍 문화가 발전하였다. 국가 차원의 교류는 끊겼지만 민간 차원의 교류는 꾸준히 이루어져 송의 동전이 다량 유입되어 유통되었다. 헤이안 시대 중반인 10~11세기 무렵의 동아시아에서는 거란, 탕구트 등 유목 민족들이 성장하였다.

04 요와 금의 이중 지배 체제 정답: ②

(가)는 거란(요), (나)는 금이다. 거란은 북면관·남면관제를 실시하여 거란족과 한족을 따로 통치하였으며, 금은 여진족을 대상으로는 부족적 전통을 반영한 맹안 모극제, 한족을 대상으로는 기존의 주현제를 실시하여 통치하였다. 두 국가 모두 북방 유목 민족이 세운 국가로서 고유 문자를 만들어 사용하였다.

| 오답 피하기 |

① 금에 해당한다. 거란(요)는 송과 금의 협공으로 멸망하였다. ③ 거란(요)에 해당한다. 금은 고려와는 전쟁을 하지 않았다. ④ 금은 정강의 변을 일으켜 화베이 지역을 장악하였다. ⑤ 명에 대한 설명이다.

05 가마쿠라 막부 정답: ③

㉠은 가마쿠라 막부(1185~1333)이다. 가마쿠라 막부는 13세기에 몽골의 침입을 막아냈지만 그 과정에서 무사들이 경제적으로 몰락하였고, 그 틈을 타 고다이고 천황이 막부 토벌 운동을 벌였다. 이후 정세가 혼란해져 14세기에 결국 무너졌다.

| 오답 피하기 |

① 7세기 야마토 정권 시대, ② 무로마치 막부 시대에 해당한다. ④ 견당사는 8세기 후반인 헤이안 시대에 중단되었다. ⑤ 남북조의 분열기는 무로마치 막부의 3대 쇼군 아시카가 요시미쓰가 통일하였다.

06 몽골의 원정 정답: ③

(가)는 1270년, (나)는 1281년이다. 몽골의 쿠빌라이는 고려를 굴복시킨 후 고려와 함께 일본 원정에 나섰으나 태풍이 불어 실패하였다. 이후 1279년 남송을 공격하여 멸망시킨 쿠빌라이는 남송의 병력까지 동원하여 2차 일본 원정을 감행하였지만, 또 다시 태풍이 불어 1차 때와 마찬가지로 실패로 끝났다.

| 오답 피하기 |

① 호라즘은 칭기즈 칸이 1221년 정복하였다. ② 1234년 우구데이에 의해 멸망하였다. ④ 1227년 칭기즈 칸의 군대에 의해 멸망하였다. ⑤ 우구데이가 유럽 원정군을 파견하였다.

07 몽골(원)과 고려, 일본, 대월의 전쟁 정답: ④

(가)는 대월, (나)는 일본, (다)는 고려이다. 고려는 몽골에 항복한 후 원 황제의 부마가 되었으며, 원의 내정 간섭을 받았다. 정동행성은 일본 공격을 위해 고려에 설치된 기구로서, 고려왕은 정동행성의 승상이 되어 몽골의 일본 원정에 협조하였다.

| 오답 피하기 |

① 쩐흥다오가 지휘하는 대월군은 몽골의 대군을 물리쳤다. ② 몽골은 고려와 함께 일본을 두 차례 침입하였다. ③ 몽골과의 전쟁 과정에서 막부 지지 세력이 몰락하였고, 이를 이용해 천황이 막부 타도 운동을 벌여 결국 가마쿠라 막부가 붕괴되었다. ⑤ 고려에 해당한다.

08 영락제의 정책 정답: ④

밑줄 친 황제는 명의 영락제이다. 영락제가 파견한 정화의 함대는 동아프리카 해안까지 진출하였으며, 일본은 영락제 시대에 명과 조공·책봉 관계를 맺고 조공 무역의 일종인 감합 무역을 개시하였다.

| 오답 피하기 |

ㄱ. 원 말의 상황에 해당한다. ㄷ. 홍무제 때 조선이 건국되었다.

심화 수능 유형 익히기 90쪽

01 ③ 02 ③

01 요와 송의 관계 정답: ③

(가)는 요, (나)는 송이다. 요와 송은 연운 16주를 두고 대립하였으나, 전쟁 끝에 전연의 맹약을 맺어 형제 관계가 되었다. 송은 요를 동생 국가로 대하는 대신 요의 연운 16주 지배를 인정하였고, 요에게 매년 세폐를 보내기로 하였다.

| 오답 피하기 |

① 금, ② 원, ④ 몽골의 칭기즈 칸, ⑤ 당에 대한 설명이다.

02 원 정답: ③

제시된 가상 일기는 여·몽 연합군의 일본 침략에 대해 다루고 있으며, 밑줄 친 제국은 원이다. 원은 지방에 행성을 설치하였으며 다루가치를 파견하였다.

| 오답 피하기 |

① 거란(요), ② 명, ④ 수, ⑤ 금에 대한 설명이다.

심화 기출 지문 활용하기 91쪽

01 해설 참조 02 ④ 03 ⑤ 04 해설 참조 05 ②
06 ④

01 화번공주

(가)는 토번, (나)는 당이다. 토번은 7세기 손챈감포 왕 시대에 세력을 급속히 확대하였다. 당 태종은 토번과 평화를 유지하기 위해 손챈감포에게 문성공주를 시집보냈다. 이렇게 평화 유지를 목적으로 이민족의 수장과 결혼시킨 황실의 여인을 '화번공주'라 한다. 당은 돌궐과 위구르 등에도 화번공주를 보냈다.

| 모범 답안 |

(가)는 토번, (나)는 당이다. 당시 당의 황제였던 태종은 토번과 평화를 유지하기 위해 황실의 여자를 화번공주로 파견하였다. 그 결과 당과 토번은 평화를 유지할 수 있었다.

| 채점 기준 |

상	화번공주의 파견과 그 목적인 평화 유지에 대해 모두 서술함.
중	화번공주 파견 혹은 평화 유지에 대한 내용만 서술함.
하	화번공주의 파견과 평화 유지에 대해 두 가지 모두 서술하지 않음.

02 당과 토번 정답: ④

당은 변경 통치를 위해 6개의 도호부를 설치하고, 정복지의 수장을 지도자로 임명하여 간접적으로 통치하도록 하는 기미 정책을 실시하였다. ④ 베트남 북부에는 안남 도호부가 있었다.

| 오답 피하기 |

① 8세기 당, ② 6세기 돌궐, ③, ⑤ 송에 대한 설명이다.

03 7세기의 동아시아 정답: ⑤

신라는 본래 지리적으로 치우쳐 있던 탓에 고구려나 백제를 통해 중원 왕조와 간접적으로 외교 관계를 맺었다. 그러나 6세기에 한강을 차지한 이후에는 수·당과 직접 교류하였다.

| 오답 피하기 |

① 8세기 이후, ② 10세기 이후, ③ 9세기, ④ 4세기의 상황이다.

04 역참과 패자

신안 침몰선은 14세기 초 몽골 제국 시대의 무역선이다. 이 시기에는 몽골의 원정으로 인해 중간에 교역을 방해하는 세력이 사라졌고, 또한 잘 짜여진 도로망과, 역참, 정부에서 발급한 패자 등의 시스템이 갖춰져 교역이 활발하게 이루어졌다.

| 모범 답안 |

육상 교통로를 따라 설치된 역참을 따라 사신과 상인 등이 활발하게 왕래하였다. 또한 정부가 발급한 증빙인 패자가 있으면 여행자들은 안전을 보장받을 수 있었다.

| 채점 기준 |

상	역참과 패자에 대해 모두 서술함.
중	역참과 패자 중 하나에 대해서만 서술함.
하	역참과 패자에 대해 두 가지 모두 서술하지 않음.

05 원 대 동아시아의 경제 정답: ②

제시된 자료는 원 대 동아시아의 무역에 대한 내용이다. 원 대에 한반도의 고려는 원의 정치적 간섭을 받고 있었다. 이러한 상황 속에서 원의 세력을 배경으로 권력을 장악한 친원파인 권문세족들의 횡포가 날로 심해지고 있었다.

| 오답 피하기 |

① 9세기, ③ 17세기 후반, ④ 4세기, ⑤ 17세기 이후의 상황이다.

06 원 대의 동아시아 정답: ④

원 대의 지배층은 몽골인과 색목인이었다. 몽골인은 고위직을 독점하였고 색목인은 주로 행정 및 재정 관료로 활동하였다.

| 오답 피하기 |

① 15~16세기 중반, ② 요 시대(10~12세기 초), ⑤ 3~4세기 무렵에 해당한다. ③ 서하는 칭기즈 칸의 공격을 받아 멸망하였다.

대주제 2 마무리하기 92~94쪽

01 ⑤ 02 ① 03 ② 04 ③ 05 ④ 06 ④
07 ⑤ 08 ③ 09 ① 10 ③ 11 ② 12 ④

01 5호의 남하 정답: ⑤

위·촉·오의 삼국을 통일한 진(晉)도 오래 가지 않아 내부 갈등이 발생하며 정치가 혼란스러워졌다. 그 틈을 타 5호가 화베이로 남하하여 여러 국가들을 세웠고, 화베이의 한족들은 화이허강 이남으로 대규모로 이동하며 인구의 연쇄 이동이 일어났다.

02 효문제의 정책 정답: ①

밑줄 친 황제는 북위의 효문제이다. 효문제는 호족과 한족 간의 갈등을 완화하고 황제권의 강화를 위해 호한 융합 정책을 실시하였으며, 수도도 북방의 평성에서 중원의 뤄양으로 옮겼다.

| 오답 피하기 |

② 수 양제가 대운하를 완성하였다. ③ 과거제를 최초로 실시한 황제는 수 문제이다. ④ 문치주의는 송에서 실시되었다. ⑤ 일본의 쇼토쿠 태자가 「17조 헌법(규범)」을 반포하였다.

03 야마토 정권 정답: ②

(가)는 야마토 정권이다. 야마토 정권은 가야로부터 제철 기술을 도입하는 등 도래인(도왜인)으로부터 다양한 문화를 수용하며 발전하였다. 또한 호족에게 지위를 나타내는 씨성 제도를 실시하여 중앙 집권화를 이루고자 하였다.

| 오답 피하기 |

ㄴ. 백제, ㄷ. 고구려에 대한 설명이다.

04 7세기 동아시아의 전쟁 정답: ③

(가)는 백제의 멸망, (나)는 나·당 전쟁 후반의 매소성 전투이다. 나·당 연합군에게 백제가 멸망한 후 백제 부흥 운동을 돕기 위해 왜가 군대를 파견하였다. 그러나 백강 전투에서 나·당 연합군에게 패배하며 백제 부흥 운동은 실패로 끝났다.

05 당과 일본의 중앙 정치 제도 정답: ④

(가)는 당, (나)는 일본이다. 당은 백성들에게 토지를 분배하는 균전제를 실시하기도 하였다. 일본은 당의 율령을 본떠 다이호 율령을 만들었는데, 중앙 정치 제도를 2관 8성제로 운영한다는 내용도 그 안에 포함되어 있다.

| 오답 피하기 |

ㄱ. 통일 신라의 관리 임용 제도이다. ㄷ. 일본에서는 과거제가 실시되지 않았다.

06 불교의 토착화 정답: ④

당의 『부모은중경』과 일본의 하치만 신은 불교의 토착화를 보여주는 사례들이다. 효를 강조하는 유교적 분위기와 불교가 결합하여 만들어진 경전이 『부모은중경』이다. 하치만 신도 일본에서는 불교의 수호신으로 자리 잡았다.

| 오답 피하기 |

①, ② 대승 불교, ③ 동아시아 불교의 전반적인 특징이다. ⑤ 선종에 대한 설명이다.

07 성리학 정답: ⑤

제시된 자료와 관련된 학문은 성리학이다. 중국과 한반도에서 성리학적 윤리는 서원과 향약을 통해 널리 전파되며 일상 속 사회 규범으로 자리 잡았다. ⑤ 일본에서는 불교와 신도의 영향으로 사회 규범으로까지 발전하지는 못하였다.

08 8세기 동아시아의 불교 정답: ③

(가)는 감진이다. 감진은 8세기에 활약한 당의 승려로 일본에 계율을 전해주었다. 8세기 초에 일본은 당의 장안성을 본뜬 헤이조쿄를 건설하여 천도하였고, 이로써 나라 시대가 시작되었다.

| 오답 피하기 |

① 5~6세기 북위 시대에 건설되었다. ② 견당사 파견이 중단된 9세기 후반 이후 발전하였다. ④ 14세기에 고려 충선왕이 원의 수도 대도에 세웠다. ⑤ 9세기의 상황이다.

09 고려와 거란(요) 정답: ①

㉠은 고려, ㉡은 거란(요)이다. 고려는 13세기에 몽골의 강요로 일본 원정에 참여하기도 하였다.

| 오답 피하기 |

② 송, ③ 서하에 대한 설명이다. ④ 거란(요)은 송과 형제 관계를 맺었다. ⑤ 몽골에 대한 설명이다.

10 금의 등장과 동아시아 정답: ③

제시된 자료는 12세기 동아시아의 모습을 나타낸 지도이다. (가)는 금, (나)는 고려, (다)는 남송이다. 고려는 윤관의 주도로 별무반을 편성하여 여진을 토벌한 후 동북 9성을 쌓았다.

| 오답 피하기 |

①, ② 거란(요)에 대한 설명이다. ④ 금은 남송과 군신 관계를 맺었다. ⑤ 당에 대한 설명이다.

11 몽골 제국 시기 동서 교류 정답: ②

제시된 자료는 원 대의 역참에 대해 설명하고 있다. 마르코 폴로는 쿠빌라이 칸 시대인 13세기 후반에 원을 여행한 이탈리아의 상인이다. 이 시기에 동아시아에서 볼 수 있는 모습으로 적절한 것은 ㄱ과 ㄷ이다. ㄷ은 막부에 대한 설명이다.

| 오답 피하기 |

ㄴ. 금에 해당한다. ㄹ. 금이 일으킨 정강의 변에 해당한다.

12 아시카가 요시미쓰 정답: ④

(가)는 아시카가 요시미쓰이다. 그는 경제적 이익을 얻기 위해 명으로부터 책봉을 받고 감합 무역을 실시하였다.

| 오답 피하기 |

① 고려의 윤관, ② 조선의 정도전에 대한 설명이다. ③ 명 영락제의

대외 정책이다. ⑤ 에도 막부에 해당한다.

비판적 사고 기르기 95쪽

01 | 모범 답안 |

고려 원종은 몽골과 강화를 맺은 후 수도를 개경으로 환도하고자 하였다. 몽골과의 항쟁을 주장하던 삼별초의 해산을 명령하고 명단을 파악할 것을 지시하자, 명단이 몽골의 손에 넘어갈 경우 큰 피해를 입을 것을 우려한 삼별초는 몽골과의 항전을 주장하며 반란을 일으켰다. 그 과정에서 자신들의 뜻에 협조하지 않는 강화도 주민들을 위협하기도 하였다. 삼별초는 이후 진도와 탐라로 이동하며 지속적으로 저항하였다.

| 채점 기준 |

상	삼별초 항쟁의 원인과 과정을 (가)에서 찾아 명확히 서술함.
중	삼별초 항쟁의 원인 혹은 과정을 (가)에서 찾아 서술함.
하	삼별초 항쟁의 원인과 과정을 제대로 서술하지 못함.

02 | 모범 답안 |

삼별초는 본래 무신 정권의 사병 집단으로 출발하였다. 따라서 강화도로 수도를 옮기고 몽골과의 항전을 주장하던 무신 정권과 뜻을 함께 하였고, 무신 정권이 갖고 있던 권력을 함께 누렸다. 그러나 원종이 개경 환도를 결정하고 무신 정권마저 붕괴되자 삼별초에게 상황이 불리하게 돌아갔다. 전쟁을 멈추고 개경으로 돌아갈 경우 부대 해산은 물론 목숨의 위협까지 닥칠 것을 우려한 삼별초는 몽골과 고려 정부를 대상으로 항전을 결의하였다. 따라서 삼별초는 호국 정신을 발휘하여 몽골과 끝까지 싸웠다기보다는, 자신들의 생명과 이익을 끝까지 지키기 위해 고려 정부에 반란을 일으킨 것으로 봐야 한다고 생각한다.

| 채점 기준 |

상	(나)를 비판하는 입장과 그 근거가 잘 나타나 있음.
중	(나)를 비판하는 입장이 잘 나타나 있음.
하	(나)를 비판하는 입장이 잘 나타나 있지 않음.

대주제 ③ 동아시아의 사회 변동과 문화 교류

주제 7 17세기 전후 동아시아 전쟁

1단계 개념 익히기 106쪽

01 a-ㄷ, b-ㄴ, c-ㄱ 02 (1) × (2) ○ (3) ○ (4) ○ (5) ×
03 (1) 일조편법 (2) 오닌의 난 (3) 정유재란 (4) 누르하치
(5) 막번 체제 04 동묘, 고추, 담배, 훈련도감, 홍이포, 도자기, 성리학 05 ㄱ-ㄴ-ㄹ-ㄷ 06 이자성의 난
07 북로남왜, 청, 막부의 권위 과시, 기유약조

2단계 내신 유형 익히기 107~109쪽

01 ④ 02 ③ 03 ② 04 ② 05 ⑤ 06 ③ 07 ④
08 ⑤ 09 ① 10 ② 11 (1) 임진왜란 (2) 해설 참조
12 (1) 병자호란 (2) 해설 참조

01 장거정의 개혁 정답: ④

장거정은 여러 항목으로 나누어져있던 세금을 지세와 정세로 단순화하여 은으로 납부하게 한 제도인 일조편법을 통해 재정을 확보하였다.

| 오답 피하기 |

① 원 대에 발행된 지폐이다. ② 북위 때 처음 실시되어 수·당 대에 실시되었다. ③ 춘추 전국 시대를 통일한 진이 실시한 정책이다. ⑤ 일본과 감합 무역은 닝보의 난(1523) 이후로 중단되었다.

02 15~16세기 동아시아의 정세 정답: ③

제시된 자료는 명이 북로남왜로 어려움을 겪던 15~16세기의 상황을 설명하고 있다. ③ 조선은 병자호란과 명 멸망 이후인 17세기에 북벌을 준비하였다.

| 오답 피하기 |

① 건국 이후 큰 전쟁 없는 평화로 국방력이 약화되었다. ② 사림 집권 이후 동인과 서인으로 나뉘어 대립하기 시작하였다. ④ 16세기에 상인, 관원이 백성 대신 공납을 대납하는 방납이 성행하였다. ⑤ 15세기 말부터 군역 제도가 문란해져 방군 수포제와 대립제가 나타났다.

03 도요토미 히데요시의 정책 정답: ②

도요토미 히데요시는 센고쿠 시대를 통일한 이후 검지와 도수령을 통해 중앙 집권을 강화하였다.

| 오답 피하기 |

ㄴ. 나카노오에 황자가 7세기 중엽에 추진하였다. ㄷ. 무로마치 막부의 3대 쇼군 아시카가 요시미쓰가 남북조 시대를 통일하였다.

04 임진왜란의 영향 정답: ②

임진왜란 이후 명은 1년 조세 수입의 약 2배에 이르는 비용을 지출하여 재정이 악화되었으며, 누르하치는 명의 지배력이 약해진 틈을 타 세력을 키워 후금을 건국하였다.

| 오답 피하기 |

ㄴ. 북벌 운동은 병자호란 이후 추진되었다. ㄷ. 14세기 중엽 아시카가 다카우지가 무로마치 막부를 열었다.

05 명 · 청 교체기 동아시아 정세 정답: ⑤

청은 명의 장수인 오삼계의 도움으로 반란군을 진압하고 중국 통치를 선포하였다. 이후 강희제 때는 오삼계를 비롯한 삼번의 난과 타이완의 저항 세력인 정성공 세력까지 진압하고 전국을 직접 지배하였다.

| 오답 피하기 |

① 기유약조는 임진왜란 이후인 1609년에 맺은 조약이다. ② 모문룡에 대한 지원 강화는 정묘호란의 원인이었다. ③ 누르하치가 여진족을 통일한 것은 16세기 후반이다. ④ 오다 노부나가가 나가시노 전투에서 승리한 것은 임진왜란 전이다.

06 청의 특징 정답: ③

청은 티베트, 신장, 몽골 등지까지 영토를 확장하여 그곳에 번부를 설치하고 각 지역의 사회 고유 제도를 유지하는 간접 통치 방식으로 다스렸다.

| 오답 피하기 |

① 거란이 시행한 이중 통치 체제이다. ② 당의 조세 제도이다. ④ 수 양제가 완성하였다. ⑤ 몽골의 군사 조직이다.

07 조선의 주화론 정답: ④

최명길은 정묘호란 이후 주화론을 주장하였다. 밑줄 친 정묘년의 맹약은 정묘호란 이후에 맺은 강화 조약으로 조선과 후금은 형제 관계를 맺었다.

| 오답 피하기 |

① 조선은 병자호란 이후 명과 관계를 단절하였다. ② 조선은 후금이 아닌 명에 원군을 파견하였다. ③ 일본과 국교를 재개한 것은 기유약조(1609)이다. ⑤ 조선은 병자호란 이후 청에 연행사를 파견하였다.

08 통신사 정답: ⑤

통신사는 조선 초기부터 파견되었는데 임진왜란으로 단절되었다가 임진왜란 이후 다시 파견되기 시작하였다.

| 오답 피하기 |

①, ④ 주로 쇼군의 교체에 즈음하여 에도 막부의 요청에 따라 조선에서 파견되었다. ② 통신사는 조선의 수도 한양에서 출발하여 대개 에도 막부의 중심지인 에도까지 이동하였다. ③ 조선과 일본의 문물 교류에 중요한 통로가 되었다.

09 임진왜란 당시의 교류 정답: ①

홍이포는 명이 17세기 초 네덜란드로부터 들여온 문물이다.

| 오답 피하기 |

② 서울 동대문 등지에 관우를 모시는 사당이 지어졌다. ③ 16세기 말 17세기 초에 일본으로부터 전해졌다. ④ 임진왜란 때 일본의 조총이 전래되었다. ⑤ 조선 도공 이삼평은 임진왜란 때 일본으로 끌려갔다.

10 조선의 척화론 정답: ②

자료는 세력을 확대한 후금의 홍타이지가 자신을 황제로 칭하고 국호를 '청'으로 바꾸고는 조선에 군신 관계를 요구한 이후 조선에서 제기된 척화론이다.

| 오답 피하기 |

ㄴ. 북벌론은 효종 즉위 이후 제기되었다. ㄹ. 광해군 때 시행되었다.

11 임진왜란

지도에서 일본군 침입로, 조 · 명 연합군 진격로, 주요 격전지가 평양과 행주에 표시되어 있는 것으로 보아, 이 전쟁이 임진왜란이라는 것을 알 수 있다.

| 모범 답안 |

조선에서는 인명 피해와 국토 황폐화 등의 피해가 있었고, 명에서는 재정이 악화되어 국력이 약해졌다. 일본에서는 조선에서 약탈한 포로와 각종 물자 등의 도움으로 사회와 문화가 발전하였다.

| 채점 기준 |

상	조선, 중국, 일본에 끼친 영향을 모두 명확히 서술함.
중	조선, 중국, 일본에 끼친 영향 중 한두 가지만 서술함.
하	조선, 중국, 일본에 끼친 영향을 서술하지 못함.

12 병자호란

'여진의 황제가 붕어하였을 때'의 여진의 황제는 청태조 누르하치이며, '새로운 황제가 즉위하였을 때'의 황제는 청태종 홍타이지다. 따라서 이 주장에 따라 시작한 전쟁은 청태조 홍타이지가 일으킨 병자호란이다.

| 모범 답안 |

조선은 청과 군신 관계를 맺고 명과 관계를 단절하였다. 이후 청에 당한 치욕을 씻고 명에 대한 의리를 갚기 위해 북벌 운동을 추진하였다.

| 채점 기준 |

상	조선에 끼친 영향 두 가지를 모두 명확히 서술함.
중	조선에 끼친 영향 한 가지만 명확히 서술함.
하	조선에 끼친 영향을 두 가지 모두 서술하지 못함.

3단계 내신 만점 도전하기 110~111쪽

01 ⑤	02 ②	03 ①	04 ③
05 ①	06 ⑤	07 ③	08 ③

01 도요토미 히데요시의 정책 정답: ⑤

제시된 자료는 센고쿠 시대를 통일한 토요토미 히데요시가 실시한 무기 몰수령과 병농분리 정책이다. 이 정책을 통해 농민과 무사의 신분이 구분되는 병농 분리의 사회 질서가 확립되었다.

| 오답 피하기 |

① 도쿠가와 이에야스의 에도 막부는 도요토미 히데요시 사후에 성립되었다. ②, ③, ④ 오닌의 난 이후 혼란스러운 센고쿠 시대를 도요토미 히데요시가 통일하였다.

02 임진왜란의 전개 정답: ②

임진왜란은 이여송의 명군 지원 부대가 조선군과 연합하여 평양성을 탈환하면서 전세가 바뀌기 시작하였다. 명군이 벽제관 전투에서 패한 후 전쟁이 한동안 소강 상태에 빠지자, 일본은 1593년 7월에 휴전을 제의하였고 이어 강화 협상이 시작되었다.

03 17세기 동아시아 정세 정답: ①

(가)는 정묘호란(1627), (나)는 병자호란(1636)과 관련된 자료이다. 정묘호란 때 조선이 관군과 의병으로 후금에 대항하자, 후금은 일단 조선과 형제의 맹약을 맺고 물러났다. 이후 세력을 확대한 후금의 홍타이지는 자신을 황제로 칭하고 국호를 '청'으로 바꾼 후 조선에 군신 관계를 요구하였다.

| 오답 피하기 |

②, ④, ⑤ 정묘호란 이전, ③ 병자호란 이후이다.

04 16세기 동아시아 정세 정답: ③

명은 중기 이후 무능한 황제 아래 환관이 국정을 좌우하면서 사회가 크게 흔들렸다. 밖으로는 조공 무역의 확대를 요구하는 몽골 세력에게 공격받았고, 일본의 무역선이 닝보에서 난을 일으킨 후 명이 감합 무역을 중단하자 왜구가 다시 기승을 부렸다.

| 오답 피하기 |

ㄱ. 타이완의 정성공 세력이 진압된 건 청의 강희제 때이다. ㄹ. 에도 막부는 17세기 초에 성립하였다.

05 도요토미 히데요시의 정책 정답: ①

도요토미 히데요시는 센고쿠 시대를 통일한 후 농민들의 무기를 거두어들이고 전국적인 토지 조사를 시행하였으며, 토지 면적의 단위와 도량형을 통일하였다.

| 오답 피하기 |

ㄷ, ㄹ. 에도 막부는 도요토미 히데요시 사후 도쿠가와 이에야스가 수립하였고, 산킨코타이 제도는 에도 막부 때 실시된 정책이다.

06 임진왜란 정답: ⑤

제시문에 우리나라를 도우러 온 명의 군대가 평양을 포위하였다는 것을 보았을 때 임진왜란에 관련된 내용임을 알 수 있다. 임진왜란 중에 명과 일본은 강화 협상을 진행하였다.

| 오답 피하기 |

①, ② 임진왜란 종전 후에 일어났다. ③ 명 초기 영락제 때 베트남을 침략하여 점령하였다. ④ 삼전도에서 청에 항복한 전쟁은 병자호란으로 임진왜란 후에 일어났다.

07 임진왜란 정답: ③

제시된 자료의 전쟁은 임진왜란이다. 임진왜란 때 조선 도공 이삼평이 일본에 포로로 끌려가 일본 아리타 도자기의 원조가 되었다.

| 오답 피하기 |

①, ④ 임진왜란 전이다. ② 청 강희제 때 일이다. ⑤ 명의 해금 정책은 명 태조 때 시행되었다.

08 명과 청의 특징 정답: ③

제시된 자료에 선조와 전쟁 때 입은 은혜라는 표현으로 (가)가 명, (나)가 여진족의 청이라는 것을 알 수 있다. 명에서는 내각대학사 장거정이 일조편법을 확대 시행하였고, 청은 강희제 때 삼번의 난을 진압하였다.

| 오답 피하기 |

ㄱ. 막번 체제는 에도 막부에서 실시되었다. ㄹ. 명에 해당한다.

심화 수능 유형 익히기 112쪽

01 ⑤	02 ④

01 16~17세기 동아시아 정세 정답: ⑤

첫 번째 사료는 임진왜란 중 평양 전투 후이며, 두 번째 사료는 임진왜란 후 조선과 일본의 국교 재개 사료이다. ⑤ 벽제관 전투 이후 전쟁이 소강 상태에 접어들자 명과 일본은 강화 교섭에 들어갔다.

| 오답 피하기 |

①, ② 정묘호란과 인조반정은 조·일 국교 재개 이후이다. ③ 임진왜란 이전, ④ 병자호란 때의 일이다.

02 17세기 동아시아 정세 정답: ④

④ 광해군 재위 시절 누르하치가 후금을 건국하였다.

| 오답 피하기 |

① 인조 재위 기간에 있었던 일이다. ② 광해군 재위 이전인 15세기 초이다. ③ 인조 이후이다. ⑤ 임진왜란 이전 선조 때이다.

심화 기출 지문 활용하기 113쪽

01 해설 참조 02 ⑤ 03 ① 04 해설 참조 05 ③
06 ②

01 통신사

요시무네는 일본 에도 막부의 8대 쇼군이다. 요시무네가 청하여 숙종 때 일본으로 파견한 사절은 통신사이다.

| 모범 답안 |

통신사, 조선 국왕의 국서 전달 과정을 공개적으로 보여줌으로써 막부의 권위를 과시할 수 있었다.

| 채점 기준 |

상	명칭을 쓰고, 일본에 끼친 영향을 명확히 서술함.
중	명칭과 일본에 끼친 영향 중 한 가지만 작성함.
하	명칭과 일본에 끼친 영향 두 가지 모두 작성하지 못함.

02 통신사 정답: ⑤

조선은 청의 확장을 경계하고 일본의 재침략을 막기 위해 통신사를 보내기 시작하였다. 19세기 초까지 조선은 여러 차례 통신사를 파견하였는데, 주로 쇼군의 교체에 즈음하여 이루어졌다.

| 오답 피하기 |

① 조선과 일본은 청의 책봉 체제에서 벗어나 독자적인 대등 외교를 펼쳤다. ② 에도 막부가 일본 무역선의 신용을 높이기 위해 발급한 무역 허가증이다. ③ 통신사는 대등한 외교 관계로 공물을 바치지 않았다. ④ 일본은 중국산 물자를 조선의 왜관을 통해 수입하였다.

03 통신사 정답: ①

통신사는 태종 때부터 순조 때까지 파견되었다. 원으로부터 성리학을 수용한 시기는 고려 후기이다.

| 오답 피하기 |

②, ③, ④, ⑤는 통신사가 파견되던 시기의 상황이다.

04 임진왜란

제시된 자료에서 우리나라를 도우러 온 군대가 평양을 포위하였던 사실로 보아, (가)는 임진왜란 때 우리나라를 도와 평양성을 공격한 명이다.

| 모범 답안 |

명, 조선의 요청과 랴오둥반도의 보호를 이유로 임진왜란에 참전하였다.

| 채점 기준 |

상	국가명을 쓰고, 원조 이유를 명확히 서술함.
중	국가명과 원조 이유 중 한 가지만 명확히 서술함.
하	국가명과 원조 이유 두 가지 모두 명확히 서술하지 못함.

05 임진왜란 정답: ③

제시된 자료는 조·명 연합군이 승리를 거둔 평양성 전투에 대한 내용이다. (가)는 명이다. 명은 일조편법을 확대하여 재정을 확보하였다.

| 오답 피하기 |

① 몽골 제국에 대한 설명이다. ② 균전제는 북위가 처음 실시한 이후 수·당 대에도 실시되었다. ④ 청에 대한 설명이다. ⑤ 센고쿠 시대를 통일한 도요토미 히데요시가 실시한 정책이다.

06 임진왜란 정답: ②

조·명 연합군이 평양성 전투에서 승리한 사실로 보아 임진왜란과 관련된 자료이다. 벽제관 전투는 임진왜란 중 전투이며, 벽제관 전투 이후 전쟁이 소강 상태에 접어들자, 명과 일본은 강화 교섭을 시작하였다.

| 오답 피하기 |

① 병자호란 중, ③ 임진왜란 이전, ④, ⑤ 임진왜란 이후 상황이다.

주제 8 교역망의 발달과 은 유통

1단계 개념 익히기 120쪽

01 a–ㄷ, b–ㄴ, c–ㄱ 02 (1) ○ (2) × (3) × (4) × (5) ○
03 (1) 회취법 (2) 지정은제 (3) 갈레온 (4) 신패 (5) 감합 무역
04 믈라카, 마카오, 나가사키, 마닐라, 아카풀코, 바타비아
05 ㄴ–ㄱ–ㄷ–ㄹ 06 공행 07 마카오, 갈레온, 네덜란드, 영국

2단계 내신 유형 익히기 121~123쪽

01 ② 02 ⑤ 03 ② 04 ② 05 ③ 06 ③ 07 ②
08 ② 09 ① 10 ④ 11 (1) 데지마 (2) 해설 참조
12 (1) 은 (2) 해설 참조

01 정화의 원정 정답: ②

정화는 1405년부터 1433년까지 모두 7차례에 걸쳐 세계 역사상 초유의 대항해에 나섰다. 그의 함대는 동남아시아, 인도, 아라비아반도를 거쳐 아프리카 동해안의 말린디(케냐)까지 항해하였다. 정화의 대항해는 경제적인 이익보다 명 황제의 권위를 널리 알리고 조공 체제를 확대하는 정치적인 이익을 중시하였다.

| 오답 피하기 |

① 일본과의 감합 무역은 닝보의 난으로 중단되었다. ③ 왜구의 밀무역은 16세기에 성행하였다. ④ 공행 무역은 청 대에 실시되었다. ⑤ 광저우 등이 성장한 것은 공행 무역 때문이었다.

02 명의 해금 정책 정답: ⑤

(가)는 해금 정책이다. 명은 해금 정책을 통해 반명 세력과 결탁할 가능성이 있는 해적 집단(왜구 등)을 단속하고, 조공·책봉 체제로 황제의 통치권을 강화하고자 하였다.

| 오답 피하기 |

ㄱ. 청 대에 실시한 공행 무역이다. ㄴ. 신패는 에도 막부에서 발행하였다.

03 류큐의 무역 정답: ②

명의 해금 정책으로 류큐 왕국은 16세기 중반까지 중계 무역으로 번성하였다. 그러나 명의 사무역 허용으로 명 상인이 해외에 진출하자 류큐의 중계 무역이 쇠퇴하였다.

| 오답 피하기 |

①, ④ 에도 막부, ③ 타이완, ⑤ 필리핀 마닐라에 해당한다.

04 명의 무역 정답: ②

지도는 16세기 동아시아 무역의 상황을 나타낸 것이다. 명은 건국초부터 해금 정책을 펼쳐 조공 무역을 허용하고 사무역을 통제하였다. 명의 해금 정책으로 류큐 왕국은 16세기 중반까지 중계 무역으로 번성하였다.

| 오답 피하기 |

ㄴ. 17세기 말 청의 천계령이 해제된 이후이다. ㄹ. 영국 상인이 인도산 아편을 밀수한 것은 18세기 중엽 이후이다.

05 포르투갈의 무역 정답: ③

배기바지를 입고 조총을 일본에 전해준 국가는 포르투갈이다. 포르투갈은 1498년 바스쿠 다 가마가 인도 항로를 개척한 이후 동남아시아를 거쳐 명과 일본까지 진출하였다.

| 오답 피하기 |

① 영국, ② 청, ④ 에스파냐, ⑤ 네덜란드에 해당한다.

06 에도 막부의 무역 정답: ③

16세기 말 17세기 초 에도 막부는 일본인의 해외 진출이 활발해지자 재정 확보를 위해 슈인장을 발급하고 교역을 통제하였다.

| 오답 피하기 |

① 감합 무역 중단은 밀무역 확대의 원인이다. ② 슈인장 무역 이후 크리스트교가 급속하게 유입되었다. ④ 조선과의 왜관 무역은 슈인장 발행 이후이다. ⑤ 슈인장은 일본 자국 상인에게 발급하였다.

07 중국의 은 유입 정답: ②

일본과 조공 무역을 시작한 것은 15세기로 세계적인 은 유통이 시작되기 전이다.

| 오답 피하기 |

①, ③ 은 유입으로 상품 작물 재배와 상공업 발달이 촉진되었다. ④, ⑤ 조세의 은납화로, 중국으로의 은 유입과 관련 있다.

08 에도 막부의 무역 정답: ②

일본은 은 유출을 막기 위해 신패를 발급받은 청 상인에게만 무역을 허용하였고, 은 대신 구리로 수출품을 대체하였다.

| 오답 피하기 |

ㄴ. 청에 해당한다. ㄹ. 에도 막부는 17세기 초 크리스트교 포교 금지 조치 이후에 해외 진출을 통제하였다.

09 감합 무역 정답: ①

15세기 초 무로마치 막부의 3대 쇼군 아시카가 요시미쓰는 명의 황제로부터 일본 국왕이라는 책봉을 받고 감합 무역을 시작하였다. 감합 무역은 막부에 큰 이익을 안겨 주었다.

| 오답 피하기 |

ㄷ, ㄹ. 에도 막부의 무역 정책이다.

10 동아시아 문화의 유럽 전파 정답: ④

아메리카에서 고추, 감자, 고구마, 옥수수, 담배 등이 동남아시아를 거쳐 동아시아에 전파되었다. 이중 감자, 고구마, 옥수수 등의 작물은 동아시아 각국의 인구 증가에 크게 기여하였다.

| 오답 피하기 |

① 중국, ② 중국과 일본, ③ 일본, ⑤ 중국과 관련 있다.

11 에도 막부의 무역

크리스트교 금지령 이후 외국 상인과 일본인을 격리하기 위해 규슈 나가사키에 인공섬인 데지마를 건설하였다.

| 모범 답안 |

네덜란드 상인, 막부가 일본인과의 접촉을 막기 위하여 설치하였다.

| 채점 기준 |

상	명칭과 설치 목적을 모두 명확하게 서술함.
중	명칭과 설치 목적 중 한 가지만 작성함.
하	명칭과 설치 목적 두 가지 모두 작성하지 못함.

12 회취법

자료는 연철을 이용해 은을 제련하는 방법인 회취법에 대한 설명이다. 회취법은 조선에서 발명되어 일본에 전파되었다.

| 모범 답안 |

회취법(연은 분리법), 일본에서 은광 개발이 활발해졌고 은 생산량이 급증하였다.

| 채점 기준 |

상	방법의 명칭을 쓰고, 일본에 미친 영향을 명확하게 서술함.
중	방법의 명칭과 일본에 미친 영향 중 한 가지만 작성함.
하	방법의 명칭과 일본에 미친 영향 두 가지 모두 작성하지 못함.

3단계 내신 만점 도전하기 124~125쪽

01 ②	02 ③	03 ③	04 ②
05 ③	06 ②	07 ②	08 ③

01 16세기 동아시아 무역 정답: ②

16세기 유럽 상인은 아시아와 유럽을 연결하며 중국의 비단·차·도자기, 일본의 도자기와 은, 동남아시아의 향신료, 아메리카의 은 등을 교역하였다. 포르투갈은 일본과 교역하여 얻은 일본산 은으로, 에스파냐는 멕시코산 은으로 갈레온 무역을 하며 동아시아 물품들을 유럽에 수출하였다.

| 오답 피하기 |

ㄴ. 외국 은에 대한 중국의 의존도는 높아졌다. ㄷ. 16세기 중엽 일본과 중국의 감합 무역이 중단되었다.

02 서양 문화의 전파 정답: ③

소현 세자와 교류한 선교사는 아담 샬로, 『시헌력』을 제작하고 조총 제작법을 중국에 소개하였다.

| 오답 피하기 |

①, ② 마테오 리치, ④ 카스틸리오네, ⑤ 부베에 해당한다.

03 조선과 일본의 무역 정답: ③

임진왜란 이후 왜관이 복구되어 양국 간 외교와 무역의 중심지 역할을 하였다. 왜관은 일본이 비단과 생사 등 중국산 물자를 수입하는 중요한 통로였다. 이 때문에 일본이 은 수출을 금지한 이후에도 왜관만은 예외가 되었다. 17세기 중반 이후에는 조선 인삼이 왜관을 통해 일본으로 활발히 수출되었다.

| 오답 피하기 |

① 견당사는 일본에서 당에 파견되었다. ② 신패는 에도 막부에서 청 상인에게 발급하였다. ④ 동래에는 일본과 조선의 외교 사절이 오갔다. ⑤ 슈인장은 에도 막부에서 발급하였다.

04 서양 문화의 전파 정답: ②

『시헌력』은 청 대에 제작된 역법이다. 조선에 『시헌력』이 적용된 것은 17세기 중엽부터 태양력이 적용된 갑오개혁까지이다. 공행 무역은 18세기, 연행사는 조선 후기에 청에 파견된 사신이다.

| 오답 피하기 |

ㄴ, ㄷ. 명 대에 볼 수 있는 모습이다.

05 명의 해금 정책 정답: ③

명은 해금 정책을 통해 반명 세력과 결탁할 가능성이 있는 해적 집단(왜구 등)을 단속하고, 조공·책봉 체제로 황제의 통치권을 강화하고자 하였다.

| 오답 피하기 |

① 기유약조는 조선과 에도 막부가 체결하였다. ② 3포의 난은 조선의 3포에서 일본인이 일으켰다. ④ 삼번의 난은 청 대에 일어났다. ⑤ 갈레온 무역으로 성장한 곳은 필리핀 마닐라이다.

06 유럽의 동아시아 진출 정답: ②

네덜란드 상인은 16세기 말 바타비아를 점령하며 아시아에 진출하였고, 이후 나가사키에 진출하여 히라도에 상관을 건설하였다.

| 오답 피하기 |

①, ④, ⑤ 포르투갈, ③ 에스파냐에 해당한다.

07 에스파냐의 갈레온 무역 정답: ②

밑줄 친 이 배는 원양 항해에 적합한 갈레온이고, 이 배를 이용한 무역은 에스파냐가 실시한 갈레온 무역이다. 갈레온 무역을 통해 아메리카의 은이 중국으로 유입되었고, 아시아의 교역 거점으로 마닐라가 성장하였다.

| 오답 피하기 |

ㄴ, ㄹ. 네덜란드의 일본 진출과 왜구의 밀무역 위축은 갈레온 무역과 관련이 없다.

08 은 유통의 확산 정답: ③

회취법의 일본 전파로 일본에서 은광 개발이 활발해졌다.

| 오답 피하기 |

① 3포 개항은 은 교역 이전 시기의 일이다. ② 명, 청에서 이루어진 일이다. ④ 조선에서 은 유통이 활발해진 계기이다. ⑤ 인삼대왕고은은 일본에서 조선 인삼의 수입 대금으로 사용된 은으로, 일본의 은생산량이 감소했을 때 만들어진 은화이다.

심화 수능 유형 익히기 126쪽

01 ⑤	02 ①

01 은 유통의 확산 정답: ⑤

16세기 포르투갈 상인은 일본산 은으로 중국 특산물을 구입하였다. 18세기 인도산 아편 밀수로 중국의 은이 대량 유출되었다.

| 오답 피하기 |

ㄱ. 은은 왜관을 통해 조선으로 수입되었다. ㄴ. 차마고도를 통해 교역된 주요 물품은 차이다.

02 16세기 동아시아 무역 정답: ①

지도는 명이 북로남왜에 시달리는 16세기의 지도이다. 16세기 류큐는 명의 해금 정책으로 인해 중계 무역으로 번영하였고, 일본에서는 회취법의 전래로 은 생산량이 급증하였다.

| 오답 피하기 |

ㄷ, ㄹ. 17세기의 상황이다.

심화 기출 지문 활용하기 127쪽

01 해설 참조 02 ① 03 ⑤ 04 해설 참조 05 ④ 06 ③

01 청의 공행 무역

청은 유럽 상인에게 광저우에 설치한 대외 무역 담당 특허 상인 조합인 공행을 통한 무역만 허용하였다. 그래서 이 무역을 공행 무역이라고 한다.

| 모범 답안 |

공행 무역, 급증하는 유럽 상인의 무역 요구를 통제하며, 연안 지방을 안정적으로 통치하기 위해서였다.

| 채점 기준 |

상	명칭을 쓰고, (가) 형태의 무역을 실시한 이유를 명확히 서술함.
중	명칭과 (가) 형태의 무역을 실시한 이유 중 한 가지만 작성함.
하	명칭과 (가) 형태의 무역을 실시한 이유를 두 가지 모두 작성하지 못함.

02 동아시아의 무역 정답: ①

제시문의 (가)는 18세기 중반 이후 광저우에 설치된 공행을 통해서만 교역을 허용하였던 공행 무역의 모습이고, (나)는 영국이 청과 1840년 아편 전쟁을 시작하기 직전 영국 의회에서 한 의원이 이를 비판하는 모습이다. ① 덴메이 대기근은 18세기 후반에 일어났다.

| 오답 피하기 |

② 15세기 세종 때의 삼포(부산포, 제포, 염포) 개항과 관련된다. ③ 하멜이 제주도에 표착한 것은 17세기 효종 때이다. ④ 에도 막부가 나가사키를 개방하고 인공 섬인 데지마를 조성한 것은 17세기이다. ⑤ 슈인장은 16세기 말~17세기 초 일본의 막부가 해외 교역을 실시하는 이들에게 발행한 증명서이다.

03 청의 공행 무역 정답: ⑤

영국은 늘어나는 무역 적자를 만회하기 위해 청에 인도산 아편을 몰래 들여왔다. 청에서는 아편 중독자가 늘어나 사회 문제가 되었다. 아편의 구입으로 은이 유출되면서 물가가 급등하였다.

| 오답 피하기 |

ㄱ. 당시 청은 공행 무역을 허용하였다. ㄴ. 영국의 무역 적자는 인도산 아편의 밀수입으로 개선되었다.

04 류큐

오키나와는 동중국해 상에 있으며, 중국과 일본 양쪽에 조공하였고 메이지 시대에 일본에 편입되었다.

| 모범 답안 |

류큐, 명의 해금 정책을 배경으로 동아시아 중계 무역의 거점으로 번성하였다.

| 채점 기준 |

상	(가) 지역 명칭을 쓰고, (가) 지역의 번영 이유를 명확히 서술함.
중	(가) 지역 명칭과 번영 이유 중 한 가지만 작성함.
하	(가) 지역 명칭과 번영 이유 두 가지 모두 작성하지 못함.

05 류큐의 중계 무역 정답: ④

(가)는 류큐이다. 류큐 왕국은 명의 해금 정책으로 16세기 중반까지 중계 무역으로 번성하였다.

| 오답 피하기 |

① 필리핀 마닐라, ② 타이완, ③ 쓰시마, ⑤ 나가사키에 해당한다.

06 류큐의 중계 무역 정답: ③

류큐의 중계 무역은 명의 사무역 허용으로 명 상인이 해외에 진출하자 쇠퇴하였다.

| 오답 피하기 |

① 공행 무역은 18세기 중엽에 실시되었다. ② 천계령은 17세기 중엽에 실시되었다. ④ 에도 막부의 쇄국령은 17세기 중반에 실시되었다. ⑤ 감합 무역 중단은 류큐의 중계 무역을 번영하게 한 요인이다.

주제 9 사회 변동과 서민 문화

1단계 개념 익히기 134쪽

01 a-ㄷ, b-ㄴ, c-ㄱ 02 (1) ○ (2) × (3) × (4) × (5) ○
03 (1) 시진 (2) 사상 (3) 조카마치 (4) 경극 (5) 양명학
04 『해체신서』, 『화성성역의궤』 05 ㄱ-ㄹ-ㄴ-ㄷ
06 가부키 07 『삼국지연의』, 『홍루몽』, 『홍길동전』, 『일본영대장』, 판소리

2단계 내신 유형 익히기 135~137쪽

01 ② 02 ③ 03 ④ 04 ③ 05 ① 06 ③ 07 ①
08 ③ 09 ② 10 ⑤ 11 (1) 『해체신서』 (2) 해설 참조
12 (1) 에도 (2) 해설 참조

01 **중국의 인구 변화** 정답: ②

17~19세기 구황 작물 도입으로 인한 농업 생산력 증가와 의료 기술 향상 등으로 중국의 인구가 증가하였다.

| 오답 피하기 |

ㄴ. 명은 1646년에 멸망하였다. ㄷ. 조생종 벼는 10세기 이후 보급되었다.

02 **일본의 인구 증가** 정답: ③

에도 시대에는 아메리카에서 전래된 구황 작물이 보급되었고, 핵가족이 늘어나면서 소농 중심의 집약 농업이 발전하여 농업 생산력이 늘어났다.

| 오답 피하기 |

ㄱ. 면화는 무로마치 막부 때 보급되었다. ㄹ. 잇키는 농민 봉기로 높은 세금과 굶주림이 겹쳐 일어났다.

03 **에도 시대의 조카마치** 정답: ④

에도 막부는 농촌에는 농민만 살게 하고, 무사는 다이묘가 거주하는 성 아랫마을인 조카마치에 살도록 하였다. 조카마치에는 무사에게 물품을 공급하는 조닌도 거주하였다.

| 오답 피하기 |

①, ③ 조선, ②, ⑤ 명·청에 해당한다.

04 **조선 후기의 도시 발달** 정답: ③

조선에서는 인구 증가와 상공업의 발달로 18세기 이후 도시화가 진전되었다. 한양은 정치·행정·군사의 중심지이자 상업이 가장 활발한 도시로 발전하였다. ③ 조선의 고유 문자인 한글은 조선 전기에 만들어졌다.

| 오답 피하기 |

① 『홍길동전』 등의 소설이 유행하였다. ② 풍속화와 민화가 유행하였다. ④ 한글 소설 출판이 유행하였다. ⑤ 부를 축적한 상인이나 평민이 소비층이었다.

05 **의료 기술의 발달** 정답: ①

허준의 『동의보감』은 당시 의학을 망라한 의서로, 조선의 의학을 발전시켜 질병에 따른 사망자 수를 줄였다.

| 오답 피하기 |

② 『해체신서』, ③ 농서, ④ 이제마의 『동의수세보원』에 해당한다. ⑤ 『동의보감』은 선교사의 도움 없이 허준이 편찬하였다.

06 **조닌 문화의 발달** 정답: ③

에도 시대 상공업 계층인 조닌들은 경제적 여유를 바탕으로 전통 인형극인 분라쿠와 대중 연극인 가부키 등을 즐겼다.

| 오답 피하기 |

ㄱ. 청, ㄹ. 조선의 공연 문화이다.

07 **도시의 발달** 정답: ①

베이징은 정치·군사·소비의 중심지였다. 대운하를 통해 강남에서 운반된 각종 물자가 모여들었고, 거대한 상업 지구가 들어서면서 수도로서의 면모를 갖추었다.

| 오답 피하기 |

② (나)는 한양, ③ (다)는 에도, ④ (라)는 광저우, ⑤ (마)는 하노이이다.

08 **공양학의 발달** 정답: ③

청 대에 이르러 공양학은 고증학이 갖는 중립성을 탈피하여 주관적 가치 판단을 중시하고 현실을 개혁하려 하였다. 캉유웨이와 같은 학자들은 공양학이 갖는 세계주의, 혁명 사상에 주목하여 위기에 처한 청 왕조를 구하는 이념으로 활용하려 하였다.

| 오답 피하기 |

① 양명학, ② 고증학, ④ 성리학, ⑤ 고학에 해당한다.

09 **에도 막부 시대의 모습** 정답: ②

밑줄 친 왕래 행렬은 에도 막부 시기의 산킨코타이 행렬이다. 중국과 감합 무역을 전개한 것은 무로마치 막부 시대 일이다.

| 오답 피하기 |

①, ③, ④, ⑤ 에도 막부 시기에 일어난 일이다.

10 **중국의 서양 학문 수용** 정답: ⑤

명 중반 이후 서양의 자연 과학이 활발하게 전해졌으나 과거 시험이 목표인 사대부에게 큰 관심을 끌지 못했고, 전례 문제로 서양 과학 기술에 대한 관심이 줄어들었다.

| 오답 피하기 |

ㄱ. 마테오 리치나 아담 샬 등은 명·청 대에 관직을 역임하였다. ㄴ. 서양의 계몽 사상가들 사이에는 중국 문화 열풍이 불었다.

11 **에도 막부의 서양 문화 수용**

1771년 한 여자 죄수의 시신을 해부하는 장면을 목격한 스기타 겐파쿠가 네덜란드 의사의 해부도의 정확함과 정교함에 놀라 번역한 책은 『해체신서』이다. 이 책은 일본 의학의 새로운 장을 열었다.

| 모범 답안 |

난학, 에도 막부가 서양 문물의 중요성을 인식하여 각지에 난학 교습소를 세웠다.

| 채점 기준 |

상	학문의 명칭을 쓰고, 영향을 명확하게 서술함.
중	학문의 명칭과 영향 중 한 가지만 작성함.
하	학문의 명칭과 영향을 두 가지 모두 작성하지 못함.

12 **도시의 발달**

각지의 영주들을 수도로 모이게 하는 산킨코타이 제도를 통해,

도쿠가와 막부의 중심지였던 에도는 18세기 초 인구 100만 명이 넘는 대도시로 성장할 수 있었다.

| 모범 답안 |

산킨코타이 제도, 다이묘들에게 번갈아 에도를 방문하게 함으로써 그들을 감시하려는 목적이 있었다. 또한 교통비와 생활비를 모두 다이묘들이 부담하여 다이묘의 성장을 억제하려는 의도도 있었다.

| 채점 기준 |

상	제도의 명칭을 쓰고, 목적을 명확하게 서술함.
중	제도의 명칭과 목적 중 한 가지만 작성함.
하	제도의 명칭과 목적을 두 가지 모두 작성하지 못함.

3단계 내신 만점 도전하기 138~139쪽

01 ②	02 ③	03 ④	04 ⑤
05 ①	06 ④	07 ③	08 ④

01 조선의 인구 변화 정답: ②

18세기 조선의 인구는 장기간 평화, 농경지 증가, 의료 기술 발달, 구황 작물 전래 등의 요인으로 증가하였다. ② 일본의 인구 증가 요인이다.

02 실학의 발달 정답: ③

17세기 초반 조선에서는 두 차례 전쟁으로 국가와 사회 체제가 위기에 처한 상황에서, 정치 질서를 회복하고 사회·경제적 기반을 복구하려는 움직임이 일어났다. 이러한 과정에서 실학이 나타났다.

| 오답 피하기 |

① 서양 세력의 조선에 대한 개항 요구는 19세기에 본격적으로 이루어졌다. ② 난학은 일본에서 발달하였다. ④ 공양학은 19세기에 등장하였다. ⑤ 조선에서 천주교가 탄압받은 것은 18세기 이후이다.

03 에도 시대의 국학 정답: ④

일본이 만국의 중심이고 천황의 절대성에 대해 언급한 것으로 보아, 자료와 관련된 학문은 일본의 국학이다. ④ 일본의 국학은 고대 일본의 순수한 정신을 있는 그대로 이해해야 한다고 주장하였다.

| 오답 피하기 |

① 양명학, ② 성리학, ③ 고증학, ⑤ 공양학에 해당한다.

04 서민 문화의 발달 정답: ⑤

에도 막부 시기 출판문화의 성장 요인은 서민의 교육 기회 확대, 조닌의 중산층 성장, 상업과 도시의 발달 등이다. ⑤ 조선 후기의 현상이다.

05 중국의 인구 증가 정답: ①

백련교의 난은 18세기 청 대에 일어났으며, 근본적인 원인은 급격한 인구 증가에 있다. ① 대운하는 수 대에 완성되었다.

| 오답 피하기 |

②, ③, ④, ⑤ 청 대 인구 증가의 배경이다.

06 상업의 발달 정답: ④

휘저우 상인은 명·청 시대에 활약한 대상인이다. ④ 일본에서 무사 계급은 헤이안 시대 말에 출현하기 시작하였다.

| 오답 피하기 |

① 16~17세기 호이안이 국제 교역 도시로 성장하였다. ② 16세기 중엽 이후 유럽 상인의 등장으로 류큐의 중계 무역이 쇠퇴하였다. ③ 대동법은 17세기에 실시되어 상업 활동을 촉진하였다. ⑤ 산시 상인은 휘저우 상인과 함께 명·청 대의 대상인으로 활약하였다.

07 산킨코타이 제도 정답: ③

에도 막부는 다이묘들이 정기적으로 에도를 방문하여 쇼군을 알현하고 일정 기간 동안 머무르게 하는 산킨코타이를 실시하였다. ③ 대운하는 명·청 대에 이용하던 교통수단이다.

| 오답 피하기 |

① 교통이 편리해지면서 지역 간 교류가 증대되었다. ② 상업이 발달하면서 도시가 성장하였다. ④ 에도로 이어지는 교통이 발달하면서 에도 주변의 상업과 숙박업이 발달하게 되었다. ⑤ 교통비와 체류비 모두 다이묘의 부담이었으므로, 다이묘의 경제력이 약화되었다.

08 중국의 인구 증가 정답: ④

17세기 이후 중국에서는 폭발적인 인구 증가로 사회 불안, 1인당 경지 면적 감소, 인구 이동 등 여러 가지 부작용이 나타났다. 그럼에도 불구하고 19세기까지 중국의 인구는 계속 증가하였다.

| 오답 피하기 |

① 백성에 대한 수탈과 인구의 증가로 인한 식량 부족으로 18세기 후반 백련교의 난이 발생하였다. ② 1인당 경지 면적이 줄고 무리한 개간으로 환경이 파괴되었다. ③ 인구 증가로 경지가 부족해진 동남 연안에서는 동남아시아로 활발히 이주하여 화교 사회를 형성하였다. ⑤ 중국 동남 연안에서 마을이나 종족 상호 간에 무기를 가지고 벌이는 싸움인 계투가 빈번하게 일어났다.

심화 수능 유형 익히기 140쪽

01 ②	02 ①

01 청 대 고증학의 발달 정답: ②

제시문의 만주족 비하와 경, 사, 자, 집 네 부문에 걸쳐 전집을 편찬한다는 것으로 보아, 이 서적이 『사고전서』라는 것을 알 수 있다. ② 『사고전서』는 고증학 발전에 크게 기여하였다.

| 오답 피하기 |

① 『사고전서』는 건륭제의 명으로 편찬되었다. ③ 「곤여만국전도」, 『직방외기』에 해당한다. ④ 『농정전서』에 해당한다. ⑤ 『대일본사』에 대한 설명이다.

02 예술의 새 경향 정답: ①

조닌이 가부키를 즐기던 시대는 일본의 에도 시대이며, 조선은 상업이 발달한 조선 후기, 중국은 명 · 청 대이다. ① 교초는 원대에 쓰인 지폐이다.

| 오답 피하기 |

② 조선 후기, ③ 에도 시대, ④ 조선 후기, ⑤ 청에 해당한다.

심화 기출 지문 활용하기 141쪽

01 해설 참조 02 ③ 03 ② 04 해설 참조 05 ② 06 ②

01 가부키의 유행

춤, 음악, 연기가 어우러지고 남자 배우만이 출현하였으며 조닌과 무사들이 주로 관람했던 일본의 고전 연극은 가부키이다. 에도 시대 서민 문화의 발달로 가부키는 물론 분라쿠, 노가쿠와 같은 공연 문화가 발달하였다.

| 모범 답안 |

가부키, 상공업의 발달과 도시의 성장으로 공연 문화가 발달하였다.

| 채점 기준 |

상	(가)의 명칭을 쓰고, 이유를 명확하게 서술함.
중	(가)의 명칭과 이유 중 한 가지만 작성함.
하	(가)의 명칭과 이유를 두 가지 모두 작성하지 못함.

02 예술의 새 경향 정답: ③

(가)는 일본 에도 시대의 조닌 문화를 대표하는 가부키이다. ③ 둔황, 룽먼 등의 석굴 사원은 위진 남북조 시대에 조성되기 시작하였다.

| 오답 피하기 |

①, ② 조선 후기에 해당한다. ④ 난학은 일본 에도 시대에 발전하였다. ⑤ 베트남 레 왕조 시대에 수상 인형극이 유행하였다.

03 에도 시대 상업 발달 정답: ②

에도 막부의 병농 분리책으로 조카마치에 거주하게 된 조닌은 토지세를 면제 받는 대신 무사에게 필요한 군수 물자와 생활 물자를 공급하는 의무를 졌다.

| 오답 피하기 |

ㄴ, ㄷ. 무사에 대한 설명이다.

04 양명학

'마음이 곧 이'라는 것으로 보아 왕수인이 창안한 양명학이라는 것을 알 수 있다.

| 모범 답안 |

양명학, 성리학이 점차 관념화하고 과거 합격을 위한 학문으로 여겨지자 이에 대한 비판으로 등장하였다.

| 채점 기준 |

상	(가) 학문의 명칭을 쓰고, 등장 배경을 명확하게 서술함.
중	(가) 학문의 명칭과 등장 배경 중 한 가지만 작성함.
하	(가) 학문의 명칭과 등장 배경을 두 가지 모두 작성하지 못함.

05 양명학 정답: ②

'이치를 내 마음에서 구한다', '마음이 곧 이(理)'라는 것을 통해 (가)는 양명학임을 알 수 있다. 양명학은 지식은 행위를 통해 성립한다는 지행합일을 주장하였다.

| 오답 피하기 |

① 고증학, ③, ④, ⑤ 성리학에 해당한다.

06 양명학 정답: ②

양명학은 누구나 도덕성을 갖고 태어나기 때문에 인간은 평등한 존재라고 주장하여 상공업자로부터 환영받았다. 조선에서는 일부 소론 학자들이 성리학을 비판하면서 양명학을 연구하였다.

| 오답 피하기 |

ㄴ. 고증학, ㄹ. 일본의 고학파에 해당한다.

대주제 3 마무리하기 142~144쪽

01 ⑤	02 ②	03 ③	04 ④	05 ①	06 ③
07 ③	08 ③	09 ⑤	10 ②	11 ⑤	12 ⑤

01 임진왜란 정답: ⑤

임진왜란 전 무로마치 막부는 중국과 감합 무역을 중단하였고, 오다 노부나가 · 도쿠가와 이에야스 연합군이 다케다 가쓰요리 군대를 나가시노 전투에서 물리쳤다.

| 오답 피하기 |

ㄱ. 광해군은 임진왜란 이후에 즉위하였다. ㄴ. 청은 임진왜란 이후 건국되었다.

02 17세기 전후의 동아시아 전쟁 정답: ②

ㄱ. 명과 일본의 감합 무역 중단은 1547년, ㄴ. 병자호란은

1636년, ㄷ. 명의 멸망은 1644년, ㄹ. 임진왜란은 1592년의 일이다. 따라서 ㄱ–ㄹ–ㄴ–ㄷ의 순으로 일어났다.

03 정묘호란 정답: ③

인조반정 이후 들어선 서인 정권이 친명배금 정책을 취하고 후금 정벌과 랴오둥 수복을 내걸며 평안도 가도에 머물던 모문룡에 대한 지원을 강화하자 후금은 조선을 공격하였다.

| 오답 피하기 |

ㄱ. 병자호란의 원인이다. ㄹ. 광해군의 중립 외교에 대한 설명이다.

04 청 대 중화사상의 변화 정답: ④

청은 지역별 특성에 따라 만주족의 직할지에는 군현을 두어 직접 통치하였고, 점령지에는 번부를 두어 각 지역의 고유한 사회 제도를 유지하는 간접 통치 방식으로 다스렸다.

| 오답 피하기 |

① 에도 막부, ②, ⑤ 수, ③ 원에 대한 설명이다.

05 16세기 동아시아 정세 정답: ①

명은 재정 확보를 위해 일부 지방에서 시행되던 일조편법을 확대하였다.

| 오답 피하기 |

②, ③ 에도 막부, ⑤ 원에 대한 설명이다. ④ 청은 반청 세력의 저항에 대응하여 천계령을 선포하였다.

06 청의 공행 무역 정답: ③

공행에 의해 이루어진 무역이라는 것으로 보아 18~19세기 청의 대외 무역이라는 것을 알 수 있다. 조선은 17세기 이후 일본과 왜관을 통해 무역하였고, 일본은 17세기 이후 나가사키 데지마에서 네덜란드와 교역하였다.

| 오답 피하기 |

ㄱ, ㄹ. 명 대에 해당한다.

07 은 유통의 확산 정답: ③

명이 임진왜란 때 명군의 봉급과 군수 물자 구매 비용 등으로 대량의 은을 들여왔고, 조선의 농민과 소상인들은 명군과 접촉하면서 은 사용에 익숙해졌다.

| 오답 피하기 |

① 은이 명으로 유입되면서 은본위 경제 체제가 확립되어 조세 제도에도 영향을 주었다. ② 임진왜란 때 명군의 봉급과 군수 물자 구매 비용 등으로 대량의 은을 들여왔다. ④ 일본의 은 생산량은 이와미 은광이 개발되고 조선에서 회취법이 도입되면서 급증하였다. ⑤ 유럽 상인은 비단, 차 등의 중국 상품을 구입하고 그 대가로 은을 지불하였다.

08 새로운 학문의 발달 정답: ③

(가) 인물은 마테오 리치로 16세기 말 명에 들어와 『천주실의』와 「곤여만국전도」를 제작해 서양 문물을 전하는 한편, 포교를 위해 중국의 예절을 배우고 중국식 복장을 하였다.

| 오답 피하기 |

ㄱ. 아담 샬은 청 대 서양 역법에 기초한 『시헌력』을 제작하였다. ㄹ. 카스틸리오네는 청 황제의 정원인 원명원의 설계에 참여하였다.

09 일본의 인구 변화 정답: ⑤

18세기 일본에서 상품 작물의 재배가 유행하여 쌀값이 하락하였는데, 이 손해를 충당하기 위해 막부와 다이묘들이 수탈을 강화하였다. 또한 이 시기에 자연재해가 이어져 굶주림과 전염병이 발생하였다.

| 오답 피하기 |

ㄱ. 17세기 일본 인구 증가의 요인이다. ㄴ. 청 대 중국인의 이주로 화교 사회가 형성되었다.

10 새로운 학문의 발달 정답: ②

제시문은 박지원의 『열하일기』로 수레를 통한 기술 혁신을 주장하였다. 상공업 중심 개혁론은 북학파에 의해서 이루어졌는데 청의 선진 문물 수용을 주장하였다.

| 오답 피하기 |

① 청의 고증학에 영향을 받았다. ③ 성리학에 대한 설명이다. ④ 국학파는 일본 고유의 정신을 주장하는 학문이다. ⑤ 개항을 주장하지는 않았다.

11 에도의 발달 정답: ⑤

에도는 수많은 무사들과 상인들로 인해 인구가 100만이 넘어 전국 시장에 독자적인 위치를 차지하였다. 특히 각 지방의 다이묘가 에도로 모여들게 한 산킨코타이 제도는 다이묘 재정의 3분의 1을 소비하게 하여 에도를 거대한 상업 지구로 만들었다.

12 새로운 문화의 발달 정답: ⑤

중국의 휘저우 상인, 에도 막부의 오미 상인, 조선의 개성 상인은 모두 17세기 이후 상품 화폐 경제의 발달로 성장한 상인들이다. ⑤ 만권당은 중국 원 대에 충선왕에 의해 설립되었다.

| 오답 피하기 |

① 17세기 화폐 경제의 발달 이후 조선에서는 중인들이 시집을 간행하였다. ② 명 · 청 대는 출판문화의 황금기로 『삼국지연의』, 『홍루몽』과 같은 소설과 실용서, 희곡 등이 인기가 많았다. ③ 가부키는 에도 시대에 성장하였던 조닌이 향유하였다. ④ 명 · 청 대 상인들은 회관 문화를 발전시켰다. 회관은 동향인과 동업자들이 만든 일종의 연계망으로, 이곳을 중심으로 관우를 재물신으로 섬기며 공연을 즐겼다.

비판적 사고 기르기

145쪽

01 | 모범 답안 |
'오랑캐의 군사적 난동'이라는 의미로 일본을 비하하는 주관적 감정이 들어 있어 일본의 세력을 지나치게 축소하고 있는 측면이 있다. 당시 일본은 도요토미 히데요시가 센고쿠 시대를 통일하였고, 영토의 크기로 봐도 조선보다 큰 상태였다. 이 전쟁은 동북아시아 대전이라고 불리울 만큼 큰 전쟁이었다. 조선과 일본은 물론이고 중국까지 참전하였다. 규모와 영향 면에서 동아시아에서 유례를 찾기 힘든 대사건이었으므로 '난'이라는 용어는 적당하지 않다.

| 채점 기준 |

상	임진왜란, 정유재란 용어의 문제점을 두 가지 모두 서술함.
중	㉠ 용어의 문제점을 한 가지만 서술함.
하	㉠ 용어의 문제점을 두 가지 모두 서술하지 못함.

02 | 모범 답안 |
일본의 연호와 전쟁의 합성어로 된 용어는 중립적인 것으로 보일 수도 있지만 전쟁의 책임 소재와 침략성을 제대로 보여주지 못하는 한계가 있다. 이 전쟁은 명, 조선, 일본까지 참전한 국제전의 성격을 띠고 있는데 '에키'라는 용어는 그 의미를 제대로 반영하고 있지 않다.

| 채점 기준 |

상	분로쿠노 에키, 게이초노 에키 용어의 문제점을 두 가지 모두 서술함.
중	㉡ 용어의 문제점을 한 가지만 서술함.
하	㉡ 용어의 문제점을 두 가지 모두 서술하지 못함.

대주제 ④ 동아시아의 근대화 운동과 반제국주의 민족 운동

주제 10 새로운 국제 질서와 근대화 운동

1단계 개념 익히기

154쪽

01 a－ㄴ, b－ㄱ, c－ㄷ 02 (1) × (2) × (3) ○ (4) × (5) ○
03 (1) 캉유웨이, 량치차오, 변법자강 (2) 베트남, 프랑스
(3) 양무 (4) 갑신정변 (5) 자유 민권 운동 04 독립 협회
05 갑오개혁 06 난징 조약, 미·일 수호 통상 조약, 강화도 조약, 제1차 사이공 조약

2단계 내신 유형 익히기

155~157쪽

01 ① 02 ③ 03 ④ 04 ③ 05 ④ 06 ② 07 ⑤
08 ⑤ 09 ④ 10 ③ 11 해설 참조 12 (1) 양무운동
(2) 해설 참조

01 동아시아 각국의 개항 정답: ①
청은 영국과의 아편 전쟁에서 패배하면서 개항을 하게 되었다. 일본은 미국의 압력으로 개항하였다. 조선은 일본이 일으킨 운요호 사건을 계기로 개항을 하였다.

| 오답 피하기 |
② 조선, ⑤ 일본에 대한 설명이다. ③ 조선에 불리한 조약이었다.
④ 일본은 원래 청을 중심으로 한 조공 체제에 속해 있지 않았다.

02 메이지 유신 정답: ③
메이지 유신에 영향을 미친 후쿠자와 유키치의 글이다. 메이지 정부는 서양의 제도와 사상을 수용하여 대대적인 근대화 정책을 펼쳤다.

| 오답 피하기 |
① 메이지 정부가 추진하였다. ② 신분제를 폐지하였다. ④ 적극적인 대외침략 정책을 추진하였다. ⑤ 적극적으로 서양의 문물을 받아들였다.

03 양무운동 정답: ④
제시된 자료는 양무운동을 주도했던 이홍장의 상소문이다. 이홍장, 증국번 등 지방 한인 관료들은 태평천국 운동을 진압하는 과정에서 외국의 군대와 무기가 뛰어나다는 것을 실감하면서 양무운동을 추진하게 되었다.

| 오답 피하기 |
①, ③ 양무운동과 직접적인 관계가 없다. ②, ⑤ 청·일 전쟁 패배로 양무운동의 한계가 드러나자 캉유웨이 등을 중심으로 변법자강 운동을 펼쳤다.

04 조 · 청 상민 수륙 무역 장정 정답: ③

임오군란 직후 청은 조선과 조 · 청 상민 수륙 무역 장정을 체결하여 조선을 속국으로 규정하고 청 상인에게 내지 통상권을 주었다.

| 오답 피하기 |

ㄴ. 동학 농민 운동과는 직접적인 관련이 없다. ㄷ. 조선이 최초로 영사 재판권을 부여한 국가는 일본이다(강화도 조약).

05 급진 개화파와 온건 개화파 정답: ④

조선의 급진 개화파는 청의 간섭에서 벗어나야 한다고 생각했으며 일본의 메이지 유신을 참고로 개혁하려 하였다. 온건 개화파는 청의 현실적인 힘을 인정해야 한다고 주장하며 청의 양무운동을 본받아 개혁하려 하였다.

| 오답 피하기 |

ㄱ. 항일 의병 투쟁을 주도한 것은 위정 척사파였다. ㄹ. 갑신정변에는 급진 개화파만 참가하였다.

06 「대일본 제국 헌법」 정답: ②

제시된 자료는 일본의 「대일본 제국 헌법」이다. 헌법 제정은 이토 히로부미가 주도했는데, 이 헌법은 천황이 국민에게 하사하는 형식으로 공포되었으며, 천황에게 막강한 권력을 부여하였다. ② 「대일본 제국 헌법」은 청의 「흠정 헌법 대강」에 영향을 주었다.

07 독립 협회와 대한 제국 정답: ⑤

(가)는 독립 협회, (나)는 대한 제국이다. 독립 협회는 서재필 등의 개화 지식인들이 정부 관료들과 함께 만든 단체이다. 독립 협회는 의회 설치와 국민 권리 신장을, 대한 제국은 황제권 강화를 더 강조하였고, 결국 대한 제국 정부는 독립 협회를 강제 해산시켰다.

08 변법자강 운동 정답: ⑤

변법자강 운동은 청 · 일 전쟁 패배 이후 캉유웨이, 량치차오 등에 의해 펼쳐진 것으로, 일본의 메이지 유신을 참고하여 입헌 군주제를 목표로 의회 제도 도입을 주장하였다.

| 오답 피하기 |

ㄱ. 황제의 지지를 받았으나 서태후 등의 보수파의 반발로 실패하였다. ㄴ. 의화단 운동과 직접적인 관련은 없다.

09 신정 정답: ④

의화단의 난 이후 서태후와 보수파 세력은 의회 개설, 과거제 폐지 등 입헌파의 주장을 수용한 신정을 단행하였다. 하지만 신정은 기본적으로 전제 군주제를 유지하는 수준에서의 개혁이었다.

| 오답 피하기 |

ㄱ. 입헌파의 요구를 일부 수용하였다. ㄹ. 갑오개혁에 해당한다.

10 신해혁명 정답: ③

청 정부는 민영 철도를 국유화하고, 이를 담보로 열강들에게 거액의 차관을 들여왔다(ㄷ). 그러자 이에 반대하는 투쟁이 전국 각지에서 일어났고, 혁명파 군대가 우창에서 봉기하였다(ㄹ). 각 지방 정부의 대표들은 쑨원을 임시 대총통으로 선출하고 중화민국의 수립을 선언하였다(ㄱ). 하지만 청을 멸망시키기 위해 청의 실권을 잡고 있었던 위안스카이와 타협하여 대총통의 자리를 양보하였다(ㄴ).

11 「대한국 국제」

제시된 자료는 고종이 선포한 「대한국 국제」로서 국가 운영의 기본 원칙을 정하는 등 외형적으로는 헌법의 성격을 띠었다.

| 모범 답안 |

「대한국 국제」에는 국민의 권리를 구체적으로 규정한 조항이 없고, 황제의 무한한 권리만 강조하였다.

| 채점 기준 |

상	황제의 권한과 국민의 권리가 어떻게 규정되어 있는지 명확히 서술함.
중	황제의 권한이 어떻게 규정되어 있는지 명확하게 서술함.
하	「대한국 국제」의 한계에 대한 서술이 미흡함.

12 양무운동

제시된 자료는 양무운동 관련 지도이다. 태평천국 운동 이후 이홍장, 증국번 등 지방 한인 관료들을 중심으로 양무운동이 펼쳐졌다. 하지만 청 · 일 전쟁의 패배로 한계를 드러내었다.

| 모범 답안 |

중국의 전통적인 체제를 유지하면서 서양의 기술을 배우고자 하였다.

| 채점 기준 |

상	양무운동이 고수하고자 했던 것과 수용하고자 했던 것을 모두 서술함.
중	양무운동의 고수하고자 했던 것과 수용하고자 했던 것 중 하나만 서술함.
하	양무운동의 원칙에 대한 서술이 미흡함.

3단계 내신 만점 도전하기

158~159쪽

01 ⑤	02 ①	03 ③	04 ③
05 ①	06 ④	07 ②	08 ⑤

01 청과 일본의 개항 정답: ⑤

(가)는 청, (나)는 일본이다. (가), (나) 모두 영사 재판권 등이 포함된 불평등 조약을 통해 개항을 하였으며, 일본은 운요호 사건을 일으켜 조선을 개항시켰다.

| 오답 피하기 |

ㄱ. 일본, ㄴ. 프랑스에 해당하는 설명이다.

02 메이지 정부 정답: ①

(가) 정부는 메이지 정부이다. 메이지 정부는 서양의 문물을 적극적으로 수용하는 한편 서양과의 불평등 조약을 개정하고자 노력하였다.

| 오답 피하기 |

ㄷ. 사쓰마번과 조슈번의 서양 함대 공격은 메이지 정부 수립 전에 있었던 사건이다. ㄹ. 신해혁명 직전 청 정부에 대한 설명이다.

03 양무운동 정답: ③

제시된 사진은 양무운동 당시의 금릉기기국이다. 양무운동은 전통적인 체제를 유지하면서 서양의 기술만 받아들이려 하였다. ③ 의회 설립과 신분제 폐지는 변법자강 운동 이후의 주장이다.

04 갑오개혁 정답: ③

제시된 자료는 3차 갑오개혁(을미개혁) 때 실시된 단발령에 관한 것이다. 동학 농민 운동 이후 조선 정부는 군국기무처를 중심으로 봉건적 신분제 폐지와 같은 근대적 개혁을 추진하였다. 군국기무처는 1차 갑오개혁을 주도하였으나 2차 갑오개혁 때 폐지되었다.

| 오답 피하기 |

ㄴ. 백성들은 일본의 개입과 단발령 등의 이유로 갑오개혁에 거세게 반발하였다. ㄷ. 갑오개혁은 메이지 유신의 영향을 받았다.

05 자유 민권 운동 정답: ①

메이지 유신 이후 자유 민권 운동이 등장하였다. 자유 민권 운동가들은 의회 설립을 요구하고 헌법안을 제시하였다.

| 오답 피하기 |

ㄷ, ㄹ. 자유 민권 운동은 국민의 기본권과 저항권을 강조하였다.

06 청의 「흠정 헌법 대강」 정답: ④

제시된 자료는 청의 「흠정 헌법 대강」이다. 의화단의 난 이후 서태후의 보수 세력이 신정을 실시할 때 만들어졌다.

| 오답 피하기 |

①, ②, ③, ⑤ 모두 「흠정 헌법 대강」이 만들어진 이후에 일어났다.

07 갑신정변 정답: ②

후쿠자와 유키치는 서양의 제도, 사상까지 수용해야 한다고 주장하였으며, 메이지 유신과 갑신정변을 일으킨 조선의 급진 개화파에도 큰 영향을 주었다.

| 오답 피하기 |

①, ③, ④, ⑤ 후쿠자와 유키치의 사상과 직접적인 관련이 없다.

08 변법자강 운동 정답: ⑤

제시된 자료는 변법자강 운동을 주도했던 캉유웨이의 연설문이다. 변법자강 운동 세력은 메이지 유신을 참고하여 입헌 군주제를 주장하였다.

| 오답 피하기 |

① 일본에 해당한다. ② 혁명파의 주장이다. ③ 갑오개혁에 대한 한국인의 반발에 해당한다. ④ 양무운동의 원칙으로, 변법자강 운동은 양무운동의 한계를 극복하고자 하였다.

심화 수능 유형 익히기 160쪽

01 ④ 02 ②

01 아편 전쟁 정답: ④

제시된 자료는 아편 전쟁에 관한 것이다. 아편 전쟁에서 패배한 청은 영국과 불평등 조약을 맺고 개항을 하였다.

| 오답 피하기 |

①, ② 아편 전쟁과 무관하다. ③ 아편 전쟁 이후 공행 무역이 폐지되었다. ⑤ 청 중심의 조공 체제가 축소되었다.

02 미 · 일 수호 통상 조약 정답: ②

제시된 자료는 에도 막부가 체결한 미 · 일 수호 통상 조약으로, 일본에서의 외국 화폐 사용권, 영사 재판권 인정 등이 포함되어 있었다.

| 오답 피하기 |

① 일본에게 불리한 불평등 조약이었다. ③ 크리스트교 포교와 무관한 조약이었다. ④ 러 · 일 전쟁 이후 열강과 체결한 여러 조약에 대한 설명이다. ⑤ 샌프란시스코 조약에 대한 설명이다.

심화 기출 지문 활용하기 161쪽

01 해설 참조 02 ⑤ 03 ② 04 해설 참조 05 ③ 06 ④

01 일본과 조선의 개항

(가)는 일본의 미 · 일 수호 통상 조약, (나)는 조선의 강화도 조약이다.

| 모범 답안 |

둘 다 외국 세력에 개항을 하게 된 조약이며, 외국 화폐 사용권, 영사 재판권 인정 등 자국에 불리한 내용을 담고 있는 불평등 조약이었다.

| 채점 기준 |

상	개항 조약과 불평등 조약이었다는 내용을 정확하게 서술함.
중	개항 조약과 불평등 조약 중 하나만 정확하게 서술함.
하	두 조약의 공통적인 의미에 대한 서술이 미흡함.

02 일본과 조선의 개항 정답: ⑤

영토 할양과 배상금 지불은 미·일 수호 통상 조약과 강화도 조약에 포함되어 있지 않았다.

03 일본의 개항 정답: ②

막부가 미·일 수호 통상 조약을 체결한 이후 반막부 투쟁과 조슈번과 사쓰마번이 주도한 존왕양이 운동이 일어났다. 결국 막부가 무너지고 천황 중심의 메이지 정부가 들어서게 되었다.

| 오답 피하기 |

ㄴ. 미국이 에도만에서 군사적 압력을 가한 결과 막부가 개항을 하게 되었다. ㄹ. 일본이 쇄국 정책을 펼치던 시기에 대한 설명이다.

04 의화단 운동과 신해혁명

(가)는 의화단 운동, (나)는 신해혁명이다. (가)는 반외세 투쟁이었고, (나)는 동아시아 최초의 공화정을 수립한 사건이었다.

| 모범 답안 |

정부가 민영 철도를 국유화하고 이를 담보로 외국에서 거액의 차관을 들여오자, 이에 대한 반발로 우창에서 혁명파가 지원하는 봉기가 일어나게 되었다.

| 채점 기준 |

상	민영 철도 국유화와 우창 봉기를 언급하여 서술함.
중	민영 철도 국유화만 언급하여 서술함.
하	우창 봉기만 언급하여 서술함.

05 의화단 운동과 신해혁명 정답: ③

베트남의 판보이쩌우는 신해혁명의 영향을 받아 프랑스로부터 독립하기 위해 베트남 광복회를 결성하였다.

| 오답 피하기 |

① 톈진 조약에 대한 설명이다. ② 의화단 운동을 계기로 러시아가 만주를 위협하자 영·일 동맹이 결성되었다. ④ 국·공 합작에 대한 설명이다. ⑤ 의화단 운동은 입헌 군주제를 목표로 하지 않았다.

06 의화단 운동과 신해혁명 정답: ④

의화단 운동 이후 서태후의 보수 세력은 신정이라는 입헌주의적 개혁을 실시하였다. 하지만 청이 민간 철도를 국유화하여 외국으로부터 거액의 차관을 들여오려 했던 것이 계기가 되어 우창 봉기와 신해혁명이 일어났고 결국 청은 멸망하게 되었다.

| 오답 피하기 |

①, ③, ⑤ 의화단 운동 이전, ② 신해혁명 이후 일어난 사건이다.

주제 11 서양 문물의 수용

1단계 개념 익히기 168쪽

01 a-ㄴ, b-ㄷ, c-ㄱ 02 (1) × (2) ○ (3) × (4) ○ (5) ×
03 (1) 『만국 공법』, 사회 진화론 (2) 요미우리, 아사히 (3) 「교육입국 조서」 (4) 『신청년』(『청년 잡지』) (5) 태양력
04 ㉠ 「여권 통문」, ㉡ 찬양회, ㉢ 조선 여자 교육회
05 ㄴ, ㄹ 06 청·일 전쟁, 메이지 유신, 갑오개혁

2단계 내신 유형 익히기 169~171쪽

01 ⑤ 02 ② 03 ④ 04 ⑤ 05 ⑤ 06 ⑤ 07 ③
08 ① 09 ① 10 ④ 11 해설 참조
12 (1) 사회 진화론 (2) 해설 참조

01 『만국 공법』 정답: ⑤

『만국 공법』은 근대 주권 국가 간의 대등한 관계를 국제 질서의 기본 원리로 제시했으나, 모든 국가를 문명국, 반문명국, 미개국으로 서열화하고 불평등한 국제 질서를 정당화하였다.

| 오답 피하기 |

① 『해국도지』에 대한 설명이다. ② 존왕양이 운동과는 무관하다. ③ 강화도 조약과는 무관하다. ④ 모든 국가를 서열화하고 이들 간의 불평등한 국제 질서를 당연하게 보았다.

02 사회 진화론 정답: ②

사회 진화론은 국가 간의 약육강식 논리를 정당화하였으며, 『만국 공법』의 차별적 국가 서열화 인식과 제국주의 확산에 영향을 주었다. ② 조선의 애국 계몽 운동에 영향을 주었다.

03 개항 이후 동아시아 각국의 신문 정답: ④

독립 협회가 발간한 조선 최초의 민간 신문인 『독립신문』은 한글로 발간되었다. 조계지인 상하이에서 영국인이 발간한 『신보』는 변법자강 세력의 후원을 받았다.

| 오답 피하기 |

ㄱ. 일본은 신문 발간에 검열, 발행 금지 같은 규제 정책을 펼쳤다.
ㄹ. 신문에 상업 광고가 게재되기도 하였다.

04 『헤이민 신문』 정답: ⑤

『헤이민 신문』은 러·일 전쟁에 반대하고 러시아 사회주의 세력과의 연대를 주장하였다.

| 오답 피하기 |

①, ④ 『헤이민 신문』과 무관하다. ② 『헤이민 신문』은 정부의 정책을

비판하였다. ③ 『헤이민 신문』은 사회주의자들의 주장을 대변하였다.

05 일본의 근대 교육 정답: ⑤

일본은 교육을 국민의 3대 의무로 규정하며 교육을 통해 천황 중심의 가족적 국가관과 충효의 가치관을 주입하고자 하였다.

| 오답 피하기 |

ㄱ. 도쿄 대학을 비롯하여 여러 지방 대학이 설립되었다. ㄴ. 소학교에서부터 의무 교육을 확대하였다.

06 동아시아의 근대 교육 정답: ⑤

「교육입국 조서」는 조선이 갑오개혁 때 발표한 것이다. 정부는 충군애국의 교육 목표와 지덕체를 겸비한 교육을 강조하였다. 한편 선교사들과 계몽운동가들은 다양한 목적으로 학교를 세웠다.

| 오답 피하기 |

ㄱ. 일본의 근대 교육에 대한 설명이다. ㄴ. 과거제 폐지 후 성균관의 기능은 크게 약화되었다.

07 동아시아의 철도 개통 정답: ③

일본에서는 도쿄와 요코하마를 잇는 철도가, 조선에서는 서울(경성)과 인천을 잇는 경인선이 최초로 개통되었다.

08 동아시아의 여권 신장 정답: ①

개항 이후 동아시아 각국에서는 여권 신장을 위한 노력이 펼쳐졌다. 일본에서는 강요된 결혼을 거부하는 여성들이 늘어났으며 여성 운동가들이 등장하여 여성 해방을 주장하기도 하였다.

| 오답 피하기 |

ㄷ. 초·중등 의무 교육 대상에 여성도 포함되었다. ㄹ. 기독교 부인 교풍회는 남녀가 동등한 권리를 누려야 한다고 주장하였다.

09 『신청년』의 발간 정답: ①

제시된 자료는 1915년 천두슈가 발간한 『신청년』에 대한 설명이다.

| 오답 피하기 |

② 도쿄의 조선 유학생들이 발간한 잡지이다. ③, ④ 아편 전쟁 이후 중국에서 발간된 지리서이다. ⑤ 량치차오의 저서이다.

10 근대적 시간관념의 확산 정답: ④

개항 이후 외국인들이 거주하게 되고, 철도가 부설되면서 근대적 시간관념이 동아시아 각국에서 확산되었다.

| 오답 피하기 |

ㄱ. ㄹ. 전통적 시간관념과 관련된 것이다.

11 일본 제국주의와 철도 부설

철도는 이동 시간 단축뿐만 아니라 도시의 쇠락과 제국주의의 확산, 근대적 시간관념의 형성에도 지대한 영향을 미쳤다.

| 모범 답안 |

일본은 만주 침략을 위해 타이완, 조선, 만주 지역에서 철도를 부설하였다. 한편 토지 부설 과정에서 토지 약탈을 자행하기도 하였다.

| 채점 기준 |

상	일본의 철도 부설이 가지고 있는 부정적인 측면을 두 가지 모두 서술함.
중	일본의 철도 부설이 가지고 있는 부정적인 측면을 한 가지만 서술함.
하	일본의 철도 부설이 가지고 있는 부정적인 측면을 두 가지 모두 서술하지 못함.

12 사회 진화론과 『만국 공법』

『만국 공법』은 모든 국가를 서열화하고, 불평등한 국제 질서를 정당화하였다. 사회 진화론은 국가 간의 약육강식 논리를 자연스러운 사회 현상이라 주장하며 『만국 공법』에 영향을 주었다.

| 모범 답안 |

사회 진화론은 국가 간의 약육강식 논리를 자연스러운 사회 현상으로 보았고, 이는 모든 나라를 문명국, 반문명국, 미개국으로 서열화하는 『만국 공법』에 영향을 주었다.

| 채점 기준 |

상	사회 진화론의 주장과 사회 진화론이 『만국 공법』에 미친 영향을 모두 서술함.
중	사회 진화론의 주장과 사회 진화론이 『만국 공법』에 미친 영향 중 한 가지만 서술함.
하	사회 진화론의 주장과 사회 진화론이 『만국 공법』에 미친 영향을 두 가지 모두 서술하지 못함.

3단계 내신 만점 도전하기

172~173쪽

01 ③	02 ④	03 ②	04 ③
05 ⑤	06 ①	07 ⑤	08 ②

01 『만국 공법』 정답: ③

제시된 자료는 『만국 공법』에 대한 것이다. ③ 『만국 공법』은 국제법의 원리를 담고 있으며, 근대 주권 국가 간의 대등한 관계를 국제 질서의 기본 원리로 제시하였다.

02 사회 진화론 정답: ④

제시된 자료는 사회 진화론에 대한 것이다. 사회 진화론은 국가 간의 약육강식의 논리를 정당화하고 있는 이론으로, 동아시아 각국에서 다양한 영향을 미쳤다.

| 오답 피하기 |

ㄱ. 변법자강 운동의 이념적 기반이 되었다. ㄷ. 일본에서는 천황에 대한 충성과 애국심, 일본의 제국주의화를 정당화하는 데 이용되었다.

03 개항 이후 동아시아 신문 정답: ②

(가)는 프랑스 조계지였던 상하이에서 발간된 『신보』, (나)는 러·일 전쟁을 비판하는 기사를 썼던 『헤이민 신문』이다.

| 오답 피하기 |

『독립신문』은 조선의 독립 협회가 발간하였다. 『요미우리 신문』과 『아사히 신문』은 러·일 전쟁 당시 일본의 전승 소식을 상세히 보도하였다.

04 동아시아의 근대 교육 정답: ③

(가)는 일본, (나)는 청, (다)는 조선의 근대 교육과 관련된 자료이다.

| 오답 피하기 |

ㄴ. 일본 근대 교육의 목적은 천황 중심의 가족적 국가관과 충효의 가치관을 국민에게 주입하는 것이었다. ㄷ. 경사대학당이 관리 양성 기능을 담당한 것은 신정이 실시되면서 과거제가 폐지된 이후부터였다.

05 개항 이후 도시의 발달 정답: ⑤

제시된 지도에 표시된 (가) 지역은 동아시아의 주요 개항장이다. 열강에 의해 개항된 개항장에는 서양인들이 거주할 수 있는 조계가 형성되었고 치외 법권이 적용되었다.

| 오답 피하기 |

ㄱ. 개항장은 개항 이후 근대 도시로 성장하였다. ㄴ. 개항장에는 수도와 가까운 곳도 포함되었다.

06 동아시아의 여권 신장 정답: ①

제시된 자료는 「여권 통문」이다. 개항 이후 동아시아 각국에서는 여성의 권리 신장을 위한 다양한 노력이 펼쳐졌다. ① 당시 여성을 의무 교육 대상에 포함시킨 국가는 일본이며, 한국의 여성은 해방 이후에 의무 교육 대상에 포함되었다.

07 철도 기술로 인한 사회 변화 정답: ⑤

제시된 자료는 경인 철도 주식회사 광고문이다. 철도가 개통되면서 이동 시간이 단축되었다. 하지만 철도 부설의 침략적 성격 때문에 민중들이 저항하기도 했다.

| 오답 피하기 |

ㄱ. 하얼빈과 대전은 철도가 개통되면서 교통의 중심지로 발전하였다. ㄴ. 조선과 청에서는 철도에 대한 백성들의 반발이 거셌다.

08 근대적 시간관념의 확산 정답: ②

제시된 자료는 개항 이후의 시계 광고이다. 개항 이후 철도와 태양력 등이 도입되면서 근대적 시간관념이 확산되었다.

| 오답 피하기 |

ㄴ. 태양력 도입 이후에도 음력은 농사 방식이나 풍습과 연관되어 사라지지 않았다. ㄹ. 정부가 태양력을 발표하기 이전부터 외국인 거류지와 선교사들이 운영하는 학교에서는 서구식 시간을 적용해왔다.

심화 수능 유형 익히기 174쪽

01 ② 02 ④

01 개항 이후 도시의 발달 정답: ②

상하이는 개항 이후 근대 도시로 발전한 대표적인 도시로서 대한민국 임시 정부가 수립된 곳이기도 하다.

| 오답 피하기 |

ㄴ. 청·일 전쟁 때 일본에 할양된 곳은 타이완과 펑후 제도 등이다. ㄹ. 개항 이후에 조계가 형성되면서 발달하였다.

02 사회 진화론 정답: ④

제시된 자료는 사회 진화론에 대한 설명이다. 사회 진화론은 약육강식의 논리를 강조하여 『만국 공법』이 주장하는 불평등한 국제 질서를 합리화하였고, 청에서는 변법자강 운동의 논리로, 활용되었다.

| 오답 피하기 |

ㄱ. 사회 진화론은 의화단 운동과 직접적인 관련이 없다. ㄷ. 사회 진화론은 주로 제국주의 침략 정당화에 이용되었다.

심화 기출 지문 활용하기 175쪽

01 해설 참조 02 ⑤ 03 ⑤ 04 해설 참조 05 ③ 06 ④

01 사회 진화론

제시된 자료는 사회 진화론과 관련된 자료이다. 사회 진화론은 각국의 상황에 따라서 다양하게 수용되었다.

| 모범 답안 |

사회 진화론은 청에서는 변법자강 운동의 논리로 활용되었고, 조선의 애국 계몽 운동가들은 실력 양성 운동에 적용하기도 하였다.

| 채점 기준 |

상	사회 진화론에 영향을 받은 청과 조선의 근대화 운동을 모두 서술함.
중	사회 진화론에 영향을 받은 청과 조선의 근대화 운동 중 한 가지만 서술함.
하	사회 진화론에 영향을 받은 청과 조선의 근대화 운동 두 가지 모두 서술하지 못함.

02 사회 진화론 정답: ⑤

사회 진화론은 약육강식의 논리를 강조하면서 제국주의 국가들의 침략을 정당화하였으며, 조선에서는 국력을 키워 독립을 지켜야 한다는 애국 계몽 운동에 영향을 주었다.

| 오답 피하기 |

ㄱ, ㄴ. 사회 진화론은 위정척사 운동, 태평천국 운동과는 직접적인 연관성이 없다.

03 『만국 공법』 정답: ⑤

『만국 공법』은 모든 국가를 문명국, 반문명국, 미개국으로 서열화하였으며, 일본은 서구와의 불평등 조약을 개정하고 근대 국가 체제를 갖추기 위해 적극적으로 『만국 공법』을 참고하였다.

| 오답 피하기 |

ㄱ. 사회주의 운동과는 직접적인 관련이 없다. ㄴ. 조·청 상민 수륙 무역 장정 체결의 계기가 된 것은 임오군란이다.

04 동아시아의 근대 교육

(가)는 개항 이후 중국의 근대 교육, (나)는 일본의 근대 교육과 관련된 자료이다.

| 모범 답안 |

동아시아 3국은 부국강병을 위한 수단으로 근대 교육 제도를 마련하였다. 그리고 근대 교육을 통해 신분에 차별을 두지 않고 모든 국민을 대상으로 하여 애국주의 교육과 근대 지식 교육을 강조하였다.

| 채점 기준 |

상	일본과 청이 실시한 근대 교육의 공통점을 두 가지 서술함.
중	일본과 청의 근대 교육의 공통점을 한 가지만 서술함.
하	일본과 청의 근대 교육에 대한 서술이 미흡함.

05 동아시아의 근대 교육 정답: ③

일본에서는 소학교에서부터 의무 교육을 확대하여 1900년대에는 소학교 취학률이 70%를 넘었다.

| 오답 피하기 |

①, ② 일본에 대한 설명이다. ④ 개항 이전 일본에 해당한다. ⑤ 일본의 근대 교육 제도가 중국의 근대 교육 제도에 영향을 미쳤다.

06 일본의 근대 교육 정답: ④

메이지 유신 이후 추진된 일본 근대 교육의 목적은 천황 중심의 가족적 국가관과 충효의 가치관을 국민에게 주입하는 것이었다.

| 오답 피하기 |

① 태평양 전쟁 패전 이후, ② 개항 이전 막부 때에 해당한다. ③ 정부는 신문 발행을 허용하였으나 검열, 발행 금지 같은 규제 정책을 펼쳤다. ⑤ 1990년대 이후에 대한 설명이다.

주제 12 제국주의 침략 전쟁과 민족 운동

1단계 개념 익히기 184쪽

01 a-ㄷ, b-ㄱ, c-ㄴ 02 (1) × (2) ○ (3) ○ (4) × (5) ○
03 (1) 동양 평화론 (2) 5·4 (3) 의열단, 「조선 혁명 선언」
(4) 만주 사변, 국제 연맹 (5) 중국 공산당
04 ㄱ-ㄹ-ㅁ-ㄴ-ㄷ 05 리튼 보고서 06 조선 혁명군, 조선 의용대, 한국광복군

2단계 내신 유형 익히기 185~187쪽

01 ③ 02 ⑤ 03 ② 04 ⑤ 05 ⑤ 06 ④ 07 ⑤
08 ④ 09 ② 10 ④ 11 (1) 워싱턴 체제 (2) 해설 참조
12 (1) (가) 가쓰라-태프트 밀약, (나) 제2차 영·일 동맹, (다) 포츠머스 조약 (2) 해설 참조

01 동학 농민 운동 정답: ③

조선에서 동학 농민군이 일어나 전주성을 장악하자(ㄴ) 정부는 청에 원군을 요청하였다(ㄷ). 그러자 일본군도 조선에 파병하였다. 조선 정부는 동학 농민군과 전주 화약을 체결하고 양군의 철수를 요구하였다(ㄹ). 하지만 일본은 이를 거부하고 경복궁을 점령하면서 조선에 내정 개혁을 강요하였다(ㄱ).

02 청·일 전쟁 정답: ⑤

동학 농민 운동을 계기로 청·일 전쟁이 일어났는데, 일본의 승리로 중국 중심의 전통적인 동아시아 질서가 붕괴되었다. 한편 시모노세키 조약으로 일본이 획득한 랴오둥반도를 둘러싸고 일본과 러시아의 갈등이 커졌다.

| 오답 피하기 |

ㄱ. 류큐는 1870년대에 일본에 병합되었다. ㄴ. 러·일 전쟁의 결과이다.

03 일본의 한국 지배에 대한 열강의 승인 정답: ②

제시된 자료는 제2차 영·일 동맹의 조항이다. 러·일 전쟁에서 일본이 승리하자 미국은 가쓰라·태프트 밀약, 영국은 제2차 영·일 동맹, 러시아는 포츠머스 조약을 통해 대한 제국에 대한 일본의 지배권을 승인하였다.

| 오답 피하기 |

ㄴ. 제2차 세계 대전 종전 이후의 강화 조약, ㄹ. 일본의 개항 조약이다.

04 열강들 간의 조약 정답: ⑤

청·일 전쟁에서 승리한 일본은 청과 시모노세키 조약(ㄹ)을 체결하였다. 이후 러·일 전쟁에서도 승리한 일본은 포츠머스 조약(ㄴ) 등을 통해 대한 제국에 대한 일본의 우월한 지위를 인정

받았고, 대한 제국을 보호국으로 삼는 을사조약(ㄱ)을 강요하였다. 한편 베르사유 조약은 제1차 세계 대전 종전 직후 승전국과 패전국 사이에 체결된 강화 조약이었다(ㄷ).

05 3·1 운동과 5·4 운동 정답: ⑤

(가)는 3·1 운동, (나)는 5·4 운동이다. 일제의 지배에 맞서 1919년 한국 민중들은 3·1 운동을 일으켰다. 파리 강화 회의에서 일본의 21개조 요구가 무효라는 중국 정부의 주장이 받아들여지지 않자 5·4 운동이 일어났다. ⑤ 5·4 운동은 대외적으로 3·1 운동의 영향을 어느 정도 받았다.

06 의열단과 신간회 정답: ④

(가)는 의열단, (나)는 신간회이다. 신간회는 비타협적 민족주의 세력과 사회주의 세력이 합작하여 만든 단체로, 광주 학생 항일 운동이 일어나자 진상 보고를 위한 민중 대회를 계획하였다.

| 오답 피하기 |

①, ② 한인 애국단, ③ 의열단에 대한 설명이다. ⑤ 둘 다 자치론과는 거리가 멀다.

07 만주 사변의 배경 정답: ⑤

1920년대 말 대공황의 여파로 일본 경제가 큰 타격을 받았다. 또한 장쉐량이 항일 연합 전선에 합류하고 만주에서의 조선인들의 항일 운동이 거세지자, 일본 군부는 침략 전쟁을 통해 이러한 위기를 극복하고자 만주 사변을 일으켰다.

| 오답 피하기 |

ㄱ. 만주 사변과 직접적인 관련이 없다. ㄴ. 만주 사변의 결과이다.

08 일본의 침략 전쟁 정답: ④

일본은 만주 사변 이후 중국 본토를 침략하는 중·일 전쟁을 일으켰다. 그리고 동남아시아를 침략했는데 미국과 영국 등이 일본에 경제 봉쇄를 단행하자 태평양 전쟁을 일으켰다. ④ 경제 봉쇄는 소련이 아니라 미국과 영국이 단행하였다.

09 조선 의용대 정답: ②

(가)는 조선 의용대로, 민족 혁명당(의열단의 김원봉이 창당)이 중국 관내에서 활동하는 중도 좌파 정당을 통합하여 조직한 조선 민족 전선 연맹 산하 군사 조직이다.

| 오답 피하기 |

① 대한민국 임시 정부 산하의 군대이다. ③ 1942년에 조직된 조선 독립 동맹 산하 군대이다. ④ 양세봉이 이끌었으며, 만주 사변 이후 만주에서 한·중 연합 작전을 펼쳤다. ⑤ 북간도 지역의 독립군 조직이다.

10 중국 공산당 정답: ④

(가)는 중국 공산당이다. 중국 국민당과 중국 공산당의 제1차 국·공 합작은 장제스의 상하이 쿠데타로 파기되었다. 이후 장제스의 국민당은 공산당에 대한 대대적인 토벌 작전을 펼쳤고, 이를 피해 공산당은 대장정을 떠나게 되었다.

| 오답 피하기 |

ㄱ. 일본, ㄹ. 장쉐량에 해당하는 설명이다.

11 워싱턴 체제

베르사유 조약 이후 미국은 중국 문제와 열강 사이의 세력 균형을 조절하기 위해 워싱턴 회의를 소집하였다. 이 워싱턴 회의를 시작으로 한 협조 외교 체제를 워싱턴 체제라고 한다.

| 모범 답안 |

일본은 중국에서 군사 팽창 대신, 협조 외교의 원칙에 따라 경제 진출을 확대하였다. 그 결과 동아시아에서 열강 간 세력 다툼은 일시적으로 안정되었다.

| 채점 기준 |

상	워싱턴 체제로 인한 일본의 대중국 외교 정책의 내용과 그 결과를 모두 서술함.
중	워싱턴 체제로 인한 일본의 대중국 외교 정책의 내용과 그 결과 중 한 가지만 서술함.
하	워싱턴 체제로 인한 일본의 대중국 외교 정책의 내용과 그 결과를 두 가지 모두 서술하지 못함.

12 열강의 대한 제국에 대한 일본 지배 승인 과정

러·일 전쟁에서 일본이 승리하자 미국은 가쓰라-태프트 밀약, 영국은 제2차 영·일 동맹, 러시아는 포츠머스 조약을 체결하고 대한 제국에 대한 일본의 우월한 지위를 인정하였다.

| 모범 답안 |

열강은 대한 제국에 대한 일본의 우월한 지위를 승인하였으며, 이를 통해 일본은 을사조약을 강요하여 대한 제국을 보호국으로 만들었다.

| 채점 기준 |

상	여러 조약의 의미와 일본의 대한 제국 정책에 미친 영향을 모두 서술함.
중	여러 조약의 의미와 일본의 대한 제국 정책에 미친 영향 중 한 가지만 서술함.
하	여러 조약의 의미에 대한 서술이 미흡함.

3단계 내신 만점 도전하기 188~189쪽

01 ③	02 ①	03 ②	04 ④
05 ⑤	06 ④	07 ④	08 ③

01 러·일 전쟁 정답: ③

제시된 자료는 포츠머스 조약이다. 러·일 전쟁에서 일본이 승리하자 청에서는 전제주의에 대한 입헌주의의 승리라는 관점에서 긍정적으로 바라보는 사람들도 있었다.

| 오답 피하기 |

① 일본은 대한 제국의 국외 중립 선언을 무시하였다. ② 일본이 승리

하였다. ④ 영국과 미국은 일본을 지원하였다. ⑤ 미국, 영국, 러시아는 대한 제국에 대한 일본의 우월한 지위를 인정하였다.

02 국민 혁명 정답: ①

제시된 지도는 국민 혁명과 북벌에 대한 것이다. 쑨원은 공산당을 받아들이면서 국·공 합작을 하였고, 그가 죽고 난 후 장제스를 중심으로 북벌이 완수되었다. 이 과정에서 장제스는 상하이 쿠데타를 일으켜 공산당을 탄압하였다.

| 오답 피하기 |

ㄷ. 군벌 장쭤린은 국민당군에 의해 만주로 쫓겨갔다. ㄹ. 소련은 제정 러시아가 가졌던 중국에 대한 권리를 포기하겠다고 선언하였다.

03 21개조 요구 정답: ②

제시된 자료는 일본이 중국에 요구한 21개조 요구이다. 위안스카이 정부는 일본에 굴복해 거의 대부분의 조항을 수용하였다. 일본의 21개조 요구는 5·4 운동이 일어나는 배경이 되었다.

| 오답 피하기 |

ㄴ. 파리 강화 회의는 산둥반도에 대한 일본의 이권을 인정하였다. ㄹ. 제1차 세계 대전 당시 일본이 요구한 것이다.

04 다이쇼 데모크라시 정답: ④

다이쇼 시대(1912~1926)에 해당한다. 이 시대에는 보통 선거법이 제정되는 등 각 방면에서 민주주의가 진전되었다. 그러나 한편으로 일본 정부는 치안 유지법을 제정하여 사회주의자와 같은 천황제에 반대하는 세력을 탄압하였다.

| 오답 피하기 |

① 노동조합이 인정되었다. ② 일본의 공업이 크게 발전하였다. ③ 남성에게만 투표권이 부여되었다. ⑤ 한국에서는 헌병 경찰 통치에서 이른바 '문화 통치'로 전환하였다.

05 리튼 보고서와 만주 사변 정답: ⑤

제시된 자료는 만주 사변 직후 국제 연맹이 파견한 리튼 조사단의 보고서로, 일본의 만주 점령을 침략 행위로 간주함으로써 일본의 국제 연맹 탈퇴를 불러왔다. ⑤ 장제스는 만주 사변 이후에도 공산당 진압을 우선시하며 일본과의 전쟁에 소극적이었다.

06 제2차 국·공 합작 정답: ④

제시된 자료는 제2차 국·공 합작에 대한 자료이다. 장제스가 일본과의 전쟁에 소극적으로 대처하자, 장쉐량은 시안 사건을 일으켰다. 이 사건을 계기로 제2차 국·공 합작이 이루어졌다.

| 오답 피하기 |

ㄱ. 만주 사변 이전이다. ㄹ. 제2차 국·공 합작과 직접 관련은 없다.

07 태평양 전쟁 정답: ④

중·일 전쟁을 일으킨 일본은 제2차 세계 대전이 시작되자 삼국 동맹을 맺고 동남아시아를 침공하였다. 그러자 미국과 영국이 일본에 대한 경제 봉쇄를 단행하였고, 일본은 진주만을 기습 공격하며 태평양 전쟁을 일으켰다.

08 동아시아의 반제·반전 운동 정답: ③

제시된 자료는 러·일 전쟁 당시 요사노 아키코가 전쟁에 반대하며 쓴 시이다. 동아시아에서는 제국주의와 전쟁에 반대하는 운동이 다양하게 일어났다.

| 오답 피하기 |

ㄴ, ㄷ. 자신들의 침략 행위를 정당화하기 위해 내세운 논리들이었다.

심화 수능 유형 익히기 190쪽

01 ③ 02 ④

01 시모노세키 조약과 21개조 요구 정답: ③

(가)는 청·일 전쟁의 결과 체결된 시모노세키 조약, (나)는 1915년에 일본이 중국에 제시한 21개조 요구이다.

| 오답 피하기 |

ㄴ. 시모노세키 조약으로 청은 조선에 대한 영향력을 완전히 상실하였다. ㄷ. 21개조 요구는 워싱턴 조약으로 폐기되었다.

02 제2차 국·공 합작 정답: ④

제시된 자료는 중국 공산당이 발표한 제2차 국·공 합작과 관련된 선언이다. 제2차 국·공 합작은 만주 사변 이후 일본이 중국 북부까지 침략해온 상황에서 결성되었다.

| 오답 피하기 |

① 3·1 운동은 1919년에 일어났다. ② 동유 운동은 일본이 침략 전쟁을 일으키기 전인 1900년대 초에 전개되었다. ③ 2·28 사건은 제2차 세계 대전 이후에 일어난 것이다. ⑤ 삼국 간섭은 1895년에 일어났다.

심화 기출 지문 활용하기 191쪽

01 해설 참조 02 ① 03 ⑤ 04 해설 참조 05 ③ 06 ⑤

01 21개조 요구와 5·4 운동

(가)는 21개조 요구이다. 일본의 21개조 요구와 이 요구가 무효라는 주장이 파리 강화 회의에서 받아들여지지 않자, 이에 대한 반발로 일어난 사건이 5·4 운동이다.

| 모범 답안 |

5·4 운동은 대중들이 적극적으로 참여하였으며, 이 과정을 통해 국민 의식이 형성되었고 대중 운동이 활성화되었다.

| 채점 기준 |

상	5 · 4 운동의 명칭과 역사적 의미를 명확하게 서술함.
중	5 · 4 운동의 역사적 의미만 서술함.
하	5 · 4 운동의 명칭만 서술함.

02 21개조 요구와 워싱턴 체제 정답: ①

일본의 21개조 요구와 파리 강화 회의를 계기로 5 · 4 운동이 일어났다. 21개조 요구가 무효라는 중국의 주장은 이후 워싱턴 회의에서 받아들여져 일본은 산둥반도에 대한 이권을 중국에 반환하였다.

| 오답 피하기 |

②, ③, ④, ⑤ 모두 21개조 요구 이전에 일어났던 사건이다.

03 워싱턴 체제 정답: ⑤

(나)는 워싱턴 회의(1921~1922) 당시 9개국 조약의 내용으로, 일본의 대중국 21개조 요구를 폐기하는 내용을 담고 있다. 워싱턴 체제가 유지되던 시기에 일본은 다른 열강과의 협조 외교 체제를 유지하였다.

| 오답 피하기 |

ㄱ. 가쓰라-태프트 밀약(1905)은 러 · 일 전쟁 직후 체결된 것이다.
ㄴ. 리튼 보고서와 일본의 국제 연맹 탈퇴는 만주 사변(1931)과 관련 있다.

04 국가 총동원법

제시된 자료는 1938년 일제가 공포했던 국가 총동원법이다.

| 모범 답안 |

일본은 중 · 일 전쟁이 장기화되자 의회의 승인 없이 모든 인적 물적 자원을 동원할 수 있는 국가 총동원법을 공포하였다.

| 채점 기준 |

상	국가 총동원법의 배경과 핵심 내용을 모두 명확하게 서술함.
중	국가 총동원법의 배경과 핵심 내용 중 한 가지만 서술함.
하	국가 총동원법의 배경과 핵심 내용에 대한 서술이 미흡함.

05 국가 총동원법 정답: ③

국가 총동원법은 1938년에 공포되어 연합군에게 항복할 때까지 적용되었다. 한국광복군은 1940년, 조선 의용군은 1942년에 조직되었다.

| 오답 피하기 |

ㄱ. 만주 사변(1931) 직후, ㄹ. 일본이 침략 전쟁을 일으키기 전이다(1924~1928).

06 일본의 침략 전쟁 정답: ⑤

국가 총동원법은 일제가 중 · 일 전쟁을 일으켰으나 중국을 항복시키는 데 실패하고 전쟁이 장기화되면서 제정된 것이다.

대주제 4 마무리하기

192~194쪽

01 ⑤	02 ④	03 ①	04 ④	05 ④	06 ⑤
07 ②	08 ③	09 ⑤	10 ⑤	11 ④	12 ①

01 동아시아 3국의 개항 정답: ⑤

(가)는 난징 조약, (나)는 강화도 조약, (다)는 미 · 일 화친 조약이다. (가), (나), (다) 모두 개항 조약이며 불평등 조약이다.

| 오답 피하기 |

① 아편 전쟁의 결과 체결되었다. ② 조선과 베트남은 청의 개항 이후에도 조공 체제 하에 있었다. ③ 조 · 미 수호 통상 조약이다. ④ 일본이 조선을 개항시키기 위해 일으킨 사건이다.

02 메이지 유신 정답: ④

제시된 자료는 메이지 유신 당시 폐번치현 정책과 관련된 자료이다. 메이지 정부는 신분제를 폐지하고, 징병제와 근대 국민 교육을 실시하였다.

| 오답 피하기 |

① 산킨코타이 제도는 에도 막부가 실시한 제도이다. ② 중국의 전통적인 체제를 유지하고 서양의 기술만 받아들인다는 중체서용은 양무 운동의 원칙이었다. ③, ⑤ 양무운동에 관한 설명이다.

03 조선의 근대화 운동 정답: ①

(가)는 조 · 청 상민 수륙 무역 장정(1882), (나)는 단발령(1895)이다. 따라서 (가), (나) 사이에 들어갈 사건은 갑신정변(1884)과 동학 농민 운동(1894)이다.

| 오답 피하기 |

ㄷ. 임오군란은 조 · 청 상민 수륙 무역 장정의 체결 배경 중 하나이다.
ㄹ. 대한 제국이 수립된 것은 1896년이다.

04 중화민국의 수립 정답: ④

(가)는 청 왕조를 무너뜨리고 수립된 중화민국이다. 청은 개혁 자금을 마련하기 위해 철도를 국유화하고 이를 담보로 외국에서 거액의 차관을 들여왔다. 이에 대한 반발로 혁명파가 지원하는 우창 봉기가 일어났고, 중화민국이 수립되었다.

| 오답 피하기 |

①, ②, ③, ⑤ 모두 청 왕조에 대한 설명이다.

05 헌법의 제정 정답: ④

(가)는 「대일본 제국 헌법」, (나)는 「대한국 국제」, (다)는 「흠정 헌법 대강」으로, 모두 헌법이거나 헌법의 성격을 가지고 있다. ④ 「흠정 헌법 대강」은 「대일본 제국 헌법」의 영향을 많이 받았다.

| 오답 피하기 |

① 자유 민권 운동의 요구가 일부 반영되어 제정되었다. ② 대한 제국은 독립 협회의 의회 설립 요구를 탄압하고 강제 해산시켰다. ③ 서태

후와 보수 세력이 제정하였다. ⑤ 「대한국 국제」에서는 의회 설립을 규정하지 않았다.

06 『만국 공법』과 사회 진화론 정답: ⑤

(가)는 『만국 공법』, (나)는 사회 진화론이다. 둘 다 제국주의 국가들의 침략을 정당화하였다.

| 오답 피하기 |

① 태평천국 운동과 직접적인 관계는 없다. ② 일본은 적극적으로 수용하였다. ③ 국제 질서의 기본 원리를 근대 주권 국가 간의 대등한 관계로 보고 있다. ④ 약육강식의 논리를 강조하였다.

07 서구 문물의 도입 정답: ②

제시된 자료는 메이지 정부가 발표한 「교육 칙어」로서 일종의 교육 헌장이다. 메이지 정부는 소학교에서부터 의무 교육을 시작하였으며 신문 발간에 대해 규제하는 정책을 펼쳤다.

| 오답 피하기 |

ㄴ. 여성도 의무 교육 대상에 포함되었다. ㄹ. 청에 해당한다.

08 시모노세키 조약과 포츠머스 조약 정답: ③

(가)는 시모노세키 조약, (나)는 포츠머스 조약이다. 시모노세키 조약에 따라 일본이 랴오둥반도를 할양받으면서 러시아와 일본의 갈등을 불러왔다. 포츠머스 조약 등으로 대한 제국에 대한 우월한 지위를 열강들로부터 승인받은 일본은 을사조약을 강요하여 대한 제국을 보호국으로 만들었다.

| 오답 피하기 |

ㄴ. 포츠머스 조약에 대한 설명이다. ㄷ. 직접적인 관련이 없다.

09 5·4 운동 정답: ⑤

천두슈의 신문화 운동은 5·4 운동에 영향을 주었다. 5·4 운동으로 인해 중국 정부는 베르사유 조약 조인을 거부하였다.

| 오답 피하기 |

① 소련의 지원을 받지 않았다. ② 만주 사변에 대한 설명이다. ③ 만주 사변이 더 늦게 일어났다. ④ 3·1 운동의 영향을 받았다.

10 만주 사변 정답: ⑤

제시된 자료는 「일만의정서」의 내용으로, 일본이 만주 사변을 일으키고 만주국을 세우면서 체결되었다. 만주 사변이 일어나자 만주의 독립군과 중국군은 연합 작전을 펼쳤다. 국제 연맹은 리튼 조사단을 파견하여 일본군의 만주 철수를 결의하였고, 일본은 국제 연맹을 탈퇴하였다.

| 오답 피하기 |

ㄱ. 국가 총동원법은 중·일 전쟁이 장기화되면서 제정되었다. ㄴ. 태평양 전쟁의 배경이다.

11 제2차 국·공 합작 정답: ④

제시된 자료는 제2차 국·공 합작과 관련된 것이다. 제2차 국·공 합작은 시안 사건을 계기로 결성되었으며, 항일 전쟁을 목적으로 하였다.

| 오답 피하기 |

①, ②, ⑤ 제1차 국·공 합작, ③ 5·4 운동에 대한 설명이다.

12 조선 의용대와 한국광복군 정답: ①

조선 의용대는 김원봉을 중심으로 한 조선 민족 전선 연맹 산하의 군대이고, 한국광복군은 김구를 중심으로 한 대한민국 임시 정부 산하의 군대이다. 조선 의용대의 일부는 일본군과 직접 싸우기 위해 화베이로 이동하였다.

| 오답 피하기 |

② 한국광복군, ③ 조선 의용대, ④ 조선 혁명군에 대한 설명이다. ⑤ 조선 의용대의 일부가 한국광복군에 합류하였다.

비판적 사고 기르기

195쪽

01 | 모범 답안 |

「교육 칙어」는 천황에 대한 충성과 국가에 대한 봉사를, 「국민 교육 헌장」은 민족중흥에 대한 역사적 사명과 반공 정신 함양 등을 교육의 목표로 삼고 있다. 즉 둘 다 교육을 국가와 민족의 발전을 위한 수단으로 보고 있다.

| 채점 기준 |

상	「교육 칙어」와 「국민 교육 헌장」의 교육 목표와 공통점을 모두 서술함.
중	「교육 칙어」와 「국민 교육 헌장」의 교육 목표와 공통점 중 한 가지만 서술함.
하	「교육 칙어」와 「국민 교육 헌장」의 교육 목표와 공통점을 두 가지 모두 서술하지 못함.

02 | 모범 답안 |

오늘날은 민주주의 사회이며 모든 국민이 주권을 가지고 있다. 국민 개개인의 자아실현과 행복한 삶을 보장해주는 것은 국가가 해야 하는 핵심적인 역할이다. 따라서 교육의 목표 또한 여기에 초점이 맞춰져야 한다. 하지만 「교육 칙어」와 「국민 교육 헌장」은 교육을 국가 발전의 수단으로 보면서 국민을 국가에 종속시키고 있다.

| 채점 기준 |

상	「교육 칙어」와 「국민 교육 헌장」에 담겨있는 교육관을 모두 비판함.
중	「교육 칙어」와 「국민 교육 헌장」의 교육관 중 한 가지만을 비판함.
하	「교육 칙어」와 「국민 교육 헌장」의 교육관을 둘 모두 비판하지 못함.

대주제 5 오늘날의 동아시아

주제 13 제2차 세계 대전의 전후 처리와 냉전 체제

1단계 개념 익히기 204쪽

01 a–ㄷ, b–ㄴ, c–ㄱ 02 (1) ○ (2) × (3) × (4) ○ (5) ○
03 (1) 「평화헌법」 (2) 제헌 국회 (3) 반공 기지 (4) 베트남 (5) 덩샤오핑 04 (1) 한국의 독립을 최초로 약속함 (2) 소련의 대일전 참전 확정 (3) 일본의 영토를 본토와 작은 섬으로 국한함 05 ㄹ–ㄱ–ㄴ–ㄷ 06 양안 관계 07 국·공 합작, 남침, 통킹만 사건, 파리 평화 협정

2단계 내신 유형 익히기 205~207쪽

01 ⑤ 02 ② 03 ② 04 ④ 05 ① 06 ② 07 ①
08 ③ 09 ① 10 ⑤ 11 (1) 「평화헌법」 또는 신헌법
(2) 해설 참조 12 (1) 베트남 사회주의 공화국 (2) 해설 참조

01 일본의 신헌법(「평화헌법」) 정답: ⑤

제시된 자료는 일본의 신헌법 9조로 「평화헌법」의 성격을 잘 보여주고 있다.

| 오답 피하기 |

① 1946년 공포되었다. ② 천황제가 유지되었다. ③, ④ 비무장과 민주화라는 두 방향으로 추진하였다.

02 얄타 회담 정답: ②

제시된 사진은 얄타 회담 장면으로, 영국, 미국, 소련의 수뇌부가 모여 소련의 대일전 참전 등을 약속하였다.

| 오답 피하기 |

①, ④ 카이로 회담, ⑤ 포츠담 회담에 해당한다. ③ 모두 제2차 세계 대전 중에 열린 회담이다.

03 샌프란시스코 강화 조약 정답: ②

샌프란시스코 강화 조약을 통해 일본은 주권을 회복하고 국제 사회로 복귀할 수 있었다. 그러나 이 조약에는 한국과 중국 등 피해 당사국들이 참여하지 못하였고, 전쟁에 대한 반성, 식민지 지배에 대한 사과 및 배상이 제대로 이루어지지 않았다.

| 오답 피하기 |

ㄴ, ㄹ. 도쿄 재판(극동 국제 군사 재판)에 해당한다.

04 6·25 전쟁과 베트남 전쟁 정답: ④

6·25 전쟁은 동아시아에서 미국, 일본, 타이완을 각각 연결한 반공 동맹 강화로 이어졌다. 또한 냉전 체제를 고착화하는 결과를 낳았다. 이러한 상황에서 일본과 타이완이 국교를 회복하였다.

| 오답 피하기 |

ㄱ. 6·25 전쟁 중 일본과 타이완이 국교를 회복하였다. ㄷ. 6·25 전쟁을 계기로 반공 동맹이 강화되었다.

05 제네바 합의 정답: ①

약 10년 간 간접적으로 남베트남을 지원했던 미국은 1964년 통킹만 사건을 빌미로 베트남 전쟁에 직접 참전하였다.

| 오답 피하기 |

② 총선거를 거부한 것은 남베트남(베트남 공화국)이다. ③ 남베트남 민족 해방 전선은 사회주의적 성격이 더 강했다. ④ 파리 평화 협정을 체결하여 미군이 철수하였다. ⑤ 미·중 수교는 베트남전 종전 후이다.

06 극동 국제 군사 재판(도쿄 재판) 정답: ②

일본 국내법상 전범에 대한 특별법이 존재하지 않고, 과거사에 대한 반성보다 일본이 입은 피해와 상처를 강조하였다.

| 오답 피하기 |

ㄴ, ㄹ. 독일의 전범 재판인 뉘른베르크 재판에 해당한다.

07 닉슨 독트린 정답: ①

(가)는 제네바 합의, (나)는 파리 평화 협정이다. 베트남 전쟁에서 궁지에 몰린 미국은 닉슨 독트린(1969)을 발표하고 파리 평화 협정을 체결하여 베트남에서 철수하였다.

| 오답 피하기 |

② 1986년, ③ 제네바 합의 이전, ④, ⑤ 파리 평화 협정 이후이다.

08 베트남 전쟁 정답: ③

미국 및 동맹국들은 과다한 전쟁 비용과 반전 운동 등으로 전쟁 수행에 어려움을 겪었다.

| 오답 피하기 |

① 베트남 민주 공화국은 중국과 소련, ② 베트남 공화국은 미국의 지원을 받았다. ④ 구정대공세 이후 미국에서는 반전 운동이 본격화되었다. ⑤ 미국은 제2차 세계 대전보다 더 많은 전쟁 비용을 사용하였다.

09 냉전 붕괴 이후 동아시아 국가들의 변화 정답: ①

한반도에서는 정전 협정 체제가 지속되고 있다.

| 오답 피하기 |

② 베트남과 1992년에 외교 관계를 수립하였다. ③ 남북한은 1991년 국제 연합(UN)에 동시 가입하였다. ④ 동아시아 국가들의 의존도는 점차 높아지고 있다. ⑤ 소련의 고르바초프의 개혁·개방 노선 때문이다.

10 중국과 베트남의 개혁·개방 정책 정답: ⑤

첫 번째 자료는 중국 덩샤오핑의 개혁·개방 정책, 두 번째 자

료는 베트남의 개혁 · 개방 정책에 관한 것이다.

11 전후 일본의 변화

(가)는 「대일본 제국 헌법」, (나)는 신헌법(「평화헌법」)이다. 미국은 (나)를 통하여 일본을 민주화, 비무장 국가로 개혁하고자 하였다.

| 모범 답안 |

비무장 조치(전범들의 재판 회부, 전쟁 포기, 군사력 보유 금지)와 민주화 정책(여성의 참정권 부여, 노동조합 결성, 교육의 자유화, 민주화, 압제적인 제도의 폐지, 재벌 개혁과 농지 개혁)이 대표적인 변화라고 할 수 있다.

| 채점 기준 |

상	비무장과 민주화를 모두 쓰고, 적절한 예를 들어 작성함.
중	비무장과 민주화 중 하나만 쓰거나, 적절한 예를 들지 못함.
하	제시문을 그대로 사용하여 답을 작성하거나 잘못 서술함.

12 베트남 전쟁과 한국

베트남 전쟁의 결과 베트남 사회주의 공화국이 수립되었다. 베트남 전쟁을 통하여 한국은 미국으로부터 받은 군사적, 경제적 원조와 베트남으로부터 얻은 외화 수입으로 경제 개발에 큰 성과를 거둘 수 있었다. 반면, 베트남 참전 군인 중 일부는 고엽제 피해를 입었고, 라이따이한 문제 등으로 고통받는 이들도 있다.

| 모범 답안 |

베트남 전쟁으로 벌어들인 외화가 경제 성장에 도움을 주었으나, 참전 군인들 중 고엽제 등으로 인한 피해로 현재까지도 고통받고 있는 사람들이 있다.

| 채점 기준 |

상	한국 사회에 미친 영향 두 가지를 모두 서술함.
중	한국에 미친 영향을 한 가지만 서술함.
하	한국에 미친 영향을 두 가지 모두 서술하지 못함.

3단계 내신 만점 도전하기 208~209쪽

01 ①	02 ②	03 ①	04 ④
05 ⑤	06 ④	07 ①	08 ②

01 6 · 25 전쟁과 일본 정답: ①

(가)는 전후 일본의 「평화헌법」(1946), (나)는 경찰 예비대령이다. 미국은 전후 일본을 비무장 국가로 만들고자 했으나, 한국 전쟁이 발발하자 일본 내 치안 유지를 위해 오늘날 자위대의 전신인 경찰 예비대를 창설하였다.

| 오답 피하기 |

② 한 · 일 기본 조약은 베트남 전쟁 기간 중에 체결되었다. ③ 베트남 전쟁에 미국이 직접 개입하는 빌미가 되었다. ④ 베트남 전쟁 종결 후이다. ⑤ 미국 대통령의 방문은 1972년, 국교 수립은 1979년이다.

02 6 · 25 전쟁의 원인과 결과 정답: ②

제시된 자료는 6 · 25 전쟁에 관한 것이다. 미국 국무장관 애치슨은 타이완과 한국을 미국의 태평양 방위선에서 제외하였다.

| 오답 피하기 |

① 닉슨 독트린, ③, ④ 베트남 전쟁, ⑤ 제2차 세계 대전 종전 직후이다.

03 일본의 항복과 6 · 25 전쟁 정답: ①

(가)는 종전 조서(1945), (나)는 한국 전쟁 정전 협정문(1953)이다. ㄱ. 「평화헌법」은 1946년에 공포되었고, ㄴ. 중화 인민 공화국은 1949년에 수립되었다.

| 오답 피하기 |

ㄷ, ㄹ. 베트남 전쟁 종전 이후이다.

04 일본과 한 · 중의 국교 재개 정답: ④

(가)는 중 · 일 공동 성명, (나)는 한 · 일 기본 조약이다. ㄴ. 중 · 일 공동 성명을 발표한 이후 일본은 중화민국과 외교 관계를 단절하고, 중화 인민 공화국과 정식으로 수교하였다. ㄹ. 양국 간의 갈등은 지금도 계속되고 있다.

| 오답 피하기 |

ㄱ. 냉전의 종식과 관련 있다. ㄷ. 반공 동맹 강화를 위하여 체결되었다.

05 베트남 전쟁 정답: ⑤

자료는 2차 베트남 전쟁에 대한 설명이다. 베트남 전쟁에서 전세가 불리해지고 반전 여론이 높아지자, 미국의 닉슨 대통령은 닉슨 독트린을 발표한 후, 파리 평화 협정을 체결하였다.

| 오답 피하기 |

①, ③ 6 · 25 전쟁 중, ② 1955년에 일어났다. ④ 1차 베트남 전쟁의 결과이다.

06 일본 재건 방향 수정 정답: ④

미국은 일본을 군사적 비무장 국가로 만들고자 하였으나, 중화 인민 공화국의 성립, 6 · 25 전쟁 등으로 동아시아에서 열전이 격화되자 방향을 전환하였다.

07 냉전의 흐름 정답: ①

한국의 제헌 국회는 1948년에 구성되었고, 샌프란시스코 강화 조약은 1951년에 체결되었다.

| 오답 피하기 |

ㄷ. 1947년의 일이다. ㄹ. 국민당 정부가 타이완으로 이전한 이후이다.

08 샌프란시스코 강화 조약 정답: ②

샌프란시스코 강화 조약은 연합국과 일본이 맺은 평화 조약으로 제2차 세계 대전을 종결하는 의미가 있다. 6·25 전쟁 중에 체결되었고, 이 조약으로 일본에서 미 군정이 종식되었다.

| 오답 피하기 |

ㄴ. 「평화헌법」은 1946년에 제정되었다. ㄹ. 중국은 회의에 참석하지 못했고, 닉슨 독트린 이후 중·일 공동 성명을 통해 수교하였다.

심화 수능 유형 익히기 210쪽

01 ⑤ 02 ⑤

01 샌프란시스코 강화 조약 정답: ⑤

샌프란시스코 강화 조약은 동아시아의 반공망을 강화하려는 미국의 의도가 반영되었다. 일본에게 관대한 전후 처리가 이루어졌고 한국과 중국 등 피해 당사국은 아무런 배상을 받지 못하였다. ⑤ 제1차 세계 대전 이후 워싱턴 회의이다.

02 카이로 회담 합의문과 제2차 세계 대전 정답: ⑤

제시된 자료는 카이로 회담의 합의문이며, 여기서 말하는 '이번 전쟁'은 제2차 세계 대전이다. 제2차 세계 대전과 관련된 사실은 ㄷ, ㄹ이다.

| 오답 피하기 |

ㄱ. 제1차 세계 대전 후 워싱턴 회의에 해당한다. ㄴ. 신해혁명의 영향을 받았다.

심화 기출 지문 활용하기 211쪽

01 해설 참조 02 ⑤ 03 ④ 04 해설 참조 05 ②
06 ②

01 일본과 아시아 여러 국가의 외교 관계 회복

(가) 한·일 기본 조약은 한·일 국교 정상화, (나) 중·일 공동 성명은 중·일 국교 정상화와 관련 있다.

| 모범 답안 |

(가)는 아시아에서 반공망을 만들려고 했던 미국의 의도가 반영되었고, (나)는 닉슨의 중국 방문 혹은 닉슨 독트린의 영향을 받았다.

| 채점 기준 |

상	(가)와 (나)의 배경을 모두 서술함.
중	(가)와 (나) 중 한 가지 배경만 서술함.
하	체결 배경에 대해 서술하지 못함.

02 중·일 공동 성명 정답: ⑤

닉슨이 중국을 방문한 이후 일본은 중·일 공동 성명을 통해 중국과 국교를 정상화하였다.

| 오답 피하기 |

ㄱ. 일·화 평화 조약은 6·25 전쟁 중에 체결되었다. ㄴ. 한·일 기본 조약은 군사 동맹이 아니다.

03 한·일 기본 조약 정답: ④

한·일 기본 조약에서 한국을 한반도 내의 유일한 합법 정부임을 명시하였다.

| 오답 피하기 |

① 박정희 정부 때 체결되었다. ② 중국의 공산화와 6·25 전쟁에 해당한다. ③ 한국·일본·타이완으로 이어지는 반공 동맹의 주축이 되어 냉전이 심화되었다. ⑤ 일본에서도 일본의 평화를 위협할 것을 우려하여 반대가 있었다.

04 중·일 공동 성명과 파리 평화 협정

(가)는 중·일 공동 성명(1972), (나)는 파리 평화 협정(1973)이다.

| 모범 답안 |

중국은 개혁 개방 정책 및 경제 개발을 성공적으로 진행하였고, 일본은 중국이라는 거대한 시장에 진출하는 계기를 마련하였다.

| 채점 기준 |

상	중국과 일본 두 국가에 미친 영향에 대해 모두 서술함.
중	중국과 일본 중 한 국가에 미친 영향만 서술함.
하	체결의 영향에 대해 서술하지 못함.

05 중·일 공동 성명과 파리 평화 협정 정답: ②

중·일 공동 성명 제5항에 의하면 중국은 일본에 대해 전쟁 배상 요구 포기를 명시하는 대신, 일본은 타이완과 단교하고 중화 인민 공화국을 중국 대륙 내의 유일한 합법 정부로 인정하였다.

| 오답 피하기 |

① 한·일 국교 정상화가 먼저 이루어졌다. ③ 통킹만 사건은 미국이 베트남 전쟁에 참전한 계기이다. ④ 미군 철수 후 베트남 사회주의 공화국이 수립되었다. ⑤ 미국 대통령이 중국을 방문한 이후 중·일 국교가 수립되었다.

06 중·일 공동 성명과 파리 평화 협정 정답: ②

일본은 중·일 공동 성명 이후 타이완과 단교하고 중국과 수교하였다.

| 오답 피하기 |

① 소련은 1991년에 해체되었다. ③, ④ 6·25 전쟁과 관련 있다. ⑤ 동아시아의 냉전이 완화되는 계기가 되었다.

주제 14 경제 성장과 정치 · 사회 변동
15 갈등과 화해

1단계 개념 익히기 220쪽

01 a–ㄷ, b–ㄴ, c–ㄱ 02 (1) ○ (2) × (3) ○ (4) ○ (5) ×
03 (1) 대약진 운동 (2) 경제특구 (3) 민진당 (4) 톈안먼 (5) 류샤오보 04 한국–ㄴ, 일본–ㄱ, 타이완–ㄷ
05 ㄱ–ㄴ–ㄷ–ㄹ 06 55년 체제 07 김대중, 천수이볜, 센카쿠 열도(혹은 댜오위다오), 파라셀 군도(시사 군도 혹은 호앙사 군도), 고노 담화, 동북공정

2단계 내신 유형 익히기 221~223쪽

01 ④ 02 ③ 03 ① 04 ⑤ 05 ⑤ 06 ② 07 ③
08 ④ 09 ⑤ 10 ③ 11 해설 참조 12 해설 참조

01 타이완의 경제 성장 정답: ④
제시된 자료는 타이완의 경제 성장 과정을 나타낸다.

02 문화 대혁명 정답: ③
제시된 자료는 문화 대혁명에 관한 내용이다.
| 오답 피하기 |
① 덩샤오핑의 개혁 · 개방 정책, ② 자민당과 사회당의 양당 체제, ④ 중국의 민주화 운동, ⑤ 베트남의 개혁 · 개방 정책이다.

03 동아시아 경제 성장의 의의와 한계 정답: ①
일본은 경기 부양책과 인구 고령화에 따른 복지 예산의 증가로 국가 채무가 급격히 증가하고 있다. 중국에서는 도농 격차가 심화되어 도시로 일자리를 찾아 떠나는 농민공이 크게 늘고 있다.
| 오답 피하기 |
ㄷ. 세 국가의 성장은 사회주의 국가들의 자극제가 되었다. ㄹ. 2001년에 정식 회원국이 되었다.

04 미 · 일 안보 조약과 신안보 조약 정답: ⑤
(가)는 미 · 일 안보 조약, (나)는 신안보 조약이다. 신안보 조약을 둘러싸고 미 · 일 간 공동 방위 체제를 강화할 필요가 있다는 찬성론과 전쟁에 휘말릴 위험이 있다는 반론이 있었다.
| 오답 피하기 |
ㄱ, ㄴ. 모두 (나)에 해당한다.

05 호소카와 모리히로 정답: ⑤
일본의 79대 총리, 당시 일본 신당의 대표였던 호소카와 모리히로는 과거사 문제와 관련하여 사과와 반성을 표명하였다.
| 오답 피하기 |
① 일본의 현 총리, ② 태평양 전쟁에 참여한 A급 전범, ③ 731 부대의 책임자, ④ 정부의 역사 왜곡 시도에 맞선 일본의 역사학자이다.

06 시민운동 정답: ②
동아시아 각국이 맞닥뜨리고 있는 다양한 사회 문제는 한 국가의 문제이기도 하지만, 여러 나라에서 공통으로 나타나는 문제들이기도 하다. 최근에는 국가 간 연대가 점차 강조되고 있다.

07 동아시아 사회주의 국가의 정치 변화 정답: ③
(가)는 중국, (나)는 베트남, (다)는 북한이다.
| 오답 피하기 |
ㄱ. 타이완, ㄹ. 중국과 베트남에 해당한다.

08 타이완의 정치 발전 정답: ④
타이완에서는 2000년에 당시 야당 후보였던 천수이볜이 '독립'을 주장하여 총통으로 선출되었다.

09 한국의 정치, 경제적 발전 정답: ⑤
한국에 대한 정치 · 경제 발전 개념도로, 1997년에 외환위기를 겪었다.
| 오답 피하기 |
①, ②, ④ 중국, ③ 일본에 해당한다.

10 한국과 다문화 사회 정답: ③
오늘날 한국에 체류하는 외국인은 10년 전에 비해서 세 배 가까이 늘어났다.
| 오답 피하기 |
① 신석기 시대 이래 오늘날 외국 귀화자들까지 모두 한국인을 구성한다. ② 항왜인은 일본군으로서 귀순한 자이다. ④ 외래 문화를 받아들여 우리의 고유한 문화로 수용하였다. ⑤ 여러 가지 반발이 있었다.

11 한국과 일본의 경제 성장
(1) 한국과 일본의 경제 성장의 공통점을 묻는 문제이다.
| 모범 답안 |
국가가 주도한 수출 중심 정책을 펼쳤으며, 베트남 전쟁 특수가 경제 성장의 밑거름이 되었다. 경제 성장 초기에 반공 동맹을 강화하려는 미국의 경제 · 군사적 지원을 받았다.
| 채점 기준 |

상	공통점 세가지를 모두 적절하게 쓴 경우
중	공통점 한두 가지만 적절하게 쓴 경우
하	공통점에 대해 제대로 쓰지 못한 경우

(2) 냉전 해체 후 무역 구조가 미국 중심에서 동아시아 중심으로 변화했다.

| 모범 답안 |

중국의 개혁·개방 이후 동아시아 무역 구조가 미국 중심에서 역내로 그 중심이 변화하고 있다.

| 채점 기준 |

상	중국의 개혁·개방과 역내로의 중심 이동을 모두 적절하게 쓴 경우
중	중국의 개혁·개방과 역내로의 중심 이동 중 하나만 적절하게 쓴 경우
하	중국의 개혁·개방과 역내로의 중심 이동을 두 가지 모두 쓰지 못한 경우

12 한국과 일본이 중국의 경제 발전에 끼친 영향

한국, 중국, 일본은 상호 보완적인 관계이다.

| 모범 답안 |

중국은 한국의 수출 주도형 발전 전략을 자세히 연구하여 일부 받아들였다. 이와 함께 한·일 자본과 기술이 화교 자본과 함께 중국의 급속한 경제 성장에 기여하였다.

| 채점 기준 |

상	중국에 한·일이 미친 영향을 두 가지 모두 서술한 경우
중	중국에 한·일이 미친 영향 중 한 가지만 서술한 경우
하	중국에 한·일이 미친 영향을 두 가지 모두 서술하지 못한 경우

3단계 내신 만점 도전하기 224~225쪽

01 ③	02 ②	03 ⑤	04 ⑤
05 ①	06 ⑤	07 ③	08 ③

01 덩샤오핑의 개혁·개방 정책 정답: ③

당의 기본 노선은 개혁·개방 정책이다. 덩샤오핑은 남순 강화를 통해 개혁·개방을 촉구하였다.

| 오답 피하기 |

① 마오쩌둥이 수정주의 세력을 숙청하고자 벌였다. ② 1953년, ④ 대약진 운동, ⑤ 사회주의 정부 수립 직후에 해당한다.

02 문화 대혁명의 시작 정답: ②

제시된 자료는 루산(廬山) 회의(제8기 8중 전회) 중 발표된 '펑더화이 동지의 의견서'로, 펑더화이는 대약진 운동의 실패 책임을 물으며 마오쩌둥을 우회적으로 비판하였다. 이에 반발한 마오쩌둥은 홍위병을 동원해 문화 대혁명을 일으켰다.

03 덩샤오핑의 개혁·개방 정책 정답: ⑤

덩샤오핑은 적극적인 개혁·개방 정책을 추진하였다. ㄷ. 베트남의 도이머이 정책, ㄹ. 중국의 개혁·개방 정책의 내용이다.

| 오답 피하기 |

ㄱ, ㄴ. 모두 북한과 관련 있다.

04 동중국해, 남중국해 해상 영토 분쟁의 배경 정답: ⑤

동중국해와 남중국해는 중동의 페르시아만에서 인도양, 동남아시아, 한·중·일까지 이어지는 무역로이자 원유 수송로이다. 또한 석유와 천연가스가 많이 매장되어 있어 분쟁이 커지고 있다.

05 영토 분쟁 지역 정답: ①

(가) 쿠릴 열도는 일본이 고유 영토라고 주장하며 반환을 요구하고 있고, (나) 센카쿠 열도는 일본이 청·일 전쟁 중에 강제 편입하였다.

| 오답 피하기 |

ㄷ. (다) 파라셀 군도는 중국과 베트남, ㄹ. (라) 스프래틀리 군도는 중국과 동남아시아 여러 나라들이 분쟁 중이다.

06 독도 영유권 정답: ⑤

독도가 우리 땅인 근거는 우산국 복속, 현재 실효 지배하고 있는 점, 안용복의 활약, 일본의 「삼국접양지도」 등을 들 수 있다. ⑤ 대한 제국은 러·일 전쟁보다 빠른 1900년에 칙령 제41호를 통하여 울릉도(울도)의 독도(석도) 관할을 명시하였다.

07 고노 담화 정답: ③

제시문은 「평화헌법」 개정에 반대하고 있다. ③ 고노 담화는 일본군이 위안소의 설치, 관리 및 일본군 '위안부'의 이송에 직·간접적으로 관여하였고, 본인의 의사에 반하는 강압적인 사례가 많았음을 인정하고 사과한 담화이다.

| 오답 피하기 |

①, ②, ④, ⑤ 일본에서는 국제 평화에 적극 기여한다는 명분과 중국 견제를 위해 미·일 동맹이 강화되면서 「평화헌법」 체제가 흔들리고 있다.

08 공동의 역사 인식을 만들기 위한 노력 정답: ③

제시문은 독일-프랑스의 공동 역사 교과서 사례에 대한 것이다. 이것은 양국의 고등학교 교과서로 채택되었으며, 전 세계 국가에 갈등 해결의 모델로 주목받고 있다.

| 오답 피하기 |

① 다문화 사회, ② 일본군 '위안부' 문제와 관련 있다. ④ 국제 연대 활동은 인권, 여성, 환경, 평화 등의 문제를 공유한다.

심화 수능 유형 익히기 226쪽

01 ③	02 ①

01 문화 대혁명 당시 동아시아 정치 상황 정답: ③

문화 대혁명은 1966~1976년까지 진행되었다. ③ 1973년 파리 평화 협정이 체결되면서 미군이 베트남에서 철수하였다.

| 오답 피하기 |

① 1960년, ② 1980년대(1978년에 시작), ④ 1980년대, ⑤ 1990년대의 일이다.

02 대약진 운동 정답: ①

중국은 대약진 운동을 펼쳐 인민공사를 설립하는 등 급진적인 공산주의화를 추진하였다.

| 오답 피하기 |

② 냉전 완화, ③ 덩샤오핑의 개혁·개방 정책, ④ 문화 대혁명에 해당한다. ⑤ 코민포름은 1947년 설립된 국제 공산주의 정보기관이다.

심화 기출 지문 활용하기 227쪽

01 해설 참조 02 ② 03 ④ 04 해설 참조 05 ④ 06 ⑤

01 류큐와 스프래틀리 군도

A는 오키나와로, 옛 이름은 류큐이다.

| 모범 답안 |

오키나와의 옛 이름은 류큐로, 최근에 주일 미군 문제 등으로 인하여 일본으로부터 분리 독립을 추진하기도 하였다.

| 채점 기준 |

상	옛 이름과 분리 독립을 모두 서술함.
중	둘 중 하나만 서술함.
하	옛 이름과 분리 독립을 두 가지 모두 서술하지 못함.

02 오키나와와 스프래틀리 군도 위치 알기 정답: ②

(가)는 오키나와, (나)는 스프래틀리 군도이다. A는 오키나와, B는 센카쿠 열도(댜오위다오), C는 파라셀(시사, 호앙사) 군도, D는 6개국이 분쟁 중인 스프래틀리 군도이다.

03 아시아 각지의 지역 분쟁 정답: ④

네덜란드 헤이그의 상설 중재 재판소(PCA)는 중국이 주장하는 남중국해 영유권이 근거가 없다고 판결하였으나, 이에 대해 중국은 수용하지 않고 있다.

| 오답 피하기 |

① 타이완, ② 센카쿠 열도에 해당한다. ③ 인도와는 무관하다. ⑤ (가)에만 해당된다.

04 6월 항쟁과 문화 대혁명

6월 항쟁은 한국의 민주화를 이끈 대표적인 시민 혁명이다. 홍위병은 문화 대혁명 때의 마오쩌둥 지지 세력이다.

| 모범 답안 |

6월 항쟁으로 한국에서 대통령 직선제 개헌 등 민주화 조치가 이루어졌고, 문화 대혁명은 마오쩌둥이 반대파를 제거하는 데 이용되었다.

| 채점 기준 |

상	6월 항쟁과 문화 대혁명 결과를 두 가지 모두 서술함.
중	6월 항쟁과 문화 대혁명의 결과를 하나만 서술함.
하	6월 항쟁과 문화 대혁명 결과를 두 가지 모두 서술하지 못함.

05 6월 항쟁과 문화 대혁명 정답: ④

6월 항쟁은 직선제 개헌, 5년 단임제의 개헌을 이끌었고, 문화 대혁명은 마오쩌둥이 반대파를 제거하는 데 이용되었다.

| 오답 피하기 |

① 4·19 혁명, ② 일본에 해당한다. ③ 대약진 운동의 실패를 만회하기 위한 정치적 선동의 성격이 강하다. ⑤ 6월 항쟁에만 해당한다.

06 6월 항쟁과 문화 대혁명 정답: ⑤

6월 항쟁으로 만들어진 헌법이 현재 대한민국의 헌법이다. 중국의 문화 대혁명은 민주화 운동과 거리가 멀다.

대주제 5 마무리하기 228~230쪽

01 ⑤ 02 ④ 03 ③ 04 ① 05 ③ 06 ④
07 ③ 08 ② 09 ③ 10 ⑤ 11 ③ 12 ⑤

01 샌프란시스코 강화 조약 정답: ⑤

제시된 자료는 샌프란시스코 강화 조약으로, 일본의 주권 회복, 연합국의 배상 청구권 포기 등이 특징이다.

| 오답 피하기 |

① 6·25 전쟁 휴전 협상 중 추진되었다. ③ 한국과 중국은 참여하지 못하였다. ④ 미·일 안보 조약을 맺어 군사 동맹 관계를 구축하였다.

02 일본 신헌법(「평화헌법」) 정답: ④

일본의 신헌법은 비무장과 민주화를 기본 원칙으로 제정되었다.

| 오답 피하기 |

① 신헌법은 1946년 공포, 극동 군사 재판은 1948년에 종료되었다. ③ 1955년, 개헌 세력이 자유민주당을, 호헌 세력이 사회당을 만들었다. ⑤ 천황을 상징적인 존재로 규정하였다.

03 통킹만 사건 정답: ③

자료의 사건은 통킹만 사건(1964년)이고, 베트남 전쟁은 1975년까지 이어졌다. ㄴ, ㄷ. 모두 1972년에 이루어졌다.

| 오답 피하기 |

ㄱ. 1952년, ㄹ. 인민공사의 조직은 1958년부터이다.

04 6·25 전쟁과 1차 베트남 전쟁 정답: ①

(가) 6·25 전쟁은 냉전 체제를 고착화하였고, (나) 1차 베트남 전쟁은 베트남과 프랑스의 전쟁이다.

| 오답 피하기 |

②, ③, ④ 2차 베트남 전쟁, ⑤ (가)는 정전 협정, (나) 제네바 합의로 마무리되었다.

05 일본의 경제 성장 정답: ③

플라자 합의로 미국 달러화에 대한 일본 엔화의 환율이 절상되었다. ③ 타이완 경제 성장의 특징이다.

06 일본, 한국, 타이완 경제 성장 정답: ④

국가가 주도한 수출 중심 정책, 베트남 전쟁 특수, 미국의 경제·군사적 지원을 받은 것이 공통점이다.

| 오답 피하기 |

ㄱ. 한국만 해당된다. ㄷ. 중국의 개혁·개방 정책이다.

07 중국과 북한의 경제 특구 정답: ③

북한은 경제 침체를 타개하고자 1980년대 중반부터 합영법을 제정하고 경제특구를 지정하였다.

| 오답 피하기 |

① 현재도 경제특구로서 운영되고 있다. ② 인민공사를 해체하고 개혁 정책을 추진하였다. ④ 북한의 경제 사정이 나빠지기 시작한 것은 소련과 동유럽 사회주의권의 몰락부터이다. ⑤ 북한의 핵개발은 1990년대부터 시작되었다.

08 한국의 5·18 민주화 운동과 중국의 톈안먼 사건 정답: ②

모두 정치 개혁과 민주화를 요구한 사건으로 무력 진압되었다.

| 오답 피하기 |

ㄴ. 4·19 혁명에 해당한다. ㄹ. 계엄군이 시위대를 무력 진압하였다.

09 일본의 우경화와 교과서를 통한 역사왜곡 정답: ③

제시된 자료는 역사 교과서 왜곡과 관련된 것이다. 이에 한국과 일본의 시민 단체가 연대하여 역사 교과서 왜곡 저지 운동을 전개하고 있다.

| 오답 피하기 |

① 야스쿠니 신사 참배 문제, ② 일본군 '위안부' 문제, ④ 독도 문제와 관련이 있다. ⑤ 유엔 여성 차별 위원회는 일본 정부가 공식 사죄와 배상을 해야 한다고 권고하였다.

10 한국의 6월 항쟁과 중국의 톈안먼 사건 정답: ⑤

(가)는 박종철군 고문치사 은폐 조작 규탄 및 호헌 철폐 국민 대회 결의문, (나)는 톈안먼 사건 당시 단식 선언이다. 6월 항쟁에서는 박종철 학생의 죽음이 발단이 되었고, 톈안먼 사건은 무력 진압되어 많은 시민들이 희생되었다.

| 오답 피하기 |

① 직선제 개헌을 요구하였다. ② 6월 항쟁 후 치러진 대선에서 집권 민정당이 승리하였다. ③, ④ 톈안먼 사건은 정치 개혁과 민주화를 요구하였다.

11 공동의 역사 인식을 위한 역사 대화 정답: ③

국가 간 공통된 역사 인식을 갖추기 위해 정부 차원에서 공동 연구를 진행했으나, 2010년 이후 모두 중단된 상태이다. 반면 민간 차원에서의 노력은 꾸준히 진행되고 있다.

12 동아시아 공동체의 꿈 정답: ⑤

(가)의 ㉠은 아세안(ASEAN)+3으로 아세안과 3개 국가를 포함한 국제 회의체이다. ⑤ 동아시아 전체의 문화 교류는 정치, 군사적 상황과 관계 없이 지속적으로 활발해지고 있다.

비판적 사고 기르기

231쪽

01 | 모범 답안 |

애초 '동북공정'은 중국의 고구려사 왜곡, 고구려사 빼앗기 사업으로 알려져 있었으나, 더 나아가 다음과 같은 의도가 밝혀졌다. 첫째는 고조선·발해의 역사까지 중국사로 편입시키려 하였다는 것이다. 둘째는 더 나아가 한반도의 정세 변화에 대비한 역사적 명분 마련을 위한 중국의 국가 전략이라는 점이다.

| 채점 기준 |

상	'동북공정'의 실제 의도 두 가지를 모두 서술한 경우
중	'동북공정'의 실제 의도를 한 가지만 서술한 경우
하	'동북공정'의 실제 의도를 두 가지 모두 서술하지 못한 경우

02 | 모범 답안 |

우선 '동북공정'과 관련하여 이미 출간되거나 출간될 결과물에 대해 지속적인 점검을 통해 중국의 주장이 확산되지 않도록 해야 한다. 둘째는 우리 학계가 연구를 선도해 나가면서 중국 측의 자의적인 역사 해석에 대하여 과학적이고 학문적인 차원에서 오류를 시정해야 한다. 셋째, 고구려사나 고조선, 발해사 연구자를 양성해야 한다. 그 외에도 우리의 성과를 세계에 널리 알리는 것, 우리나라 안에서 역사 교육의 강화, 외교적 노력, 우리 역사에 대한 관심과 애정 등을 들 수 있다.

| 채점 기준 |

상	제시된 대응 방안 세 가지 모두 정확하게 제시한 경우
중	제시된 대응 방안 중 한두 가지만 제시한 경우
하	제시된 대응 방안을 한 가지도 서술하지 못한 경우

2015 개정 교육과정

고등학교 동아시아사 자습서

교과서 활동 풀이
및 정답과 해설